Bibliothèque et Archives nationales du Québec
Bibliothèque Nationale du Canada

Éditions AdA Inc.
1385, boul. Lionel-Boulet
Varennes, Québec, Canada, J3X 1P7
Téléphone : 450-929-0296
Télécopieur : 450-929-0220
www.ada-inc.com
info@ada-inc.com

Diffusion

Canada : Éditions AdA Inc.
France : D.G. Diffusion
Z.I. des Bogues
31750 Escalquens — France
Téléphone : 05.61.00.09.99
Suisse : Transat — 23.42.77.40
Belgique : D.G. Diffusion — 05.61.00.09.99

Imprimé au Canada

Participation de la SODEC.
Nous reconnaissons l'aide financière du gouvernement du Canada par l'entremise du Fonds du livre du Canada (FLC) pour nos activités d'édition.
Gouvernement du Québec — Programme de crédit d'impôt pour l'édition de livres — Gestion SODEC.

Catalogage avant publication de Bibliothèque et Archives nationales du Québec et Bibliothèque et Archives Canada

Laurens, Stephanie

La promesse d'un séducteur
(Un roman de la série Cynster ; 2)
Traduction de: A rake's vow.
ISBN 978-2-89733-100-9
I. Leith, Lynda. II. Titre.

PR9619.3.L376R3414 2013 823'.914 C2013-940655-7

Un roman de la série Cynster

La promesse d'un séducteur

Stephanie Laurens

Traduit de l'anglais par
Lynda Leith

L'arbre généalogique de la famille Cynster

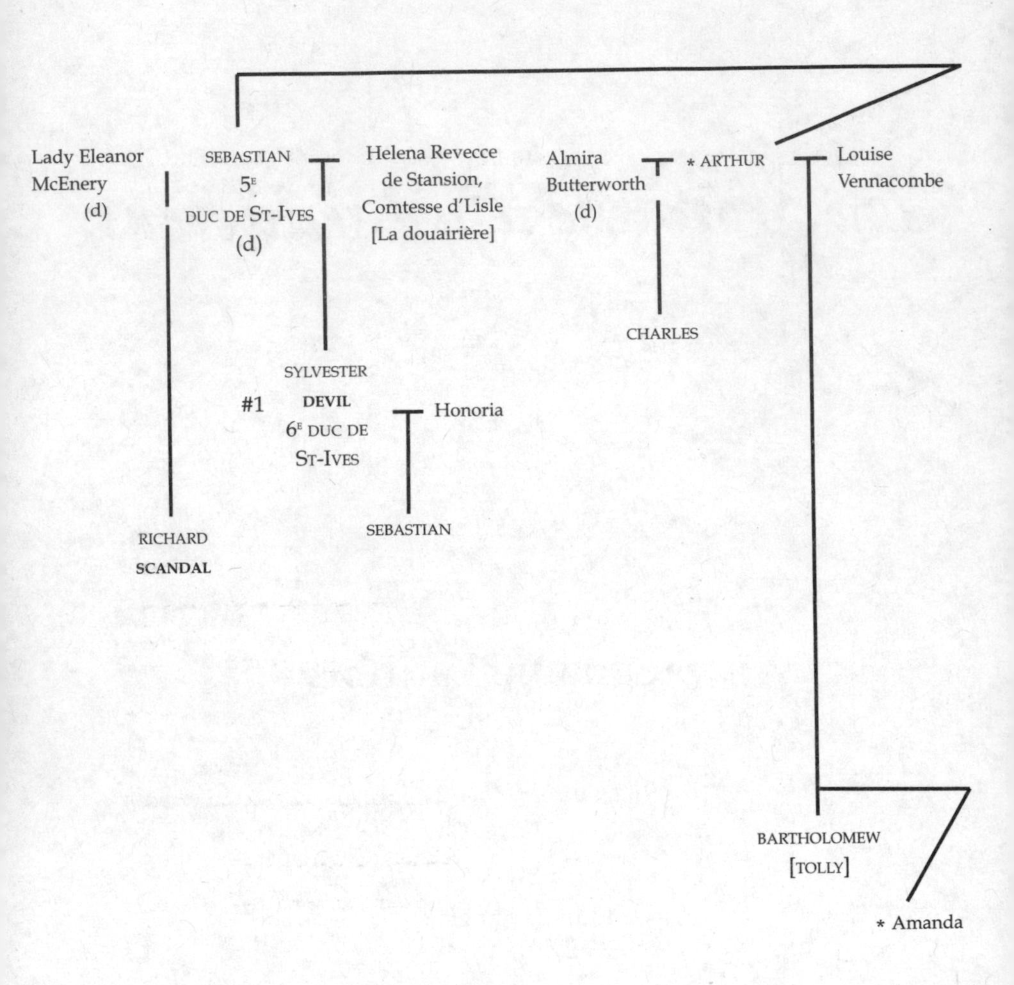

SÉRIE CYNSTER

1 *La fiancée de Devil*

 # 2 La promesse d'un séducteur

Les noms en capitales indiquent les membres masculins de la famille Cynster.

* Indique des jumeaux.

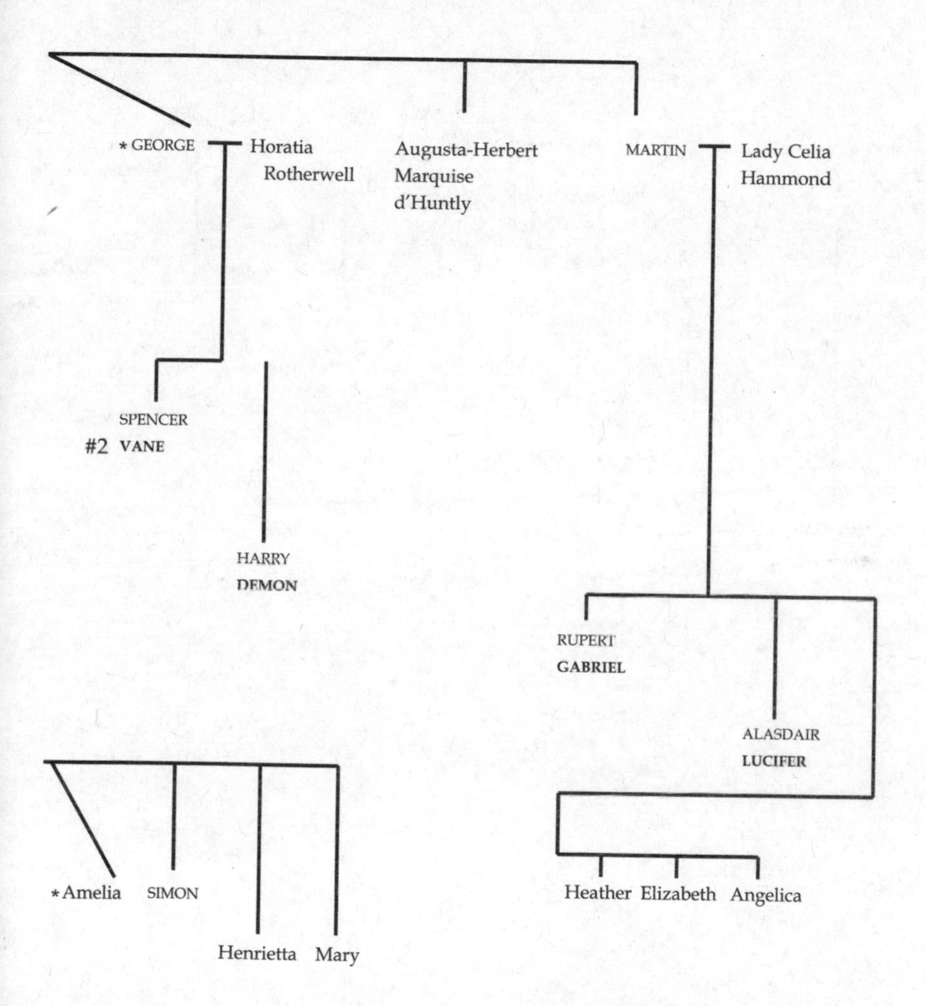

* GEORGE
Horatia Rotherwell
Augusta-Herbert Marquise d'Huntly
MARTIN
Lady Celia Hammond
SPENCER
#2 VANE
HARRY
DEMON
RUPERT
GABRIEL
ALASDAIR
LUCIFER
*Amelia
SIMON
Henrietta
Mary
Heather
Elizabeth
Angelica

Chapitre 1

Octobre 1819
Northamptonshire

— Il faut que vous accélériez. On dirait que les monstres de l'enfer sont sur nos talons.

— Pardon?

Tiré brusquement de sa méditation troublée, Vane Cynster détourna le regard des oreilles de son cheval de tête et regarda derrière, faisant surgir Duggan, son valet, dans son champ de vision — ainsi que l'amoncellement de cumulonimbus plongeant sur eux.

— La barbe!

Vane regarda droit devant et fit claquer les rênes. Le duo de chevaux gris harnaché à son carrosse allongea puissamment le pas. Il jeta un coup d'œil par-dessus son épaule.

— Penses-tu que nous pouvons les distancer?

Examinant les nuages orageux, Duggan secoua la tête.

— Nous avons cinq kilomètres d'avance sur eux, peut-être huit. Pas assez pour retourner à Kettering ni pour atteindre Northampton.

Vane jura. Ce n'était pas l'idée d'être trempé jusqu'aux os qui préoccupait son esprit. Le désespoir l'aiguillonnait; les yeux sur la route alors que les chevaux continuaient d'avancer, il chercha une autre voie, une échappatoire.

Quelques minutes avant seulement, il pensait à Devil, duc de St-Ives, son cousin, son compagnon de jeunesse et ami le plus intime — et à la femme que le destin lui avait accordée. Honoria, à présent duchesse de St-Ives. Elle qui avait ordonné à Vane et aux quatre autres membres encore célibataires de la barre Cynster de payer le toit de l'église du village de Somersham, près de la résidence ducale principale, en plus d'assister à sa cérémonie de consécration. Il était vrai que l'argent dont ils devaient se délester, selon ses ordres, provenait de gains mal acquis, les profits d'un pari que ni elle ni leurs mères n'avaient approuvé. Le vieil adage selon lequel les seules femmes dont devaient se méfier les mâles Cynster étaient les épouses Cynster restait vrai pour cette génération comme pour la précédente. La raison qui expliquait cela n'en était pas une sur laquelle aucun homme Cynster n'aimait s'attarder.

Voilà pourquoi il éprouvait un besoin aussi pressant de s'écarter du trajet de la tempête. Le destin, sous le déguisement d'un orage, avait organisé la rencontre entre Honoria et Devil, dans des circonstances qui avaient pratiquement garanti leur mariage subséquent. Vane n'avait pas l'intention de courir des risques inutiles.

— Le manoir Bellamy.

Il s'accrocha à cette pensée comme un homme sur le point de se noyer.

— Minnie nous offrira le gîte.

— C'est une idée.

Duggan semblait plus optimiste.

— L'embranchement devrait être proche.

Il était de l'autre côté du virage suivant ; Vane prit la courbe à haute vitesse, puis jura et ralentit ses bêtes. La voie étroite n'était pas aussi bien pavée que la route qu'ils venaient d'abandonner. Trop attaché à ses chevaux aux pas relevés pour risquer de les blesser, il se concentra, les faisant avancer aussi vite qu'il l'osait, tristement conscient de l'obscurité grandissante d'un crépuscule anormal et hâtif ainsi que du vent qui se levait en gémissant. Il avait quitté la Maison Somersham, la résidence principale de Devil, peu après le déjeuner, ayant passé la matinée à l'église pour la messe de consécration du toit que lui et ses cousins avaient payé. Avec l'intention de rendre visite à des amis près de Leamington, il avait laissé Devil au plaisir de la compagnie de sa femme et de son fils et s'était dirigé vers l'ouest. Il s'était attendu à atteindre aisément Northampton et le confort du Blue Angel. Au lieu de cela, à cause du destin, il passerait la nuit avec Minnie et ses pensionnaires.

Au moins, il serait en sûreté.

À travers les haies sur leur gauche, Vane aperçut de l'eau au loin, gris plomb sous le ciel qui s'assombrissait. La rivière Nene, ce qui signifiait que le manoir Bellamy était proche ; il se dressait sur une longue élévation inclinée dominant la rivière.

Des années s'étaient écoulées depuis sa dernière visite — il ne se rappelait pas combien exactement, mais de son accueil favorable, il ne doutait pas. Araminta, lady Bellamy, veuve excentrique d'un homme riche, était sa marraine. N'ayant jamais eu le bonheur d'avoir d'enfants, Minnie ne l'avait jamais traité comme tel ; au fil des ans, elle était devenue une bonne amie. Une amie parfois trop perspicace, sans retenue dans ses sermons, mais une amie tout de même.

Fille d'un vicomte, Minnie était née avec une place dans la haute société. Après la mort de son mari sir Humphrey Bellamy, elle s'était retirée de la vie mondaine, préférant demeurer au manoir Bellamy, présidant un foyer de parents pauvres et de personnes dignes de recevoir une aide charitable sujettes à changer à l'occasion.

Une fois, lorsqu'il lui avait demandé pourquoi elle s'entourait de tels parasites, Minnie avait répondu qu'à son âge, la nature humaine constituait sa principale source de distraction. Sir Humphrey l'avait assez bien pourvue pour se permettre cette fantaisie et le manoir Bellamy, grotesquement titanesque, était assez vaste pour abriter son étrange ménage*. Dans le but de rester saines d'esprit, elle et sa dame de compagnie, madame Timms, s'offraient de temps en temps de courts séjours dans la capitale, laissant le reste de la maisonnée dans le Northamptonshire. Vane rendait toujours visite à Minnie lorsqu'elle séjournait en ville.

Des tourelles gothiques surplombèrent des arbres devant, puis des montants en briques apparurent, avant les lourdes portes en fer forgé laissées entrouvertes. Avec un sourire sombrement satisfait, Vane y engagea ses chevaux ; ils avaient battu l'orage — le destin ne l'avait pas surpris en train de dormir. Il mit les bêtes grises au petit trot le long de l'allée droite. D'énormes buissons s'amoncelaient à proximité, frissonnant sous le vent ; des arbres anciens couvraient le gravier d'ombres mouvantes.

* En français dans le texte original.

Sombre et lugubre, avec sa multitude de fenêtres ternes observant comme autant d'yeux inexpressifs dans l'obscurité qui gagnait du terrain, le manoir Bellamy occupait tout un bout de l'allée semblable à un tunnel. Une monstruosité gothique grande et informe, avec d'innombrables éléments architecturaux ajoutés côte à côte, tous récemment embellis avec une extravagance géorgienne, il aurait dû avoir l'air hideux et pourtant, dans le parc envahi par la végétation avec la cour circulaire en façade, le manoir réussissait à échapper à une franche laideur.

C'était, pensa Vane alors qu'il traversait la cour et se dirigeait vers les écuries, une résidence adéquatement ésotérique pour une vieille dame excentrique et son étrange maisonnée. Alors qu'il tournait au coin de la demeure, il ne vit aucun signe de vie.

Il y avait, par contre, de l'activité dans les écuries où des valets rentraient avec hâte les chevaux en prévision de la tempête. Laissant Duggan et le palefrenier de Minnie, Grisham, s'occuper des chevaux gris, Vane marcha à grands pas vers la maison et suivit le sentier traversant les massifs d'arbustes. Bien qu'envahi par la végétation, il était praticable ; le sentier débouchait sur une aire de pelouse mal entretenue qui tournait au coin d'une aile. De l'autre côté, Vane le savait, se trouvait la porte latérale, face à un vaste parterre de pelouse accueillant une petite armée d'énormes pierres, restes d'une abbaye sur laquelle le manoir était en partie construit. Les ruines s'étiraient sur une certaine distance ; le manoir lui-même avait grandi autour du vestibule de l'abbaye, autrement détruite à l'époque de la dissolution des monastères.

Alors qu'il approchait du coin, il aperçut les blocs de grès usés par les intempéries, éparpillés sans logique sur l'épais tapis vert. Au milieu de l'étendue, une unique arche, tout ce qui restait de la nef de l'abbaye, s'élevait sur le ciel qui s'assombrissait. Vane sourit ; tout était exactement tel que dans son souvenir. Rien n'avait changé en vingt ans au manoir Bellamy.

Il tourna le coin — et découvrit qu'il avait tort.

Il s'arrêta, puis cligna des paupières. Pendant une minute entière, il resta immobile, le regard fasciné, l'esprit totalement concentré. Puis, le regard toujours fixe, l'esprit complètement occupé par la vision de la femme devant lui, il s'avança sans se presser, ses pas étouffés par l'épaisse pelouse. Il s'arrêta en face d'un grand oriel à deux pas d'une plate-bande circulaire devant elle.

Directement derrière la dame, vêtue de cotonnade fleurie poussée par le vent, penchée et fouillant partout dans les fleurs.

— Tu pourrais m'aider.

Patience Debbington souffla sur les boucles s'emmêlant dans ses cils et fronça les sourcils en regardant Myst, sa chatte, bien assise dans les mauvaises herbes, une expression énigmatique sur son minois indéchiffrable.

— Il doit bien être ici quelque part.

Myst se contenta de cligner ses grands yeux bleus. Avec un soupir, Patience se pencha aussi loin qu'elle osa et farfouilla dans les herbes et les vivaces. Pliée à la taille, tendant la main dans la plate-bande, s'accrochant à son bord friable avec le bout de ses chaussures à semelles souples, cela était loin d'être la position la plus élégante, ni la plus stable.

Non qu'elle eut à s'inquiéter que quelqu'un la voie — tous les autres s'habillaient pour le dîner. Ce qui était précisément ce qu'elle devrait faire — serait en train de faire — si elle n'avait pas remarqué la disparition du petit vase en argent qui décorait le bord de sa fenêtre. Comme elle avait laissé la fenêtre ouverte, et que Myst se servait souvent de cette voie pour aller et venir, elle s'était dit que Myst avait dû renverser le vase en passant et qu'il avait roulé dehors, par-dessus le bord plat et qu'il était tombé dans la platebande en dessous.

Elle avait repoussé le fait qu'elle n'avait jamais eu connaissance que Myst eut involontairement fait basculer quoi que ce soit ; il valait mieux croire que Myst avait été maladroite plutôt que penser que leur mystérieux voleur avait encore frappé.

— Il n'est pas ici, conclut Patience. Du moins, je ne le vois pas.

Toujours penchée, elle regarda Myst.

— Et toi ?

Myst cligna de nouveau les yeux et regarda derrière Patience. Puis, la chatte au poil lustré gris se leva et sortit élégamment à pas feutrés de la plate-bande.

— Attends !

Patience se tourna à demi, mais elle se retourna aussitôt vivement, s'efforçant de rétablir son équilibre chancelant.

— Il y a un orage qui approche, ce n'est *pas* le temps d'aller chasser les souris.

Sur ces mots, elle réussit à se redresser — ce qui l'amena carrément face à la maison, regardant directement les fausses fenêtres du salon du rez-de-chaussée. Avec la tempête qui obscurcissait le ciel, les fenêtres étaient réfléchissantes. Elles renvoyaient l'image d'un homme se tenant droit dans son dos.

Inspirant brusquement, Patience pivota rapidement. Son regard se heurta à celui de l'homme — ses yeux étaient durs, d'un gris cristallin, pâles sous la faible clarté. Ils étaient centrés sur elle, intensément, avec une expression qu'elle ne pouvait pas comprendre. Il ne se tenait pas à plus d'un mètre, grand, élégant et d'allure étrangement sévère. Pendant l'instant où son esprit enregistra ces faits, Patience sentit ses talons s'enfoncer et s'enfoncer — dans le sol mou de la plate-bande.

Le bord s'écroulait sous ses pieds.

Ses yeux s'arrondirent brusquement — ses lèvres formèrent un « ho ». Battant l'air de ses bras, elle commença à basculer…

L'homme réagit vite dans un mouvement confus — il agrippa le haut de ses bras et la tira en avant.

Elle atterrit contre lui, les seins contre son torse, les hanches sur ses cuisses dures. Elle eut le souffle coupé, en resta haletante, mentalement autant que physiquement. Des mains dures la maintinrent droite, des longs doigts comme des bracelets de fer autour de ses bras. Son torse était un mur de pierre contre ses seins ; le reste de son corps, les longues cuisses qui soutenaient leurs corps ensemble, semblaient aussi solides que de l'acier à haute résistance.

Elle était sans défense. Totalement, complètement et absolument sans défense.

Patience leva les yeux et rencontra le regard à la paupière tombante de l'étranger. Pendant qu'elle l'observait, ses yeux gris s'assombrirent. L'expression qu'ils contenaient — intensément attentifs — provoqua chez elle une étrange excitation.

Elle cilla ; son regard tomba — sur les lèvres de l'homme. Longues, minces et pourtant merveilleusement proportionnées, elles avaient été sculptées en vue de fasciner. En tout cas, elle était fascinée par elles ; elle était incapable d'en arracher son regard. Les contours magnétiques changèrent de position, s'adoucissant presque imperceptiblement ; ses propres lèvres picotèrent. Elle avala et inspira avec difficulté une bouffée d'air d'une absolue nécessité.

Ses seins se soulevèrent, se déplaçant sur le manteau de l'étranger, se pressant d'une manière plus définitive contre son torse. Des sensations la traversèrent comme un éclair, dans ses mamelons durcis de manière inattendue jusqu'au bout de ses orteils. Elle reprit encore son souffle et se raidit, mais elle ne put retenir le frisson qui la parcourut.

Les lèvres de l'étranger s'amincirent ; les lignes austères de son visage se durcirent. Ses doigts se refermèrent sur les bras de Patience. À la stupéfaction abasourdie de cette dernière, il la souleva — facilement — et la déposa avec précaution un demi-mètre plus loin. Puis, il recula et exécuta une révérence nonchalante.

— Vane Cynster.

Un sourcil brun s'arqua ; ses yeux restèrent sur elle.

— Je suis ici pour voir lady Bellamy.

Patience cligna des paupières.

— Ah... oui.

Elle ignorait qu'un homme put bouger ainsi — particulièrement des hommes comme lui. Il était si grand, si large, svelte, mais bien musclé, néanmoins sa coordination avait été parfaite, la grâce élégante imprégnant sa courtoisie nonchalante la rendant fascinante d'une manière indéfinissable. Ses mots prononcés d'une voix si grave qu'elle aurait pu la prendre par erreur pour le grondement de l'orage finirent par pénétrer sa conscience ; s'efforçant de maîtriser ses pensées, elle gesticula vers la porte à sa droite.

— Le premier gong a sonné.

Vane rencontra son regard large et réussit à ne pas sourire comme un loup — inutile d'effrayer la proie. La vision qu'il avait à présent — de délicieuses courbes remplissant une robe de cotonnade fleurie ivoire d'une manière qu'il approuvait totalement — était tout aussi attirante que la première vision qui l'avait retenu, le splendide arrondi de son derrière nettement défini sous le tissu tendu. Quand elle avait bougé, les courbes avaient suivi. Il ne se souvenait pas d'une vision l'ayant un jour autant cloué sur place, ayant tenté à ce point ses sens de séducteur.

Elle était de taille moyenne, son front lui arrivant à la gorge. Sa chevelure brune luisant magnifiquement était confinée dans un chignon élégant, des mèches claires s'échappant autour de ses oreilles et de son cou. De délicats sourcils bruns encadraient de larges yeux noisette, leur expression difficile à discerner dans l'obscurité. Son nez était droit ; son teint crémeux. Ses lèvres roses ne demandaient qu'à être embrassées. Il était passé à un cheveu de les embrasser, mais goûter une dame inconnue avant les présentations requises ne se faisait tout simplement pas.

Son silence avait permis à Patience de reprendre ses esprits ; il sentit sa résistance grandissante, sentit un début de froncement de sourcils. Vane laissa ses lèvres se retrousser. Il savait exactement ce qu'il désirait faire — à elle, avec elle ; les seules questions qui restaient étaient où et quand.

— Et vous êtes ?

Ses yeux se plissèrent imperceptiblement. Elle se redressa, serrant les mains devant elle.

— Patience Debbington.

Il fut sous le choc, frappé comme par un lourd boulet de canon qui le laissa hors d'haleine. Vane la dévisagea ; le froid naquit dans son torse. Il se propagea rapidement, raidissant un muscle après l'autre en une réaction de refus. Puis, l'incrédulité monta. Il jeta un coup d'œil à sa main gauche. Aucune alliance quelle qu'elle soit ne décorait son majeur.

Elle ne *pouvait pas* être célibataire — elle avait la mi-vingtaine ; aucune femme plus jeune ne possédait des courbes aussi développées que les siennes. De cela, il était sûr : il avait passé la moitié de sa vie à étudier les rondeurs féminines ; dans ce domaine, il était expert. Elle était peut-être veuve — potentiellement mieux encore. Elle l'examinait à la dérobée, son regard glissant sur lui.

Vane sentit la caresse de ce regard, sentit le chasseur en lui réagir à ce coup d'œil ingénu ; sa méfiance revint.

— *Mademoiselle* Debbington ?

Levant les yeux, elle hocha la tête — Vane gémit presque. Dernière chance — une vieille fille, pauvre et sans lien de parenté. Il pourrait faire d'elle sa maîtresse.

Elle avait dû lire dans ses pensées ; avant qu'il puisse formuler sa question, elle y répondit.

— Je suis la nièce de lady Bellamy.

Un coup de tonnerre noya presque ses mots ; sous le couvert du bruit, Vane jura dans sa barbe, résistant tout juste à son envie soudaine de lancer son imprécation au ciel. Le destin le regardait à travers des yeux noisette et clairs. Des yeux noisette désapprobateurs.

— Si vous voulez bien venir par ici — en agitant la main, elle indiqua la porte à proximité, puis prit la tête d'un air hautain, je vais demander à Masters d'informer ma tante de votre arrivée.

Ayant assimilé le style, et par conséquent le rang, du visiteur inattendu de Minnie, Patience ne fit aucune tentative pour dissimuler son opinion ; un mépris dédaigneux teinta sa voix.

— Ma tante vous attend-elle ?

— Non, mais elle sera ravie de me voir.

Était-ce un reproche subtil qu'elle décela dans ses accents un peu trop suaves ? Ravalant son indignation prétentieuse, Patience continua son chemin. Elle sentait sa présence large et intensément masculine rôder dans son sillage. Ses sens tressaillirent ; elle les reprit fermement en main et leva le menton.

— Si vous voulez bien patienter au salon — c'est la première porte à votre droite, Masters viendra vous chercher quand ma tante sera prête à vous recevoir. Comme je l'ai mentionné, la maisonnée se change en ce moment pour le dîner.

— En effet.

Le mot, prononcé doucement, l'atteignit alors qu'elle s'arrêtait devant la porte latérale ; Patience sentit un picotement froid se glisser le long de son échine. Et elle sentit la caresse du regard gris sur sa joue, sur la peau sensible de sa gorge. Elle se raidit, résistant à l'envie de se tortiller. Elle baissa les yeux, décidée à ne pas se retourner et croiser son regard. Serrant la mâchoire, elle tendit la main vers la poignée de porte ; il fut plus rapide qu'elle.

Patience se figea. Il s'était arrêté directement derrière elle et tendait le bras en la contournant pour attraper la poignée ; elle regarda ses longs doigts se refermer lentement sur celle-ci. Et s'arrêter.

Elle pouvait le sentir derrière elle, à quelques centimètres seulement, pouvait sentir sa force l'entourant. Pendant un moment bien précis, elle se sentit piégée.

Puis, les longs doigts tournèrent ; avec un coup de poignet, il propulsa la porte loin en avant.

Le cœur battant la chamade, Patience inspira et entra toutes voiles dehors dans le couloir faiblement éclairé. Sans ralentir l'allure, elle prit congé en inclinant la tête pardessus son épaule d'un air royal.

— Je vais directement parler à Masters : je suis certaine que ma tante ne vous fera pas patienter longtemps.

Sur ces mots, elle s'en alla avec grâce dans le couloir puis dans le vestibule sombre au-delà.

Immobile sur le seuil, Vane observa sa retraite en plissant les yeux. Il avait senti l'émotivité qui avait éclaté à son contact, le frisson d'éveil qu'elle n'avait pas pu dissimuler. Pour des gentlemen dans son genre, c'était une preuve suffisante de ce qui pouvait être.

Son regard tomba sur le petit animal gris qui s'était collé aux jupes de Patience Debbington ; la bête était à présent assise sur le tapis de couloir, l'examinant. Pendant qu'il l'observait, elle se leva, se tourna et, queue en l'air, s'apprêta à partir dans le couloir — puis s'arrêta. Tournant la tête, elle le regarda.

— *Miaou* !

De son ton impérieux, Vane en déduit qu'il s'agissait d'une femelle.

Derrière lui, un éclair déchira le ciel. Il contempla le jour assombri. Le tonnerre roula — une seconde plus tard, le ciel s'ouvrit. La pluie martela le sol, des torrents de gouttes lourdes oblitérant le paysage.

Le message du destin ne pouvait pas être plus clair ; la fuite était impossible.

Les traits sévères, Vane ferma la porte — et suivit la chatte.

— Rien ne pourrait être plus fortuit !

Araminta, lady Bellamy, sourit à Vane avec ravissement.

— Bien sûr, tu dois rester. Mais le deuxième gong retentira d'une minute à l'autre, alors va au plus pressant. Comment se porte tout le monde ?

Appuyant ses épaules contre le manteau de la cheminée, Vane sourit. Enveloppée dans des châles coûteux, sa silhouette rondelette enveloppée dans la soie et la dentelle, un bonnet de veuve à froufrous sur ses boucles d'un blanc éclatant, Minnie l'observa avec des yeux brillants d'intelligence enchâssés dans son visage doux et ridé. Elle était assise comme sur un trône dans le fauteuil devant le feu dans sa chambre à coucher ; installée dans le fauteuil identique au sien se trouvait Timms, une femme de bonne famille d'âge indéterminé, la dame de compagnie dévouée de Minnie. « Tout le monde », Vane le savait, cela signifiait les Cynster.

— Les jeunes sont en plein épanouissement ; Simon brille à Eton. Amelia et Amanda font des ravages dans la haute société, éparpillant les cœurs à gauche et à droite. Les plus âgés vont bien et sont occupés en ville, mais Devil et Honoria sont encore à la Maison.

— Ils sont trop occupés à admirer leur héritier, je parie. Sans doute que sa femme le gardera dans le droit chemin.

Minnie afficha un large sourire, puis reprit son sérieux.

— Toujours aucune nouvelle de Charles ?

Le visage de Vane se durcit.

— Non. Sa disparition demeure un mystère.

Minnie secoua la tête.

— Pauvre Arthur.

— En effet.

Minnie soupira, puis posa un regard évaluateur sur Vane.

— Et qu'en est-il de toi et de tes cousins ? Vous gardez toujours les dames de la haute société aux aguets ?

Son ton était l'innocence même ; tête penchée sur son tricot, Timms s'étrangla de rire.

— Ils les gardent plutôt sur le dos, oui.

Vane sourit avec une charmante élégance.

— Nous faisons de notre mieux, si peu soit-il.

Les yeux de Minnie pétillèrent. Souriant toujours, Vane baissa la tête et lissa sa manche.

— Je ferais mieux d'aller me changer, mais dites-moi : qui demeure avec vous, en ce moment ?

— Un tas de personnes dépareillées, proposa Timms.

Minnie rigola et libéra ses mains de son châle.

— Laisse-moi réfléchir, dit-elle en comptant sur ses doigts. Il y a Edith Swithins ; il s'agit d'une parente lointaine des Bellamy. Totalement distraite, mais tout à fait inoffensive. Seulement, n'exprime pas d'intérêt pour ses dentelles à moins que tu aies une heure à perdre. Ensuite, il y a Agatha

Chadwick – elle était mariée à ce malheureux personnage qui a insisté pour prouver qu'il pouvait traverser la mer irlandaise dans un canot d'osier. Il ne le pouvait pas, bien sûr. Donc, Agatha, son fils et sa fille sont avec nous.

– Sa fille ?

Le regard de Minnie se leva sur le visage de Vane.

– Angela. Elle a seize ans et sa tendance à défaillir est déjà confirmée. Elle tombera en pâmoison dans tes bras si tu lui en offres la moindre occasion.

Vane grimaça.

– Merci pour l'avertissement.

– Henry Chadwick doit avoir à peu près ton âge, réfléchit Minnie, mais il n'est pas du tout fait du même moule.

Son regard passa avec appréciation sur l'élégante silhouette de Vane, ses longues jambes musclées mises en valeur dans de la peau de daim serrée et des bottes hautes, le manteau superbement coupé dans de la laine superfine de Bath rendant justice à ses larges épaules.

– Le simple fait de poser ses yeux sur toi devrait lui faire du bien.

Vane se contenta de hausser les sourcils.

– Bon, qui d'autre ?

Minnie plissa le front devant ses doigts.

– Edmond Montrose est notre poète et dramaturge en résidence. Inutile de le dire, il se voit comme le prochain Byron. Puis, il y a le général et Edgar, dont tu dois te souvenir.

Vane hocha la tête. Le général, un ex-militaire brusque, vivait au manoir Bellamy depuis des années ; son titre n'était pas officiel, plutôt un surnom mérité à cause de son air catégoriquement régimentaire. Edgar Polinbrooke, lui aussi, était un pensionnaire de Minnie depuis des années – Vane estimait Edgar dans la cinquantaine, un picoleur qui se voyait comme un joueur mais, qui en réalité, était une âme simple et inoffensive.

– N'oubliez pas Whitticombe, intervint Timms.

– Comment pourrais-je oublier Whitticombe ? Minnie soupira. Ou Alice.

Vane leva un sourcil interrogateur.

– Monsieur Whitticombe Colby et sa sœur Alice, expliqua Minnie. Ce sont des cousins lointains d'Humphrey. Whitticombe a une formation de diacre et il a conçu le projet de compiler l'histoire de l'abbaye Coldchurch.

Coldchurch était l'abbaye sur les ruines de laquelle le manoir s'élevait.

– En ce qui concerne Alice, eh bien, c'est Alice. Minnie grimaça. Elle doit avoir plus de quarante ans et bien que je déteste dire cela à propos d'une personne de mon propre sexe, c'est l'être le plus froid, le plus intolérant, le plus critique que je n'ai jamais eu le malheur de rencontrer.

Les sourcils de Vane s'élevèrent davantage.

– Je soupçonne qu'il serait sage de ma part de rester loin d'elle.

– Oui, répondit Minnie en hochant la tête avec chaleur. Approche-toi de trop près et elle aura probablement des vapeurs.

Elle jeta un coup d'œil à Vane.

– Mais alors, elle pourrait bien piquer une crise d'hystérie de toute façon à l'instant où elle posera les yeux sur toi.

Vane lui décocha un regard torve.

— Je pense que c'est tout. Oh, non; j'ai oublié Patience et Gerrard.

Minnie leva la tête.

— Ma nièce et mon neveu.

Observant le visage radieux de Minnie, Vane n'eut pas à demander si elle avait de l'affection pour ses jeunes parents.

— Patience et Gerrard?

Il posa sa question avec légèreté.

— Les enfants de ma plus jeune sœur. Ils sont orphelins à présent. Gerrard a dix-sept ans; il a hérité de son père, sir Reginald Debbington, une jolie petite propriété dans le Derbyshire baptisée la Grange.

Minnie regarda Vane en fronçant les sourcils.

— Tu dois être trop jeune pour te souvenir de lui. Reggie est mort il y a onze ans.

Vane passa ses souvenirs au crible.

— Était-ce celui qui s'est brisé le cou alors qu'il était sorti avec les Cottesmore?

Minnie hocha la tête.

— C'est lui. Constance, ma sœur, est morte il y a deux ans. Patience a bien tenu le fort pour Gerrard depuis la mort de Reggie. Minnie sourit. Patience est mon projet pour l'année à venir.

Vane examina ce sourire.

— Oh?

— Elle pense qu'elle est sur la voie de contournement et elle s'en moque. Elle dit qu'elle songera au mariage après que Gerrard sera installé.

Timms grogna.

— Trop déterminée pour son propre bien.

Minnie croisa les mains sur ses genoux.

— J'ai décidé d'amener Patience et Gerrard à Londres pour la saison mondaine l'an prochain. Elle pense que nous allons donner à Gerrard un peu de distinction citadine.

Vane haussa un sourcil cynique.

— Alors qu'en réalité, vous planifiez jouer les marieuses.

— Exactement, répliqua Minnie en lui présentant un visage rayonnant. Patience a une jolie fortune investie dans des fonds. Pour le reste, tu devras me donner ton opinion lorsque tu la verras. Dis-moi à quel rang elle peut prétendre.

Vane inclina la tête sans s'engager.

Un gong résonna au loin.

— Fichtre!

Minnie serra ses châles qui glissaient.

— Ils seront là à attendre dans le salon, se demandant ce qui peut bien se passer.

Elle chassa Vane en agitant la main.

— Va te faire beau. Tu ne viens pas ici assez souvent. À présent que tu es là, je veux tous les avantages de ta compagnie.

— Vos désirs sont des ordres.

Vane exécuta pour elle une élégante révérence; se redressant, il lui décocha en biais un sourire d'une séduction arrogante.

— Les Cynster ne laissent jamais les dames insatisfaites.

Timms s'étrangla de rire au point de s'étouffer.

Vane quitta la chambre accompagné de gloussements, de petits rires et de murmures jubilants d'anticipation.

Chapitre 2

Quelque chose d'étrange se préparait. Vane le sut quelques minutes seulement après être entré dans le salon. La maisonnée était rassemblée par groupes dans la vaste pièce ; dès son apparition, toutes les têtes se tournèrent vers lui.

Les expressions affichées variaient entre l'accueil bienveillant de Minnie et Timms, l'évaluation approbatrice d'Edgar et une autre semblable d'un jeunot, que Vane supposa être Gerrard, et le calcul méfiant allant jusqu'à la désapprobation froide et nette -- cette dernière venant de trois personnes, un gentleman que Vane identifia comme étant Whitticombe Colby, une vieille fille au visage pincé, raide comme une barre, vraisemblablement Alice Colby et, bien sûr, Patience Debbington.

Vane comprenait la réaction des Colby. Cependant, il se demandait ce qu'il avait fait pour mériter la censure de Patience Debbington. Sa réaction n'était pas celle qu'il avait l'habitude de susciter chez les dames élevées dans le monde. Souriant courtoisement, il traversa la vaste pièce à grandes enjambées, laissant simultanément son regard croiser le sien. Elle le lui rendit avec un sourire glacial, puis se tourna et adressa une remarque à son compagnon, un gentleman sombre à l'allure dramatique, indubitablement le poète en herbe. Le sourire de Vane s'approfondit ; il le tourna vers Minnie.

— Tu peux me donner le bras, déclara Minnie à l'instant où il exécuta sa révérence. Je vais te présenter, puis nous devrons vraiment y aller, sinon Cook sera dans tous ses états.

Avant même qu'ils rejoignent le premier des « invités » de Minnie, les antennes d'homme du monde de Vane bourdonnèrent délicatement, décelant des courants sous-jacents surgissant entre les groupes.

Quelle mixture Minnie préparait-elle ici ? Et qu'est-ce qui se mijotait ? se demanda Vane.

— C'est un plaisir de vous rencontrer, monsieur Cynster.

Agatha Chadwick lui tendit la main. Une matrone au visage sévère avec des cheveux blonds grisonnants à moitié dissimulés sous un bonnet de veuve, elle désigna d'un geste vague la jolie fille à la chevelure pâle à côté d'elle.

— Ma fille, Angela.

Les yeux ronds, Angela exécuta une petite révérence ; Vane répondit par un murmure évasif.

— Et voici mon fils, Henry.

— Cynster.

Fortement charpenté et vêtu avec simplicité, Henry Chadwick serra la main de Vane.

— Vous devez être heureux de pouvoir faire une pause dans votre voyage.

Il fit un signe de tête en direction des longues fenêtres à travers lesquelles la pluie pouvait être entendue, battant sur les drapeaux de la terrasse.

— En effet. Vane sourit. Une chance fortuite.

Il jeta un bref coup d'œil à Patience Debbington, toujours absorbée par le poète.

Le général et Edgar étaient tous les deux contents qu'il se souvienne d'eux. Edith Swithins fut distraite et troublée ; dans son cas, Vane présuma qu'il n'était pas responsable de cette réaction. Les Colby furent aussi rigidement désapprobateurs que seuls ceux de leur espèce peuvent l'être ; Vane soupçonnait que le visage d'Alice Colby craquerait si elle souriait.

En fait, il lui vint à l'esprit qu'elle n'ait jamais appris comment faire.

Ce qui laissait enfin, et surtout, le poète, Patience Debbington et son frère Gerrard. Alors que Vane approchait, Minnie à son bras, les deux hommes levèrent les yeux, arborant une expression enthousiaste et franche. Patience ne se rendit même pas compte de son existence.

— Gerrard Debbington.

Yeux bruns brillants sous une tignasse de cheveux bruns, Gerrard tendit brusquement la main, puis rougit ; Vane l'agrippa avant qu'il puisse s'embrouiller.

— Vane Cynster, murmura-t-il. Minnie me dit que vous irez en ville la saison prochaine.

— Oh, oui. Mais je voulais vous demander…

Les yeux de Gerrard étaient pétillants, fixés sur le visage de Vane. Son âge se voyait dans la longueur de sa silhouette dégingandée, sa jeunesse dans son enthousiasme exubérant.

— Je suis passé devant les écuries avant le début de l'orage ; une paire de magnifiques chevaux gris y sont installés. Vous appartiennent-ils ?

Vane esquissa un grand sourire.

— Moitié Welsh. Des chevaux à pas relevés et d'une excellente endurance. Mon frère, Harry, est propriétaire d'un étalon ; il me fournit toutes mes bêtes.

Gerrard rayonnait.

— Je *pensais* bien qu'ils avaient l'air de premier ordre.

— Edmond Montrose.

Le poète se pencha vers eux et serra la main de Vane.

— Arrivez-vous de la ville ?

— Par Cambridgeshire. J'ai dû assister à une messe spéciale près de la résidence ducale.

Vane regarda brièvement Patience Debbington, muette et bouche fermée de l'autre côté de Minnie. L'information indiquant qu'il lui était permis d'entrer dans une église ne la fit pas fondre d'une goutte.

— Et voici Patience Debbington, ma nièce, intervint Minnie avant que Gerrard et Edmond puissent le monopoliser davantage.

Vane exécuta une élégante révérence en réponse au bref salut de Patience.

— Je sais, dit-il d'une voix traînante, le regard sur ses yeux détournés avec entêtement. Nous nous sommes rencontrés.

— C'est vrai ?

Minnie le regarda en cillant, puis Patience, qui fixait à présent sur Vane des yeux lançant des éclairs.

Patience regarda Minnie quelque peu évasivement.

— J'étais dans le jardin quand monsieur Cynster est arrivé.

Le regard qu'elle jeta brièvement à Vane fut excessivement prudent.

— Avec Myst.

— Ah.

Minnie hocha la tête et parcourut la pièce du regard.

— Bien, alors, à présent que tout le monde a été présenté, Vane, tu peux m'accompagner dans la salle à manger.

Il obéit consciencieusement, les autres suivant en file dans leur sillage. Pendant qu'il conduisait Minnie au bout de la longue table, Vane se demanda pourquoi Patience ne voulait pas que l'on sache qu'elle cherchait quelque chose dans la plate-bande. Alors qu'il installait Minnie sur sa chaise, il remarqua qu'une place avait été préparée directement en face, au bout de la table.

— J'imagine que vous aimeriez bavarder avec votre filleul.

Whitticombe Colby s'arrêta à côté de la chaise de Minnie. Il sourit onctueusement.

— Je serais heureux de céder ma place…

— Inutile, Whitticombe, l'interrompit Minnie. Que ferais-je sans votre érudite compagnie ?

Elle leva la tête vers Vane, sur son autre flanc.

— Prends la chaise à la tête, mon cher garçon.

Elle soutint son regard ; Vane haussa un sourcil, puis s'inclina — Minnie tira son bras et il se pencha plus près.

— J'ai besoin d'asseoir là un homme en qui je peux avoir confiance.

Le murmure de Minnie n'atteignit que lui ; Vane inclina la tête légèrement et se redressa. Pendant qu'il se dirigeait d'un pas nonchalant au fond de la pièce, il étudia l'attribution des places : Patience avait déjà pris possession de la chaise à la gauche de sa place allouée, Henry à ses côtés. Edith s'installait en face de Patience, alors qu'Edgar se dirigeait vers la place suivante. Rien dans cet arrangement ne suggérait un motif derrière le commentaire de Minnie ; Vane ne pouvait pas imaginer que Minnie, avec un esprit vif comme le sien, pense que sa nièce, présentement cuirassée dans une froideur d'acier, pouvait avoir besoin de protection contre un type comme Colby.

Ce qui signifiait que la déclaration de Minnie possédait une signification plus profonde ; Vane soupira secrètement et prit note mentalement de la découvrir. Avant de fuir le manoir Bellamy.

Le premier service fut apporté dès l'instant où ils s'assirent. La cuisinière de Minnie était excellente ; Vane s'appliqua à son repas avec une appréciation sincère.

Edgar lança la conversation.

— J'ai entendu dire que les chances étaient du côté de Whippet pour le Guineas.

Vane haussa les épaules.

— Il y a beaucoup d'espoir placé sur Blackamoor's Boy et on aime bien Huntsman aussi.

— Est-ce vrai, demanda Henry Chadwick, que le Jockey Club songe à modifier ses règlements ?

La discussion qui s'ensuivit tira même un commentaire accompagné d'un gloussement d'Edith Swithins.

— Vous autres gentlemen donner des noms tellement fantaisistes aux chevaux. Rien qui ressemble à Goldie ou Muffins ou Blacky.

Ni Vane, Edgar ou Henry se sentirent qualifiés pour discuter ce point plus avant.

— J'avais entendu, dit Vane de sa voix traînante, que le prince régent se débattait encore avec les créanciers.

— Encore ? Henry secoua la tête. Un dépensier incorrigible.

Sous la direction subtile de Vane, la conversation passa aux dernières excentricités de Prinny, sur lesquelles Henry, Edgar et Edith nourrissaient chacun des opinions fermes.

Il régnait cependant un silence parfait à la gauche de Vane.

Un fait qui ne fit qu'accroître sa détermination à remédier à cela, à la désapprobation inflexible de Patience Debbington. L'envie irrésistible de lui tordre le nez, de la piquer pour qu'elle réagisse lui démangeait fortement. Vane mit un frein à son tempérament ; ils n'étaient pas seuls — pas encore.

Les quelques minutes qu'il avait passées à se changer, se glissant dans une routine familière, avaient calmé son esprit, éclairci sa vision. Le simple fait que le destin avait réussi à le piéger ici, sous le même toit que Patience Debbington, n'était pas une raison pour considérer la bataille comme perdue. Il resterait pour la nuit, prendrait les dernières nouvelles de Minnie et de Timms, s'occuperait de ce qui rendait Minnie mal à l'aise et poursuivrait ensuite son chemin. L'orage s'apaiserait probablement au cours de la nuit ; au pire, il serait retenu un jour, ou à peu près.

Juste parce que le destin lui avait montré la fontaine, cela ne signifiait pas qu'il devait boire.

Évidemment, avant d'avoir pu secouer le gravier de l'allée du manoir Bellamy pour le déloger de sous ses bottes, il se serait aussi occupé de Patience Debbington. Deux ou trois secousses salutaires devraient faire l'affaire – juste assez pour lui laisser savoir qu'il savait que sa désapprobation glaciale à son endroit était une façade transparente.

Il était, bien sûr, trop sage pour aller plus loin.

Jetant un regard à sa proie, Vane remarqua son teint clair, la douce couleur délicatement teintée. Pendant qu'il l'observait, elle avala une pleine bouchée de diplomate, puis fit glisser sa langue sur sa lèvre inférieure, y laissant un lustre rose pâle.

Brusquement, Vane baissa les yeux vers les gros yeux bleus de la petite chatte grise – la chatte connue sous le nom de Myst. Elle allait et venait à son gré, généralement collée aux jupes de Patience ; elle était en ce moment assise à côté de la chaise de cette dernière, le fixant sans ciller.

Arrogamment, Vane haussa un sourcil.

Sur un miaulement silencieux, Myst se leva, s'étira, puis procéda à s'enrouler à pas feutrés autour de sa jambe. Vane tendit la main et frotta ses doigts sur la tête au poil lustré, puis il fit courir ses ongles le long de son échine. Myst s'arqua, sa queue se raidissant ; le grondement de son ronronnement atteignit Vane.

De même que Patience ; elle baissa la tête.

– Myst ! siffla-t-elle. Arrête de déranger monsieur Cynster.

– Elle ne me dérange pas. J'aime faire ronronner les femelles, ajouta-t-il en emprisonnant le regard de Patience.

Patience le dévisagea, puis cligna des paupières. Puis, fronçant légèrement les sourcils, elle se retourna vers son assiette.

– Bien, tant qu'elle ne vous dérange pas.

Il fallut un moment à Vane pour effacer d'une ligne droite le sourire sur ses lèvres; il se tourna ensuite vers Edith Swithins.

Peu de temps après, ils se levèrent tous; Minnie, avec Timms à ses côtés, entraîna les dames dans le salon. Le regard sur Gerrard, Patience hésita, son expression passant de la consternation à l'incertitude. Gerrard ne le remarqua pas. Vane observa les lèvres fermées de Patience; elle lui décocha presque un regard, puis elle réalisa qu'il l'observait — attendait. Elle raidit l'échine et garda les paupières baissées. Tendant la main, Vane tira sa chaise plus loin en arrière. Sur un bref et excessivement hautain hochement de tête, Patience se tourna et suivit dans le sillage de Minnie.

Son rythme n'aurait pas remporté le Guineas.

Retombant sur sa chaise au bout de la table, Vane sourit à Gerrard. Avec un geste nonchalant, il indiqua la chaise vacante à sa droite.

— Pourquoi ne pas vous approcher?

Le grand sourire de Gerrard fut radieux; avec enthousiasme, il quitta sa place pour celle entre Edgar et Vane.

— Bonne idée. Comme cela, nous pourrons parler sans crier.

Edmond s'approcha, prenant la chaise de Patience. Sur un grognement cordial, le général prit une place plus près.

Vane soupçonna que Whitticombe aurait gardé ses distances, mais l'insulte aurait été trop flagrante. L'expression froidement sévère, il s'avança de l'autre côté d'Edgar.

Tendant la main vers la carafe que Masters avait déposée devant lui, Vane leva les yeux — directement sur Patience, s'attardant encore, à mi-chemin dans le cadre de porte.

Déchirée, à l'évidence. Les yeux de Vane s'arrêtèrent sur les siens ; calmement arrogant, il haussa les sourcils.

Patience perdit toute expression. Elle se raidit, puis sortit discrètement. Un valet de pied la referma derrière elle.

Vane sourit intérieurement ; levant la carafe, il se versa un grand verre.

Une fois que la carafe eut circulé une fois, ils avaient déterminé lequel était le meilleur tuyau pour le Guineas. Edgar soupira.

– Il n'y a pas beaucoup d'agitation ici, au manoir, dit-il en souriant timidement. Je passe la majeure partie de mes journées dans la bibliothèque. À lire des biographies, voyez-vous.

Whitticombe renifla avec mépris.

– Dilettante.

Le regard sur Vane, Edgar rougit, mais ne montra aucun autre signe d'avoir entendu la raillerie.

– La bibliothèque est très considérable ; elle contient un certain nombre de livres de bord et de journaux intimes de la famille. Extrêmement fascinant, à leur façon.

Le doux accent mis sur ces trois derniers mots lui donna bien davantage l'air d'un gentleman que Whitticombe.

Comme s'il l'avait senti, Whitticombe déposa son verre et, avec des accents de voix supérieure, s'adressa à Vane.

– Comme j'imagine que vous en a informé lady Bellamy, je suis absorbé par une étude complète de l'abbaye Coldchurch. Une fois mes recherches complétées, je me flatte de voir l'abbaye de nouveau appréciée comme l'important centre ecclésiastique qu'elle a déjà été.

– Oh, oui.

Edmond sourit ingénument à Whitticombe.

— Mais tout cela est mort et enterré. Les ruines sont parfaitement fascinantes en soi. Elles stimulent ma muse avec un effet remarquable.

Regardant tour à tour Edmond et Whitticombe, Vane eut l'impression qu'il s'agissait là d'un argument souvent répété. L'impression s'intensifia quand Edmond se tourna vers lui et que Vane aperçut le pétillement dans ses yeux expressifs.

— J'écris une pièce de théâtre, inspirée par les ruines et qui les utilise comme décor.

— Sacrilège! s'écria Whitticombe en se raidissant. L'abbaye est la maison de Dieu et non un théâtre.

— Ah, mais ce n'est plus une abbaye, simplement un tas de vieilles roches.

Edmond afficha un large sourire, impénitent.

— Et c'est un endroit avec tellement d'*atmosphère*.

Le grognement dégoûté de Whitticombe fut imité par le général.

— Atmosphère, oui! Elles sont humides et froides et mauvaises pour la santé; et si vous envisagez de nous traîner là-bas pour servir de public, perchés sur la pierre froide, alors révisez votre idée. Mes vieux os ne le supporteront pas.

— Toutefois, c'est *bien* un bel endroit, intervint Gerrard. Certaines des perspectives sont excellentes, soient encadrées par les ruines ou avec les ruines comme point central.

Vane vit la lueur dans les yeux de Gerrard, entendit la ferveur de la jeunesse dans sa voix.

Gerrard lui jeta un coup d'œil, puis rougit.

— Je dessine, voyez-vous.

Les sourcils de Vane se haussèrent. Il était sur le point d'exprimer son intérêt, poli, mais sincère, quand Whitticombe grogna de nouveau.

— Des dessins ? De simples ressemblances enfantines ; vous pensez trop de bien de vous-même, mon garçon.

Les yeux de Whitticombe étaient durs ; comme un directeur d'école, il regarda Gerrard en fronçant les sourcils.

— Vous devriez vous activer, exercez ce torse faible qui vous caractérise, au lieu de vous asseoir dans des ruines humides pendant des heures d'affilée. Oui, et vous devriez étudier aussi et non gaspiller votre temps.

La fierté disparut du visage de Gerrard ; sous la douceur de la jeunesse, les traits de son visage se raffermirent.

— J'étudie, mais j'ai déjà été accepté à Trinity pour le trimestre d'automne l'an prochain. Patience et Minnie veulent que j'aille à Londres, alors j'irai, et je n'ai pas besoin d'étudier pour cela.

— Non, en effet, intervint habilement Vane. Ce porto est excellent.

Il se servit un second verre, puis passa la carafe à Edmond.

— Je me doute que nous devons offrir nos remerciements à feu sir Humphrey pour son palais de connaisseur.

Il installa ses épaules plus confortablement ; par-dessus le bord de son verre, il rencontra le regard d'Henry.

— Mais, dites-moi, comment le garde-chasse de sir Humphrey s'en est-il sorti avec les terriers de lapins ?

Henry accepta la carafe.

— La forêt du côté de Walgrave vaut une visite.

Le général grommela.

— Toujours amplement de lapins autour de la rivière. J'ai sorti un fusil hier : j'en ai tué trois.

Tous les autres avaient une contribution à faire — tous, sauf Whitticombe. Il se tenait à l'écart, enveloppé dans une désapprobation froide.

Quand la discussion de chasse menaça de s'essouffler, Vane déposa son verre.

— Je pense qu'il est temps de rejoindre les dames.

Dans le salon, Patience attendait impatiemment et essayait de ne pas fixer la porte. Ils se passaient le porto depuis plus d'une demi-heure ; Dieu seul savait quelles opinions indésirables absorbaient Gerrard. Elle avait déjà prononcé d'innombrables prières pour que la pluie s'arrête et que le beau temps se lève avec l'aube le lendemain. Monsieur Vane Cynster poursuivrait alors sa route, amenant avec lui son « élégance de gentleman ».

À côté d'elle, madame Chadwick instruisait Angela.

— Ils sont six, ou l'étaient. St-Ives s'est marié l'an dernier. Cependant, il n'y a aucun doute sur la question — les Cynster sont si bien élevés, ils sont la quintessence même de ce que l'on désire voir chez un gentleman.

Les yeux d'Angela, déjà ronds comme des soucoupes, s'élargirent encore plus.

— *Tous* ont-ils fière allure comme ce monsieur Cynster ?

Madame Chadwick décocha à Angela un regard de reproche.

— Ils sont tous très élégants, bien sûr, mais j'ai entendu dire que Vane Cynster était le plus élégant de tous.

Patience ravala son dégoût. C'était bien sa chance : si elle et Gerrard devaient rencontrer un Cynster, pourquoi fallait-il qu'il s'agisse du plus élégant de tous ? Le destin lui jouait des tours. Elle avait accepté l'invitation de Minnie à se joindre à sa maisonnée pour l'automne et l'hiver et aller ensuite à Londres pour la saison des réunions mondaines, certaine que le destin lui souriait avec bienveillance, intervenant pour lui faciliter la vie. Il n'y avait aucun doute qu'elle avait eu besoin d'aide.

Elle n'était pas idiote. Elle avait vu il y avait de cela des mois que même si elle avait été la nounou, la mère de substitution et la tutrice de Gerrard toute sa vie, elle ne pouvait pas lui offrir la direction finale dont il avait besoin pour passer le dernier seuil menant à l'âge adulte.

Elle ne pouvait pas être une guide pour lui.

Jamais dans sa vie n'y avait-il eu un gentleman convenable dont le comportement et les valeurs pouvaient aider Gerrard à établir les siens. Les chances de découvrir un tel homme au plus profond du Derbyshire étaient minces. Quand l'invitation de Minnie était arrivée, l'informant qu'il y avait trois gentlemen demeurant au manoir Bellamy, il lui avait semblé que le destin était à l'œuvre. Elle avait accepté l'invitation avec empressement, s'était organisée pour que la Grange continue de fonctionner sans elle et avait pris la direction du sud avec Gerrard.

Elle avait passé le voyage à formuler une description de l'homme qu'elle accepterait comme mentor pour Gerrard — celui à qui elle confierait la tendre jeunesse de son frère. Quand ils avaient atteint le manoir Bellamy, elle avait déjà fermement fixé ses critères.

À la fin de leur première soirée, elle avait conclu qu'aucun des gentlemen présents ne satisfaisait à ses exigences rigoureuses. Bien que chacun possède des qualités qu'elle approuvait, aucun n'était exempt de traits qu'elle désapprouvait. Plus particulièrement, aucun ne lui inspirait le respect, total et absolu, critère qu'elle avait marqué comme étant le plus essentiel.

Avec philosophie, elle avait haussé les épaules et accepté le décret du destin et placé ses espoirs sur Londres. Des aspirants potentiels au poste de guide pour Gerrard seraient nettement plus nombreux là-bas. À l'aise et tranquilles, elle et Gerrard s'étaient installés au sein de la maisonnée de Minnie.

À présent, le confort et la sécurité appartenaient au passé — et cela resterait ainsi jusqu'au départ de Vane Cynster.

À cet instant, la porte du salon s'ouvrit ; de concert avec madame Chadwick et Angela, Patience se retourna pour regarder les hommes s'avancer tranquillement. Ils étaient guidés par Whitticombe Colby, l'air insupportablement supérieur comme d'habitude ; il se dirigea vers la méridienne sur laquelle Minnie et Timms étaient assises, Alice dans un fauteuil à côté d'elles. Edgar et le général franchirent la porte à la suite de Whitticombe ; d'un accord mutuel, ils se dirigèrent vers le foyer, à côté duquel Edith Swithins, souriant vaguement, fabriquait de la dentelle avec assiduité.

Le regard collé sur la porte, Patience attendit — et elle vit entrer Edmond et Henry d'un pas tranquille. Elle jura dans sa barbe, puis toussa pour masquer son faux pas. *Diable de Vane Cynster.*

Sur cette pensée, Vane arriva lentement, accompagné de Gerrard.

Les malédictions mentales de Patience atteignirent un nouveau sommet. Madame Chadwick n'avait pas menti : Vane Cynster était la quintessence du gentleman élégant. Ses cheveux, d'un brun noisette aux reflets dorés plusieurs teintes plus foncées que les siens, brillaient doucement sous la lumière des bougies, une vague stylée après l'autre parfaitement placée sur sa tête. Même à travers la pièce, la force de ses traits se remarquait ; nets, aux arêtes fermes, le front, le nez, la mâchoire et les joues paraissaient sculptés dans le roc. Seules ses lèvres, longues et minces avec un petit soupçon d'humour pour soulager leur sévérité, ainsi que l'intelligence innée et, oui, la malice qui éclairaient ses yeux gris offraient un indice sur sa simple personnalité de mortel — tout le reste, y compris, Patience l'admis à contrecœur, son long corps svelte, appartenait à un dieu.

Elle ne voulait pas voir à quel point son manteau gris de laine superfine de Bath étreignait bien ses larges épaules, comme son excellente coupe mettait l'accent sur son large torse et ses hanches beaucoup plus fines. Elle ne voulait pas remarquer l'allure de sa cravate blanche d'une élégance merveilleuse, nouée avec précision en un simple nœud « salle de bal ». Et en ce qui concernait ses jambes, les longs muscles se tendant lorsqu'il bougeait, elle n'avait certainement pas besoin de les remarquer.

Il s'arrêta juste après la porte ; Gerrard stoppa avec lui. Alors qu'elle les observait, Vane émit un commentaire en souriant, l'illustrant avec un geste si gracieux qu'il lui fit grincer des dents. Gerrard, visage illuminé, yeux brillants, rit et répondit avec enthousiasme.

Vane tourna la tête ; de l'autre côté du salon, son regard rencontra le sien.

Patience aurait pu jurer que quelqu'un l'avait frappée à l'estomac ; elle ne pouvait tout simplement pas respirer. Soutenant son regard, Vane haussa un sourcil — le défi surgit entre eux, subtil et pourtant intentionnel, tout à fait impossible de s'y tromper.

Patience se raidit. Elle prit une inspiration pressante et se tourna. Et colla un sourire crispé sur ses lèvres alors qu'Edmond et Henry les rejoignaient.

— Monsieur Cynster ne va-t-il pas se joindre à nous ?

Angela, inconsciente du pli soudain sur le front de sa mère, se pencha en s'inclinant pour regarder au-delà d'Henry, là où Vane et Gerrard se tenaient en parlant encore près de la porte.

— Je suis certaine qu'il se divertirait bien davantage à discuter avec nous qu'avec Gerrard.

Patience se mordit la lèvre ; elle n'était pas d'accord avec Angela, mais elle espérait avec ferveur que son souhait se réaliserait. Pendant un instant, il sembla que ce serait le cas ; les lèvres de Vane se courbèrent et il fit un commentaire à Gerrard, puis se retourna — et il avança tranquillement jusqu'à Minnie.

Ce fut Gerrard qui les rejoignit.

Masquant son soulagement, Patience l'accueillit avec un sourire serein — et garda le regard bien loin de la méridienne. Gerrard et Edmond se mirent immédiatement à esquisser l'intrigue de la prochaine scène dans le mélodrame d'Edmond — un divertissement commun pour eux. Henry, un œil sur Patience, fit un effort beaucoup trop évident pour les encourager avec indulgence ; son attitude et l'expression trop chaleureuse dans son regard contrarièrent Patience, comme toujours.

Angela, bien sûr, bouda, offrant un spectacle pas particulièrement joli. Madame Chadwick, habituée à la bêtise d'Angela, soupira et abandonna ; elle et Angela, à présent rayonnante de plaisir, traversèrent la pièce pour se joindre au groupe autour de la méridienne.

Patience était satisfaite de rester à sa place, même si cela signifiait supporter le regard ardent d'Henry.

Quinze minutes plus tard, la table roulante arriva. Minnie versa le thé tout en bavardant. Du coin de l'œil, Patience remarqua Vane Cynster en train de converser amicalement avec madame Chadwick ; Angela, largement ignorée, menaçait de recommencer à bouder. Timms leva la tête et offrit un commentaire qui fit rire tout le monde ; Patience vit la sage compagne de sa tante sourire affectueusement à Vane. De toutes les femmes autour de la méridienne, seule Alice Colby ne semblait pas impressionnée – sans pourtant être insensible. Aux yeux de Patience, Alice était encore plus tendue que d'habitude, comme si elle retenait sa désapprobation par la seule force de sa volonté. L'objet de sa colère, toutefois, semblait la rendre invisible.

Se renfrognant en elle-même, Patience reporta son attention sur la conversation de son frère, tournant à présent autour de la « lumière » dans les ruines. Indubitablement un sujet plus sûr que la boutade facile qui entraîna la vague de rires suivante du groupe autour de la méridienne.

– Henry !

L'appel de madame Chadwick fit se retourner Henry, puis il sourit et fit un signe de tête à Patience.

— Si vous voulez bien m'excuser, ma chère, je reviens dans un moment.

Il jeta un coup d'œil à Gerrard.

— Je ne veux rater aucun de ces plans pétillants d'esprit.

Sachant très bien qu'Henry n'avait aucun intérêt réel pour Gerrard ou pour la pièce dramatique d'Edmond, Patience se contenta de sourire en retour.

— Je préférerais faire cette scène avec l'arche en arrière-plan.

Gerrard fronça les sourcils, l'imaginant clairement.

— Les proportions sont meilleures.

— Non, non, répondit Edmond. Elle *doit* se dérouler dans le cloître.

Levant la tête, il sourit — vers un point au-delà de Patience.

— Bonsoir, sommes-nous convoqués ?

— En effet.

Les deux mots, prononcés d'une voix si grave qu'elle grondait littéralement, sonnèrent aux oreilles de Patience comme un glas. Elle pivota brusquement.

Une tasse de thé dans chaque main, Vane, le regard sur Edmond et Gerrard, hocha la tête en direction de la table roulante.

— Votre présence est requise.

— D'accord !

Avec un sourire joyeux, Edmond s'en alla ; sans hésitation, Gerrard le suivit.

Laissant Patience seule et abandonnée sur une île privée dans un coin du salon avec pour toute compagnie le seul gentleman présent qu'elle vouait vivement au diable.

— Merci.

En inclinant la tête avec raideur, elle accepta la tasse offerte par Vane. Avec un calme rigide, elle but. Et tenta de ne pas remarquer la facilité avec laquelle il l'avait isolée — coupée de son troupeau protecteur. Elle le reconnut immédiatement comme étant un loup ; apparemment, c'était un loup accompli. Un fait qu'elle ferait mieux de garder à l'esprit dorénavant. Avec tout le reste.

Elle pouvait sentir ses yeux sur son visage ; résolument, elle leva la tête et rencontra son regard.

— Minnie a mentionné que vous étiez en route vers Leamington, monsieur Cynster. J'imagine que vous êtes impatient de voir la pluie cesser.

Ses lèvres fascinantes se soulevèrent de façon imperceptible.

— Assez impatient, mademoiselle Debbington.

Patience souhaita que sa voix ne soit pas aussi grave ; elle faisait vibrer ses nerfs.

— Toutefois, dit-il, son regard soutenant le sien, ses mots comme un grondement langoureux, vous ne devriez pas faire si peu de cas de la présente compagnie. Il y a un certain nombre de divertissements que j'ai déjà remarqués qui, j'en suis convaincu, feront que ma visite imprévue en vaudra la peine.

Elle n'allait pas se laisser intimider. Patience ouvrit grands les yeux.

— Vous m'intriguez, monsieur. Je n'aurais pas imaginé qu'il y ait quoi que ce soit au manoir Bellamy d'intérêt suffisant pour attirer l'attention d'un gentleman avec vos… penchants. Je vous en prie, éclairez-moi.

Vane rencontra son regard de défi et songea à faire exactement cela. Il leva sa tasse et sirota son thé, soutenant toujours son regard. Puis, baissant les yeux alors qu'il déposait la tasse sur sa soucoupe, il s'approcha d'un pas, à côté d'elle, de sorte qu'ils se tenaient maintenant épaule contre épaule, lui faisant dos à la pièce. Il la regarda à côté de son épaule et haussa un sourcil.

— Je pourrais être un fervent amateur de théâtre.

Malgré sa détermination manifestement ferme, les lèvres de la jeune femme tressautèrent.

— Et les poules pourraient avoir des dents, répondit-elle.

Détournant la tête, elle but son thé.

Le front de Vane tremblota ; il poursuivit sa chasse langoureuse, l'encerclant lentement, le regard caressant l'étendue de sa gorge à sa nuque.

— Et ensuite, il y a votre frère.

Instantanément, elle se raidit, aussi rigide qu'Alice Colby ; derrière elle, Vane haussa les deux sourcils.

— Dites-moi, murmura-t-il avant qu'elle puisse s'enfuir, qu'a-t-il fait pour que non seulement Whitticombe et le général lui lancent des regards désapprobateurs, mais Edgar et Henry également ?

La réponse fusa, rapide, décisive et d'une voix distinctement amère.

— Rien.

Après une pause d'une seconde pendant laquelle la tension défensive dans ses épaules s'apaisa légèrement, elle ajouta :

— Ils ont simplement des opinions totalement inexactes sur la façon dont les jeunes de l'âge de Gerrard devraient se comporter.

— Hum.

L'explication, Vane remarqua, l'éclairait très peu. Avançant d'un dernier pas, il s'arrêta à côté d'elle.

— Dans ce cas, vous me devez un mot de remerciement.

Étonnée, elle leva la tête ; il rencontra son regard et sourit.

— Je suis intervenu à un moment opportun et j'ai empêché Gerrard de réagir à une des critiques dévalorisantes de Whitticombe avec un peu trop de chaleur.

Elle scruta ses yeux, puis détourna les siens.

— Vous l'avez fait uniquement parce que vous ne désiriez pas écouter un tas de disputes sans rime ni raison.

L'observant alors qu'elle buvait, Vane haussa les sourcils avec arrogance ; il se trouvait qu'elle avait à moitié raison.

— De plus, dit-il en baissant la voix, vous ne m'avez pas encore remercié de vous avoir évité de vous retrouver assise dans la plate-bande.

Elle ne leva même pas les yeux.

— C'était entièrement votre faute si c'est presque arrivé. Si vous ne vous étiez pas approché de moi sans faire de bruit, je n'aurais jamais couru le danger d'atterrir dans les mauvaises herbes.

Elle le regarda brièvement, une touche de couleur sur les joues.

— Un gentleman aurait toussé ou autre chose.

Vane retint son regard et sourit — d'un sourire lent de Cynster.

— Ah, murmura-t-il d'une voix très basse.

Il se rapprocha d'un chouia.

— Mais, voyez-vous, je ne suis pas un gentleman. Je suis un Cynster.

Comme s'il lui révélait un secret, il l'informa gentiment :

— Nous sommes des conquérants, pas des gentlemen.

Patience regarda dans ses yeux, son visage et sentit le plus étrange des frissons glisser le long de sa colonne vertébrale. Elle avait terminé son thé, mais sa bouche était sèche. Elle cilla une fois, puis recommença et décida d'ignorer son dernier commentaire. Elle plissa les paupières dans sa direction.

— Par hasard, vous ne tenteriez pas de me faire sentir reconnaissante envers vous, afin que je m'imagine votre obligée ?

Ses sourcils tressautèrent ; ses lèvres magnétiques se recourbèrent. Son regard, gris, intense et étrangement provocateur, retint le sien.

— Cela me semble un point naturel par où commencer à miner vos défenses.

Patience sentit ses nerfs vibrer sous le son grave de sa voix, sentit ses sens trembler alors qu'elle enregistrait ses paroles. Ses yeux, fixés sur ceux de Vane, s'élargirent ; ses poumons cessèrent de fonctionner. Dans un débat mental, elle s'efforça de rassembler ses idées, d'activer sa langue sur une répartie sèche avec laquelle briser son sortilège.

Les yeux de Vane fouillèrent les siens ; un sourcil s'arqua avec arrogance, ainsi que les bouts de ses longues lèvres.

— Je n'ai pas toussé parce que j'étais dans tous mes états et c'était entièrement *votre* faute.

Il semblait très proche, dominant totalement sa vision, ses sens. Encore une fois, ses yeux fouillèrent ceux de Patience, encore, son sourcil tressauta.

— À propos, murmura-t-il d'une voix sombre et douce comme du velours, que cherchiez-vous dans la plate-bande ?

— *Ah*, vous voilà !

Haletante, Patience pivota — et regarda Minnie, plongeant sur eux comme un galion toutes voiles dehors. La flotte britannique en entier n'aurait pas été plus la bienvenue.

— Tu vas devoir excuser une vieille femme, Patience, ma chérie, mais je dois vraiment parler en privé à Vane.

Minnie offrit impartialement un sourire rayonnant aux deux, puis posa une main sur la manche de Vane.

Il la couvrit immédiatement de la sienne.

— Je suis à vos ordres.

Malgré ses mots, Patience sentit son irritation, son agacement parce que Minnie lui avait mis des bâtons dans les roues alors qu'il la tenait en joue. Il y eut une petite pause, puis il sourit d'une manière charmante vers Minnie.

— Vos appartements ?

— S'il te plaît ; je suis si désolée de t'obliger à venir avec moi.

— Ce n'est rien du tout ; vous êtes la raison de ma présence ici.

Le visage de Minnie rayonna sous sa flatterie. Vane leva la tête et croisa les yeux de Patience. Sourire toujours en place, il inclina la tête.

— Mademoiselle Debbington.

Patience répondit à son hochement de tête et réprima un nouveau frisson. Il pouvait bien s'être rendu avec grâce, mais elle avait la nette impression qu'il n'avait pas abandonné la bataille.

Elle le regarda traverser la pièce, Minnie à son bras, bavardant avec animation ; il marchait la tête penchée, son attention rivée sur Minnie. Patience fronça les sourcils. Dès l'instant où elle avait reconnu son style, elle avait placé Vane sur le même pied que son père, un autre élégant, un homme suave à la parole facile. Tout ce qu'elle connaissait de cette espèce, elle l'avait appris de lui, son séduisant et dissipé père. Et ce qu'elle avait appris, elle l'avait bien assimilé : il n'y avait aucun risque pour qu'elle succombe à une paire d'épaules bien faites et à un sourire enjôleur.

Sa mère avait aimé son père – profondément, intensément, beaucoup trop bien. Malheureusement, les hommes tels que lui n'étaient pas du genre aimant – pas du genre que les femmes sages aimaient, car ils n'accordaient pas de valeur à l'amour et ne l'acceptaient pas, ni le rendaient. Pire, du moins aux yeux de Patience, de tels hommes n'avaient aucun sens de la famille, aucun amour dans leur âme pour les attacher à leur foyer, à leurs enfants. D'après tout ce qu'elle avait vu de ses jeunes années, les gentlemen élégants évitaient les sentiments profonds. Évitaient l'engagement, évitaient l'amour.

Pour eux, le mariage était une affaire de propriété et non une affaire de cœur. Malheur à toute femme qui faillit à le comprendre.

Tout cela étant dit, Vane Cynster était en haut de sa liste de gentlemen qu'elle ne souhaitait absolument *pas* avoir comme mentor pour Gerrard. La toute dernière chose qu'elle permettrait était que Gerrard devienne comme leur père. Qu'il en ait la tendance, personne ne pouvait le nier, mais elle se battrait jusqu'à son dernier souffle pour l'empêcher de prendre cette voie.

Redressant les épaules, Patience jeta un coup d'œil autour de la pièce, remarquant les autres, devant le foyer et autour de la méridienne. Avec le départ de Vane et de Minnie, le salon semblait plus silencieux, moins mouvementé, moins vivant. Pendant qu'elle observait, Gerrard jeta un bref regard attentif vers la porte.

Vidant sa tasse de thé, Patience s'indigna intérieurement. Elle allait devoir protéger Gerrard de l'influence corruptrice de Vane Cynster — rien ne pouvait être plus clair.

Un soupçon de doute se glissa dans son esprit, avec l'image de Vane se comportant avec autant d'attention — et oui, d'affection — envers Minnie. Patience plissa le front. Possiblement corruptrice. Elle ne devrait pas, pensa-t-elle, le juger selon son air de loup. Néanmoins, cette caractéristique, au cours de ses vingt-six années d'existence, ne s'était jamais démentie.

Mais alors, ni son père, ni ses élégants amis, ni les autres de cet acabit qu'elle avait rencontrés n'avaient possédé de sens de l'humour. Du moins, pas cette sorte d'échanges, de joute humoristique que déployait Vane Cynster. Il était très difficile de résister au défi de frapper à son tour — de se joindre à son jeu.

Le pli sur le front de Patience se creusa davantage. Puis, elle cligna des paupières, se raidit et traversa la pièce avec grâce pour replacer sa tasse vide sur la table roulante.

Vane Cynster était vraiment corrupteur.

Chapitre 3

Vane aida Minnie à monter l'escalier et à longer les couloirs lugubres. Après le décès de sir Humphrey, elle avait déménagé dans une vaste suite au bout d'une aile ; Timms occupait la chambre à côté.

Minnie fit une pause juste devant sa porte.

— Un coup du destin de t'être arrêté ici juste en ce moment.

« Je sais. » Vane retint ces mots.

— Que voulez-vous dire ?

Il ouvrit la porte en grand.

— Il se passe une chose étrange.

S'appuyant lourdement sur sa canne à présent qu'elle n'était plus « en public », Minnie se rendit jusqu'au fauteuil près de l'âtre.

Refermant la porte, Vane la suivit.

— Je ne sais pas trop de quoi il s'agit…

Minnie s'installa dans le fauteuil en arrangeant ses châles.

— Mais je sais que je n'aime pas cela.

Vane appuya son épaule contre le manteau de la cheminée.

— Racontez-moi.

Le front de Minnie se plissa.

— Je ne me rappelle pas à quel moment cela a vraiment commencé, mais c'était peu de temps après l'arrivée de Patience et de Gerrard.

Elle leva les yeux vers Vane.

— Ce n'est pas pour dire qu'ils ont quoi que ce soit à voir avec cela : leur arrivée est simplement une évaluation pratique du temps.

Vane inclina la tête.

— Qu'avez-vous remarqué ?

— Les vols ont commencé en premier. De petites choses : de petits objets comme des bijoux, des tabatières, des bibelots, des colifichets. N'importe quoi de petit et de transportable, des choses qui entreraient dans une poche.

Le visage de Vane se durcit.

— Combien de vols y a-t-il eu ?

— Je l'ignore. Aucun de nous ne le sait. Souvent, des choses manquent depuis des jours, voire des semaines avant que l'on remarque leur absence. Ce sont ce genre d'objets.

Des objets qui pourraient tomber dans une plate-bande. Vane fronça les sourcils.

— Vous avez dit que les vols ont commencé en premier : qu'est-ce qui est venu ensuite ?

— Des événements bizarres.

Le soupir de Minnie débordait d'exaspération.

— Ils l'appellent le « spectre ».

— Un fantôme ? Vane cilla. Il n'y a pas de fantôme ici.

— Parce que toi et Devil les auriez découverts si cela avait été le cas ? dit-elle en rigolant. Tout à fait exact.

Puis, elle reprit son sérieux.

— Ce qui explique pourquoi je sais que c'est l'œuvre d'une personne vivante. Quelqu'un de ma maisonnée.

— Aucun nouveau serviteur, de nouveaux assistants dans les jardins ?

Minnie hocha la tête.

— Tout le monde est avec moi depuis des années. Masters est aussi mystifié que moi.

— Hum.

Vane se redressa. La désapprobation dirigée contre Gerrard Debbington commençait à avoir un sens.

— Que fait ce spectre ?

— Du bruit, pour commencer.

Les yeux de Minnie lancèrent des éclairs.

— Il commence toujours à s'activer après que je me suis endormie. J'ai le sommeil léger et ces appartements ont vue sur les ruines, ajouta-t-elle en gesticulant vers les fenêtres.

— Quel type de bruits ?

— Des gémissements et des bruits sourds ; et des grincements, comme si les pierres se frottaient les unes contre les autres.

Vane hocha la tête. Lui et Devil avaient déplacé suffisamment de pierres dans les ruines pour qu'il se souvienne très nettement du son.

— Et ensuite, il y a la lumière qui darde ses rayons dans les ruines. Tu sais comment c'est : même en été, nous avons une brume au sol la nuit, venant de la rivière.

— Quelqu'un a-t-il tenté d'attraper le spectre ?

Relevant fermement ses mentons, Minnie secoua la tête.

— Je refuse d'accréditer cela ; j'ai insisté pour qu'ils me donnent tous leur parole qu'ils ne s'aventureront pas dehors à sa suite. Tu sais comment sont les ruines, à quel point elles peuvent être dangereuses, même en plein jour. Pourchasser un feu follet la nuit dans le brouillard est de la folie. Des membres cassés, des têtes fracassées – non! Je ne veux pas en entendre parler.

– Et ont-ils tous tenu leur promesse?

– Autant que je le sache, répondit-elle en grimaçant. Cependant, tu connais cette demeure : il y a des tas de portes et de fenêtres par lesquelles ils pourraient aller et venir. Et je *sais* que l'un d'eux est le spectre.

– Ce qui signifie que s'il entre et sort sans se faire remarquer, d'autres le pourraient aussi.

Vane croisa les bras.

– Passez la maisonnée en revue : qui s'intéresse aux ruines?

Minnie leva les doigts.

– Whitticombe, bien sûr. Je t'ai parlé de ses recherches?

Vane hocha la tête. Minnie poursuivit :

– Puis, il y a Edgar – il a lu toutes les biographies des abbés et celles des premiers Bellamy. Il a un grand intérêt de ce côté. Et je devrais inclure le général : les ruines constituent sa promenade préférée depuis des années.

Elle progressa jusqu'à son dernier doigt.

– Et Edmond avec sa pièce de théâtre – et Gerrard, évidemment. Les deux passent du temps dans les ruines, Edmond à communier avec sa muse, Gerrard à dessiner.

Elle regarda sa main en fronçant les sourcils, n'ayant plus de doigts.

— Et enfin, il y a Patience, mais son intérêt ne tient qu'à une éternelle curiosité. Elle aime fouiner pendant ses promenades.

Vane pouvait l'imaginer.

— Aucune des autres femmes ni Henry Chadwick n'ont d'intérêt particulier ?

Minnie secoua la tête.

— C'est tout une distribution de personnages ; cinq hommes en tout.

— Précisément, répliqua Minnie en fixant le feu. Je ne sais pas ce qui m'inquiète le plus, le spectre ou le voleur.

Elle poussa un soupir, puis leva les yeux vers Vane.

— Je voulais te demander, mon cher garçon, si tu voudrais rester et démêler tout cela.

Vane baissa le regard sur le visage de Minnie, sur les douces joues qu'il avait embrassées un nombre incalculable de fois, sur les yeux vifs qui l'avaient réprimandé et taquiné et si bien aimé. Pendant un instant, l'image d'un autre visage s'y superposa, celui de Patience Debbington. Ossature similaire, yeux similaires. Le destin, encore une fois, le regardait en plein visage.

Cependant, il ne pouvait pas refuser, ne pouvait pas partir — chaque fibre de son tempérament Cynster refuser de prendre cela en considération. Les Cynster n'acceptaient jamais la défaite, bien qu'ils flirtent souvent avec le danger. Minnie était de la famille — elle devait être défendue jusqu'à la mort.

Vane reporta son attention sur le visage de Minnie, le sien de nouveau ; il ouvrit les lèvres...

Un cri perçant déchira la tranquillité, fendant la nuit.

Vane ouvrit brusquement la porte de Minnie avant que le premier écho ne s'éteigne. Des cris moins intenses le guidèrent à travers le labyrinthe du manoir, à travers les couloirs mal éclairés, en haut et en bas d'escaliers reliant des étages inégaux. Il suivit la piste des cris jusqu'à un couloir dans l'aile opposée à celle de Minnie et un étage plus haut.

La source des cris était madame Chadwick.

Quand il la rejoignit, elle était sur le point de perdre connaissance, appuyée contre une table basse, une main pressée sur son ample poitrine.

– Un homme!

Elle serra la manche de Vane et pointa au fond du couloir.

– Dans une longue cape; je l'ai vu debout là-bas, juste devant ma porte.

La porte en question était enveloppée par l'obscurité. Seule une unique applique contenant une bougie éclairait le couloir, jetant une faible lueur près de l'intersection derrière eux. Des pas arrivèrent à la hâte, martelant les planchers cirés. Vane écarta madame Chadwick de lui.

– Attendez ici.

Audacieusement, il partit à grandes enjambées dans le couloir.

Il n'y avait personne tapi dans les ombres. Il marcha à grands pas jusqu'au bout, là où les marches montaient et descendaient. Il n'y avait aucun bruit de pas s'éloignant. Vane rebroussa chemin. La maisonnée se rassemblait autour de madame Chadwick – Patience et Gerrard étaient là; Edgar, lui aussi, s'y trouvait. Rejoignant la porte de madame Chadwick, Vane l'ouvrit en grand, puis entra.

Il n'y avait personne non plus dans la chambre.

Quand il retrouva madame Chadwick, elle baignait sous la lumière jetée par un candélabre tenu en l'air par Patience et elle buvait un verre d'eau à petites gorgées. Son teint s'était amélioré.

— Je revenais tout juste de la chambre d'Angela.

Elle regarda fugitivement Vane ; il aurait pu jurer que son teint s'était assombri.

— Nous avons bavardé.

Elle but une autre gorgée, puis elle poursuivit, sa voix se raffermissant.

— Je me rendais à ma chambre lorsque je l'ai vu, juste là, dit-elle en pointant le fond du couloir.

— Debout devant votre porte ?

Madame Chadwick hocha la tête.

— Avec la main sur la clenche.

En train d'entrer. En tenant compte du temps qu'il lui avait fallu pour traverser la moitié de la demeure, le voleur — si c'était de lui dont il s'agissait — aurait eu amplement le temps de disparaître. Vane plissa le front.

— Vous avez dit quelque chose à propos d'une cape.

Madame Chadwick hocha la tête.

— Une longue cape.

Ou les jupes de la robe d'une femme. Vane regarda de nouveau au fond du couloir. Même avec la lumière supplémentaire offerte par le candélabre, il serait difficile de savoir avec certitude si la silhouette était masculine ou féminine. Et un voleur pouvait être l'un ou l'autre.

— *Pensez*-y ! Nous pourrions être assassinés dans nos lits !

Toutes les têtes, et en effet, elles étaient toutes là – la maisonnée de Minnie s'était assemblée en entier – pivotèrent vers Angela.

Les yeux immenses, elle les fixa en retour.

– Il doit s'agir d'un fou !

– Pourquoi ?

Vane ouvrit la bouche pour exprimer sa question ; Patience le prit de vitesse.

– Pourquoi diable quelqu'un viendrait-il jusqu'ici, poursuivit-elle, forcer l'entrée de cette maison en particulier, venir à la porte de votre mère pour ensuite disparaître dès qu'elle crie ? Si c'était un fou décidé à tuer, il avait tout le temps nécessaire pour commettre son forfait.

Autant madame Chadwick qu'Angela la dévisagèrent, abasourdies par sa logique implacable. Vane s'obligea à ne pas sourire.

– Nul besoin de se montrer dramatique : qui que ce fût, il est parti depuis longtemps. Mais possiblement pas très loin.

La même pensée frappa Whitticombe.

– Tout le monde est-il ici ?

Il regarda autour de lui, tout comme les autres, confirmant qu'en effet, tous étaient présents, même Masters, qui se tenait à l'arrière du groupe.

– Bien, alors, dit Whitticombe en scrutant les visages, où *était* tout le monde ? Gerrard ?

Vane était tout à fait certain que ce n'était pas le hasard qui avait amené ce nom en premier sur les lèvres de Whitticombe.

Gerrard se tenait derrière Patience.

– J'étais dans la salle de billard.

— Seul ?

L'insinuation de Whitticombe était claire.

La mâchoire de Gerrard se contracta.

— Oui, seul.

Le général grommela.

— Pourquoi diable quelqu'un passerait-il du temps en solitaire dans la salle de billard ?

Le rouge monta aux joues de Gerrard. Il jeta un coup d'œil furtif à Vane.

— Je frappais simplement quelques billes.

Le regard rapide suffit à Vane ; Gerrard avait pratiqué des coups, attendant qu'il descende. La salle de billard était précisément le genre d'endroit où l'on pourrait s'attendre à ce qu'un gentleman tel que lui choisisse de passer une ou deux heures avant d'aller dormir. En effet, si les événements n'avaient pas pris le tour actuel, il y serait lui-même allé.

Vane n'aimait pas les regards accusateurs dirigés contre Gerrard. Pas plus que Patience, Minnie ou Timms. Il parla avant qu'elles puissent le faire.

— Voilà qui vous justifie. Et les autres, où étiez-vous ?

Il obligea chacun à déclarer le lieu où il se trouvait. À part lui-même et Minnie, Angela, madame Chadwick, Patience et Timms, personne n'avait été sous les yeux de quelqu'un d'autre. Whitticombe était retourné dans la bibliothèque ; Edgar y était entré pour récupérer un volume, puis il s'était retiré dans le salon du fond. Edmond, insensible à tout dès que sa muse s'emparait de lui, comme cela avait été apparemment le cas, était resté au salon. Le général, agacé par les laïus spontanés d'Edmond, s'était de nouveau faufilé dans la salle à manger. À en juger par sa coloration marquée, Vane soupçonna que le carafon de brandy avait été son but. Henry Chadwick s'était retiré dans sa chambre à coucher.

Quand Vane la questionna sur ses allées et venues, Alice Colby lui jeta un regard mauvais.

— J'étais dans ma chambre, un étage sous celui-ci.

Vane se contenta de hocher la tête.

— Très bien. Je suggère qu'à présent que le voleur est parti depuis longtemps, nous nous retirions tous.

Devant cette triste et morne suggestion, la majorité du groupe, marmonnant et grommelant, s'exécuta. Gerrard resta en arrière, mais lorsque Patience le remarqua et lui donna une poussée, il jeta un regard contrit à Vane et partit. D'une manière prévisible, Patience, Minnie et Timms résistèrent.

Vane examina leurs visages, puis soupira et les repoussa d'un signe de la main.

— Dans la chambre de Minnie.

Il prit le bras de Minnie, inquiet lorsqu'il sentit à quel point elle s'appuyait fortement sur lui. Il fut tenté de la porter, mais il connaissait son éternelle fierté. Il accorda donc son pas au sien. Quand ils atteignirent ses appartements, Timms avait ravivé le feu et Patience avait tapoté les coussins sur le fauteuil de Minnie. Vane l'aida à s'y rendre et elle s'y laissa tomber avec un soupir las.

— Ce n'était pas Gerrard.

La déclaration acerbe venait de Timms.

— Je ne peux pas souffrir la façon dont ils jettent les soupçons sur lui. Ils le transforment en bouc émissaire.

Minnie hocha la tête. Patience se contenta de croiser le regard de Vane. Elle se tenait à côté du fauteuil de Minnie, tête haute, mains serrées trop fortement devant elle, le défiant d'accuser son frère.

Les lèvres de Vane se courbèrent ironiquement.

— Il m'attendait.

S'avançant paresseusement, il prit sa position habituelle, épaules appuyées contre le manteau de la cheminée.

— Ce qui, la dernière fois que j'ai vérifié, n'était pas un crime.

Timms renifla.

— Tout à fait exact. Cela, c'était évident.

— Si nous sommes d'accord là-dessus, alors je suggère que nous oublions cet incident. Je ne vois aucune manière de relier cela à qui que ce soit.

— Masters n'a pu prendre en défaut aucun des alibis des autres.

Patience leva le menton quand Vane regarda de son côté.

— Je le lui ai demandé.

Vane la considéra un moment, puis hocha la tête.

— Donc, ce soir n'a rien révélé : il n'y a rien de plus à faire qu'aller au lit.

Il garda son regard sur le visage de Patience ; après un moment, elle inclina la tête.

— Comme vous dites, ajouta-t-elle en se penchant sur Minnie. Si vous n'avez plus besoin de moi, madame.

Minnie s'obligea à former un sourire fatigué.

— Non, ma jolie.

Elle serra la main de Patience.

— Timms prendra soin de moi.

Patience embrassa la joue de Minnie. Se redressant, elle échangea un regard conspirateur avec Timms, puis se glissa vers la porte. Vane suivit dans son sillage, tendant la main autour d'elle alors qu'elle s'arrêtait devant pour ouvrir. Leur position était la même que celle de l'après-midi, quand il l'avait délibérément décontenancée. Cette fois, ce fut elle qui hésita, puis leva les yeux, sur son visage.

— Vous ne croyez pas que c'était Gerrard.

Moitié question, moitié affirmation. Vane soutint son regard, puis secoua la tête.

— Je sais que ce n'était pas Gerrard. Votre frère serait incapable de mentir pour sauver sa vie, et il n'a pas essayé.

Brièvement, elle scruta ses yeux, puis inclina la tête. Vane ouvrit la porte, la referma derrière elle, puis il revint vers le feu.

— Bien, soupira Minnie. Accepteras-tu ma mission ?

Vane baissa la tête vers elle et laissa apparaître son sourire de Cynster.

— Après ce petit interlude, comment puis-je refuser ?

Comment, en effet ?

— Dieu merci ! déclara Timms. Dieu sait que nous avons besoin d'un peu de bon sens ici.

Vane garda ce commentaire en réserve en cas de besoin futur — il se doutait que Patience Debbington croyait avoir saturé le marché du bon sens.

— Je commencerai à fouiner demain. D'ici là… Comme je l'ai dit, il vaudrait mieux oublier ce qui s'est passé ce soir, ajouta-t-il en regardant Minnie.

Minnie sourit.

— Savoir que tu restes suffira à apaiser mon esprit.

— Bien.

Sur un hochement de tête, Vane se redressa et pivota.

— Oh… heu, Vane ?

Il regarda en arrière, un sourcil haussé, mais continua sa progression vers la porte.

— Je sais… mais n'exigez pas une promesse que je ne pourrai tenir.

Minnie plissa le front.

— Prends seulement garde à toi : je ne voudrais pas devoir affronter ta mère si tu te brises une jambe ou, pire encore, te fracasses la tête.

— Soyez tranquille : je n'ai pas l'intention de blesser l'une ou l'autre.

Vane jeta un nouveau coup d'œil depuis la porte, un sourcil haussé avec arrogance.

— Comme vous l'avez sans doute entendu dire, nous autres Cynster sommes invincibles.

Affichant un séduisant sourire, il partit ; Minnie regarda la porte se refermer. Souriant à contrecœur, elle tira sur ses châles qui glissaient.

— Invincibles ? Bah !

Timms vint l'aider.

— Étant donné que les sept membres de la génération actuelle sont revenus de Waterloo indemnes et sans une seule égratignure, je dirais qu'ils ont une bonne raison de prétendre à ce titre.

Minnie émit un son distinctement impoli.

— Je connais Vane et Devil depuis le berceau, et les autres presque aussi bien.

Elle donna un petit coup affectueux sur le bras de Timms. Avec son aide, elle réussit à se lever.

— Ce sont des hommes tout ce qu'il y a de mortels, avec le sang chaud, audacieux comme pas un.

Ses paroles lui donnèrent à réfléchir, puis elle rigola.

— Ils ne sont peut-être pas invincibles, mais que je sois pendue s'ils ne sont pas ce qu'il y a de mieux tout de suite après.

— Exactement, ajouta Timms en souriant. Donc, nous pouvons déposer nos problèmes sur les épaules de Vane ; Dieu sait qu'elles sont assez larges.

Minnie sourit.

— Très vrai. Bien, alors... allons me mettre au lit.

Vane s'assura de descendre tôt pour le petit déjeuner. Quand il pénétra dans le boudoir, seul Henry était présent, réalisant des progrès réguliers dans son assiette de saucisses. Échangeant un hochement de tête amical, Vane se dirigea vers le buffet.

Il empilait des tranches de jambon sur une assiette lorsque Masters apparut, portant un autre plateau. Il le déposa sur le buffet. Arquant un sourcil, Vane attira son regard.

— Aucune trace d'entrée par effraction ?

— Non, monsieur.

Masters était le majordome de Minnie depuis plus de vingt ans. Il connaissait bien Vane.

— J'ai fait ma tournée tôt. Le rez-de-chaussée avait déjà été fermé avant... l'incident. J'ai revérifié après : aucune porte ou fenêtre n'avait été laissée ouverte.

Ce qui était ni plus ni moins ce à quoi Vane s'était attendu. Il hocha la tête évasivement et Masters s'en alla.

Avançant lentement vers la table, Vane tira la chaise au bout.

Henry, assis sur la chaise à côté, leva la tête lorsqu'il s'assit.

— Fichtre d'affaire bizarre, hier soir. La mater est encore secouée. Je déteste le dire, mais je pense vraiment que le jeune Gerrard est allé assez loin avec cette bêtise du « spectre ».

Vane haussa les sourcils.

— En fait…

Un grognement en provenance de la porte l'interrompit ; Whitticombe entra.

— Ce jeune butor devrait recevoir une correction. Faire peur ainsi à des femmes de la bonne société. Il a besoin qu'on applique une main ferme sur ses rênes — il a été laissé aux soins des femmes trop longtemps.

En lui-même, Vane se raidit ; en apparence, pas une ridule ne vint gâcher son expression habituellement courtoise. Il ravala son envie de défendre Patience, et Minnie aussi. Au lieu de cela, il se fabriqua un air d'ennui seulement légèrement froissé.

— Pourquoi êtes-vous si certain que c'était Gerrard, hier soir ?

Au buffet, Whitticombe pivota, mais il fut pris de vitesse par le général.

— C'est logique, siffla-t-il en sautant dans la conversation. Qui d'autre cela aurait-il pu être, hein ?

Une fois de plus, les sourcils de Vane s'arquèrent.

— Presque n'importe qui, d'après moi.

— Sottises ! se vexa le général, appuyant sa canne contre le buffet.

— À part moi, Minnie, Timms, mademoiselle Debbington, Angela et madame Chadwick, répéta Vane, chacun des membres restants de la maisonnée pourrait être le coupable.

Se retournant, le général lui lança un regard noir sous des sourcils menaçants.

— Il vous manque une case et vous ne pensez plus clairement. Pourquoi diable qui que ce soit parmi *nous* voudrait-il énerver Agatha Chadwick ?

Gerrard, les yeux brillants, passa vivement la porte — et s'arrêta net. Son visage, initialement rempli d'anticipation enfantine, se vida de toute expression.

Vane attira l'attention de Gerrard, puis, des yeux, indiqua le buffet.

— En effet, mais en mettant précisément ce raisonnement à profit, pourquoi Gerrard le voudrait-il ? dit-il d'une voix traînante alors que Gerrard, à présent raide et tendu, allait se servir.

Le général se renfrogna et regarda brièvement le dos de Gerrard. Portant une haute pile de kedgeree sur une assiette, le général tira une chaise plus loin le long de la table. Whitticombe, l'air pincé, gardant un silence moralisateur, s'installa en face de lui.

Plissant le front, Henry changea de position sur sa chaise. Lui, aussi, regarda Gerrard, occupé au buffet, puis examina son assiette à présent vide.

— Je ne sais pas, mais je suppose que les garçons seront toujours des garçons.

— En tant qu'individu qui a utilisé cette excuse à l'extrême, je me sens obligé de faire remarquer que Gerrard a dépassé depuis plusieurs années le stade où cette explication s'applique.

Vane croisa le regard de Gerrard alors qu'il se détournait du buffet, une assiette pleine dans les mains. Le visage de Gerrard était légèrement rosi et son regard attentif. Vane sourit avec aisance et désigna d'un geste la chaise à côté de la sienne.

— Cependant, peut-être nous suggère-t-il quelque chose ? Qu'en dites-vous, Gerrard : pouvez-vous nous donner une raison pourquoi quelqu'un voudrait effrayer madame Chadwick ?

Tout à son honneur, Gerrard ne se hâta pas de parler ; il plissa le front alors qu'il déposait son assiette, puis il secoua lentement la tête en s'assoyant.

— Je ne vois aucune raison pourquoi quelqu'un voudrait faire hurler madame Chadwick.

Il grimaça à ce souvenir.

— Cependant…, il jeta un regard reconnaissant à Vane, je me suis bien demandé si la frayeur était accidentelle et si la personne à la porte était réellement le voleur.

La suggestion fit réfléchir tout le monde à table — après un moment, Henry hocha la tête.

— Cela se pourrait ; en effet, pourquoi pas ?

— Peu importe, intervint Whitticombe, je ne peux pas imaginer non plus qui pourrait être ce voleur.

Son ton exprimait clairement qu'il soupçonnait encore Gerrard.

Vane dirigea un regard légèrement interrogateur sur le jeune homme.

Encouragé, celui-ci haussa les épaules.

— Je ne vois pas ce que quiconque parmi nous pourrait faire de tous ces colifichets et fanfreluches qui ont disparu.

Le général émit l'un de ses grognements dégoûtants.

— Peut-être bien parce qu'il s'agit en effet de fanfreluches ? Exactement le genre de choses pour rechercher les faveurs d'une servante frivole, hein ?

Son regard pénétrant se fixa de nouveau sur Gerrard.

Une rougeur immédiate monta aux joues de Gerrard.

— Non coupable ! Sur mon honneur, je le jure !

Les mots retentirent en provenance de la porte. Ils en cherchèrent tous la provenance des yeux — sur le seuil, Edmond se tenait immobile dans une attitude de suppliant plaidant pour la justice sur le banc. Il rompit sa pause ; arborant un large sourire, il salua, puis se redressa et avança en bondissant vers le buffet.

— Désolé de vous décevoir, mais je me sens obligé de faire voler ce fantasme en éclats. Aucune des servantes ici n'accepterait de tels gages d'estime : le personnel a été averti des vols. Et en ce qui concerne les villages environnants...

Il marqua une pause théâtrale et roula des yeux teintés d'anxiété vers Vane...

— Croyez-moi, il n'y a pas une demoiselle prometteuse à moins d'un jour de voyage !

Vane dissimula son sourire derrière sa tasse de café ; par-dessus le bord, il croisa les yeux rieurs de Gerrard.

Le son de jupes bruissant vivement attira tous les regards vers la porte. Patience apparut dans l'embrasure. Des chaises grincèrent alors que tous s'apprêtaient à se lever. Elle agita une main pour leur indiquer de rester assis. S'arrêtant sur le seuil, elle survola rapidement la pièce du regard, les yeux se fixant enfin sur Gerrard. Et sur son sourire affectueux.

Vane remarqua la manière dont les seins de Patience se soulevaient et s'abaissaient, nota la légère rougeur sur ses joues. Elle s'était dépêchée.

Elle cligna des paupières, puis, avec un hochement de tête général, se dirigea vers le buffet.

Vane redirigea la conversation sur des sujets moins lourds de tension.

— La chasse Northants est la plus proche, répondit Henry à sa question.

Au buffet, Patience s'obligea à respirer profondément pendant qu'elle remplissait distraitement son assiette. Elle avait eu l'intention de se réveiller tôt et d'être là à temps pour protéger Gerrard. Au lieu de cela, elle avait dormi tard, épuisée par l'inquiétude croissante, suivie de rêves troublants. Les autres dames prenaient habituellement le petit déjeuner sur des plateaux dans leurs appartements, une habitude à laquelle elle n'avait jamais souscrit. Les oreilles tournées vers le grondement de la conversation dans son dos, elle entendit la voix nonchalamment traînante de Vane et sentit sa peau picoter. Elle fronça les sourcils.

Elle connaissait trop bien les membres masculins de cette maison — il n'y avait aucune chance pour qu'ils aient omis de mentionner le contretemps de la veille, ni qu'ils n'aient pas, d'une manière ou d'une autre, accusé Gerrard d'en être le responsable. Cependant, il était clair qu'il n'était pas perturbé, ce qui ne pouvait signifier qu'une chose. Pour une raison inconnue, Vane Cynster avait pris fait et cause pour lui à sa place à elle et détourné les soupçons déraisonnables de la maisonnée envers Gerrard. Elle fronça davantage les sourcils quand elle entendit la voix de Gerrard, l'enthousiasme de la jeunesse résonnant pendant qu'il décrivait une chevauchée des environs.

Les yeux s'arrondissant, Patience ramassa son assiette et pivota vivement. Elle s'avança à table, vers la chaise à côté de Gerrard. Masters la tira et la tint pendant qu'elle s'assoyait.

Gerrard se tourna vers elle.

— Je disais juste à Vane que Minnie avait conservé les meilleurs chasseurs de sir Humphrey. Et les promenades dans les environs sont tout à fait raisonnables.

Ses yeux brillaient d'une lumière que Patience n'avait jamais vue auparavant. Souriant, il se retourna vers Vane. Prise de découragement, Patience regarda aussi au bout de la table. Vane était assis, détendu, les larges épaules enveloppées dans une veste d'équitation grise et confortablement appuyées sur le dossier de sa chaise, une main posée sur le bras, l'autre étirée sur la table, ses longs doigts recourbés sur l'anse de la tasse de café.

À la lumière du jour, ses traits étaient aussi acérés qu'elle les avait cru, son visage tout aussi fort. Ses lourdes paupières dissimulaient ses yeux alors qu'avec un intérêt tranquille, il écoutait Gerrard prôner les vertus équestres de la localité.

À sa droite, le général grogna, puis repoussa sa chaise. Whitticombe se leva aussi. L'un après l'autre, ils quittèrent la pièce. Plissant le front, Patience s'appliqua à son petit déjeuner et essaya de penser à un autre sujet pour détourner la conversation.

Vane la vit plisser le front. Le démon en lui se réveilla, s'étira, puis se mit à considérer son plus récent défi. Elle allait, il en était sûr, l'éviter. Déplaçant son regard à la paupière tombante, il examina Gerrard. Vane sourit. Paresseusement. Il attendit que Patience ait mordu dans sa rôtie.

— En fait, dit-il d'une voix traînante, je pensais à occuper cette matinée par une chevauchée. Y a-t-il des amateurs ?

La réponse enthousiaste de Gerrard fut instantanée ; la réaction de Patience, beaucoup moins enthousiaste, ne fut pas moins rapide. Vane réprima un grand sourire devant le spectacle de son expression abasourdie alors que, la bouche incommodément pleine, elle entendit Gerrard accepter son invitation avec un plaisir non déguisé.

Patience regarda à travers les longues fenêtres du petit salon. La journée était belle, une brise fraîche séchant les flaques d'eau. Elle avala et regarda Vane.

— Je pensais que vous alliez partir.

Il sourit, un lent sourire enjôleur, fascinant.

— J'ai décidé de rester quelques jours.

« La barbe ! » Patience ravala les mots et regarda Edmond de l'autre côté de la table. Qui secoua la tête.

— Pas pour moi. La muse m'appelle… je dois obéir à sa demande.

Patience jura secrètement et tourna les yeux sur Henry. Il réfléchit, puis grimaça.

— Une bonne idée, mais je devrais d'abord prendre des nouvelles de maman. Je vous rattraperai, si je le peux.

Vane inclina la tête et jeta un regard souriant en biais à Gerrard.

— Il semble que nous serons seuls, alors.

— Non !

Patience toussa pour masquer la brusquerie de sa réponse ; puis, elle but une gorgée de thé et leva la tête.

— Si vous attendez pendant que je me change, je viendrai aussi.

Elle croisa les yeux de Vane et vit le gris luire malicieusement. Cependant, il inclina gracieusement la tête tout en douceur, acceptant sa compagnie, ce qui était la seule chose qui importait à Patience. Déposant sa tasse de thé, elle se leva.

— Je vous rejoindrai dans les écuries.

Se levant avec sa grâce habituelle, Vane la regarda partir, puis se rassit, élégamment affalé. Il leva sa tasse de café, dissimulant par conséquent son sourire victorieux.

Gerrard, après tout, n'était pas aveugle.

— Dix minutes, croyez-vous ?

Il leva un sourcil vers Gerrard.

— Oh, au moins.

Avec un large sourire, Gerrard tendit la main vers la cafetière.

Chapitre 4

Avant même son arrivée dans la cour de l'écurie, Patience avait fermement pris le mors aux dents. Vane Cynster n'était pas un guide convenable pour Gerrard, mais étant donné la preuve qu'elle avait sous les yeux, Gerrard était déjà bien parti pour lui démontrer un respect malsain, ce qui pouvait beaucoup trop facilement mener à l'adulation. Au culte du héros. À l'émulation dangereuse.

Tout cela était très clair dans son esprit.

La traîne de sa tenue d'équitation de velours lavande sur le bras, elle avança à grands pas dans la cour, les talons résonnant sur les pavés. Son évaluation de la situation fut instantanément confirmée.

Vane montait un imposant cheval de chasse gris avec une aisance élégante, maîtrisant sans effort la bête rétive. À côté de lui, sur un hongre noisette, Gerrard bavardait allégrement. Il semblait plus heureux, plus détendu qu'il ne l'avait été depuis leur arrivée. Patience le remarqua, mais s'arrêtant dans l'ombre de l'entrée en arche de l'écurie, son attention demeurait rivée sur Vane Cynster.

Sa mère avait souvent noté que les « véritables gentlemen » avaient exceptionnellement fière allure à dos de cheval. Réprimant un petit reniflement en elle-même — sa réaction normale à une telle observation, qui faisait invariablement allusion à son père — Patience admit à contrecœur qu'elle voyait maintenant ce que sa mère voulait dire : il y avait quelque chose à propos de la puissance maîtrisée de l'homme, dominant et maîtrisant la puissance de la bête, qui lui nouait l'estomac. Le clop-clop des sabots avait noyé le bruit de son arrivée ; elle le fixa une minute de plus, puis se secoua mentalement et avança.

Grisham avait sellé la jument brune qu'elle préférait et il attendait ; Patience monta sur le marchepied, puis grimpa sur la selle. Elle disposa ses jupes et prit les rênes.

— Prête ?

La question venait de Vane. Patience hocha la tête.

Naturellement, *il* partit en tête de file.

Le matin les accueillit, frais et clair. Des nuages gris pâle parsemaient le ciel délavé ; l'odeur de la végétation humide était pénétrante. Leur premier arrêt fut un tertre à six kilomètres du manoir. Vane avait calmé l'agitation de sa monture à l'aide d'une série de courts galops que Patience s'était efforcée de ne pas regarder. Après cela, le cheval gris était allé au petit galop à côté de sa jument. Gerrard avait chevauché sur son autre flanc. Aucun d'eux n'avait parlé, satisfait de regarder autour de soi et laisser l'air frais le rafraîchir.

Tirant sur les rênes à côté de Vane au sommet du tertre, Patience contempla les environs. À côté d'elle, Gerrard scrutait l'horizon, jaugeant la vue. Pivotant sur sa selle, il regarda le monticule abrupt au-delà de Vane, couvrant un bout du tertre.

— Tiens.

Poussant ses rênes dans les mains de Patience, Gerrard descendit de cheval.

— Je vais aller jeter un coup d'œil sur la vue.

Patience regarda brièvement Vane, assis sur sa bête grise avec une aisance trompeuse, les mains croisées sur le pommeau de la selle. Ils observèrent pendant que Gerrard grimpait tant bien que mal le côté du monticule en pente raide. Atteignant le sommet, il agita la main, puis regarda autour de lui. Après un moment, il se laissa tomber au sol, le regard fixé au loin.

Patience sourit et reporta les yeux sur le visage de Vane.

— J'ai bien peur qu'il puisse rester là des heures. Il est très passionné par les paysages en ce moment.

À son étonnement, les yeux gris qui l'observaient ne montrèrent aucun signe d'inquiétude à cette nouvelle.

Au lieu de cela, les longues lèvres de Vane se courbèrent.

— Je sais, dit-il. Il m'a mentionné son obsession actuelle, alors je lui ai parlé du vieux tumulus funéraire.

Il marqua une pause, puis ajouta, les yeux toujours sur elle, son sourire s'intensifiant :

— Les perspectives sont plutôt spectaculaires.

Ses yeux brillèrent.

— Assurées de retenir l'attention d'un artiste en herbe pendant un laps de temps considérable.

Patience, le regard plongé dans le gris du sien, sentit une sensation de picotement lui passer sur la peau. Elle cligna des paupières, puis plissa le front.

— Comme c'est gentil à vous.

Elle se tourna pour contempler elle aussi les points de vue. Et sentit encore cette étrange sensation, une onde tangible glissant sur ses nerfs, les laissant sensibilisés. C'était très étrange. Elle aurait mis cela sur le compte de la brise, mais le vent n'était pas si froid.

À côté d'elle, Vane haussa les sourcils, son sourire de prédateur encore en évidence. Son habit lavande n'était pas neuf, loin d'être à la mode, néanmoins, il étreignait ses courbes, mettant en valeur leur douceur, le laissant avec une envie pressante de remplir ses bras de leur chaleur. Le cheval gris changea de position ; Vane le calma.

— Minnie a mentionné que vous et votre frère êtes originaires du Derbyshire. Montez-vous beaucoup là-bas ?

— Autant que je le peux.

Patience regarda de son côté.

— J'aime l'exercice, mais les chevauchées dans les environs de la Grange sont plutôt restreintes. Êtes-vous familier avec la région aux environs de Chesterfield ?

— Pas particulièrement, répondit-il avec un large sourire. C'est un peu plus au nord que mes terrains de chasse habituels.

Pour les renards — ou les femmes ? Patience réprima une interjection indignée.

— D'après votre connaissance de la localité — elle jeta un coup d'œil sur le monticule à côté d'eux —, je comprends que vous êtes déjà venu ici ?

— Souvent lorsque j'étais enfant. Mon cousin et moi passions quelques semaines ici la plupart des étés.

— Hum, répliqua Patience. Je suis surprise que Minnie ait survécu.

— Au contraire : nos visites lui réussissaient. Elle se réjouissait toujours de nos exploits et de nos aventures.

Devant son absence de commentaire supplémentaire, Vane dit doucement :

— Au fait, Minnie m'a parlé des vols bizarres qui se sont produits au manoir.

Patience leva la tête ; il accrocha son regard.

— Est-ce ce que vous cherchiez dans la plate-bande ? Un objet disparu ?

Patience hésita, scrutant ses yeux, puis elle hocha la tête.

— Je me suis dit que Myst avait dû le renverser et le faire tomber par la fenêtre, mais j'ai fouillé partout, dans la chambre à coucher et dans la plate-bande. Je n'ai pu le trouver nulle part.

— Qu'était-ce ?

— Un petit vase en argent.

Elle esquissa la forme d'un vase-bouteille.

— Environ dix centimètres de hauteur. Je l'avais depuis des années ; je n'imagine pas qu'il ait une très grande valeur, mais…

— Vous aimeriez mieux l'avoir que le contraire. Pourquoi teniez-vous tant à ne pas le mentionner hier soir ?

Son visage prenant un air déterminé, Patience rencontra le regard de Vane.

— Vous n'allez pas me dire que les *gentlemen* de la maisonnée n'ont pas mentionné par hasard au cours du petit déjeuner ce matin qu'ils pensent que Gerrard est derrière tous ces étranges événements — le « spectre », comme ils l'appellent, ainsi que les vols ?

— Il se trouve que si, mais nous — Gerrard, moi-même et, assez étonnamment Edmond — avons fait remarquer que cette idée n'avait pas de véritables fondements.

Le son peu distingué qu'émit Patience fut éloquent — exprimant l'irritation, la frustration et la patience à bout.

— En effet, acquiesça Vane, alors vous avez une autre raison de vous sentir reconnaissante envers moi.

Alors que Patience pivotait vers lui, il fronça les sourcils.

— Et envers Edmond, malheureusement.

Malgré elle, les lèvres de Patience tressautèrent.

— Edmond contredirait les aînés simplement pour plaisanter : il ne prend rien au sérieux, à part sa muse.

— Je me fie à votre parole là-dessus.

Au lieu d'être affolée, Patience continua à examiner son visage. Vane haussa un sourcil.

— Je vous ai bien dit, murmura-t-il en soutenant son regard, que je suis déterminé à ce que vous finissiez par m'être redevable. Vous n'avez pas à vous inquiéter de l'attitude des hommes envers Gerrard pendant mon séjour ici.

Il ne croyait pas que la fierté de Patience lui permettrait d'accepter l'offre franche d'un dos large pour faire dévier les pierres et les flèches lancées en ce moment par la société du manoir ; présenter son aide sous le couvert des machinations d'un séducteur lui permettrait, il l'espérait, de laisser passer la question avec un haussement d'épaules et un commentaire acerbe.

Ce qu'il reçut fut un froncement de sourcils.

— Eh bien, je vous remercie si vous avez essayé de les éclairer.

Patience leva le regard vers l'endroit où Gerrard communiait toujours avec l'horizon.

Cependant, vous comprenez pourquoi je n'ai pas fait toute une histoire à propos de mon vase : ils ne feraient que mettre en cause Gerrard.

Vane haussa les sourcils évasivement.

— Peu importe. Si autre chose disparaît, dites-le-moi, ou bien à Minnie ou à Timms.

Patience le regarda et plissa le front.

– Que…

– Qui est-ce ?

Vane hocha la tête en direction d'un cavalier avançant au petit galop vers eux.

Patience regarda, puis soupira.

– Hartley Penwick.

Même si son expression demeura neutre, sa voix grimaçait.

– C'est le fils de l'un des voisins de Minnie.

– Quelle agréable rencontre, ma chère mademoiselle Debbington !

Penwick, un gentleman bien mis, vêtu d'un veston en tweed et d'un pantalon d'équitation en velours côtelé, monté sur un lourd rouan, exécuta une révérence plus large qu'élégante.

– Vous vous portez bien, j'espère.

– Oui, merci, monsieur.

Patience désigna Vane de la main.

– Permettez-moi de vous présenter le filleul de lady Bellamy.

Brièvement, elle présenta Vane, ajoutant l'information qu'il s'était arrêté pour se mettre à l'abri de l'orage de la veille.

– Ah.

Penwick serra la main de Vane.

– Donc, la nature de votre visite est celle d'une halte forcée. J'imagine que vous allez reprendre votre chemin bientôt. Le soleil sèche joliment les routes et il n'y a rien dans ce petit coin tranquille qui se compare aux activités en vogue.

Si Penwick avait voulu le voir partir, il n'aurait pas été plus explicite.

Vane sourit de toutes ses dents.

— Oh, je ne suis pas particulièrement pressé.

Les sourcils de Penwick s'arquèrent ; ses yeux, attentifs dès l'instant où il avait aperçu Vane, devinrent durs.

— Ah ; en voyage de réparation, si je comprends bien ?

— Non.

Le regard de Vane se fit glacial, sa diction devint plus précise.

— J'aime seulement me faire plaisir.

Cette information ne plut pas à Penwick. Patience était sur le point d'intervenir entre deux réparties pour sauver Penwick d'une probable annihilation lorsque celui-ci, cherchant la personne allant avec le troisième cheval, leva les yeux.

— Doux Jésus ! *Descendez* de là, espèce de petit polisson !

Vane cilla et leva la tête. Les yeux rivés à l'horizon, le polisson feignait la surdité. Se retournant, Vane entendit Patience déclarer avec morgue :

— Tout va parfaitement bien, monsieur. Il admire la vue.

— La vue ! s'exclama Penwick en s'étranglant de rire. Les flancs de ce tumulus sont raides et glissants ; et s'il tombait ?

Il regarda Vane.

— Je suis surpris, Cynster, que vous ayez permis au jeune Debbington de s'embarquer dans un plan de fou propre à faire chavirer sa sœur sous les émotions.

Patience, doutant soudainement pour la sécurité de Gerrard, regarda Vane.

Le regard sur Penwick, Vane haussa lentement les sourcils. Puis, il tourna la tête et croisa le regard potentiellement inquiet de Patience.

— Je croyais que Gerrard avait dix-sept ans.

Elle cilla.

— C'est exact.

— Très bien, alors.

Vane s'installa confortablement, ses épaules se détendant.

— Dix-sept ans, c'est bien assez vieux pour être responsable de sa propre sécurité. S'il se casse une jambe en descendant, ce sera entièrement sa faute.

Patience le dévisagea — et se demanda pourquoi ses propres lèvres insistaient pour se courber vers le haut. Les yeux de Vane croisèrent les siens ; le calme, l'assurance solide comme le roc qu'elle vit dans le gris l'apaisa — et rétablirent sa confiance en Gerrard.

Le rire infructueusement réprimé qui flotta par-dessus leurs têtes obligea Patience à serrer les et à se retourner vers Penwick.

— Je suis certaine que Gerrard est tout à fait capable de se débrouiller.

Penwick passa à un cheveu de se renfrogner.

— Voici Edmond.

Patience regarda derrière Penwick alors qu'Edmond poussait sa monture en haut de l'élévation.

— Je pensais que vous étiez pris par votre muse ?

— Je m'en suis libéré, l'informa Edmond avec un large sourire.

Il salua Penwick de la tête, puis se tourna de nouveau vers Patience.

— J'ai pensé que vous seriez contente d'avoir plus de compagnie.

Bien que l'expression d'Edmond demeure ingénue, elle ne laissa aucun doute à Patience sur ses pensées. Elle combattit l'envie de jeter un regard à Vane, pour voir si lui aussi avait saisi l'insinuation ; elle était assez certaine que c'était le cas — l'homme n'était certainement pas lent d'esprit.

Ce dernier fait fut confirmé par le murmure ronronnant qui glissa sous son oreille droite.

— Nous ne faisions qu'admirer la vue.

À cet instant, avant même de se retourner vers lui, cette sensation de picotement la submergea encore, plus intense, plus malicieusement évocatrice qu'avant.

Le souffle manqua à Patience et elle refusa de croiser son regard. Elle le laissa s'élever seulement à la hauteur de ses lèvres. Elles tressautèrent, puis se relevèrent en un sourire moqueur.

— Et voici Chadwick.

Patience ravala un gémissement. Elle pivota et confirma qu'en effet, Henry trottait pour se joindre à eux. Ses lèvres se serrèrent ; elle était venue à cheval uniquement parce qu'aucun d'eux n'avait été tenté de faire une randonnée — et à présent, ils étaient tous là, avec Penwick en plus, chevauchant à sa rescousse !

Elle n'avait pas besoin d'être secourue ! Ou protégée ! Elle ne courait pas le moindre danger de succomber aux pièges de séduction d'un « élégant ». Non que Vane en eut semé à son intention, elle devait le concéder. Il y songeait peut-être, mais sa subtilité donnait aux autres un air de chiot se débattant, aboyant dans leur hâte impatiente.

— C'est une si belle journée; je n'ai pas pu résister à l'idée d'une rapide chevauchée.

Henry tournait aimablement un visage rayonnant vers elle; l'image d'un chiot haletant, la langue pendante dans un sourire canin rempli d'espoir, s'imprima avec force dans l'esprit de Patience.

— À présent que nous sommes tous réunis, dit Vane d'une voix traînante, nous pourrions poursuivre notre promenade?

— En effet, acquiesça Patience.

N'importe quoi pour mettre fin à ce rassemblement grotesque.

— Gerrard, descendez, votre cheval a oublié pourquoi il se trouve ici.

L'ordre de Vane, lancé d'un ton las du monde, ne suscita pas davantage qu'un petit rire chez Gerrard.

Il se leva, s'étira, salua Patience de la tête, puis disparut de l'autre côté du tumulus. En quelques minutes, il réapparut au niveau du sol en s'époussetant les mains. Il sourit à Vane, hocha la tête en direction d'Edmond et d'Henry et ignora Penwick. Acceptant ses rênes, il décocha un sourire à Patience, puis pivota sur sa selle.

— Nous y allons?

Un haussement de sourcil et une main brièvement agitée accompagnèrent la question. Patience se raidit — elle le dévisagea. Elle savait précisément de qui Gerrard avait adopté ses deux petites manières.

— Comment était la vue?

Edmond chevaucha à côté de Gerrard. Ils prirent la tête pour descendre l'élévation, Gerrard répondant de bon cœur, décrivant les différentes perspectives et exposant les jeux de lumière, les nuages et la brume.

Le regard fixé sur Gerrard, Patience mit son cheval au trot pour suivre le sien. La consternation s'ensuivit. Vane conservant calmement sa position à la droite de Patience, Penwick et Henry se bousculèrent pour se placer à sa gauche. Par la force ou grâce à l'adresse, Penwick la remporta, laissant Henry bouder à l'arrière. En elle-même, Patience soupira et prit mentalement note d'être plus gentille avec Henry plus tard.

Après trois minutes, elle aurait volontiers étranglé Penwick.

— Je me flatte, mademoiselle Debbington, de savoir que vous êtes assez lucide pour comprendre que j'ai vos meilleurs intérêts à cœur.

Ce fut le début du discours de Penwick. De là, il poursuivit :

— Je ne peux m'empêcher d'être convaincu qu'il n'est pas bon du tout pour vos sensibilités de sœur, ces émotions plus douces dont sont si bien pourvues les femmes de la bonne société, d'être constamment exacerbées par les exploits de votre frère, dus à la jeunesse, mais tristement inconsidérés.

Patience garda les yeux sur les champs et laissa la dissertation de Penwick passer avec indifférence. Elle savait qu'il ne remarquerait pas sa distraction. Les autres hommes faisaient toujours ressortir le pire chez Penwick — dans son cas, le pire était une conviction irréfutable en son propre jugement, combinée à une certitude inébranlable que non seulement elle partageait ses opinions, mais qu'elle était en très bonne voie de devenir madame Penwick. Comment il en était arrivé à une telle conclusion, Patience était bien en mal de le comprendre ; elle ne lui avait jamais offert le moindre encouragement.

Ses déclarations pompeuses lui parvenaient et continuaient leur chemin sans s'arrêter. Henry montra des signes d'impatience, puis toussa, puis s'immisça dans la conversation en disant :

– Pensez-vous que nous aurons encore de la pluie ?

Patience se lança sur la question idiote avec soulagement et s'en servit pour distraire Penwick chez qui la seconde obsession, au-delà du son de sa propre voix, était ses champs. Grâce à sa volonté et quelques questions ingénues, elle lança Henry et Penwick dans une discussion sur l'effet de la récente pluie sur les récoltes.

Tout au long, Vane ne dit rien. Ce n'était pas nécessaire. Patience était tout à fait certaine de ses pensées : aussi cyniques que les siennes. Son silence était plus éloquent, plus puissant, plus apte à émouvoir ses sens que les affirmations pédantes de Penwick ou la volubilité d'Henry.

À sa droite se trouvait un sentiment de sécurité, un front qu'elle n'avait pas, pour le moment, besoin de défendre. Sa présence silencieuse lui offrait cela ; Patience renifla en elle-même. Encore une autre chose, supposa-t-elle, pour laquelle elle devrait ressentir de la reconnaissance à son endroit. Il s'avérait doué dans l'acte de manœuvrer de cette manière aisée, arrogante, subtile et néanmoins incessante qu'elle associait aux « élégants ». Elle n'était pas étonnée. Depuis le début, elle l'avait identifié comme un expert de cet art.

Se concentrant sur Gerrard, Patience l'entendit rire. Pardessus son épaule, Edmond lui lança un regard souriant, puis reporta son attention sur Gerrard. Ensuite, Gerrard émit un commentaire, soulignant son avis avec le même geste indolent de la main qu'elle lui avait vu utilisé avant.

Patience serra les dents. Il n'y avait rien de mal, *en soi*, dans ce geste, même si Vane l'exécuta mieux. À dix-sept ans, les mains d'artiste de Gerrard, quoique bien faites, devaient encore acquérir la forme de force et la maturité des mains que possédait Vane Cynster. Quand il faisait ce mouvement, il suintait la puissance masculine que Gerrard devait encore atteindre.

Toutefois, imiter des gestes était une chose — Patience s'inquiétait que l'émulation de Gerrard ne s'arrête pas là. Tout de même, raisonna-t-elle, jetant rapidement un regard à Vane chevauchant à côté d'elle, il ne s'agissait que d'un trait ou deux. Malgré les convictions de Penwick, elle n'était pas une femme accablée de sensibilités absurdes. Elle était, possiblement, plus intensément consciente de Vane Cynster et de ses propensions, plus attentive qu'elle ne le serait avec tout autre homme. Cependant, il ne semblait y avoir aucune véritable raison d'intervenir. Encore.

Avec un rire, Gerrard s'écarta d'Edmond ; faisant tourner son cheval, il amena l'alezan à côté du cheval gris de Vane.

— Je voulais vous questionner — les yeux de Gerrard brillaient d'enthousiasme alors qu'il regardait le visage de Vane — à propos de vos chevaux.

De l'agitation sur son autre flanc obligea Patience à jeter un coup d'œil de ce côté, de sorte qu'elle rata la réponse de Vane. Sa voix était si grave que, quand il détournait le visage d'elle, elle ne pouvait pas distinguer les mots.

Le trouble s'avéra provoqué par Edmond, tirant avantage du fait que Penwick était distrait par Henry pour glisser son cheval entre celui de Penwick et celui de Patience.

— Voilà !

Edmond ignora allégrement le furieux regard outragé de Penwick.

— J'avais hâte de vous demander votre opinion sur mon dernier vers. C'est pour la scène où l'abbé s'adresse à des frères errants.

Il procéda à la déclamation des plus récentes trouvailles de son esprit.

Patience grinça des dents ; elle se sentait littéralement déchirée. Edmond s'attendrait à ce qu'elle commente intelligemment son œuvre, qu'il prenait avec tout le sérieux qu'il ne réussissait pas à consacrer aux affaires terre-à-terre. D'un autre côté, elle voulait désespérément savoir ce que Vane racontait à Gerrard. Alors qu'une partie de son cerveau suivait les rimes d'Edmond, elle tendait l'oreille pour entendre les paroles de Gerrard.

— Donc, leur poitrail est important ? demanda-t-il.

Grondement, grondement, grondement.

— Oh, fit Gerrard avant de marquer une pause. En fait, je pensais que le poids donnerait une bonne indication.

Une longue série de grondements répondit à cela.

— Je vois. Donc, s'ils ont une bonne endurance…

Patience jeta un coup d'œil à sa droite — Gerrard se tenait à présent plus près de Vane. Elle ne pouvait même pas entendre sa moitié de la conversation.

— Alors !

Edmond inspira.

— Qu'en pensez-vous ?

Retournant brusquement la tête, Patience croisa son regard.

— Il n'a pas retenu mon intérêt — peut-être a-t-il besoin d'être peaufiné ?

— Oh.

Edmond en fut découragé, mais non abattu. Il plissa le front.

— En fait, je pense que vous pourriez avoir raison.

Patience l'ignora, rapprochant doucement sa jument du cheval de Vane. Vane la regarda brièvement ; ses yeux et ses lèvres semblèrent légèrement amusés. Patience ignora cela aussi et se concentra sur ses paroles.

— Supposant qu'ils ont atteint le poids, le prochain critère le plus important est les genoux.

« Les genoux ? »

Patience cligna des paupières.

— Avec un pas relevé ? suggéra Gerrard.

Patience se raidit.

— Pas nécessairement, répondit Vane. Un bon mouvement, certainement, mais il doit y avoir de la puissance derrière l'enjambée.

Ils discutaient encore de chevaux d'attelage ; Patience soupira presque de soulagement. Elle continua à écouter, mais n'entendit rien de sinistre. Il n'était question que de chevaux. Même pas de paris ni de course de chevaux.

Fronçant les sourcils en elle-même, elle se réinstalla confortablement sur sa selle. Ses soupçons sur Vane étaient bien fondés, non ? Ou bien réagissait-elle avec trop de zèle ?

— Je vais prendre congé de vous ici.

La déclaration mordante de Penwick interrompit la réflexion de Patience.

— Bien sûr, monsieur.

Elle lui offrit sa main.

— C'est très gentil de votre part de passer nous voir. Je vais mentionner à ma tante que nous vous avons vu.

Penwick cilla.

— Oh, oui ; c'est-à-dire, j'espère que vous transmettrez mes hommages à lady Bellamy.

Patience sourit, avec une grâce calme, et inclina la tête. Les hommes hochèrent la tête ; le salut de Vane contenait un élément de menace — comment il réussissait cela, Patience n'aurait pu le dire.

Penwick fit faire demi-tour à son cheval et partit au petit galop.

— Bien alors !

Libéré de la présence d'une désapprobation incisive de Penwick, Gerrard sourit.

— Et si nous faisions une course pour rentrer aux écuries ?

— D'accord.

Edmond rassembla ses rênes. L'avenue menant aux écuries se trouvait de l'autre côté d'un champ à découvert. C'était une course en ligne droite, sans clôtures ni fossés pour entraîner des difficultés.

Henry rigola avec indulgence et décocha un sourire à Patience.

— Je suppose que je vais participer aussi.

Gerrard regarda Vane.

Qui sourit.

— Je vais vous accorder une avance ; montrez la voie.

Gerrard n'attendit plus. Lâchant un « youpi ! », il fit bondir son cheval.

Edmond s'apprêta à lui donner la chasse, tout comme Henry, mais alors que Patience donnait des coups de talon sur les flancs de sa jument, ils partirent avec elle. Laissant sa jument aller à son rythme, Patience suivit dans le sillage de son frère ; Gerrard fonçait, sans opposition. Les trois autres hommes retenaient leurs chevaux en arrière, s'accordant aux enjambées plus courtes de la jument.

Ridicule ! Quel avantage possible pouvait-il y avoir à rester à ses côtés le long d'un petit champ ? Patience s'efforça de conserver un visage sérieux, de s'empêcher de sourire en grand et de secouer la tête devant la pure stupidité des hommes. Alors qu'ils approchaient de l'avenue, elle ne put résister et jeta un bref regard à Vane.

Maintenant sa position à sa droite, le cheval gris facilement maîtrisé, il croisa son regard et — et haussa un sourcil, las, en manière de dénigrement envers lui-même.

Patience rit — une étincelle brillante éclaira en réponse les yeux de Vane. L'avenue s'approchait ; il regarda en avant. Quand il reporta son regard en arrière, la lumière dans ses yeux s'était durcie, était devenue plus vive.

Il poussa délicatement son cheval plus près, tassant la jument. Celle-ci réagit en allongeant le pas. Henry et Edmond se replièrent, obligés de rester derrière alors que le cheval gris et la jument avançaient gracieusement dans l'avenue, seulement assez large pour deux chevaux côte à côte.

Ensuite, leurs sabots cliquetèrent sous l'arche et dans la cour. En s'arrêtant, Patience reprit son souffle avec difficulté et regarda derrière elle ; Edmond et Henry étaient à quelque distance en arrière.

Gerrard, ayant gagné la course, rit et fit caracoler son cheval. Grisham et les valets d'écurie arrivèrent en courant.

Patience regarda Vane et le vit descendre de cheval — en ramenant sa jambe par-dessus le pommeau de la selle et en glissant au sol, atterrissant sur ses pieds. Elle cligna des paupières et il fut sur son flanc.

Ses mains se refermèrent autour de sa taille.

Elle haleta presque quand il la souleva de la selle comme si elle n'était pas plus lourde qu'une enfant. Il ne la fit pas descendre en la faisant pivoter au sol, mais il l'abaissa lentement vers la terre, la déposant sur ses pieds à côté de sa jument. À moins de quinze centimètres de lui. Il la tint entre ses mains ; elle sentit jouer ses doigts autour d'elle, le bout des doigts de chaque côté de sa colonne vertébrale, les pouces sur son ventre sensible. Elle se sentit… conquise. Vulnérable. Le visage de Vane était comme un masque sévère, l'expression intense. Les yeux de Patience plongèrent dans les siens, elle sentit de petits cailloux sous ses pieds, mais le monde continua à tourner.

C'était lui — la source de ces sensations particulières. Elle avait pensé que cela devait être le cas, mais elle n'avait jamais ressenti ces émotions auparavant — et celles qui la traversaient en ce moment étaient beaucoup plus fortes que celles qu'elle avait senties plus tôt. C'était son contact qui agissait — la caresse de ses yeux, de ses mains. Il n'avait même pas besoin de toucher sa peau nue pour faire réagir chaque centimètre de son être.

Patience inspira avec difficulté. Un bref mouvement au coin de son œil lui fit fixer son attention ailleurs. Sur

Gerrard. Elle le vit descendre de sa monture, exactement comme Vane l'avait fait. Un grand sourire aux lèvres, débordant d'une bonne humeur remplie de fierté, Gerrard traversa sur les pavés pour venir les rejoindre.

Vane pivota, la libérant en douceur.

Patience prit une nouvelle inspiration ardue et s'efforça de calmer sa tête prise de vertiges. Elle colla un sourire joyeux sur ses lèvres dans l'intérêt de Gerrard — et continua à respirer profondément.

— Une belle astuce, Cynster.

Edmond, souriant gentiment, descendit de cheval à la manière habituelle. Patience remarqua que c'était beaucoup plus lentement que la façon dont Vane avait réussi à atteindre le même but.

Henry aussi quitta sa monture ; Patience eut l'impression qu'il n'avait pas aimé voir Vane la soulever pour la déposer au sol. Cependant, il dirigea l'un de ses chaleureux sourires sur Gerrard.

— Félicitations, mon garçon. Vous nous avez battus à plates coutures.

Ce qui en rajoutait un peu trop. Patience regarda rapidement Gerrard, s'attendant à une réponse des moins gracieuses. Au lieu de cela, son frère, debout à côté de Vane, se contenta de hausser un sourcil — et de sourire avec cynisme.

Patience grinça des dents ; sa mâchoire se contracta. D'une chose, elle était très convaincue : elle ne réagissait pas avec excès.

Vane Cynster allait trop loin, beaucoup trop vite — au moins en ce qui concernait Gerrard. Pour le reste — sa façon d'exciter ses sens —, elle soupçonnait qu'il ne faisait que s'amuser sans véritables intentions sérieuses. Comme elle n'était pas sensible à la séduction, il ne semblait y avoir aucune raison de lui demander des comptes pour cela.

Pour Gerrard, par contre…

Elle retourna la situation dans sa tête pendant qu'on amenait les chevaux. Pendant quelques moments, les quatre hommes restèrent debout ensemble au centre de la cour ; un peu à l'écart, elle les observa — et reconnut qu'elle pouvait difficilement blâmer Gerrard de choisir d'émuler Vane. C'était le mâle dominant.

Comme s'il sentait qu'elle le considérait, il pivota. Un sourcil tressauta, puis, avec une élégance inhérente, il lui offrit le bras. Patience s'arma de courage et l'accepta. En groupe, ils marchèrent jusqu'à la maison ; Edmond les quitta devant la porte latérale. Ils montèrent l'escalier principal, puis Gerrard et Henry virèrent d'un bord, se dirigeant vers leurs appartements. Toujours au bras de Vane, Patience avança lentement dans la galerie. Sa chambre était au fond du même couloir que celle de Minnie. Vane était logé un étage plus bas.

Il était inutile d'exprimer sa désapprobation, à moins qu'il y ait un véritable besoin. Patience marqua une pause sous l'entrée en arche quittant la galerie, d'où ils partiraient chacun de leur côté. Retirant sa main sur le bras de Vane, elle leva les yeux sur son visage.

— Planifiez-vous un long séjour ?

Il baissa la tête vers elle.

— Cela, déclara-t-il d'une voix très basse, dépend largement de vous.

Patience regarda dans ses yeux gris — et se figea. Chaque muscle était paralysé, tous jusqu'à ses orteils. L'idée qu'il s'amusait, sans véritable intention, disparue – tuée par l'expression dans ses yeux.

L'intention dans ses yeux.

Cela n'aurait pas pu être plus clair s'il l'avait exprimée en paroles.

Courageusement, puisant dans des réserves internes qu'elle ne savait pas posséder auparavant, elle leva le menton. Et elle obligea ses lèvres à se courber, juste assez pour former un sourire froid.

– Je pense que vous allez découvrir que vous vous méprenez.

Elle prononça les mots doucement et vit sa mâchoire se serrer. Une prémonition de grave danger la balaya ; elle n'osa rien dire de plus. Le sourire toujours en place, elle inclina la tête avec morgue. Passant d'un pas gracieux, elle traversa l'arche et se réfugia dans la sécurité du couloir au-delà.

Les yeux plissés, Vane la regarda partir en observant ses hanches se balancer pendant qu'elle avançait en douceur. Il resta sous l'arcade jusqu'à ce qu'elle atteigne sa porte. Il l'entendit se refermer derrière elle.

Lentement, très lentement, ses traits se détendirent, puis un sourire de Cynster tirailla ses lèvres. S'il ne pouvait pas échapper au destin, alors *ipso facto,* elle non plus. Ce qui signifiait qu'elle serait à lui. Cette perspective devenait rapidement plus alléchante.

Chapitre 5

Il était temps d'agir.

Plus tard ce soir-là, attendant dans le salon la réapparition des gentlemen, Patience trouva de plus en plus difficile de faire honneur à son nom ; mentalement, elle faisait les cent pas. À côté d'elle, Angela et madame Chadwick, sur le canapé, discutaient du meilleur ornement pour la robe de jour d'Angela. Hochant vaguement la tête, Patience ne les entendait même pas. Elle avait des sujets de préoccupations plus lourds à l'esprit.

Une douleur sourde faisait battre ses tempes ; elle n'avait pas bien dormi. Les soucis l'avaient consumée – l'inquiétude à propos des accusations de plus en plus pointues contre Gerrard, l'influence de Vane Cynster sur son frère impressionnable.

Ajoutée à cela, elle devait à présent affronter la défaillance occasionnée par sa réaction bizarre à Vane Cynster, l'élégant. Il l'avait bouleversée dès le début ; quand elle avait enfin cédé au sommeil, il l'avait même suivie dans ses rêves.

Patience plissa les paupières sous la douleur au fond de ses yeux.

– Je pense que le galon cerise aurait bien *plus* fière allure.

Angela menaçait de bouder.

– Ne le croyez-vous pas, Patience ?

La robe dont elles discutaient était du jaune le plus tendre.

– Je pense, dit Patience, faisant appel à ce qu'elle pouvait de cette vertu, que le ruban aigue-marine suggéré par votre mère serait beaucoup mieux.

La moue d'Angela se matérialisa ; madame Chadwick la prévint promptement contre l'imprudence de courtiser les rides. La moue disparut comme par magie.

Tambourinant avec ses doigts sur le bras du fauteuil, Patience regarda vers la porte en fronçant les sourcils et revint à sa préoccupation : à la répétition de son avertissement pour Vane Cynster. C'était la première fois qu'elle devait prévenir un homme de garder ses distances – elle aurait bien mieux aimé ne pas avoir à commencer maintenant, mais elle ne pouvait pas laisser les choses aller telles quelles. Tout à fait mise à part la promesse qu'elle avait faite à sa mère mourante de toujours assurer la sécurité de Gerrard, elle ne pouvait tout simplement pas encourager celui-ci à se faire du mal de cette façon – en servant d'appât pour gagner ses sourires à elle.

Évidemment, ils le faisaient tous jusqu'à un certain point. Penwick traitait Gerrard comme un enfant, jouant sur l'esprit protecteur de Patience. Edmond utilisait son art comme lien avec Gerrard, pour prouver son affinité avec son frère. Henry prétendait un intérêt avunculaire manquant manifestement de sentiment sincère. Vane, cependant, leur damait le pion : il agissait, véritablement. Protégeant activement Gerrard, éveillant diligemment l'intérêt de son frère, interagissant activement — tout cela dans l'intention avouée de lui faire ressentir de la reconnaissance, de la rendre redevable envers lui.

Elle n'aimait pas cela. Ils se servaient tous de Gerrard, mais le seul qui lui faisait courir le danger d'être blessé était Vane. Parce que le seul que Gerrard appréciait, admirait et potentiellement vénérait était Vane.

Patience se massa furtivement la tempe gauche. S'ils n'en finissaient pas bientôt avec le porto, elle aurait une violente migraine. Elle en aurait probablement une de toute façon — après sa nuit perturbée, suivie par les surprises à la table du petit déjeuner, couronnée par les révélations pendant leur chevauchée, elle avait passé la majeure partie de son après-midi à penser à Vane. Ce qui était assez pour empoisonner l'esprit le plus fort.

Il la faisait tiquer à tant d'égards qu'elle avait cessé d'essayer de démêler ses pensées. Il n'y avait, elle en était sûre, qu'une seule manière de s'occuper de lui. Directement et résolument.

Ses yeux lui semblaient rocailleux à force d'avoir trop longtemps fixé le vide sans ciller. Elle avait l'impression de ne pas avoir dormi depuis des jours. Et elle ne dormirait certainement pas jusqu'à ce qu'elle ait pris la situation en main, jusqu'à ce qu'elle ait mis fin à la relation naissante entre Gerrard et Vane. Il est vrai que tout ce qu'elle avait vu et entendu entre eux jusqu'à présent avait été plutôt innocent —, mais personne : *personne* — ne pouvait dire que Vane était innocent.

Il n'était pas innocent — Gerrard, lui, l'était.

Ce qui était précisément son argument.

Du moins, elle pensait que ce l'était. Patience tressaillit alors que la douleur irradiait d'une tempe à l'autre.

La porte s'ouvrit; Patience se redressa sur son siège. Elle parcourut des yeux les gentlemen qui entraient d'un pas nonchalant – Vane fut le dernier. Il entra sans se presser, ce qui en soi suffisait à assurer à Patience que son raisonnement alambiqué était juste. Cette façon de tourner en rond, cette masculinité arrogante lui faisait grincer des dents.

– Monsieur Cynster!

Sans rougir, Angela l'interpella. Patience aurait pu l'embrasser.

Vane entendit Angela et la vit agiter la main; son regard passa rapidement à Patience, puis, avec un sourire qu'elle décréta sans hésitation comme indigne de confiance, il avança vers eux comme vers une proie.

En groupe, toutes les trois – madame Chadwick, Angela et Patience – se levèrent pour l'accueillir, aucune ne voulant risquer un torticolis.

– Je voulais savoir de vous en particulier, dit Angela avant qu'une des autres ne puisse tenter de parler, s'il est vrai que cerise est la couleur la plus *à la mode* pour les ornements de robe des jeunes demoiselles actuellement.

– Elle a certainement la cote, répondit Vane.

– Mais pas sur le jaune pâle, dit Patience.

Vane la regarda.

– J'espère sincèrement que non.

– En effet.

Patience lui prit le bras.

– Si vous voulez bien nous excuser, Angela, madame – elle hocha la tête vers madame Chadwick –, il y a une chose que je dois absolument demander à monsieur Cynster.

Elle sentit le regard légèrement étonné, distinctement amusé de Vane sur son visage.

— Ma chère mademoiselle Debbington.

Sous sa main, il arrondit le bras — et ensuite, il la fit pivoter.

— Vous n'avez qu'un mot à dire.

Patience le regarda en plissant les yeux. Les accents ronronnant dans sa voix provoquèrent des frissons le long de son échine — de délicieux frissons.

— Je suis très contente de vous entendre dire cela, car c'est précisément ce que j'ai l'intention de faire.

Ses sourcils s'arquèrent. Il scruta son visage, puis leva une main pour frotter délicatement le bout d'un doigt sur les sourcils de Patience.

Patience s'immobilisa, abasourdie, puis recula la tête.

— Ne faites pas cela !

Une douce chaleur imprégnait la région qu'il avait touchée.

— Vous fronciez les sourcils ; on dirait que vous avez un mal de tête.

Le pli sur son front s'accentua. Ils avaient atteint l'extrémité opposée de la pièce ; s'arrêtant, elle pivota pour le regarder en face. Et attaqua sans tarder.

— Je comprends que vous ne partez pas demain ?

Il baissa les yeux sur elle. Après un moment, il répondit.

— Je ne me vois pas partir dans un avenir prévisible. Et vous ?

Elle devait être certaine. Patience rencontra carrément son regard.

— Pourquoi restez-vous ?

Vane examina son visage, ses yeux — et se demanda ce qui la perturbait. La tension féminine dont elle était la proie atteignait Vane par vagues ; il interpréta cela en se disant qu'elle avait une idée fixe, mais après une longue association avec des femmes résolues, sa mère et ses tantes, sans parler de la nouvelle duchesse de Devil, Honoria, il avait acquis une prudente sagesse. Incertain de sa tactique, il temporisa.

— Pourquoi, pensez-vous ?

Il haussa un sourcil.

— Après tout, qu'est-ce qui pourrait exercer un attrait suffisant pour retenir un gentleman comme moi ici ?

Il connaissait la réponse, bien sûr. Hier soir, il avait vu de quoi il retournait. Il existait des situations où la justice, aussi aveugle soit-elle, pouvait facilement être induite en erreur — la situation ici en était une semblable. Les courants sous-jacents étaient considérables, filant en profondeur de manière inattendue, inexpliquée.

Il restait pour aider Minnie, défendre Gerrard — et assister Patience, préférablement sans montrer qu'il le faisait. La fierté était un sentiment qu'il comprenait ; il était sensible à la sienne. Au contraire des autres hommes, il ne voyait aucune raison pour suggérer qu'elle avait échoué avec Gerrard. D'après ce qu'il voyait, ce n'était pas le cas. Donc, on pouvait dire qu'il agissait en tant que son protecteur à elle aussi. Ce rôle lui paraissait très bien lui convenir.

Il couronna sa question d'un sourire charmeur ; à son étonnement, il provoqua une raideur chez Patience.

Elle se redressa, serra les mains devant elle et fixa sur lui un regard critique.

— Dans ce cas, j'ai bien peur de devoir insister pour que vous vous absteniez d'encourager Gerrard.

En lui-même, Vane se figea. Il baissa les yeux sur le regard désapprobateur de Patience.

— Que voulez-vous dire par cela exactement ?

Elle leva le menton.

— Vous savez parfaitement ce que je veux dire.

— Expliquez-le-moi bien clairement.

Ses yeux comme des agates claires scrutèrent les siens, puis les lèvres de la jeune femme se compressèrent.

— J'aimerais mieux que vous passiez le moins de temps possible avec Gerrard. Vous montrez de l'intérêt envers lui uniquement pour marquer des points auprès de moi.

Vane arqua un sourcil.

— Vous vous accordez beaucoup d'importance, ma chère.

Patience soutint son regard.

— Pouvez-vous le nier ?

Vane sentit que son propre visage s'immobilisait, que sa mâchoire se contractait. Il ne pouvait pas réfuter son accusation ; elle était en grande partie vraie.

— Ce que je ne comprends pas, murmura-t-il, la regardant en plissant les yeux, c'est pourquoi mon interaction avec votre frère devrait vous occasionner la moindre inquiétude. J'aurais pensé que vous auriez été heureuse qu'une personne élargisse ses horizons.

— Je le serais, dit sèchement Patience.

Elle avait violemment mal à la tête.

— Cependant, vous êtes la toute dernière personne que je souhaiterais pour le guider.

— Et pourquoi diable ?

La dureté se glissant dans la voix profonde de Vane était un avertissement. Patience l'entendit. Elle avançait en terrain glissant, mais, ayant progressé jusqu'ici, elle était déterminée à ne pas battre en retraite. Elle serra les dents.

— Je ne veux pas que vous guidiez Gerrard, lui farcissant la tête de vos idées, à cause du genre d'homme que vous êtes.

— Et quel genre d'homme suis-je, à vos yeux ?

Au lieu de monter, son ton s'était adouci, était devenu plus dangereux. Patience réprima un frisson et lui rendit son regard acéré avec un autre tout aussi perçant.

— Dans ce cas-ci, votre réputation est à l'opposé d'une recommandation.

— Comment connaîtriez-vous ma réputation ? Vous avez été enterrée dans le Derbyshire toute votre vie.

— Elle vous précède, rétorqua Patience, piquée par son ton condescendant. Il suffit que vous entriez dans une pièce et elle se déroule devant vous comme un tapis rouge.

Le grand geste de Patience suscita un grognement.

— Vous ignorez de quoi vous parlez.

Patience perdit son calme.

— Ce dont je parle, c'est de vos tendances en ce qui concerne le vin, les femmes et les paris. Et, croyez-moi, elles sont évidentes même pour l'être le moins intelligent ! Vous pourriez aussi bien porter une bannière devant vous.

De la main, elle en dessina une dans les airs.

— Gentleman séducteur !

Vane changea de position ; il fut soudainement plus proche.

— Je crois vous avoir prévenu que je ne suis pas un gentleman.

Scrutant son visage, Patience avala et se demanda comment elle pouvait avoir oublié. Il n'y avait rien semblant un tant soit peu courtois dans la présence devant elle – son visage était dur, ses yeux comme de l'acier pur. Même sa tenue d'une élégance austère ressemblait à présent à une armure. Et sa voix ne ronronnait plus. Du tout. Serrant les poings, elle prit une inspiration tendue.

– Je ne veux pas que Gerrard finisse comme vous. Je ne veux pas…

Malgré ses meilleurs efforts, une prudence innée s'empara d'elle – elle lui coupa la langue.

Tremblant presque sous l'effort de retenir sa colère, Vane s'entendit suggérer, d'un ton d'une douceur sifflante :

– Que je le corrompe ?

Patience se raidit. Elle leva le menton, ses paupières voilant ses yeux.

– Je n'ai pas dit cela.

– Ne vous dérobez pas avec moi, mademoiselle Debbington, sinon vous courez le risque d'être piégée.

Vane parla lentement, doucement, réussissant tout juste à faire passer les mots à travers ses dents.

– Voyons si j'ai bien compris. Vous croyez que je suis resté au manoir Bellamy uniquement pour *badiner* avec vous, que je me suis lié d'amitié avec votre frère *sans aucun autre motif* qu'avancer ma cause auprès de vous et que mon tempérament est tel que vous me considérez comme une présence inappropriée pour un mineur. Ai-je oublié quelque chose ?

Raide comme une barre, Patience croisa son regard.

– Je ne pense pas.

Vane sentit sa maîtrise vaciller, les rênes lui échapper. Il serra la mâchoire et les deux poings. Chaque muscle de son corps se tendit, chaque tendon mental se raidit sous l'effort de retenir son sale caractère.

Tous les Cynster en avaient un — un sale caractère qui se reposait habituellement comme un félin bien nourri, mais qui pouvait, si aiguillonné, se changer en prédateur féroce. Pendant un instant, sa vision se voila, puis la bête réagit aux rênes et se retira en sifflant. Pendant que sa fureur s'apaisait, il cligna des paupières d'un air hébété.

Prenant une profonde inspiration, il pivota à moitié et, arrachant son regard de Patience, s'obligea à survoler la pièce. Lentement, il expira.

— Si vous étiez un homme, ma chère, vous ne seriez plus debout.

Il y eut un instant de pause, puis elle dit :

— Même vous, vous ne frapperiez pas une dame.

Son « même vous » réussit presque à relancer sa colère. Mâchoire serrée, Vane tourna lentement la tête, retint son large regard noisette — et haussa les sourcils. Sa main démangeait sous l'envie d'entrer en contact avec le derrière de Patience. Brûlait, carrément. Pendant un instant, il chancela au bord du gouffre — son regard s'élargissant alors que, figée comme une proie, elle lisait son intention dans ses yeux, lui offrit un petit réconfort. Cependant, une pensée pour Minnie lui fit combattre et vaincre l'impulsion presque irrépressible d'amener mademoiselle Patience Debbington à une brusque compréhension de sa témérité. Minnie, aussi favorable soit-elle à son égard, n'allait sûrement pas se montrer indulgente à ce *point*. Vane plissa les yeux et parla très doucement.

— Je n'ai qu'une chose à vous dire, Patience Debbington. Vous avez *tort* — sur toute la ligne.

Il tourna les talons et s'en alla d'un pas raide.

Patience le regarda partir, l'observa traverser directement la pièce à grandes enjambées, ne regardant ni à gauche ni à droite. Il n'y avait rien de languissant dans sa démarche, aucun vestige de sa nonchalante grâce habituelle ; chacun de ses mouvements, la raideur dans ses épaules, laissait percer la puissance maîtrisée, la colère, la fureur à peine tenue en laisse. Il ouvrit la porte et, sans même un hochement de tête pour Minnie, sortit ; la porte se referma avec un clic dans son dos.

Patience plissa le front. Sa tête la faisait impitoyablement souffrir ; elle se sentait vide et — oui — glacée à l'intérieur. Comme si elle venait juste de faire quelque chose de terriblement mal. Comme si elle venait juste de commettre une grosse erreur. Mais, ce n'était pas le cas, n'est-ce pas ?

Elle ouvrit les yeux le lendemain matin sur un monde gris et ruisselant. D'un œil, Patience fixa la morosité implacable par-delà de sa fenêtre, puis elle gémit et enfouit la tête sous ses couvertures. Elle sentit le matelas ployer quand Myst bondit dessus, puis s'approcha à pas feutrés. S'installant contre la courbe de son estomac, Myst ronronna.

Patience enfonça davantage sa tête dans l'oreiller. Ceci était clairement un matin à éviter.

Elle arracha ses membres au confort de son lit une heure plus tard. Frissonnant dans l'air froid, elle se hâta de s'habiller, puis descendit à contrecœur. Elle devait manger, et la lâcheté n'était pas, pour elle, une raison suffisante pour causer des désagréments inattendus au personnel en l'obligeant à lui monter un plateau. Elle remarqua l'heure en passant devant l'horloge dans l'escalier – presque dix heures. Tous les autres auraient terminé et seraient partis ; il ne devrait pas y avoir de danger pour elle.

Elle entra dans le salon du petit déjeuner – et découvrit son erreur. *Tous* les gentlemen étaient présents. Alors qu'ils se levaient pour l'accueillir, la plupart la saluèrent d'un signe de tête bienveillant – Henry et Edmond firent même apparaître des sourires. Vane, au bout de la table, ne sourit pas du tout. Son regard gris se posa sur elle, froidement maussade. Pas un muscle de son visage ne tressaillit.

Gerrard, bien sûr, l'accueillit avec un sourire rayonnant. Patience réussit à esquisser un faible sourire. Traînant les pieds, elle se dirigea vers le buffet.

Elle prit son temps pour remplir une assiette, puis se glissa sur la chaise à côté de Gerrard, souhaitant qu'il eût été un peu plus imposant. Assez pour la protéger du regard inquiétant de Vane. Malheureusement, Gerrard avait tout fini sauf son café ; il était confortablement affalé contre le dossier de sa chaise.

La laissant exposée. Patience se mordit la langue pour ne pas succomber à l'envie de dire à Gerrard de s'asseoir droit ; il était encore trop inexpérimenté pour rendre hommage à cette pose flemmarde. Au contraire de l'homme qu'il imitait, qui lui rendait bien trop justice. Patience garda les yeux sur son assiette et son esprit concentré sur le fait de manger. À part la présence maussade au bout de la table, il y avait très peu d'autres distractions.

Alors que Masters desservait leurs assiettes, les gentlemen se mirent à discuter des possibilités de la journée. Henry regarda Patience.

— Si le ciel s'éclaircit, je pourrais vous tenter à faire une petite promenade, mademoiselle Debbington?

Patience jeta un regard très bref par les fenêtres.

— Trop boueux, déclara-t-elle.

Les yeux d'Edmond brillèrent.

— Et si on jouait aux charades?

Les lèvres de Patience s'amincirent.

— Plus tard, peut-être.

Elle était d'humeur grincheuse; s'ils n'étaient pas prudents, elle allait mordre.

— Il y a un paquet de cartes dans la bibliothèque, suggéra Edgar.

Le général, de manière prévisible, grogna.

— Les échecs, affirma-t-il. Le jeu des rois. C'est ce que je vais faire. Des preneurs?

Il n'y eut pas de volontaires. Le général retomba dans de vagues marmonnements.

Gerrard se tourna vers Vane.

— Et pourquoi pas une partie de billard?

Un des sourcils de Vane se haussa; son regard demeura sur le visage de Gerrard, néanmoins, l'observant sous ses cils, Patience savait que son attention était sur elle.

Puis, il la regarda directement.

— Une idée de premier ordre, ronronna-t-il, puis sa voix autant que son visage se durcirent. Cependant, votre sœur a peut-être d'autres plans pour vous…

Ses paroles étaient douces, nettes et clairement chargées d'un sens plus lourd. Patience grinça des dents. Elle évitait son regard; il fit tourner tous les regards vers elle. Non content de cela, il ne faisait aucune tentative pour masquer la froideur entre eux. Elle teintait ses mots, son expression;

elle hurlait positivement sa présence devant l'absence de son sourire élégamment charmeur. Il était assis très immobile, le regard inébranlablement fixé sur elle. Ses yeux gris étaient froidement provocateurs.

Ce fut Gerrard, le seul de la compagnie apparemment insensible au puissant courant sous-jacent, qui rompit le silence de plus en plus gênant.

— Oh, Patience ne me voudra pas auprès d'elle, dans son chemin.

Il jeta brièvement un sourire assuré dans sa direction, puis il se retourna vers Vane.

Le regard de Vane ne broncha pas.

— Je pense qu'il appartient à votre sœur de le dire.

Déposant sa tasse de thé, Patience leva une épaule.

— Je ne vois aucune raison pour que tu ne joues pas au billard.

Elle émit ce commentaire à Gerrard, ignorant inébranlablement Vane. Puis, elle repoussa sa chaise.

— Et maintenant, si vous voulez bien m'excuser, je dois aller prendre des nouvelles de Minnie.

Ils se levèrent tous en l'imitant ; Patience alla à la porte, consciente d'un regard en particulier dans son dos, fixé entre ses omoplates.

Il n'y avait rien de mal à jouer au billard.

Patience n'arrêtait pas de se le répéter, mais sans le croire. Ce n'était pas le billard qui l'inquiétait. C'était le bavardage, la camaraderie facile que l'activité promouvait — précisément le genre d'interaction auquel elle ne souhaitait pas que Gerrard s'adonne avec *n'importe quel* élégant.

Le simple fait de savoir que lui et Vane empochaient activement des billes et échangeaient Dieu seul savait quelles observations sur la vie réduisaient ses nerfs à l'affolement.

Ce qui expliquait pourquoi, une demi-heure après qu'elle avait vu Gerrard et Vane se diriger vers la salle de billard, elle s'était glissée dans le jardin d'hiver adjacent. Une section de la pièce de forme irrégulière surplombait une extrémité de la salle de billard. Masquée par un assortiment de palmiers, Patience regarda dans la pièce d'un air dubitatif entre les feuilles dentelées.

Elle pouvait voir une moitié de la table. Gerrard se tenait debout en s'appuyant sur sa queue de billard derrière elle. Il parlait ; il marqua une pause, puis rit. Patience grinça des dents.

Ensuite, Vane apparut dans son champ de vision. Dos à elle, il se déplaça autour de la table, examinant la disposition des boules. Il avait retiré son veston ; dans un gilet épousant ses formes et une souple chemise blanche, il avait l'air, si possible, encore plus large, physiquement plus imposant qu'avant.

Il s'arrêta à un coin de la table. Se penchant par-dessus, il s'aligna pour son coup. Des muscles remuèrent sous son gilet serré ; Patience le fixa, puis cilla.

Sa bouche était sèche. Se léchant les lèvres, elle se concentra de nouveau. Vane exécuta son coup, puis se redressa lentement en observant la boule. Patience fronça les sourcils et se lécha encore les lèvres.

Avec un sourire satisfait, Vane contourna la table et s'arrêta à côté de Gerrard. Il émit un commentaire ; Gerrard sourit.

Patience se tortilla. Elle n'écoutait même pas aux portes, pourtant elle se sentait coupable — coupable de ne pas avoir confiance en Gerrard. Elle devrait partir. Son regard revint à Vane, absorbant sa silhouette svelte, indéniablement élégante ; ses pieds restèrent collés sur les carreaux du jardin d'hiver.

Puis, quelqu'un d'autre surgit sous ses yeux, faisant les cent pas autour de la table. Edmond. Il regarda à l'autre bout de la table de jeu et parla à quelqu'un d'invisible pour elle.

Patience attendit. Enfin, Henry apparut. Patience soupira. Puis, elle pivota et quitta la pièce.

L'après-midi se poursuivit, humide et ennuyeux. Des nuages gris s'abaissèrent, les enfermant dans la demeure. Après le déjeuner, Patience, avec Minnie et Timms, se retira dans le petit salon pour faire du petit point à la lueur des bougies. Gerrard avait décidé de dessiner des décors pour la pièce de théâtre d'Edmond ; de concert avec lui, il grimpa dans l'ancienne chambre d'enfants pour avoir une vue dégagée sur les ruines.

Vane avait disparu, Dieu seul savait où.

Satisfaite de savoir Gerrard en sécurité, Patience brodait des herbes des prairies sur un jeu de nouvelles nappes pour le salon. Minnie sommeillait assise dans un fauteuil près du feu ; Timms, installée dans le fauteuil identique maniait activement son aiguille. L'horloge sur le manteau de la cheminée tictaquait, marquant le lent passage du temps de cet après-midi.

— Ah, mon doux, soupira enfin Minnie.

Elle s'étira les jambes, puis fit bouffer ses châles et jeta un coup d'œil au ciel qui s'obscurcissait.

— Je dois dire, c'est un immense soulagement que Vane ait accepté de rester.

La main de Patience s'arrêta en plein essor. Après un moment, elle abaissa son aiguille sur le linge de maison.

— Accepté ?

Tête baissée, elle réalisa son point avec précaution.

— Hum, il était en route pour voir Wrexford, c'est pourquoi il est passé si près d'ici quand l'orage a éclaté.

Minnie s'étrangla de rire.

— Je peux juste imaginer quelle espièglerie ce duo avait prévue, mais bien sûr, une fois que je le lui ai demandé, Vane a immédiatement accepté de rester.

Elle soupira avec affection.

— Peu importe ce que l'on peut dire d'autre sur les Cynster, ils sont toujours fiables.

Patience plissa le front devant ses points.

— Fiables ?

Timms échangea un grand sourire avec Minnie.

— À certains points de vue, ils sont extrêmement prévisibles : on peut toujours compter sur eux au besoin. Parfois, même si l'on ne demande rien.

— En effet. Minnie gloussa. Ils peuvent se montrer terriblement protecteurs. Naturellement, dès que j'ai mentionné le spectre et le voleur, Vane n'allait plus nulle part.

— Il va démêler ces sottises.

La confiance de Timms était claire.

Patience fixa sa création — et vit un visage aux traits acérés avec des yeux gris accusateurs. La boule de fer froid qui s'était déposée au creux de son ventre la veille au soir devint plus glaciale. Plus lourde.

Elle avait mal à la tête. Elle ferma les yeux, puis les rouvrit brusquement quand une pensée véritablement écœurante surgit. Cela ne pouvait pas être vrai, ne l'était pas –, mais la sinistre prémonition ne voulait pas disparaître.

– Ah...

Elle tira avec force sur son dernier point.

– Qui sont les Cynster, exactement ?

– La famille détient le duché de St-Ives. Minnie s'installa confortablement. La résidence principale est la Maison Somersham dans Cambridgeshire. C'est de là que venait Vane. Devil est le sixième duc ; Vane est son cousin au premier degré. Ils sont proches depuis le berceau, nés à quatre mois d'écart seulement. Cependant, la famille est assez large.

– Madame Chadwick a mentionné six cousins, dit Patience pour l'inciter à continuer.

– Oh, il y en a plus que cela, mais elle devait faire référence à la barre Cynster.

– La barre Cynster ?

Patience leva la tête.

Timms afficha un grand sourire.

– C'est le surnom que les gentlemen de la haute société utilisent pour parler des six cousins les plus âgés. Tous des hommes.

Son sourire s'élargit.

– De toutes les façons.

– En effet.

Les yeux de Minnie pétillèrent.

— Tous les hommes sont un véritable spectacle pour les yeux. Connus pour faire se pâmer les faibles femmes.

Baissant la tête sur son ouvrage, Patience ravala une réplique acide. Des élégants, tous, il semblait. Le poids de plomb dans son ventre devint plus léger ; elle se sentit mieux.

— Madame Chadwick a dit que… Devil s'était marié récemment.

— L'an dernier, corrobora Minnie. Son héritier a été baptisé il y a environ trois semaines.

Fronçant les sourcils, Patience regarda Minnie.

— Est-ce son véritable prénom, Devil ?

Minnie sourit.

— Sylvester Sebastian, mais mieux connu et, à mes yeux, plus justement, sous le nom de Devil.

Les sourcils de Patience se rejoignirent davantage.

— Le vrai prénom de Vane est-il Vane ?

Minnie gloussa malicieusement.

— Spencer Archibald, et si tu oses l'appeler ainsi devant lui, tu seras plus brave que toute autre personne de la haute société. Seule sa mère peut encore le faire avec impunité. Il est connu comme Vane depuis avant même son passage à Eton. Devil l'a surnommé ainsi ; il a dit qu'il savait toujours de quel côté le vent soufflait et ce qui était en vogue.

Minnie haussa les sourcils.

— Étrangement prévoyant de la part de Devil, en fait, car il n'y a aucun doute que c'est vrai. Un intuitif inné, Vane, au bout du compte.

Minnie resta pensive ; après deux minutes, Patience secoua son étoffe.

— Je suppose que les Cynster, du moins la barre Cynster, sont…

Elle eut un geste vague.

— Eh bien, les habituels hommes du monde.

Timms s'étrangla de rire.

— Il serait plus juste de dire qu'ils sont le modèle à suivre pour les « hommes du monde ».

— Tout cela à l'intérieur des limites raisonnables, évidemment.

Minnie croisa les mains sur son ventre ample.

— Les Cynster forment l'une des familles les plus anciennes de la haute société. Je doute qu'aucun d'eux ne puisse être de mauvais ton*, même pas s'ils essayaient — une façon d'agir tout à fait inhabituelle pour eux. Ils peuvent se montrer scandaleux, ils sont peut-être les hédonistes les plus téméraires de la haute société, ils frôlent peut-être cette limite invisible —, mais on peut être certain qu'ils ne la franchiront jamais.

Encore une fois, elle gloussa.

— Et si l'un d'eux jouait un jeu dangereux, il se ferait frotter les oreilles — par sa mère, ses tantes — et par la nouvelle duchesse. Honoria n'est certainement pas une personne insignifiante.

Timms sourit.

— On dit que le seul être capable de dompter un mâle Cynster est une femme Cynster — par là, on veut dire une épouse Cynster. Étrange à dire, cela s'est avéré, une génération après l'autre. Et si l'on en juge par Honoria, alors la barre Cynster ne va pas échapper à son destin.

* En français dans le texte original.

Patience fronça les sourcils. Sa précédente vision mentale nette, cohérente de Vane en tant que « élégant » typique, et même archétype avait commencé à se brouiller. Un protecteur fiable, malléable sinon positivement soumis aux opinions des femmes de sa famille — rien de cela ne ressemblait le moins du monde à son père. Ou bien aux autres — les officiers des régiments basés autour de Chesterfield qui avait tellement tenté de l'impressionner, les amis londoniens des voisins qui, ayant entendu parler de sa fortune, lui avaient rendu visite, pensant la séduire avec leurs sourires experts. À tant d'égards, Vane présentait ce profil à la perfection, néanmoins les attitudes Cynster exposées par Minnie étaient tout à fait contraires à ses expectatives.

Grimaçant, Patience commença une nouvelle gerbe de graminées.

— Vane a dit quelque chose à propos d'avoir été à Cambridgeshire pour assister à une messe.

— Oui, en effet.

Décelant l'amusement dans la voix de Minnie, Patience leva la tête et la vit échanger un regard rieur avec Timms. Puis, Minnie la regarda.

— La mère de Vane m'a écrit à ce sujet. Il semble que les cinq membres célibataires de la barre Cynster avaient conçu une idée indigne de leur rang. Ils ont géré un livre de paris sur la date de conception de l'héritier de Devil. Honoria en a entendu parler après le baptême — elle a immédiatement confisqué tous leurs gains pour le nouveau toit de l'église et décrété qu'ils devaient tous assister à la messe de consécration.

Un sourire dominant son visage, Minnie hocha la tête.

— Et ils se sont exécutés.

Patience cilla et abaissa son ouvrage sur ses genoux.

— Vous voulez dire, dit-elle, qu'ils l'ont fait simplement parce que la duchesse leur a dit qu'ils devaient le faire ?

Minnie sourit.

— Si tu avais rencontré Honoria, tu ne serais pas étonnée.

— Mais…

Le front plissé, Patience essaya d'imaginer cela — tenta d'imaginer une femme ordonnant à Vane de faire quelque chose dont il n'avait pas envie.

— Le duc ne peut pas être très sûr de lui.

Timms s'étrangla de rire, s'étouffa, puis succomba à de grands éclats de rire ; Minnie subissait la même attaque. Patience les regarda se plier en deux d'hilarité — adoptant l'expression d'une patience à toute épreuve, elle attendit avec une résignation feinte.

Enfin, Minnie s'arrêta en s'étouffant et essuya ses yeux qui pleuraient.

— Oh, mon doux, c'est la déclaration la plus ridiculement drôle, la plus ridiculement erronée que je n'ai jamais entendue.

— Devil, dit Timms entre deux hoquets, est le dictateur le plus outrageusement arrogant que tu rencontreras probablement de toute ta vie.

— Si tu penses que Vane est terrible, souviens-toi seulement que c'est Devil qui est né pour devenir duc.

Minnie secoua la tête.

— Oh, mon doux ; la seule idée d'un Devil timide…

L'hilarité menaça de la submerger de nouveau.

— Eh bien, dit Patience, le front toujours plissé, il ne me paraît pas particulièrement solide, permettant à sa duchesse de dicter à ses cousins sur un sujet qui devrait être une prérogative d'homme.

— Ah, mais Devil n'est pas idiot ; il pouvait difficilement contredire Honoria sur une telle question. Et, évidemment, la raison pour laquelle les hommes Cynster cèdent à leurs femmes est très manifeste.

— La raison ? demanda Patience.

— La famille, répondit Timms. Ils étaient tous rassemblés pour le baptême.

— Très tournés vers la famille, les Cynster.

Minnie hocha la tête.

— Même ceux de la barre Cynster ; ils sont toujours si bons avec les enfants. Entièrement dignes de confiance et totalement fiables. Cela tient probablement au fait d'être issu d'une famille avec une progéniture si nombreuse — ce groupe a toujours été *prolifique*. Les plus âgés sont habitués à devoir veiller sur des frères et sœurs plus jeunes.

Une boule froide et dure de consternation commença à se former dans le ventre de Patience.

— En fait, dit Minnie, ses mentons tremblotant alors qu'elle replaçait ses châles, je suis très heureuse que Vane ait accepté de rester un peu. Il va donner à Gerrard quelques trucs sur la façon de se comporter ; exactement ce qu'il lui faut pour le préparer à Londres.

Minnie leva la tête ; Patience baissa la sienne. L'amas d'acier froid enfla énormément ; il tomba droit dans son ventre et s'installa dans le creux.

Dans son esprit, elle rejoua les paroles qu'elle avait dites à Vane, les insultes à peine voilées qu'elle lui avait jetées au visage dans le salon le soir précédent.

Ses entrailles se serrèrent très fort autour de la boule d'acier froid. Elle se sentait carrément malade.

Chapitre 6

Le lendemain matin, Patience descendit l'escalier, un fragile sourire joyeux sur le visage. Elle entra avec grâce dans le salon du petit déjeuner et hocha la tête avec une gaîté déterminée vers les gentlemen assis à la table. Son sourire se figea, juste un instant, quand elle vit, merveille des merveilles, une Angela Chadwick très animée bavardant avec exubérance sur la chaise à la gauche de Vane.

Comme d'habitude, il présidait la table ; Patience laissa son sourire flotter au-dessus de lui, mais elle ne croisa pas ses yeux. Malgré les débordements d'Angela, dès l'instant où elle apparut, l'attention de Vane se fixa sur elle. Elle se servit du kedgeree et du hareng fumé et salé, puis, avec un sourire pour Masters qui lui tirait une chaise, elle prit sa place à côté de Gerrard.

Angela fit immédiatement appel à elle.

— Je disais justement à monsieur Cynster que ce serait une distraction *tellement* agréable si nous pouvions organiser un groupe pour aller à Northampton. *Pensez* seulement à toutes les boutiques !

Les yeux brillants, elle regarda Patience avec enthousiasme.

— Ne croyez-vous pas que c'est une *merveilleuse* idée ?

Pendant un instant, Patience fut fortement tentée d'acquiescer. N'importe quoi — même une journée à faire des courses avec Angela — était préférable à affronter ce qui devait l'être. Puis, l'idée d'envoyer Vane faire les boutiques avec Angela se présenta. La vision qu'elle créa dans son esprit, de lui dans l'établissement d'une modiste quelconque, grinçant les dents pendant qu'il gérait les sottises d'Angela, fut impayable. Elle ne put s'empêcher de jeter un coup d'œil au bout de la table… sa vision impayable s'évapora. Vane ne s'intéressait pas à la garde-robe d'Angela. Son regard gris était fixé sur son visage à elle ; son expression était neutre, mais il y avait un air perplexe dans ses yeux. Il les plissa légèrement, comme s'il pouvait voir à travers le masque de Patience.

Elle regarda immédiatement Angela et intensifia son sourire.

— Je pense que c'est un peu loin pour réussir à faire beaucoup de courses en une journée. Vous devriez peut-être demander à Henry de vous escorter là-bas avec votre mère pour quelques jours ?

Angela parut très frappée par cette idée ; elle se pencha en avant pour consulter Henry, plus loin à la table.

— On dirait que la journée restera belle.

Gerrard jeta un coup d'œil à Patience.

— Je pense que je vais sortir mon chevalet et commencer à travailler aux scènes sur lesquelles nous nous sommes entendus hier Edmond et moi.

Patience hocha la tête.

— En fait — Vane baissa la voix de sorte que son grondement passa sous les jacassements excités d'Angela —, je me demandais si vous voudriez me montrer les endroits desquels vous avez fait les croquis.

Patience leva la tête ; Vane retint son regard.

— Si votre sœur approuve ? dit-il d'une voix dure.

Patience inclina la tête avec grâce.

— Je pense que c'est une excellente idée.

Un air perplexe éclaira brièvement les yeux de Vane ; Patience baissa la tête sur son assiette.

— Mais que pouvons-nous faire aujourd'hui ?

Angela regarda autour d'elle, attendant clairement une réponse. Patience retint son souffle, mais Vane garda le silence.

— Je vais dessiner, déclara Gerrard, et je ne voudrais pas être dérangé. Pourquoi n'iriez-vous pas faire une promenade ?

— Ne soyez pas idiot, rétorqua Angela dédaigneusement. C'est beaucoup trop trempé pour marcher.

Patience grimaça en elle-même et prit sa dernière bouchée de kedgeree avec sa fourchette.

— Bien, alors, répliqua Gerrard, vous allez simplement devoir vous divertir avec les activités que pratiquent les jeunes dames, quelles qu'elles soient.

— Je le ferai, déclara Angela. Je vais faire la lecture à maman dans le salon principal.

Ce disant, elle se leva. Alors que les hommes se mettaient debout, Patience essuya délicatement ses lèvres avec sa serviette de table et saisit le moment pour faire également sa sortie.

Elle devait partir à la recherche de ses chaussures de marche les plus imperméables.

Une heure plus tard, elle se tenait devant la porte latérale et scrutait du regard l'étendue de pelouse trempée la séparant des ruines. Entre elle-même et les excuses qu'elle devait présenter. Un vent vif soufflait, portant l'odeur de la pluie ; il semblait peu probable que la pelouse sèche bientôt. Patience grimaça et jeta un coup d'œil à Myst, assise bien droite à côté d'elle.

— Je suppose que cela fait partie de ma pénitence.

Myst leva les yeux, aussi énigmatiques que jamais, et remua la queue.

Patience sortit d'un pas déterminé. Dans une main, elle fit tournoyer un parasol à frous-frous ; le soleil brillait faiblement, mais juste assez pour y donner prétexte, mais elle l'avait vraiment pris seulement pour avoir quelque chose dans les mains. Quelque chose avec quoi jouer, la protéger — une chose à regarder si les événements prenaient un tour dérangeant.

Elle était à peine à dix mètres de la porte que l'ourlet de sa robe de promenade lilas était déjà mouillé. Patience grinça des dents et regarda autour d'elle à la recherche de Myst — et vit que sa chatte n'était pas là. Regardant derrière elle, elle vit Myst, assise bien sagement sur la véranda de pierre devant la porte latérale. Patience lui fit la grimace.

— Espèce d'amie des beaux jours, marmonna-t-elle, et elle reprit sa promenade.

Son ourlet se mouilla de plus en plus ; graduellement, l'eau se fraya un chemin à travers les coutures de ses bottes en peau de daim. Patience continua obstinément à avancer d'un pas lourd. Des pieds trempés faisaient peut-être partie de sa pénitence, mais elle était certaine que ce serait le bout le moins grave. Vane, elle en était sûre, serait le pire.

Brusquement, elle repoussa cette pensée — il n'était pas nécessaire de s'attarder sur elle. Ce qui était à venir ne serait pas facile, mais si elle se laissait aller à trop réfléchir, le courage la quitterait.

De quelle façon elle en était venue à avoir tort à ce point, elle ne pouvait pas l'imaginer. Se tromper sur un point aurait déjà été assez mauvais, mais se retrouver si totalement hors champ était incompréhensible.

Alors qu'elle contournait la première des pierres tombées, sa mâchoire se contracta. Ce n'était pas juste. Il *ressemblait* à un élégant. Il *bougeait* comme un élégant. À plusieurs égards, il se *comportait* comme un élégant ! Comment aurait-elle pu savoir que dans les aspects non physiques, il était si différent ?

Elle s'accrocha à cette idée, essayant d'y trouver du réconfort, voyant si elle soutiendrait son courage – puis, elle la rejeta à contrecœur. Elle ne pouvait pas eviter le fait qu'elle était beaucoup à blâmer. Elle avait jugé Vane entièrement sur ses habits de loup. Bien qu'il soit, en effet, un loup, il était, apparemment, un loup *attentionné*.

Il n'y avait aucun autre moyen de s'en sortir sauf des excuses. Son amour-propre n'accepterait rien de moins ; elle pensait que c'était la même chose pour lui.

Atteignant les ruines d'une manière appropriée, elle survola l'endroit du regard. Ses yeux lui faisaient mal ; elle avait encore moins dormi la nuit dernière que la précédente.

– Où sont-ils ? marmonna-t-elle.

Si elle pouvait en finir avec cela et libérer son esprit de son problème le plus délicat, elle pourrait faire une sieste cet après-midi.

Mais d'abord, elle devait être juste envers le loup. Elle était ici pour présenter ses excuses. Elle voulait le faire rapidement – avant de perdre son courage.

— Vraiment ? Je l'ignorais.

La voix de Gerrard la guida vers le vieux cloître. Son chevalet devant lui, il dessinait les arches s'élevant sur un côté. Avançant dans la cour à découvert, Patience chercha — et repéra Vane se prélassant dans les ombres d'une arche à moitié effondrée à quelques pas derrière Gerrard.

Vane l'avait déjà remarquée.

Gerrard leva la tête quand les bottes de Patience grattèrent sur les insignes.

— Bonjour. Vane me disait justement que le dessin est considéré comme la grande mode en ce moment dans la haute société. Apparemment, la Royal Academy organise une exposition chaque année.

Fusain en main, il revint à son esquisse.

— Oh ?

Le regard sur Vane, Patience aurait aimé pouvoir voir ses yeux. Son expression était indéchiffrable. Les épaules appuyées sur l'arche de pierre, les bras croisés sur son torse, il l'observait comme un faucon. Un faucon maussade, potentiellement menaçant. Ou bien un loup anticipant un repas.

Se secouant mentalement, elle s'avança jusqu'à l'épaule de Gerrard.

— Nous pourrions visiter l'Academy lorsque nous irons en ville.

— Hum, dit Gerrard, entièrement absorbé par son œuvre.

Patience étudia le dessin de Gerrard.

Vane, lui, étudia Patience. Il l'avait vue à l'instant où elle était apparue, encadrée par une cassure dans le vieux mur. Il avait su qu'elle était près un instant avant cela, prévenu par un sixième sens, par une légère perturbation dans l'atmosphère. Elle attirait ses sens comme un aimant. Ce qui, actuellement, n'était d'aucun soutien.

Grinçant des dents, il s'efforça d'empêcher ses souvenirs de la soirée précédente de se cristalliser dans son esprit. Chaque fois qu'ils le faisaient, sa colère montait en flèche, ce qui étant donné la proximité de Patience était à l'opposé de la sagesse. Sa colère était très similaire à une épée : une fois dégainée, elle était entièrement faite d'acier froid. Et il fallait un véritable effort pour la remettre dans son fourreau. Une chose qu'il n'avait pas encore accomplie.

Si mademoiselle Patience Debbington était sage, elle garderait ses distances avec lui jusqu'à ce que ce soit le cas.

S'il était sage, il ferait de même.

Son regard qui s'attardait, complètement contre sa volonté, sur ses courbes, sur le jeu de ses jupes autour de ses jambes, s'abaissa pour inspecter ses chevilles. Elle portait des bottes en peau de daim montant à mi-mollet — et ses jupes étaient distinctement trempées.

Secrètement, Vane plissa le front. Il fixa ses ourlets mouillés. Elle *avait* changé de tactique — il l'avait cru lors du petit déjeuner, puis avait rejeté l'idée comme étant un fantasme optimiste. Il ne voyait pas pourquoi elle aurait changé d'avis. Il s'était déjà convaincu lui-même qu'il ne pourrait rien dire pour réfuter ses accusations : elles contenaient toutes une once de vérité et, s'il était honnête, il s'était lui-même tendu un piège avec ses tentatives de manipulation experte. Il avait conclu qu'il n'y avait qu'une façon de corriger ses idées erronées : il lui *prouverait* qu'elles étaient fausses non par la parole, mais par le geste. Ensuite, il pourrait savourer son embarras et ses excuses.

Se redressant en se repoussant de l'arche de pierre, Vane compris que, d'une manière ou d'une autre, ses excuses arrivaient plus tôt que prévu. Il n'allait pas lui mettre davantage de bâtons dans les roues. Lentement, il s'avança.

Patience fut instantanément consciente de sa présence. Elle jeta rapidement un coup d'œil dans sa direction, puis le reporta sur le dessin de Gerrard.

– En as-tu encore pour longtemps ?

– Des heures, répondit Gerrard.

– Bien…

Patience leva la tête et rencontra audacieusement le regard de Vane.

– Je me demande, monsieur Cynster, si vous accepteriez de me prêter le bras pour rentrer à la maison. C'est plus glissant que je ne le pensais. Certaines des pierres sont très dangereuses.

Vane haussa un sourcil.

– Vraiment ?

Avec aisance, il lui offrit le bras.

– Je connais une route pour revenir qui présente un certain nombre davantage.

Patience lui décocha un regard méfiant, mais elle plaça les doigts sur sa manche et lui permit de la faire pivoter vers la vieille église. Gerrard reçut distraitement leurs adieux et l'avertissement fraternel de sa sœur de revenir à la maison à temps pour le déjeuner.

Ne lui accordant pas le temps de songer à autre chose à dire à Gerrard, Vane la guida dans la nef. L'unique arche restante s'élevait au-dessus d'eux ; en quelques minutes, ils étaient hors de vue et loin des oreilles de Gerrard, progressant lentement côte à côte le long de l'allée centrale.

— Merci.

Patience esquissa le geste de lever la main de sa manche ; Vane la couvrit de la sienne. Il sentit ses doigts tressaillir, puis s'immobiliser, sentit l'onde de sensibilité qui la transperça. Sa tête se leva, son menton s'inclinant, ses lèvres se raffermissant. Il attira son regard.

— Vos ourlets sont trempés.

Des yeux noisette lancèrent des éclairs.

— Tout comme mes pieds.

— Ce qui suggère que votre expédition avait un but.

Elle regarda devant elle. Vane observa avec intérêt ses seins se gonfler, tendant le corsage de sa robe.

— En effet. Je suis venue vous présenter mes excuses.

Les mots furent exprimés avec brutalité, prononcés à travers des dents serrées.

— Oh ? Pourquoi ?

Brusquement, elle s'arrêta face à lui, ses yeux se plissant.

— Parce que je crois vous devoir des excuses.

Vane sourit, droit dans ses yeux. Il ne tenta pas de dissimuler sa dureté.

— C'est le cas.

Lèvres pressées, Patience rencontra son regard, puis hocha la tête.

— C'est ce que je redoute.

Elle se redressa, serrant les mains sur le haut de son parasol, inclinant le menton avec détermination.

— Je vous demande pardon.

— Pour quoi, précisément ?

Un long regard dans ses yeux gris révéla à Patience qu'elle n'allait pas s'en sortir si facilement. Elle plissa encore une fois les paupières.

– Pour avoir calomnié injustement votre nature.

Elle pouvait le voir réfléchir, superposant cela à ses paroles malavisées. Rapidement, elle fit la même chose.

– Et vos motifs, ajouta-t-elle à contrecœur.

Ensuite, elle y repensa. Et fronça les sourcils.

– Du moins, certains d'entre eux.

Les lèvres de Vane tressautèrent.

– Juste certains d'entre eux, en effet.

Sa voix avait repris son accent ronronnant ; un frisson caressant glissa sur l'échine de Patience.

– Seulement dans le but d'être clair, je comprends que vous annulez toutes vos prétentions *injustifiées* ?

Il se moquait d'elle ; la lumière dans ses yeux était absolument indigne de confiance.

– Sans réserve, dit sèchement Patience. Voilà ! Que voulez-vous de plus ?

– Un baiser.

La réponse arriva vite, catégorique ; Patience en avait la tête qui tournait.

– Un baiser ?

Il se contenta de hausser un sourcil arrogant, comme si la suggestion méritait à peine de ciller. Un défi sans aucune subtilité éclairait ses yeux. Patience plissa le front et se mordit la lèvre. Ils se tenaient dans l'allée centrale à ciel ouvert, sans rien à des mètres à la ronde. Totalement à la vue de tous, complètement exposés. C'était loin d'un site se prêtant à une telle inconvenance.

– Oh, très bien.

Rapidement, elle s'étira sur ses orteils; posant une main sur son épaule pour conserver son équilibre, elle déposa une bise rapide sur sa joue.

Les yeux de son compagnon s'ouvrirent grand, puis exprimèrent l'hilarité totale – plus d'hilarité qu'elle ne pouvait en supporter.

– Oh, non, fit-il en secouant la tête. *Pas* ce genre de baiser.

Elle n'avait pas besoin de lui demander quel genre de baiser il voulait. Patience se concentra sur ses lèvres – longues, minces, dures. Fascinantes. Elles n'allaient pas devenir moins fascinantes. En effet, plus elle les contemplait...

Prenant avec difficulté une rapide inspiration, elle la retint, s'étira, ferma les yeux et toucha furtivement ses lèvres des siennes. Elles étaient aussi dures qu'elle les avait imaginées, assez semblables à du marbre sculpté. Une agréable sensation l'enflamma à ce bref contact; ses lèvres picotèrent, puis palpitèrent.

Patience ouvrit grand les yeux en clignant des paupières alors qu'elle abaissait les talons sur la terre. Et elle recentra son attention sur les lèvres de Vane. Elle vit les bouts se courber vers le ciel, entendit son rire grave malicieusement moqueur.

– Pas encore correct. Venez, laissez-moi vous montrer.

Ses mains se levèrent pour encadrer son visage, sa mâchoire, relevant ses lèvres alors que les siennes descendaient. De leur propre chef, les paupières de Patience s'abaissèrent, puis les lèvres de Vane touchèrent les siennes. Patience n'aurait pas pu réprimer le frisson qui la traversa même au péril de sa vie.

Abasourdie, prête à résister, elle marqua une pause dans son esprit. Fortes, assurées, les lèvres de Vane couvraient les siennes, bougeant lentement, langoureusement, comme s'il savourait son goût, sa texture. Il n'y avait rien de menaçant dans la caresse sans précipitation. En effet, elle était séduisante, attirante pour ses sens, les centrant sur le glissement et la caresse experte des lèvres fraîches qui semblaient savoir d'instinct comment apaiser la chaleur qui montait dans les siennes. Ses lèvres à elle frissonnaient d'émotion ; les siennes insistaient, caressaient, comme si elles s'abreuvaient de sa chaleur, la lui volant.

Patience sentit ses lèvres ramollir ; les siennes se raffermir en réaction.

« Non, non, non… »

Une petite partie de son cerveau essayait de la prévenir, mais elle avait dépassé le stade de l'écoute. Ceci était nouveau, original – elle n'avait jamais ressenti de telles sensations auparavant. Jamais su qu'un plaisir aussi simple existait.

Sa tête tournait, mais pas désagréablement. Les lèvres de Vane semblaient dures, fraîches – Patience ne put résister à la tentation de répondre avec cette même pression, de voir si ses lèvres à lui se ramolliraient sous les siennes.

Elles ne le firent pas, devinrent seulement plus fermes. L'instant suivant, elle sentit une chaleur torride submerger ses lèvres. Elle s'immobilisa ; la chaleur exploratrice revint – avec le bout de sa langue, il dessina sa lèvre inférieure. Le contact s'attarda, une question inexprimée.

Patience en voulait plus. Elle entrouvrit les lèvres.

Sa langue se glissa entre elles, lentement, avec l'arrogance assurée coutumière à Vane qui était tout à fait sûr de son accueil, sûr de son expertise.

Vane tenait les rênes de son désir dans une main de fer et refusait de libérer ses démons. Un instinct profond, animal le pressait ; l'expérience le retenait.

Elle n'avait jamais cédé sa bouche à un homme, jamais partagé ses lèvres de son plein gré. Il le savait avec certitude, sentait la vérité dans sa réaction spontanée, la lisait dans son absence de ruse. Cependant, elle réagissait à lui, sa passion, son désir à elle répondant à son appel à lui, doux comme la rosée un frais matin de printemps, aussi virginal que la neige sur un sommet inaccessible.

Il pouvait tendre la main vers elle — elle serait à lui. Cependant, nul besoin de se presser. Elle était vierge, non habituée aux demandes des mains d'un homme, de ses lèvres, encore moins de son corps ; s'il poussait ses avances trop vite, elle deviendrait nerveuse et se déroberait. Et il devrait travailler plus dur pour l'amener dans son lit.

La tête dans le même angle que celle de Patience, il poursuivit chacune de ses caresses avec lenteur, chaque petit coup explorateur était mesuré. La passion demeurait lourde, languissante, presque somnolente entre eux ; pendant qu'il prenait possession de chaque délicieux centimètre de la douceur qu'elle lui offrait, il imprégna la sensation grisante dans chaque caresse et la laissa s'enfoncer dans les sens de Patience.

Elle y resterait, latente, jusqu'à la prochaine fois où il la toucherait, jusqu'à ce qu'il l'appelle. Il la laisserait monter par degré, la nourrirait, la soignerait jusqu'à ce qu'elle devienne une compulsion inéluctable qui, en fin de compte, la guiderait vers lui.

Il allait la savourer lentement, se délecter de sa lente capitulation – d'autant plus douce que la fin ne laissait aucun doute.

Des voix distantes parvinrent jusqu'à Vane ; il soupira et mit fin au baiser à contrecœur.

Il leva la tête. Les yeux de Patience s'ouvrirent lentement, puis elle cilla et le regarda carrément. Pendant un instant, l'expression sur son visage, dans ses yeux, intrigua Vane – puis, il la reconnut. Curieuse – elle n'était pas choquée, abasourdie ni jetée dans un trouble virginal. Elle était curieuse.

Vane ne put retenir un sourire charmeur. Ou résister à l'envie de frôler ses lèvres des siennes une dernière fois.

– Que faites-vous ? murmura Patience quand sa tête se pencha vers elle.

Même de près, elle pouvait encore voir son sourire.

– Cela s'appelle « faire la paix ».

La courbe de ses lèvres s'approfondit.

– C'est ce que font les amants quand ils se brouillent.

Un étau se resserra autour du cœur de Patience ; la panique – ce devait être cela – la transperça.

– Nous ne sommes pas amants.

– Pas encore.

Les lèvres de Vane touchèrent les siennes et elle frissonna.

– Nous ne le serons jamais.

Elle était peut-être étourdie, mais elle était tout à fait sûre de cela.

Il s'immobilisa, mais son sourire confiant ne faiblit pas.

— Ne pariez pas votre fortune là-dessus.

Encore une fois, il frôla ses lèvres des siennes.

La tête de Patience lui tourna. À son soulagement, il se redressa et recula, regardant par-dessus sa tête.

— Les voici.

Elle cilla.

— Voici qui ?

Il baissa les yeux sur elle.

— Votre harem.

— Mon *quoi* ?

Il haussa les sourcils d'un air d'innocence improbable.

— N'est-ce pas le terme correct pour un groupe d'esclaves du sexe opposé ?

Patience prit avec difficulté une profonde inspiration — elle se redressa, lui décocha un regard d'avertissement et pivota. Pour découvrir Penwick, Henry et Edmond avançant tous à grands pas dans l'allée. Patience grogna tout bas.

— Ma chère mademoiselle Debbington.

Penwick prit la tête.

— Je suis venu à cheval expressément pour vous demander si vous aimeriez tenter une randonnée.

Patience lui offrit sa main.

— Merci pour votre gentillesse, monsieur, mais j'ai bien peur d'être repue d'air frais ce matin.

La brise se levait, fouettant les mèches folles sur son front, libérant facilement d'autres mèches. Penwick braqua un regard méfiant sur la large présence planant près de l'épaule de Patience. Se tournant à moitié, Patience vit Vane répondre au bref hochement de tête de Penwick en dénotant bien plus de dédain.

— En fait, déclara-t-elle, j'étais sur le point de retourner à l'intérieur.

— Excellent ! s'exclama Henry en se pressant plus près. Je me demandais où vous étiez allée. J'avais bien pensé que vous deviez être sortie vous promener. Ce sera un plaisir de vous raccompagner.

— Je vais venir aussi.

Edmond darda un sourire compréhensif sur Patience.

— J'étais venu voir comment s'en sortait Gerrard, mais il m'a donné mon congé. Donc, je ferais aussi bien de rentrer.

Il y aurait eu, Patience en était certaine, une bagarre pour la position à sa droite, pour être celui qui lui prendrait le bras, sauf que cette place était déjà prise.

— Il semble que nous sommes tout un groupe, dit Vane d'une voix traînante.

Il jeta un coup d'œil à Penwick.

— Vous venez, Penwick ? Nous pouvons rentrer en passant par les écuries.

Patience prit une profonde inspiration, posa sa main sur le bras de Vane — et le pinça. Il baissa la tête vers elle et haussa les sourcils innocemment.

— J'essayais seulement d'être obligeant.

Il lui fit faire demi-tour. Les autres se bousculèrent derrière eux alors qu'il la guidait vers la nef.

La route qu'il emprunta était expressément destinée à mettre le tempérament de Patience à l'épreuve. Plus précisément, pour que les autres exercent son tempérament ; Vane garda sagement le silence et les laissa concourir. Avec ses pieds trempés à présent carrément gelés pour s'être trop longtemps tenus debout sur la pierre froide, Patience découvrit que sa réserve de tolérance avait dangereusement fondu.

Une fois qu'ils eurent rejoint les écuries et que Patience eut offert sa main à Penwick en guise d'adieu, il lui fallut tout ce qu'elle avait pour fabriquer un sourire et lui servir un au revoir poli.

Penwick lui pressa les doigts.

— Si la pluie reste à distance, je me doute que vous souhaiterez monter à cheval demain. Je vais passer dans la matinée.

Comme s'il était le responsable de ses chevauchées ! Patience se mordit la langue sur une réplique acide. Retirant sa main, elle haussa les sourcils, puis se détourna avec morgue, refusant de tomber dans le piège de saluer Penwick d'un hochement de tête — ce qui aurait été interprété comme un acquiescement. Un bref regard au visage de Vane, à l'expression dans ses yeux, suffit à confirmer qu'il avait bien clairement compris l'échange.

Heureusement, Henry et Edmond s'éloignèrent lentement sans insister une fois qu'ils entrèrent dans la maison. Pendant qu'elle et Vane grimpaient les escaliers, Patience réfléchissait. C'était presque comme si Henry et Edmond pensaient tous les deux qu'elle devait être protégée de Vane, tout comme Penwick, mais qu'une fois qu'elle était dans le manoir, ils considéraient qu'elle était en sûreté. Même en ce qui concernait Vane.

Elle pouvait concevoir la raison pour laquelle ils pensaient une telle chose — ceci était, après tout, la résidence de sa marraine. Même les séducteurs, comprenait-elle, avaient des limites à ne pas outrepasser.

Cependant, elle avait déjà appris qu'elle ne pouvait pas prédire la canaillerie de Vane – et elle était loin de savoir avec certitude où se trouvaient ses limites à *lui*.

Ils atteignirent le fond de la galerie ; le couloir menant à la chambre de Patience s'étirait devant. S'arrêtant, elle retira sa main du bras de Vane et se retourna pour le regarder en face.

L'expression douce, les yeux légèrement amusés, il rencontra son regard. Il lut ses yeux, puis haussa un sourcil, invitant sa question.

– Pourquoi êtes-vous resté ?

Il s'immobilisa ; encore une fois, Patience sentit le filet se resserrer, sentit la paralysie s'installer alors que les sens de son prédateur se centraient sur elle. C'était comme si le monde avait cessé de tourner, comme si un bouclier impénétrable s'était refermé sur eux, de sorte qu'il n'y avait rien d'autre qu'elle et lui – et cette chose qui les tenait.

Elle scruta ses yeux, mais ne put lire ses pensées au-delà du fait qu'il l'évaluait, réfléchissait à ce qu'il allait lui dire. Puis, il leva une main. Patience retint son souffle alors qu'il faisait glisser un doigt sous son menton ; la peau sensible s'anima à son contact. Il releva légèrement son visage afin que ses yeux plongent dans les siens.

Il l'examina, puis ses yeux et son visage un moment de plus.

– Je suis resté pour aider Minnie, aider Gerrard… et obtenir une chose que je désire.

Il prononça les mots clairement, délibérément, sans simulation. Ses lourdes paupières se soulevèrent. Patience lut la vérité dans ses yeux. La force qui les retenait fouettait ses sens. Un conquérant l'observait à travers ses yeux gris et calmes.

Étourdie, elle s'efforça de rassembler assez de force pour lever le menton et le libérer de son doigt. Le souffle coupé, elle pivota et marcha vers sa porte.

Chapitre 7

Tard ce même soir, Patience marchait de long en large devant le feu dans sa chambre à coucher. Autour d'elle, la maison était silencieuse, tous les occupants retirés pour leur repos. Elle ne pouvait pas se reposer; elle ne s'était même pas donné la peine de se dévêtir. C'était inutile – elle ne s'endormirait pas. Elle était de plus en plus fatiguée à force de manquer de sommeil, mais…

Elle n'arrivait pas à détourner son esprit de Vane Cynster. Il avait forcé son attention; il remplissait ses pensées, à l'exclusion de tout le reste. Elle avait oublié de manger sa soupe. Plus tard, elle avait essayé de boire du thé dans une tasse vide.

– Tout est sa faute, informa-t-elle Myst, assise comme un sphinx sur le fauteuil. Comment suis-je censée me comporter raisonnablement quand il fait des déclarations semblables?

Il avait déclaré qu'ils seraient amants – qu'il la désirait de cette manière. Patience ralentit.

– Amants, a-t-il dit, pas protecteur et maîtresse.

Elle regarda Myst en plissant le front.

– Y a-t-il une différence pertinente?

Myst la regarda calmement.

Patience grimaça.

– Probablement pas.

Elle haussa les épaules et reprit son va-et-vient.

Au vu de tout ce qu'avait dit et fait Vane, chaque précepte qu'elle avait appris affirmait catégoriquement qu'elle devait l'éviter. Le considérer comme mort si nécessaire. Cependant... Elle s'arrêta et fixa les flammes.

La vérité était qu'elle était en sécurité. Elle serait la toute dernière femme à jeter sa vertu aux orties pour un gentleman comme Vane Cynster. Il pouvait bien être attentionné dans certains cas, il pouvait bien être si puissamment séduisant qu'elle ne pouvait se concentrer sur rien d'autre lorsqu'il était là, mais elle n'oublierait jamais ce qu'il était. Son apparence, ses mouvements, ses attitudes, le ronronnement dangereux dans sa voix — tout cela constituait des rappels constants. Non — elle était en sécurité. Il ne réussirait pas à la séduire. Son antipathie profondément enracinée envers les élégants la protégerait de lui.

Ce qui signifiait qu'elle pouvait, en toute impunité, satisfaire sa curiosité. Sur ces étranges sensations qu'il suscitait, parfois intentionnellement, d'autres fois apparemment inconsciemment. Elle n'avait jamais rien ressenti de semblable auparavant.

Elle devait découvrir ce qu'elles signifiaient. Elle voulait savoir s'il y avait plus.

Front plissé, elle continua d'aller et venir, formulant ses arguments. Son expérience du plaisir physique était gravement limitée — elle-même s'était assurée qu'il en serait ainsi. Elle n'avait jamais avant ressenti la moindre envie même d'embrasser un homme. Ni de permettre à un gentleman de l'embrasser. Cependant, l'unique, étonnamment méthodique, incroyablement long baiser qu'elle avait partagé avec Vane prouvait au-delà de tout doute qu'il était maître dans ce domaine. D'après sa réputation, elle ne s'était pas attendue à moins. Avec qui de mieux apprendre ?

Pourquoi ne devrait-elle pas tirer avantage de la situation et en apprendre un peu plus — tout cela dans les limites du possible, bien entendu. Elle ignorait peut-être où se trouvaient les limites de Vane, mais elle savait où s'arrêtaient les siennes.

Elle était en sécurité, elle savait ce qu'elle voulait et elle savait jusqu'où elle était prête à aller.

Avec Vane Cynster.

La perspective avait consumé ses pensées la majeure partie de l'après-midi et toute la soirée. Il s'était avéré excessivement difficile d'arracher ses yeux de lui, de sa large et svelte silhouette, de ses mains fortes aux longs doigts et de ses lèvres de plus en plus fascinantes.

Patience fronça les sourcils et continua à faire les cent pas.

Elle leva la tête en approchant la fin de son parcours bien usé — ses rideaux étaient encore ouverts. Traversant jusqu'à la fenêtre, elle tendit une main vers chaque pan pour les refermer d'un coup de poignet — dans l'obscurité en bas, une lumière brillait.

Patience se figea et la fixa. La lumière était très nette, une boule brillante à travers le brouillard enveloppant les ruines. Elle oscilla, puis bougea. Patience n'attendit pas d'en voir davantage. Pivotant vivement, elle ouvrit son placard, attrapa sa cape et courut à la porte.

Ses pantoufles à semelle souple n'émirent aucun son sur les chemins de couloir ni sur le tapis de l'escalier. Une unique bougie laissée allumée dans le vestibule d'entrée jetait son ombre jusqu'en haut de la galerie. Patience ne s'arrêta pas. Elle vola dans le couloir sombre jusqu'à la porte latérale.

Elle était verrouillée. Elle se débattit avec les lourds verrous, les tirant difficilement en arrière, puis elle ouvrit la porte. Myst sortit en flèche. Patience s'écarta rapidement et referma la porte. Puis, elle pivota brusquement et s'engagea dehors – dans l'épais brouillard.

Cinq pas impulsifs après la porte, elle s'arrêta. Frissonnante, elle lança sa cape sur ses épaules, attachant vite les cordons au cou. Elle jeta un coup d'œil derrière elle. Elle ne peut distinguer le mur de la maison qu'en s'abîmant les yeux, le regard vide des fenêtres du rez-de-chaussée et la parcelle plus sombre qui formait la porte latérale.

Elle regarda vers les ruines. Il n'y avait aucune trace de la lumière, mais le spectre, qui que ce fût, n'avait pas pu atteindre la maison, même en utilisant une lumière pour se guider, pas avant qu'elle ait regagné la porte latérale.

Selon toute probabilité, le spectre était encore dehors.

Tournant le dos à la maison, Patience avança de quelques pas prudents. Le brouillard s'intensifia, devint plus froid.

Resserrant sa cape autour d'elle, elle serra les dents et fonça. Elle tenta d'imaginer qu'elle marchait sous un soleil vif, essaya de voir en esprit où elle se trouvait. Puis, la première des pierres tombées parsemant la pelouse apparut indistinctement dans le brouillard, une vue rassurante de familiarité.

Inspirant une bouffée d'air plus assurée, elle continua, se frayant avec précaution un chemin entre les pierres renversées.

Le brouillard était plus dense sur la pelouse ; alors qu'elle s'approchait des ruines, il s'éclaircit, assez pour qu'elle distingue les structures principales, d'après lesquelles elle pouvait évaluer sa position.

Des bandes d'un brouillard épais, froid et humide s'enroulaient autour des arches détruites. Une brume flottante obscurcissait le paysage, puis le dévoilait, puis l'obscurcissait encore. Il n'y avait pas véritablement de vent, néanmoins un faible son semblait murmurer à travers les ruines, comme un cri de lamentation lointain venu d'une autre époque.

Quand elle mit le pied sur les insignes couverts de lichen de la cour extérieure, Patience sentit l'atmosphère sinistre se refermer sur elle. Un banc de brouillard plus dense passa autour d'elle ; une main tendue, elle avança en tâtonnant le long d'un mur bas, une partie du dortoir des moines. Il se terminait abruptement ; au-delà se trouvait un gros trou ouvrant sur le couloir tombé menant aux restes du réfectoire.

Elle s'avança vers l'ouverture ; une pantoufle glissa sur la maçonnerie tombant en ruines. Réprimant un halètement, Patience bondit en avant sur les insignes du couloir.

Et entra en collision avec un homme.

Elle ouvrit la bouche pour crier – une main ferme se referma sur ses lèvres. Un bras dur comme l'acier s'enroula autour de sa taille, la piégeant contre un long corps dur. Patience se détendit ; la panique la quitta. Il n'y avait qu'un seul corps à quinze kilomètres à la ronde comme celui contre lequel elle était pressée.

Levant le bras, elle retira la main de Vane de sur ses lèvres. Elle inspira pour parler, ouvrit les lèvres…

Il l'embrassa.

Quand il consentit enfin à s'arrêter, il leva les lèvres des siennes seulement une fraction de seconde. Et il dit dans un murmure :

— Silence ; le son voyage très bien dans le brouillard.

Patience reprit ses esprits. Et chuchota à son tour :

— J'ai vu le spectre : il y avait une lumière qui oscillait dans les environs.

— Je pense qu'il s'agit d'une lanterne, mais elle a disparu ou elle est dissimulée en ce moment.

Ses lèvres touchèrent de nouveau les siennes, puis se posèrent, non froides, mais bien chaudes sur les siennes. Le reste de son corps aussi était chaud, une oasis de chaleur dans la nuit froide. Les mains coincées contre son torse, Patience combattit l'envie pressante de se blottir plus près.

Quand il releva la tête, elle s'obligea à demander, ses mots toujours prononcés à peine dans un murmure :

— Pensez-vous qu'il reviendra ?

— Qui sait ? J'avais pensé attendre un peu.

Il fit suivre le frôlement excitant de son souffle sur ses lèvres d'une caresse beaucoup plus satisfaisante.

La tête de Patience tourna.

— Je vais peut-être attendre aussi.

— Hum.

Un nombre impossible à connaître de minutes plus tard, alors qu'il inspirait une bouffée d'air nécessaire, Vane commenta :

— Saviez-vous que votre chatte était ici ?

Elle n'avait pas su si Myst l'avait suivie ou non.

— Où ?

Patience regarda autour d'elle.

— Sur une pierre à votre gauche. Elle voit probablement mieux que nous, même dans le brouillard. Surveillez-la ; elle va probablement disparaître si le spectre revient.

Surveillez-la. C'était difficile pendant qu'il l'embrassait.

Patience se blottit plus près du mur chaud qu'offrait son torse. Il adapta son étreinte ; ses mains se glissèrent autour de sa taille, changeant de position de sorte qu'elle fut coincée — très confortablement — entre lui et le vieux mur. Un bras et une épaule la protégeaient des pierres ; le reste de Vane la protégeait de la nuit. Ses bras se resserrèrent ; Patience sentit toute la force de Vane le long de son propre corps, sentit la pression de son torse sur ses seins, le poids de ses hanches sur son ventre, les solides piliers de ses cuisses dures sur ses propres membres plus souples.

Les lèvres de Vane trouvèrent de nouveau les siennes ; ses mains s'écartèrent dans son dos, la moulant contre lui. Patience sentit la chaleur monter — d'elle, de lui, entre eux. Ils ne couraient pas le moindre risque d'attraper froid.

Myst siffla.

Vane leva la tête, instantanément vigilant.

Une lumière brilla furtivement dans les ruines. Le brouillard s'était épaissi, de sorte qu'il était difficile de voir où se trouvait la lanterne. Des reflets bondissaient sur les surfaces coupées des pierres brisées, provoquant des lueurs gênantes. Il fallut un moment pour localiser la plus forte source de lumière.

Elle brillait au-delà du cloître.

— Restez ici.

Sur cet ordre murmuré, Vane l'écarta de lui, la laissant à l'abri près du mur. L'instant suivant, il avait disparu, se fondant dans le brouillard comme un fantôme.

Patience ravala une protestation. Elle regarda autour d'elle – juste à temps pour voir Myst se glisser dans le sillage de Vane.

La laissant entièrement seule.

Abasourdie, Patience fixa le vide derrière eux. Quelque part devant, la lanterne du spectre brillait encore.

– Vous plaisantez, j'espère !

Sur cette déclaration marmonnée, elle se hâta à la suite de Vane.

Elle l'aperçut une fois, alors qu'il traversait la cour à l'intérieur du cloître. La lumière oscillait un peu devant lui – pas près de l'église, mais de l'autre côté du cloître, se dirigeant vers les restes des autres bâtiments de l'abbaye. Patience se dépêcha d'avancer, apercevant Myst alors qu'elle sautait par-dessus les pierres du mur démoli du cloître. Pendant qu'elle la suivait, Patience tenta de se rappeler ce qui gisait au-delà de ce mur.

Il se trouvait que c'était un trou – elle tomba dedans la tête la première.

Patience étouffa vaillamment un cri instinctif, s'étranglant presque dans le processus. Heureusement, elle ne tomba pas sur de la pierre, mais sur une inclinaison herbeuse ; l'impact lui coupa le souffle et la laissa haletante.

Vingt mètres plus loin, Vane entendit son cri étouffé. Il s'arrêta et jeta un coup d'œil par-dessus son épaule, scrutant les pierres enveloppées dans le brouillard. Un mètre derrière lui, Myst stoppait en tremblant sur une pierre, les oreilles dressées pendant qu'elle regardait en arrière. Puis, l'élégante chatte bondit en bas et fendit le brouillard en revenant sur ses pas.

Silencieusement, Vane jura. Il regarda devant lui.

La lumière avait disparu.

Prenant une profonde inspiration, il la relâcha, puis se tourna et revint sur ses pas avec raideur.

Il découvrit Patience allongée là où elle était tombée ; elle s'efforçait de se redresser.

— Attendez.

Vane sauta à ses pieds. Se penchant sur elle, il glissa les mains sous ses aisselles et la souleva. Il la déposa sur ses pieds à côté de lui.

Avec un cri étouffé, Patience s'écroula. Vane la rattrapa, la soulevant, la soutenant contre lui.

— Qu'y a-t-il ?

Patience s'appuya sur lui.

— Mon genou.

Elle se mordit la lèvre, puis ajouta faiblement :

— Et ma cheville.

Vane jura.

— Gauche ou droite ?

— Gauche.

Il se déplaça sur sa gauche, puis la souleva dans ses bras, sa jambe gauche reposant délicatement entre eux.

— Accrochez-vous.

Patience obéit. En la tenant contre lui, Vane escalada la faible pente. La soulevant en hauteur, il la déposa au bord du trou, puis se hissa en dehors. Puis, il se pencha et la souleva encore dans ses bras.

Il la porta dans le cloître, là où une grosse pierre offrait un siège pratique. Avec précaution, il la déposa, laissant sa jambe s'abaisser doucement.

Des herbes mortes et des feuilles humides s'accrochèrent à son corsage. Vane les épousseta. Patience l'imita, ne sachant pas trop ce qu'elle chassait de la main — les détritus ou les mains de Vane. Malgré la douleur aiguë dans son genou et la douleur sourde dans sa cheville, le rapide passage de ses doigts sur son corsage avait fait se froncer les bouts de ses seins.

La sensation la laissa haletante.

Vane changea de position, à moitié derrière elle. L'instant suivant, elle sentit ses mains glisser autour d'elle par-derrière, ses doigts trouvant et tâtant ses cotes. Avant qu'elle puisse reprendre ses esprits, ses doigts se glissèrent vers le haut.

— *Que faites-vous* ?

Elle était à bout de souffle et avait la voix rauque.

— Je vérifie s'il y a des côtes brisées ou contusionnées.

— Rien ne fait mal de ce côté.

Cette fois, sa voix paraissait étranglée — le mieux qu'elle pouvait faire avec les doigts de Vane fortement pressés sous ses seins.

Il répondit par un grognement, mais du moins il la lâcha. Patience inspira avec difficulté une bouffée d'air des plus nécessaires, puis cligna des paupières quand il s'agenouilla devant elle.

Il releva ses jupes d'un coup de poignet.

— *Que…*

Patience essaya désespérément de baisser les plis souples du tissu.

— Arrêtez de faire des histoires !

Son ton — sec et furieux — provoqua exactement cette réaction. Puis, elle sentit les mains de Vane se refermer sur sa cheville endolorie. Ses doigts examinèrent, sondèrent délicatement, puis, avec beaucoup de précautions, il fit bouger son pied.

— Aucune douleur aiguë ?

Patience secoua la tête. Les doigts de Vane se raffermirent, massant délicatement ; ravalant un soupir, elle ferma les yeux. Son contact était tellement bon. La chaleur de ses mains réduisit la douleur ; quand il libéra enfin sa cheville, elle semblait beaucoup moins douloureuse.

Ses mains glissèrent vers le haut, suivant le bombement de son mollet jusqu'à son genou.

Patience garda les yeux fermés et essaya de ne pas penser à la finesse de ses bas de soirée. Heureusement, elle portait ses jarretières hautes, de sorte que lorsque ses mains se refermèrent autour de son genou, il ne touchait pas une peau nue.

Il aurait tout aussi bien pu le faire.

Chaque nerf dans ses jambes s'anima, centré sur sa caresse. Il sonda et la douleur fusa ; Patience sursauta –, mais accueillit avec joie cette distraction. Il fut très prudent après cela. Deux fois encore, elle siffla de douleur alors qu'il testait la jointure. Enfin, ses mains la quittèrent.

Patience ouvrit les yeux et rabaissa vite ses jupes. Elle pouvait sentir la rougeur enflammant ses joues. Heureusement, dans la faible clarté, elle doutait qu'il puisse la voir.

Vane se leva et baissa les yeux sur elle.

— Genou déchiré, cheville légèrement foulée.

Patience lui décocha un regard.

— Vous êtes un expert ?

— En quelque sorte.

Sur ce, il la souleva.

Patience s'agrippa à ses épaules.

— Si vous vouliez me donner le bras, je suis certaine que je pourrais y arriver.

— Vraiment ? lui parvint la réponse moins qu'encourageante.

Il baissa la tête vers elle. Dans la pénombre, elle ne pouvait pas distinguer son expression.

— Heureusement, vous ne serez pas appelée à le prouver.

Son ton demeurait sec, excessivement précis. L'agacement sous-jacent gagnait en intensité alors qu'il poursuivait.

— Pourquoi diable n'êtes-vous pas restée là où je vous ai laissée ? Minnie ne vous a-t-elle pas fait promettre de ne pas prendre le spectre en chasse dans le noir ?

Patience ignora sa première question, pour laquelle elle n'avait pas de bonne réponse. Non pas que sa réponse à la deuxième question était particulièrement bonne aussi.

— J'ai oublié ma promesse ; j'ai juste vu le spectre et je suis sortie en hâte. Cependant, que faisiez-*vous* ici si c'est trop dangereux de suivre le spectre ?

— *J'ai* une dispense spéciale.

— Hum ! lâcha-t-elle de façon justifiée. Où est Myst ?

— Devant nous.

Patience regarda, mais ne put rien distinguer. À l'évidence, Vane pouvait voir mieux qu'elle. Son pas ne ralentit pas alors qu'il serpentait entre les blocs fracassés ; les bras autour de son cou, elle était très contente en elle-même de ne pas avoir à sautiller sur cette étendue particulière de pelouse.

Puis, la porte latérale apparut indistinctement dans l'obscurité. Myst patientait sur la véranda. Patience attendit d'être posée à terre. Au lieu de cela, Vane jongla avec elle dans ses bras et réussit à ouvrir la porte. Une fois le seuil passé, il referma la porte d'un coup de pied, puis y appuya les épaules.

— Mettez les verrous.

Elle fit ce qu'on lui demandait, le contournant avec son bras. Quand le dernier verrou glissa à sa place, il se redressa et poursuivit son chemin.

— Vous pouvez me déposer maintenant, siffla Patience alors qu'il pénétrait à grandes enjambées dans le vestibule principal.

— Je vais vous déposer dans votre chambre.

Sous la lumière de la bougie du vestibule, Patience vit ce qu'elle avait été incapable de voir avant : son visage. Il était déterminé. Sous des traits résolument sévères.

À son étonnement, il se dirigea vers le fond du vestibule et d'un coup d'épaule il ouvrit la porte recouverte de feutre vert menant aux quartiers des domestiques.

— Masters !

Masters surgit de l'office du majordome.

— Oui, monsieur ? Oh, mon doux !

— En effet, répondit Vane. Appelez madame Henderson et une des servantes. Mademoiselle Debbington s'est aventurée dans les ruines et s'est foulé la cheville et déchiré un genou.

Cela, évidemment, sonna le glas pour elle. Totalement. Patience dut endurer Masters, madame Henderson et la vieille habilleuse de Minnie, Ada, s'affairant sans relâche autour d'elle. Vane guida la procession qui la plaignait en haut des marches — comme il l'avait dit, il la déposa dans sa chambre et pas avant.

Il l'installa très délicatement au bout de son lit. Fronçant les sourcils, il recula. Mains sur les hanches, il observa madame Henderson et Ada s'occuper à préparer un bain à la moutarde et à fabriquer un cataplasme pour son genou.

Apparemment satisfait, Vane pivota et accrocha le regard de Patience. Ses yeux étaient durs.

– Pour l'amour de Dieu, faites ce que l'on vous dit.

Sur ce, il marcha à grands pas jusqu'à la porte.

Totalement sidérée, Patience fixa son dos. Elle ne réussit pas à trouver une réplique à moitié convenable à lui jeter au visage avant qu'il disparaisse. La porte se referma d'un clic. Elle ferma la bouche d'un coup, se laissa retomber sur le lit et soulagea ses émotions avec un gémissement poussé à travers des dents serrées.

Ada papillonna jusqu'à elle.

– Tout ira bien, chère, dit-elle en tapotant la main de Patience. Nous ferons en sorte que tout aille mieux dans un moment.

Patience serra les dents – et fixa un regard mauvais sur le plafond.

Madame Henderson vint la réveiller le lendemain matin. Patience, allongée sur le dos au centre de son lit, fut étonnée de voir la maternelle gouvernante ; elle s'était attendue à l'une des servantes.

Madame Henderson sourit en ouvrant largement les rideaux.

– Je vais devoir retirer le cataplasme et bander votre genou.

Patience grimaça. Elle avait espéré échapper au bandage. Elle regarda vaguement son horloge, puis la fixa.

— Il n'est que sept heures.

— Oui. Nous doutions de vous voir très bien dormir étant donné l'inconfort.

— Je n'étais pas capable de me retourner.

Patience s'efforça de se redresser.

— Ce ne sera pas si mal ce soir. Un simple bandage devrait suffire à partir de maintenant.

Patience se leva avec l'assistance de la gouvernante. Elle s'assit patiemment pendant que madame Henderson retirait le cataplasme, claquait la langue en voyant son genou, puis le bandait avec des linges propres.

— Je ne peux pas marcher, protesta Patience à l'instant où madame Henderson l'aida à se mettre debout.

— Bien sûr que non. Vous ne devez pas vous lever pendant quelques jours pour laisser guérir ce genou.

Patience ferma les yeux et réprima un gémissement.

Madame Henderson l'aida à se laver et à s'habiller, puis la laissa appuyée contre le lit.

— Maintenant, aimeriez-vous avoir un plateau ici ou venir plutôt en bas ?

La seule *pensée* de passer toute la journée enfermée dans sa chambre était déjà assez désagréable ; être obligée de le faire était de la torture. Et si elle devait aller en bas, il valait mieux que ce soit maintenant, avant que toute autre personne soit levée.

— En bas, répondit fermement Patience.

— Bien, alors.

À sa stupéfaction, madame Henderson la quitta et se dirigea vers la porte. L'ouvrant, elle sortit la tête, dit quelque chose, puis s'écarta, tenant la porte grande ouverte.

Vane entra.

Patience le dévisagea.

— Bonjour.

L'expression neutre, il traversa la pièce. Avant qu'elle puisse formuler des pensées, encore moins les exprimer en mots, il se pencha et la souleva dans ses bras.

Patience ravala un halètement. Exactement comme la nuit dernière — avec une différence hautement pertinente.

La nuit précédente, elle portait sa cape ; ses plis épais avaient atténué le contact de Vane suffisamment pour le rendre non perturbant. Aujourd'hui, vêtue d'une robe de jour de sergé fin, même à travers ses jupons, elle pouvait sentir chacun de ses doigts, l'un agrippant le bas de sa cuisse, les autres fermes sous son bras, près du renflement de son sein.

Alors qu'il la faisait pivoter pour passer la porte, puis se redressait et se dirigeait vers la galerie, Patience essaya de calmer sa respiration et pria pour que sa rougeur ne soit pas aussi vive qu'elle la sentait. Le regard de Vane se posa brièvement sur son visage, puis il regarda devant lui et commença à descendre l'escalier.

Patience risqua un œil sur son visage — les traits durs étaient encore déterminés, figés et indéchiffrables, comme ils l'avaient été la veille au soir. Ses lèvres fascinantes formaient une ligne droite.

Elle plissa les paupières.

— Je ne suis pas exactement handicapée, vous savez.

Le regard qu'il lui décocha fut indéchiffrable. Il examina ses yeux un instant, puis il regarda de nouveau devant lui.

— Madame Henderson dit que vous ne devez pas rester debout. Si je vous découvre dans cette position, je vous attacherai à votre canapé-lit.

La mâchoire de Patience se décrocha. Elle le dévisagea, mais, atteignant le bas des marches, il ne regarda pas dans sa direction. Ses bottes résonnèrent sur les carreaux du vestibule. Patience prit une profonde inspiration, ayant l'intention de faire connaître ses opinions sur sa nature autoritaire, seulement pour devoir ravaler ses paroles ; Vane entra dans le salon du petit déjeuner — Masters était là. Il se hâta de tirer la chaise à côté de celle de Vane, la tournant de manière à ce qu'elle soit positionnée face au bout de la table. Délicatement, Vane la déposa dessus. Masters roula un ottoman en position ; Vane installa sa cheville blessée dessus.

— Aimeriez-vous un coussin, mademoiselle ? s'informa Masters.

Que pouvait-elle faire ? Patience fit apparaître un sourire reconnaissant.

— Non, merci, Masters.

Son regard passa à Vane, debout devant elle.

— Vous avez été des plus aimables.

— Ce n'est rien, mademoiselle. Maintenant, qu'aimeriez-vous pour votre petit déjeuner ?

À eux deux, Vane et Masters lui procurèrent une nourriture appropriée — puis, ils la surveillèrent pendant qu'elle mangeait. Patience supporta leur version masculine du maternage aussi stoïquement qu'elle le put. Et attendit.

Les épaules de Vane étaient recouvertes de fines gouttelettes de bruine.

Ses cheveux étaient plus foncés que d'habitude, une goutte occasionnelle luisant parmi les mèches épaisses. Il mit aussi fin à son jeûne, vidant avec régularité une assiette remplie d'une pile de différentes viandes. Patience renifla secrètement — à l'évidence, c'était un carnivore.

À un moment donné, Masters finit par retourner dans la cuisine pour aller chercher des poêlons de table pour garder le repas chaud.

Alors que ses pas s'éloignaient, Patience attaqua.

— Vous êtes sorti investiguer.

Vane leva la tête, puis la hocha et tendit la main vers sa tasse de café.

— Eh bien ? insista Patience quand il se contenta de boire.

Lèvres compressées, il examina son visage, puis l'informa à contrecœur :

— Je pensais qu'il aurait pu y avoir une ou deux empreintes de pied, une piste à suivre. Il grimaça. Le sol était bien assez trempé, mais les ruines sont composées soit d'insignes, de pierres ou de pelouse mêlée de boue. Rien pour garder une empreinte.

— Hum.

Patience fronça les sourcils.

Masters revint. Il déposa son plateau, puis marcha jusqu'à Vane.

— Grisham et Duggan vous attendent dans la cuisine, monsieur.

Vane hocha la tête et vida sa tasse de café. Il la déposa et repoussa sa chaise. Patience attira son regard et le soutint.

Elle s'accrocha à ce contact ; sa question inexprimée plana dans l'air.

Le visage de Vane se durcit. Ses lèvres s'amincirent.

Patience plissa les yeux.

— Si vous ne me le dites pas, je vais moi-même me rendre dans les ruines.

Vane plissa lui aussi les yeux. Il jeta un bref regard à Masters, puis, d'un air quelque peu sévère, il revint à Patience.

— Nous allons chercher des signes indiquant que le spectre venait de l'extérieur. Des empreintes de sabot, n'importe quoi pour suggérer qu'il ne venait pas du manoir en soi.

Son expression se détendant, Patience hocha la tête.

— Le sol est trempé dernièrement, vous devriez découvrir quelque chose.

— Exactement, répondit-il en se levant. S'il y a quelque chose à trouver.

Masters quitta le salon pour effectuer un autre voyage aux cuisines. En direction de l'escalier, une voix désinvolte leur parvint.

— Bonjour, Masters. Y a-t-il quelqu'un de levé ?

Angela. Ils entendirent la réponse à voix basse de Masters ; Vane baissa la tête et rencontra les grands yeux de Patience.

— À l'évidence, c'est mon signal de départ.

Patience sourit.

— Lâche, murmura-t-elle alors qu'il passait devant sa chaise.

Un battement de cœur plus tard, il pivota brusquement et se pencha sur elle, son souffle frôlant le côté de son cou. Sa force entoura Patience, l'enveloppa.

— En passant, chuchota-t-il avec son ronronnement le plus grave, je pensais ce que j'ai dit à propos du canapé-lit.

Il marqua une pause.

— Donc, si vous avez le plus petit soupçon d'instinct de conservation, vous ne bougerez pas de cette chaise.

Des lèvres fraîches et dures frôlèrent son oreille, puis glissèrent plus bas pour caresser légèrement, à peine un contact, la peau sensible sous sa mâchoire. Patience perdit son combat et frissonna ; ses paupières s'abaissèrent.

Vane releva un peu son menton ; ses lèvres touchèrent les siennes pendant un baiser furtif douloureusement incomplet.

— Je vais revenir avant la fin du petit déjeuner.

Les pas d'Angela résonnèrent dans le vestibule. Patience ouvrit les yeux pour voir Vane sortir à grandes enjambées du salon. Elle entendit l'accueil ravi d'Angela, puis le grondement en réponse de Vane, s'évanouissant alors qu'il poursuivait à la même allure. Une seconde plus tard, Angela apparut. Elle faisait la moue.

Se sentant infiniment plus vieille, plus sage, Patience sourit.

— Venez et mangez un peu. Les œufs sont particulièrement bons.

Le reste du groupe du petit déjeuner les rejoignit graduellement. Au grand désarroi de Patience, tout un chacun avait entendu parler de sa blessure, grâce au téléphone arabe dans la maisonnée. Heureusement, ni elle ni Vane n'avaient vu l'utilité d'informer qui que ce soit de la raison de son excursion nocturne, de sorte que tout le monde ignorait comment elle en était venue à se blesser.

Tout le monde fut convenablement choqué par son « accident » ; tous furent prompts à offrir leur sympathie.

— Pénible affaire, offrit Edgar avec l'un de ses doux sourires.

— M'suis tordu le genou une fois, en Inde.

Le général braqua un regard curieux au bout de la table.

— Un cheval m'a jeté à terre. Les wallahs indigènes l'ont enveloppé dans des feuilles sentant le diable. Le genou, pas le cheval. Guéri en un rien de temps.

Patience hocha la tête et sirota son thé.

Gerrard, occupant à côté d'elle la chaise qu'elle utilisait habituellement, demanda doucement :

— Es-tu certaine d'aller bien ?

Ignorant la douleur dans son genou, Patience sourit et lui pressa légèrement la main.

— Je suis loin d'être une faible créature. Je te promets de ne pas m'évanouir de douleur.

Gerrard sourit, mais son expression demeura vigilante, inquiète.

Avec son sourire agréable fermement en place, Patience laissa errer son regard. Jusqu'à ce qu'elle croise, de l'autre côté de la table, le front plissé d'Henry.

— Vous savez, dit-il, je ne comprends pas tout à fait comment vous vous êtes déchiré le genou.

Son intonation transformait son affirmation en question.

Patience continua à sourire.

— Je ne réussissais pas à dormir, alors je suis allée me promener.

— Dehors ?

La surprise d'Edmond s'évanouit devant sa réflexion.

— Eh bien, oui, je suppose que vous deviez marcher dehors ; marcher à *l'intérieur* de ce mausolée la nuit donnerait des cauchemars à n'importe qui.

Son rapide sourire s'épanouit.

— Et vraisemblablement, vous n'en auriez pas voulu.

Sourire malgré ses dents serrées n'était pas chose aisée ; Patience réussit, tout juste.

— Il se trouve que je suis bien allée dehors.

Le silence aurait été plus sage, mais ils étaient tous suspendus à ses paroles, aussi avidement curieux que ceux qui menaient des vies oisives puissent l'être.

— Mais…

Le pli sur le front d'Edgar se transforma en nervures.

— Le brouillard…

Il regarda Patience.

— C'était comme de la purée de pois, hier soir. J'ai regardé dehors avant de souffler ma bougie.

— Il était plutôt dense.

Patience regarda Edmond.

— Vous auriez apprécié le côté sinistre.

— J'ai entendu dire, commenta Whitticombe d'un ton mal assuré, que monsieur Cynster vous avait portée dans la maison.

Ses paroles, prononcées à voix basse, planèrent au-dessus de la table du petit déjeuner, soulevant des questions dans tous les esprits. Un calme soudain s'ensuivit, lourd d'étonnements et de calculs choqués. Calmement, son sourire disparu, Patience se tourna et considéra Whitticombe avec une expression distante.

Son esprit s'activait à toute allure, essayant de trouver une autre réponse, mais elle ne pouvait en offrir qu'une.

— Oui, monsieur Cynster m'a effectivement aidée à rentrer dans la maison ; c'est heureux qu'il m'ait trouvée. Nous avions tous les deux aperçu une lumière dans les ruines et nous étions sortis voir de quoi il retournait.

— Le spectre !

L'exclamation venait à la fois d'Angela et d'Edmond. Leurs yeux brillaient, leurs visages étaient illuminés par l'excitation.

Patience essaya de refroidir leurs ardeurs sur le point de s'enflammer.

— Je suivais la lumière quand je suis tombée dans un trou.

— Je croyais, dit sévèrement Henry — et toutes les têtes se tournèrent vers lui — que nous avions tous promis à Minnie de ne pas pourchasser le spectre dans l'obscurité.

Le ténor de sa voix et l'expression de son visage étaient tout à fait étonnants dans leur intensité. Patience sentit une rougeur colorer ses joues.

— J'ai bien peur d'avoir oublié ma promesse, admit-elle.

— Dans le frisson du moment, pour ainsi dire.

Edmond se pencha sur la table.

— Votre échine a-t-elle frémi ?

Patience ouvrit la bouche, impatiente de sauter sur la mesure de distraction d'Edmond, mais Henry parla en premier.

— Je pense, jeune homme, que toutes vos idioties sont allées bien assez loin !

Les mots étaient remplis de colère. Très surpris, tout le monde regarda Henry – son visage était fermé, sa peau légèrement marbrée. Ses yeux étaient fixés sur Gerrard.

Qui se raidit. Il soutint le regard d'Henry, puis déposa lentement sa fourchette.

– Que voulez-vous dire ?

– Je veux dire, répondit Henry sans mâcher ses mots, qu'étant donné la douleur et la souffrance que vous avez causées à votre sœur, je suis abasourdi de découvrir que vous êtes un petit morveux si insensible que vous pouvez rester assis là et prétendre à l'innocence.

– Oh, allons, dit Edmond.

Patience soupira presque de soulagement. Une seconde plus tard, elle se raidit et regarda fixement Edmond alors qu'il continuait d'un ton dénotant l'essence même de la raison.

– Comment pouvait-il savoir que Patience manquerait à sa parole donnée à Minnie et sortirait à sa suite ?

Edmond haussa les épaules et se tourna vers Patience et Gerrard avec un sourire charmeur.

– Ce n'est certainement pas sa faute à lui qu'elle l'ait fait.

Avec de tels partisans… Patience ravala un gémissement et s'engagea dans la brèche.

– Ce n'était pas Gerrard.

– Oh ? fit Edgar en lui lançant un regard d'espoir. Vous avez vu le spectre, alors ?

Patience se mordit la lèvre.

– Non, je ne l'ai pas vu. Mais…

— Même si vous l'aviez vu, vous défendriez encore votre frère, n'est-ce pas, ma chère ?

Le sous-entendu suave dans la voix de Whitticombe plana au-dessus de la table. Il dirigea un sourire de supériorité paternelle sur Patience.

— Un dévouement tout à fait louable, ma chère, mais dans ce cas-ci, j'ai bien peur — son regard passa à Gerrard ; ses traits se durcirent et il secoua la tête — tristement déplacé.

— Ce n'était pas moi.

Pâle, Gerrard émit son commentaire calmement. À côté de lui, Patience perçut la bataille qu'il menait pour retenir sa colère. Silencieusement, elle lui envoya son soutien. Sous la table, elle serra brièvement sa cuisse.

Brusquement, il se tourna vers elle.

— Je ne suis pas le spectre.

Patience soutint posément son regard furieux.

— Je sais.

Elle insuffla dans ses deux mots une conviction totale et entière et sentit le feu de sa colère le quitter.

Se tournant, il lança un regard de défi autour de la table.

Le général grogna.

— Touchant, mais on ne peut pas se dérober à la vérité. Des tours de garçon, voilà ce qu'est le spectre. Et vous, mon garçon… êtes le seul jeunot ici.

Patience sentit porter le coup, un affront direct au cœur de la maturité émergente de Gerrard. Il s'immobilisa, son visage pâle comme la mort, son expression maussade. Son cœur pleurait pour lui ; elle mourrait d'envie de jeter ses bras autour de lui, de le protéger et de le réconforter —, mais elle savait qu'elle ne le pouvait pas.

Lentement, Gerrard repoussa sa chaise et se leva. Il jeta un regard incendiaire autour de la table, épargnant uniquement Patience de son mépris.

— Si aucun de vous n'a d'autres insultes à me jeter au visage…

Il marqua une pause, puis poursuivit d'une voix menaçant de se briser :

— Je vais vous souhaiter une bonne matinée.

Abruptement, il hocha la tête. Avec un bref regard rapide et inexpressif pour Patience, il tourna les talons et quitta la pièce.

Patience aurait donné toute sa fortune pour pouvoir se lever et, avec un mépris hautain, sortir gracieusement dans son sillage. Au lieu de cela, elle était coincée — condamnée par sa blessure à confiner sa propre mauvaise humeur qui augmentait vivement et à traiter avec la maisonnée idiote de sa tante. Malgré sa menace à Vane, elle ne pouvait pas se lever, encore moins clopiner.

Lèvres pressées, elle balaya la table du regard.

— Gerrard n'est pas le spectre.

Henry sourit avec lassitude.

— Ma chère mademoiselle Debbington, j'ai bien peur que vous deviez affronter les faits.

— Les faits ? dit sèchement Patience. Quels faits ?

Avec une lourde condescendance, Henry commença à les énumérer.

Vane arrivait sans se presser des écuries quand il vit Gerrard, mâchoire sombrement serrée, progresser à grands pas vers lui.

— Que s'est-il passé ? demanda-t-il.

Le visage de marbre, les yeux brûlants, Gerrard s'arrêta devant lui, inspira profondément, croisa brièvement son regard, puis secoua brusquement la tête.

— Ne le demandez pas.

Sur ce, il se lança en avant et continua vers les écuries.

Vane le regarda partir. Les poings serrés de Gerrard et son dos rigide en disaient long. Vane hésita, puis son visage se durcit. Vivement, il pivota et marcha à grandes enjambées vers la maison.

Il rejoignit le salon du petit déjeuner en un temps record. Un regard, puis son visage se vida de toute expression. Patience était encore assise là où il l'avait installée, mais au lieu de l'étincelle brillante qu'il avait laissée dans ses grands yeux, de la légère rougeur qui avait coloré ses joues, ses yeux noisette étaient à présent plissés, brillants de colère, alors que des bandes de couleur montaient jusque sur ses pommettes.

Elle était pâle, vibrant presque sous la fureur contenue. Elle ne le vit pas immédiatement ; Henry Chadwick était en ce moment la cible de sa colère.

— Vous voilà, Cynster ! Venez et ajoutez votre voix à la nôtre.

Le général, pivotant sur sa chaise, fit appel à lui.

— Nous essayons de dire à mademoiselle Debbington ici qu'elle doit entendre raison. Cela ne sert à rien d'éviter la vérité, ne voyez-vous pas ? Son petit dégingandé de frère a besoin d'une main ferme sur ses rênes. Une bonne correction le remettra dans le bon chemin et mettra fin à toutes ses âneries de spectre.

Vane regarda Patience. Ses yeux, carrément enflammés, étaient fixés sur le général. Ses seins enflèrent quand elle respira. Si le regard avait pu tuer, le général serait mort. D'après son expression, elle était prête à étrangler Henry aussi, en plus d'Edmond pour faire bonne mesure.

Avec élégance, Vane s'avança. Son mouvement attira l'attention de Patience ; elle leva les yeux et cligna des paupières. Vane emprisonna son regard dans le sien. Il ne s'arrêta pas avant d'être à côté de sa chaise. Puis, il tendit la main. Avec autorité. Sans hésitation, Patience posa ses doigts dans sa paume.

Vane referma solidement ses mains sur elle ; avec un frisson, Patience sentit sa chaleur et sa force couler en elle. Sa colère, presque sur le point d'éclater, retomba. Elle prit une autre inspiration et regarda une nouvelle fois les gens attablés.

Vane fit de même, son regard gris et froid scrutant leurs visages.

— J'espère bien, murmura-t-il, sa voix traînante et basse, mais clairement audible, qu'après votre rude épreuve d'hier soir, personne n'a été assez insensible pour vous troubler d'aucune façon ?

Les mots calmes et l'acier froid dans son regard suffirent à faire s'immobiliser tout le monde à table.

— Naturellement, continua-t-il avec les mêmes accents de douceur, des événements tels que ceux d'hier soir prêtent le flanc aux hypothèses. Mais, bien sûr – il leur sourit à tous –, il ne s'agit que d'hypothèses.

– Ah…

Edgar intervint pour demander.

– Vous n'avez aucune preuve, un indice, quant à l'identité du spectre ?

Le sourire de Vane se fit légèrement plus chaleureux.

– Aucune. Donc, toutes idées sur l'identité du spectre sont, comme je l'ai dit, de pures fantaisies.

Il attira l'attention d'Edgar.

– Basées sur encore moins de substance qu'un tuyau pour le Guineas.

Edgar sourit brièvement.

– Cependant, interrompit le général, il est logique qu'il faille que ce soit *quelqu'un*.

– Oh, en effet, répondit Vane, nonchalant au plus haut point. Toutefois, imputer le blâme à un individu en particulier sans *preuve* raisonnable me paraît à moi comme une gifle…

Il marqua une pause et rencontra le regard du général.

– Des calomnies tout à fait inutiles.

– Hum !

Le général s'enfonça plus bas dans sa chaise.

– Et, évidemment – le regard de Vane pivota vers Henry –, il faut toujours penser combien on aura l'air idiot si jamais ces affirmations trop enthousiastes sont en définitive erronées.

Henry fronça les sourcils. Son regard tomba sur la nappe.

Vane baissa la tête vers Patience.

— Êtes-vous prête à monter ?

Patience le regarda et hocha la tête. Vane se pencha et la prit dans ses bras. S'étant accoutumée à la sensation d'être soulevée si facilement, Patience s'installa confortablement, drapant ses bras autour du cou de Vane. Les hommes à table se levèrent tous ; Patience jeta un coup d'œil de l'autre côté de la table — et elle faillit sourire. L'expression sur les visages d'Henry et d'Edmond était impayable.

Vane se tourna et se dirigea vers la porte. Edmond et Henry contournèrent la table à toute vitesse, trébuchant presque dans leur hâte.

— Oh, dites donc ; laissez-moi vous aider.

Henry se dépêcha de tenir la porte déjà ouverte.

— Nous pourrions former une chaise avec nos bras, suggéra Edmond.

Vane s'arrêta alors qu'Edmond s'avançait pour les intercepter. Patience figea Edmond sur place avec un regard glacial.

— Monsieur Cynster est tout à fait capable de s'en tirer seul.

Elle laissa la fraîcheur dans sa voix porter son coup avant d'ajouter, exactement sur le même ton :

— Je vais me retirer ; je ne souhaite pas être dérangée. Pas par d'autres hypothèses ni par des calomnies injustifiées. Et encore moins — elle déplaça les yeux vers Henry — par des affirmations trop enthousiastes.

Elle marqua une pause, puis sourit et regarda Vane. Totalement indifférent, il arqua un sourcil devant elle.

— À l'étage ?

Patience hocha la tête.

– En effet.

Sans plus de cérémonie et sans plus d'interférences, Vane la porta hors de la pièce.

Chapitre 8

— Pourquoi, demanda Vane pendant qu'il grimpait l'escalier principal d'un pas ferme, sont-ils si convaincus que c'est Gerrard ?

— Parce que, déclara Patience avec hargne, ils ne peuvent pas imaginer autre chose. C'est un tour de *garçon* ; par conséquent, ce doit être Gerrard.

Alors que Vane atteignait le haut des marches, elle poursuivit d'un ton venimeux.

— Henry n'a aucune imagination ; le général non plus. Ce sont des crétins. Edmond a de l'imagination à revendre, mais ceci ne l'intéresse pas suffisamment pour la mettre à profit. Il est tellement irresponsable, il considère tout cela comme une rigolade. Edgar se montre prudent avant de sauter aux conclusions, mais sa timidité même le laisse en permanence à cheval entre deux positions. Et en ce qui concerne Whitticombe — elle marqua une pause, les seins se gonflant, les yeux se rétrécissant —, c'est un rabat-joie satisfait de lui-même qui se réjouit positivement d'attirer l'attention sur les incartades supposées des autres, tout cela avec un air écœurant de supériorité.

Vane lui décocha un regard en biais.

— À l'évidence, le petit déjeuner ne vous a pas fait.

Patience se renfrogna. Regardant devant elle, elle se concentra sur le décor environnant. Elle ne le reconnut pas.

— Où m'amenez-vous ?

— Madame Henderson a préparé un des anciens boudoirs pour vous ; vous ne serez donc pas dérangée par les autres à moins que vous choisissiez de les appeler.

— Ce qui se produira lorsque les poules auront des dents.

Après un moment, Patience leva la tête. D'un ton très différent, elle demanda :

— Vous ne pensez pas que c'est Gerrard, n'est-ce pas ?

Vane baissa la tête vers elle.

— Je *sais* que ce n'est pas Gerrard.

Les yeux de Patience s'arrondirent.

— Avez-vous vu qui c'était ?

— Oui et non. Je ne l'ai qu'entrevu quand il a traversé une nappe de brouillard moins épais. Il a escaladé une roche, tenant sa lanterne en hauteur et j'ai vu sa silhouette dessinée par la lumière. Un homme mature, d'après sa constitution. La taille est délicate à évaluer à distance, mais il est plus difficile de se méprendre sur la constitution. Il portait un lourd manteau, quelque chose comme de la ratine, bien que mon impression fût qu'il n'était pas si bon marché.

— Cependant, vous êtes sûr que ce n'était pas Gerrard ?

Vane baissa un bref regard sur Patience se promenant confortablement dans ses bras.

— Gerrard est encore un poids trop léger pour être pris par erreur pour un homme complètement mature. Je suis tout à fait certain que ce n'était pas lui.

— Hum.

Patience plissa le front.

— Et Edmond ; il est plutôt mince. Est-il éliminé, lui aussi ?

— Je ne pense pas. Ses épaules sont assez larges pour porter un manteau avec allure et avec sa taille, s'il était courbé, soit à cause du froid, soit parce qu'il jouait le rôle du spectre, alors il aurait pu être l'homme que j'ai vu.

— Eh bien, peu importe le reste, dit Patience en s'égayant, vous pouvez mettre fin à cette discussion calomnieuse voulant que Gerrard soit le spectre.

Sa gaîté se maintenu sur dix mètres en tout et pour tout, puis elle fronça les sourcils.

— Pourquoi n'avez-vous pas lavé le nom de Gerrard il y a tout juste un moment, dans le salon du petit déjeuner ?

— Parce que, dit Vane en ignorant la soudaine froideur dans sa voix, il est manifestement évident que quelqu'un — quelqu'un autour de la table du petit déjeuner — est tout à fait satisfait d'attribuer le rôle du spectre à Gerrard. Quelqu'un veut que Gerrard serve de bouc émissaire afin de détourner l'attention de lui-même. Étant donné les aptitudes mentales que vous avez si justement décrites, les hommes se font, en gros, facilement mener. Présentez bien l'affaire et ils y croiront volontiers. Malheureusement, comme aucun d'eux n'est idiot, il est difficile de dire exactement qui est le meneur.

Il s'arrêta devant une porte ; plissant le front, Patience se pencha distraitement en avant et l'ouvrit. Vane ouvrit la porte en grand d'un coup d'épaule et la transporta à l'intérieur.

Comme il l'avait dit, c'était un boudoir, mais que l'on n'utilisait pas habituellement. Il était situé au bout de l'aile abritant la chambre à coucher de Patience, un étage en dessous. Les fenêtres étaient hautes, atteignant presque le plancher. Des servantes étaient à l'évidence passées, relevant les housses protégeant de la poussière, époussetant furieusement et réaménageant l'immense canapé-lit en fer forgé de style Empire qui faisait face aux longues fenêtres. Les tentures étaient retenues par des embrasses, les fenêtres surplombaient des massifs d'arbustes et une partie de la végétation sauvage — la plupart des jardins du manoir étaient à l'état sauvage — jusqu'aux toits de feuillage brun doré des bois au-delà. C'était une vue aussi agréable que l'on pouvait en trouver en cette saison. Plus loin à droite s'étendaient les ruines ; à quelque distance, le ruban gris de la Nene avançait en serpentant à travers les prés luxuriants. Patience pouvait s'allonger sur le canapé-lit et admirer le paysage. Comme la pièce était au premier étage, son intimité était assurée.

Vane la porta jusqu'au canapé-lit et l'abaissa dessus avec précaution. Il gonfla les coussins, les disposant autour d'elle pour qu'ils la soutiennent.

Patience s'allongea, l'observant pendant qu'il installait un coussin couvert de tapisserie sous sa cheville endolorie.

— Quelles sont vos intentions exactement à propos du spectre ?

Vane rencontra son regard, puis, haussant un sourcil, il se dirigea vers la porte sans se presser — et il tourna la clé dans la serrure. Revenant avec sa même démarche de prédateur aux longues jambes, il s'assit sur le lit à côté de sa hanche, appuyant une main sur le dossier en fer forgé du canapé-lit.

— Le spectre sait à présent qu'il a été suivi hier soir ; que n'eût été de votre accident inopportun, il aurait bien pu être attrapé.

Patience eut la bonne grâce de rougir.

— Toute la maisonnée, continua Vane, les yeux fixés sur les siens, y compris le spectre, commence à comprendre que je connais bien le manoir, possiblement mieux que tout le monde. Je suis une menace réelle pour le spectre ; je pense qu'il se tiendra à carreau et attendra mon départ avant de faire une nouvelle apparition.

Patience fit un effort pour faire honneur à son nom ; elle serra fermement les lèvres ensemble. Vane sourit avec compréhension.

— Par conséquent, si nous voulons amener le spectre à se dévoiler, je soupçonne qu'il serait sage de faire semblant que je suis encore prêt à considérer l'idée que Gerrard — le candidat évident — est responsable.

Patience plissa le front. Elle étudia le gris froid de ses yeux, puis ouvrit les lèvres.

— Je suis prêt à suggérer, dit Vane avant qu'elle puisse parler, que cela ne fera pas de mal à Gerrard de laisser croire ce qu'ils veulent aux membres de la maisonnée, du moins dans l'avenir immédiat.

Le pli sur le front de Patience se creusa.

— Vous n'avez pas entendu leurs propos.

Elle croisa les bras sous ses seins.

— Le général l'a qualifié de garçon.

Vane haussa les sourcils de Vane.

— Hautement insensible, je suis d'accord, mais je pense que vous sous-estimez Gerrard. Une fois qu'il saura que tous les gens qu'il aime *savent* qu'il est innocent, il ne s'inquiétera pas de ce que pensent les autres. Je me doute qu'il verra cela comme un jeu excitant, une conspiration pour coincer le spectre.

Patience plissa les yeux.

— Vous voulez dire que c'est ainsi que vous lui présenterez la chose.

Vane sourit.

— Je vais suggérer qu'il réponde à toute médisance avec un ennui dédaigneux.

Il haussa les sourcils.

— Il pourrait cultiver un sarcasme supérieur ?

Patience tenta de le considérer avec désapprobation. Elle était certaine que, en tant que tutrice de Gerrard, elle ne devrait pas approuver de tels plans. Néanmoins, c'était le cas ; elle pouvait voir que la stratégie de Vane était le moyen le plus rapide de ressusciter l'assurance de Gerrard et cela était, par-dessus tout, sa préoccupation principale.

— Vous êtes plutôt bon à ce jeu, non ?

Et elle ne parlait pas uniquement de sa capacité à comprendre Gerrard.

Le grand sourire de Vane se convertit en sourire de séducteur.

— Je suis plutôt bon à un tas de choses.

Sa voix s'était assourdie jusqu'à devenir un ronronnement grondant. Il se pencha plus près

Patience tenta, très fort, d'ignorer l'étau qui se refermait lentement sur son cœur. Elle garda les yeux sur les siens, avançant de plus en plus près, déterminée à ne pas — absolument pas — permettre à son regard de tomber sur ses lèvres. Alors que son pouls augmentait, elle haussa un sourcil d'un air de défi.

— Par exemple ?

Embrasser — il était très, très bon pour embrasser.

Quand Patience eut enfin atteint cette conclusion, elle avait le souffle complètement coupé — et elle était totalement séduite par les émotions entêtantes virevoltant en elle. La possession assurée de ses lèvres par Vane, de sa bouche, la laissa étourdie — d'une manière agréable. Ses lèvres dures se déplacèrent sur les siennes et tout en elle se ramollit, pas seulement ses lèvres, mais chacun de ses muscles, de ses membres. Une chaleur lente la submergea, une marée de pur plaisir qui ne semblait pas posséder de plus grande signification, de plus grande importance. Ce n'était que plaisir, le simple plaisir.

Sur un discret soupir, elle leva les bras et les drapa autour des épaules de Vane. Il s'approcha. Patience frissonna sous la lente poussée de sa langue contre la sienne. Audacieusement, elle lui rendit sa caresse ; les muscles se tendirent sous sa main. Enhardie, elle laissa ses lèvres se raffermir contre les siennes et se délecta de sa réaction immédiate. La fermeté se transforma en quelque chose de plus dur ; les lèvres, les muscles : tout devint plus précis, plus nettement défini.

C'était fascinant — elle devint plus molle — il devint plus dur.

Et derrière sa fermeté arriva la chaleur — une chaleur qu'ils partageaient tous les deux. Elle monta comme une fièvre, rendant chaud le plaisir tourbillonnant. Au-delà de la caresse de ses lèvres, il ne l'avait pas touchée, néanmoins chaque nerf dans son corps était en feu, bouillant sous les sensations. La marée chaude s'étendit, enfla ; la température augmenta.

Et elle s'empourpra, s'agita – s'excita.

Le glissement de doigts fermes sur ses seins la fit haleter – pas de panique, mais de choc à l'état pur. Le choc devant la flèche de plaisir sublime qui la transperça, le picotement aigu qui se répandit sur sa peau. Les doigts se raffermirent, se posant en coupe avec possessivité sur sa chair douce et étrangement gonflée – qui gonfla aussitôt encore plus. Sa main se referma, ses doigts malaxant ; la chair enflammée de Patience se raffermit, picota et se tendit.

Le chaud enchevêtrement de leurs langues et la chaleur de sa main s'avérèrent totalement déconcentrant. Quand il caressa le sommet de son sein, Patience haleta encore. Avec quelque chose proche de la stupéfaction, ses sens intensément centrés sur le bout de ces doigts, elle s'émerveilla de sa réaction à son contact, de la chaleur soudaine qui la brûla, du plissement serré de ses mamelons.

Elle n'avait jamais imaginé que de telles sensations existaient ; elle pouvait à peine croire à leur réalité. Néanmoins, les caresses continuaient, l'excitant, l'enflammant – il lui fallait se demander quoi d'autre elle ignorait.

Quoi d'autre lui fallait-il encore expérimenter ?

Avec chaque parcelle d'expertise dont il disposait, Vane la fit délibérément plonger plus en profondeur. Son absence totale de résistance l'aurait fait s'interroger s'il n'avait pas plus tôt remarqué sa curiosité, l'intention calmement calculatrice dans ses yeux. Elle était prête, même impatiente – la conviction attisa puissamment ses passions. Il les maîtrisa, conscient qu'elle n'était pas une dévergondée, qu'elle n'avait jamais avant emprunté cette route – et que, malgré son assurance candide, son ouverture –, sa confiance implicite était une chose fragile qui pouvait bien trop facilement éclater sous un amour trop agressif.

Elle était naïve, innocente – elle avait besoin d'être tendrement aimée, amadouée gentiment par la passion, savourée lentement.

Comme il la savourait maintenant, la douceur de sa bouche offerte à son plaisir, son sein ferme sous sa main caressante. Son innocence était rafraîchissante – grisante, comme une drogue, ensorcelante.

Inclinant la tête d'un côté, Vane approfondit le baiser un instant, puis recula, libérant ses lèvres. Mais pas son sein.

Il patienta, ses doigts caressant les rondeurs enflées, d'abord un sein, puis l'autre, attendant… jusqu'à ce qu'il voie ses yeux luire sous ses cils. Il attira son regard, puis lentement, délibérément, leva les doigts vers le bouton du haut de son corsage.

Les yeux de Patience s'arrondirent sous ses paupières lourdes ; ses seins gonflèrent alors qu'elle inspirait une bouffée d'air abasourdie. La libération soudaine du bouton du haut fut presque un soulagement. Ses sens partirent en vrilles quand les doigts se déplacèrent vers le bas – sur le second bouton ; elle sentit chaque lent battement de son cœur, battant sous sa peau alors que, l'un après l'autre, les minuscules ronds de perle glissèrent hors de leurs boutonnières.

Et son corsage s'ouvrit lentement.

Pendant un instant lourd de tension, elle ne sut pas trop ce qu'elle voulait – si même elle souhaitait savoir ce qui venait ensuite. L'hésitation ne dura qu'une seconde – la seconde qu'il fallut à Vane pour repousser lentement le tissu souple de son corsage, pour que ses doigts glissent à l'intérieur intentionnellement.

Un petit coup délicat fit glisser sa chemise vers le bas. Puis, arriva le premier contact excitant de ses doigts sur sa peau ; les sens de Patience tourbillonnèrent. Elle était médusée, bouche bée, totalement ensorcelée, chacun de ses nerfs picotait à son toucher, sous la caresse de sa paume, de ces longs doigts durs alors qu'ils se refermaient sur son sein.

Vane observa sa réaction sous de lourdes paupières, contempla la passion soudaine qui illumina ses yeux. Des étincelles d'or pur brillèrent dans les profondeurs noisette pendant qu'il pétrissait délicatement, puis qu'il faisait glisser ses doigts sur sa peau de soie. Il savait qu'il devrait l'embrasser, détourner ses pensées de ce qui venait ensuite –, mais, le désir irrépressible de voir, de connaître sa réaction lorsqu'elle comprendrait ce qu'il allait faire, alors qu'il se remplissait les sens d'elle, croissait fortement.

Délibérément, il déplaça sa main ; ses doigts se fermèrent avec assurance sur l'un des mamelons au bouton ferme.

Patience haleta – le son doux emplit la pièce. Instinctivement, elle s'arqua, pressant son sein plus fermement dans la paume dure l'entourant, cherchant à soulager la sensation aiguë qui la transperçait – encore et encore pendant que les doigts se raffermissaient.

Vane pencha la tête et ses lèvres trouvèrent celles de Patience.

Elle s'accrocha à son baiser, se retint à lui comme à une ancre dans son monde qui tournait soudainement. Des flots de pure chaleur couraient en elle, des vagues de plaisir chaud s'enfoncèrent dans ses os, se regroupèrent dans ses reins. Elle agrippa les épaules de Vane et répondit à son baiser, voulant tout à coup désespérément savoir, sentir, apaiser le désir vibrant dans ses veines.

Brusquement, il interrompit le baiser. Il changea de position et ses lèvres touchèrent sa gorge. N'étant plus fraîches, elles brûlaient comme un fer rouge alors qu'il dessinait la longue courbe de sa gorge. Patience pressa sa tête en arrière contre les coussins et s'efforça de reprendre son souffle.

Seulement pour le perdre complètement à peine une seconde plus tard.

Les lèvres de Vane se refermèrent autour d'un mamelon ruché — Patience pensa mourir. Haletant désespérément, elle serra les mains sur les épaules de Vane, ses doigts s'y enfonçant. Les lèvres se firent plus fermes, il téta délicatement — Patience sentit un tremblement de terre. La chaleur de sa bouche lui causa un choc — le grand mouvement mouillé de sa langue l'ébouillanta. Elle émit un cri étranglé.

Le son, profondément féminin, extrêmement évocateur, attira et centra l'attention de Vane. Réclama l'attention de chacun de ses instincts de chasseur. Le désir augmenta, le besoin monta en flèche. Ses démons s'agitèrent frénétiquement — le chant de sirène de Patience les attirant. Le pressait de continuer. L'impulsion s'intensifia — tendue, turbulente, puissante. Le désir brûla ardemment. Sa respiration devint saccadée…

Et il se rappela — tout ce qu'il avait presque oublié, tout ce que les réactions débridées de Patience avaient chassé de son esprit. Cette séduction en était une qu'il devait, avait besoin de réussir parfaitement — cette fois, il y avait une signification derrière l'acte. Séduire Patience Debbington était un geste trop important pour le hâter – conquérir ses sens, son corps n'était que la première étape. Il ne la voulait pas seulement une fois – il la voulait pour la vie.

D'une respiration tremblante, Vane attrapa ses rênes et tira pour arrêter net ses impulsions. Quelque chose en lui hurla de frustration. Il ferma son esprit au battement incessant de son érection.

Et il se résolut à la soulager.

Il savait comment. Il y avait des stades de désir chaud dans lesquelles une femme pouvait flotter, ni poussée, ni passive, mais simplement ballottée sur une mer de plaisir. Avec les mains et les lèvres, la bouche et la langue, il apaisa sa chair enfiévrée, soulagea la piqûre de ses douleurs, émoussa sa passion et l'amena en douceur dans cette mer de plaisir.

Patience avait dépassé le stade de la compréhension – tout ce qu'elle connaissait était la paix, le calme, le plaisir intense qui enflait et la submergeait. Satisfaite, elle flottait au gré de la marée, laissant ses sens se détendre. Le tourbillon qui l'avait désorientée ralentit ; son esprit se calma.

La pleine conscience, lorsqu'elle arriva, ne fut pas un choc ; le contact incessant des mains de Vane, la caresse experte de ses lèvres, de sa langue, tout lui était familier – pas menaçant.

Puis, elle se rappela où ils se trouvaient.

Elle tenta d'ouvrir les yeux, mais ses paupières étaient trop lourdes. Trouver assez de souffle pour murmurer fut à peine possible.

– Et si quelqu'un entrait ?

Ses paroles se terminèrent en soupir alors que Vane relevait la tête avant de lever les lèvres de sur son sein. Sa voix gronda doucement en elle.

– La porte est verrouillée, vous vous souvenez ?

Se souvenir ? Avec ses lèvres qui frôlaient les siennes, ses doigts caressant son sein, Patience avait bien du mal à se rappeler son propre nom. La paix qui la tenait s'étira, ses sens s'enfoncèrent lentement. Chaque muscle se détendit graduellement.

Vane avait remarqué les cernes sombres sous ses grands yeux. Il ne fut pas étonné de la voir glisser dans le sommeil. Peu à peu, il ralentit ses caresses, puis s'arrêta. Avec précaution, il recula et sourit – devant le doux sourire qui recourbait les lèvres meurtries par les baisers, le doux éclat qui illuminait son visage.

Il la laissa dormir.

Patience n'était pas certaine du moment où elle avait pris conscience qu'il était parti – elle entrouvrit ses paupières d'un air endormi – et vit les fenêtres au lieu de Vane. La chaude paix dans laquelle elle baignait était trop profonde pour la quitter ; elle sourit et referma les yeux.

Quand elle se réveilla enfin, le matin avait disparu. Clignant des yeux, elle se tortilla pour se relever sur les coussins. Et plissa le front.

Quelqu'un avait laissé sa broderie sur la table à côté du canapé-lit ; déterrant ses souvenirs embrumés, elle se souvint vaguement du passage de Timms, se rappela une main caressant délicatement sa chevelure.

Elle se souvint d'une main caressant délicatement ses seins. Patience cilla. D'autres souvenirs, d'autres sensations encombrèrent son esprit. Ses yeux s'élargirent.

— Non, ce *devait* être un rêve.

Fronçant les sourcils, elle secoua la tête —, mais elle ne réussit pas à atténuer l'acuité des images sensuelles qui surgissaient l'une après l'autre dans son esprit. Pour dissiper l'incertitude tenace, elle baissa la tête — l'incertitude se cristallisa en fait.

Son corsage était défait.

Horrifiée, Patience marmonna un juron et le reboutonna rapidement.

— Les séducteurs !

Fronçant les sourcils d'un air menaçant, elle regarda autour d'elle. Son regard entra en collision avec celui de Myst. La petite chatte grise était confortablement installée sur une table basse, assise sur le derrière, les pattes avant bien collées sur son poitrail.

— Étais-tu ici tout le temps ?

Myst cligna ses grands yeux bleus — et la dévisagea calmement en retour.

Patience sentit la couleur lui monter aux joues — et se demanda s'il était possible de se sentir gênée devant une chatte. À cause de ce que cette chatte pouvait avoir vu.

Avant qu'elle puisse se faire une opinion, la porte s'ouvrit — Vane entra sans se presser. Le sourire sur son visage, courbant ses lèvres fascinantes, était plus que suffisant pour faire jurer Patience en son for intérieur de ne pas lui donner le plaisir, pour rien au monde, de savoir à quel point elle se sentait troublée.

— Quelle heure est-il ?

— L'heure du déjeuner, répondit le loup.

Se sentant beaucoup comme le petit Chaperon rouge, Patience étouffa un bâillement feint, puis leva les bras et agita la main pour lui signifier d'approcher.

— Vous pouvez me porter jusqu'en bas, alors.

Le sourire de Vane s'approfondit. Avec une élégante facilité, il la souleva dans ses bras.

Leur entrée dans la salle à manger fut remarquée de tous. Le reste de la maisonnée était déjà rassemblée autour de la table, avec une exception notable.

La chaise de Gerrard était inoccupée.

Minnie et Timms sourirent toutes les deux avec bienveillance quand Vane installa Patience sur sa chaise. Madame Chadwick s'informa de sa blessure avec une politesse de mère de famille. Patience répondit aux dames avec des sourires et des paroles aimables — et ignora totalement tous les hommes.

Sauf Vane — elle ne pouvait pas l'ignorer. Même si ses sens l'avaient permis, lui ne l'accepterait pas — il insista pour entreprendre une conversation générale sur des sujets légers et non provocateurs. Quand, encouragé par le sentiment de calme prévalent, Henry, sous prétexte de lui servir davantage de jambon, essaya d'engager la conversation avec elle avec un sourire et une question gentille sur son genou, Patience le figea avec une réponse enrobée de glace et sentit, sous la table, le genou de Vane donner un petit coup sur le sien. Elle se tourna et le dévisagea d'un air innocent — il rencontra son regard, ses yeux d'un gris terne, puis l'attira sans pitié dans la discussion.

Quand il la souleva dans ses bras à la fin du repas, Patience n'était pas de très bonne humeur. Non seulement les courants sous-jacents à table avaient-ils écorché ses nerfs, mais en plus Gerrard ne s'était pas montré.

Vane la transporta en haut dans son boudoir privé et la réinstalla sur le canapé-lit.

— Merci.

Patience se tortilla et donna de petits coups sur ses coussins, puis s'enfonça dedans et tendit la main vers sa broderie. Elle lança à Vane un rapide regard un peu noir, puis secoua le morceau de lin.

Reculant, Vane la regarda sortir des soies colorées de son sac, puis se tourna et marcha lentement jusqu'à la fenêtre. La journée commençait à s'éclaircir, mais à présent les nuages s'amoncelaient, assombrissant le ciel.

Jetant un regard derrière lui, il étudia Patience. Elle était assise parmi les coussins et les oreillers, son ouvrage dans les mains, des soies vives éparpillées autour d'elle. Cependant, ses mains étaient immobiles ; un pli distrait avait élu domicile sur son visage.

Vane hésita, puis ses lèvres se raffermirent. Il pivota pour être face à elle.

— Si vous voulez, je partirai à sa recherche.

Il émit son offre nonchalamment, lui laissant le choix de le décliner sans gêne.

Elle leva la tête, son expression difficile à déchiffrer. Puis, la couleur s'infiltra dans ses joues — et Vane sut qu'elle se rappelait tout ce dont elle l'avait accusé seulement deux jours plus tôt. Toutefois, elle ne baissa pas les yeux, ne détourna pas le regard du sien. Après un moment supplémentaire de réflexion, elle hocha la tête.

— Si vous le pouviez, je vous en serais...

Patience s'interrompit et cilla —, mais elle ne pouvait pas arrêter le mot qui s'élevait sur ses lèvres.

— Reconnaissante.

Ses lèvres tressaillirent ; elle baissa la tête.

L'instant suivant, Vane était à côté d'elle. Ses doigts glissant sous son menton, il releva légèrement son visage. Il baissa le regard vers elle un long moment, l'expression indéchiffrable, puis il se pencha et frôla ses lèvres des siennes.

— Ne vous inquiétez pas, je le retrouverai.

Instinctivement, elle lui rendit son baiser. Agrippant son poignet, elle le retint, scrutant son visage, puis serra et le laissa partir.

Quand la porte se referma derrière lui, Patience prit une profonde, très profonde inspiration.

Elle avait mis sa confiance dans un élégant. Plus que cela, elle avait mis entre ses mains la chose sur terre qui lui était la plus chère. Lui avait-il embrouillé l'esprit ? Ou l'avait-elle simplement perdu ?

Pendant une minute entière, elle contempla la fenêtre sans la voir, puis fronça les sourcils, secoua la tête, remua les épaules et ramassa sa broderie. Il était inutile de se débattre avec des faits. Elle savait que Gerrard était en sécurité avec Vane — plus en sécurité qu'avec aucun autre des hommes au manoir Bellamy, plus en sécurité qu'avec aucun des hommes qu'elle avait déjà rencontrés avant.

Et, pensa-t-elle, tirant sur son aiguille pour la libérer, pendant qu'elle était sur le sujet des admissions étonnantes, elle faisait aussi bien d'admettre qu'elle se sentait également soulagée — soulagée que Vane fût ici, de ne plus être l'unique protectrice de Gerrard.

En ce qui avait trait aux admissions étonnantes, *celle-là* remportait la palme.

— Tenez, vous devez avoir faim à présent.

Vane laissa tomber le sac qu'il avait apporté sur l'herbe à côté de Gerrard, qui sursauta comme un chat brûlé.

Gerrard regarda autour de lui, puis dévisagea Vane alors qu'il s'assoyait sur le sommet herbeux du vieux tumulus.

— Comment saviez-vous que je serais ici ?

Les yeux sur l'horizon, Vane haussa les épaules.

— Une simple supposition.

Un sourire dansant toucha ses lèvres.

— Vous avez assez bien caché votre cheval, mais vous avez laissé des traces en abondance.

Gerrard se renfrogna. Son regard tomba sur le sac. Il le tira plus près et l'ouvrit.

Pendant qu'il mâchonnait du poulet froid et du pain, Vane examina les différentes vues sans rien faire. Après un moment, il sentit le regard de Gerrard sur son visage.

— Je ne suis pas le spectre, vous savez.

Vane haussa les sourcils avec arrogance.

— Il se trouve que je le sais.

— C'est vrai ?

— Hum. Je l'ai vu hier soir — pas assez bien pour le reconnaître, mais assez pour savoir que ce n'était certainement pas vous.

— Oh.

Après un moment, Gerrard poursuivit.

— Toute cette discussion voulant que je sois le spectre — eh bien, cela a toujours été des balivernes. Je veux dire, comme si j'étais assez idiot pour faire une chose semblable dans l'entourage de Patience.

Il s'étrangla d'un rire moqueur.

— *Évidemment* qu'elle irait voir. Je vous dis, elle est pire que moi.

Une seconde plus tard, il demanda :

— Elle va bien, n'est-ce pas ? Je veux dire, son genou ?

L'expression de Vane se durcit.

— Son genou va aussi bien que l'on peut s'y attendre ; elle ne doit pas se lever pendant au moins quelques jours, ce qui, comme vous pouvez l'imaginer, n'améliore pas son humeur. En ce moment, par contre, elle s'inquiète à votre sujet.

Gerrard rougit. Baissant les yeux, il avala.

— Je me suis mis en colère. Je suppose que je ferais mieux de rentrer.

Il commença à remballer les aliments dans le sac.

Vane l'arrêta.

— Oui, nous ferions mieux de rentrer et de mettre fin à son inquiétude, mais vous ne m'avez pas interrogé à propos de notre plan.

Gerrard leva la tête.

— Un plan ?

Vane le mit au courant.

— Donc, vous voyez, nous avons besoin que vous continuiez à vous conduire — il eut un geste large — exactement comme vous le faisiez — comme une tête d'andouille dépitée.

Gerrard rigola.

— D'accord, mais j'ai le droit de tourner cela en ridicule d'un air dédaigneux, non ?

— Autant que vous le voulez : n'oubliez simplement pas votre rôle.

— Minnie le sait ? Et Timms ?

Vane hocha la tête et se leva.

— Et Masters et madame Henderson. Je l'ai dit à Minnie et à Timms ce matin. Comme tout le personnel est fiable, il ne semblait aucunement utile de leur cacher ce secret, et nous avons besoin de tous les yeux à notre disposition.

— Donc, dit Gerrard en décroisant ses jambes et en se levant, nous ferons semblant que je suis encore le suspect principal, qu'il ne reste qu'à condamner et à attendre que le spectre…

— Ou le voleur ; n'oubliez pas que vous êtes le principal suspect dans ce cas-là aussi.

Gerrard hocha la tête.

— Donc, nous patientons et nous surveillons leur prochaine sortie.

— Exact.

Vane commença à descendre le tumulus.

— C'est, en ce moment, tout ce que nous pouvons faire.

Chapitre 9

Deux jours plus tard, Patience était assise dans son boudoir privé et s'appliquait à sa broderie. Les nappes pour la salle de réception étaient presque terminées ; elle serait heureuse d'en voir la fin. Elle était encore confinée au canapé-lit, le genou toujours bandé, son pied appuyé sur un coussin. Sa suggestion, émise plus tôt ce matin-là qu'elle pouvait très bien clopiner à l'aide d'une canne, avait amené madame Henderson à presser les lèvres, secouer la tête et déclarer que quatre jours de repos complet seraient plus sages. *Quatre jours !* Avant qu'elle puisse exprimer sa totale antipathie envers cette idée, Vane, dans les bras de qui elle se trouvait à ce moment-là, avait pesé dans la balance, soutenant madame Henderson.

Quand, après le petit déjeuner, Vane l'avait transportée ici et allongée sur le canapé-lit, il lui avait rappelé sa menace précédente de l'y attacher s'il la découvrait debout. Le rappel avait été formulé en termes suffisamment intimidants pour la garder allongée, s'occupant des linges de maison avec une apparente égalité d'humeur.

Minnie et Timms étaient venues lui tenir compagnie. Timms s'occupait à nouer une frange pendant que Minnie l'observait, lui prêtant un doigt chaque fois qu'une assistance supplémentaire était requise. Elles étaient toutes habituées à passer des heures en projets silencieux ; aucune d'elles ne voyait de raison de combler cette paix par des bavardages.

Ce qui était tout aussi bien; l'esprit de Patience était pleinement occupé ailleurs – à méditer sur ce qui s'était passé la première fois que Vane l'avait portée dans cette pièce.

Entre la dissimulation de sa réaction et ses inquiétudes pour Gerrard et les accusations lancées de son côté, ce n'était que la nuit précédente qu'elle avait eu le temps de pleinement examiner les événements.

Depuis, elle avait, à un niveau ou à un autre, pensé à peu d'autres choses.

Elle devrait, bien sûr, se sentir scandalisée ou à tout le moins, être choquée. Néanmoins, chaque fois qu'elle se permettait de se remémorer tout ce qui s'était passé, un plaisir agréable la submergeait, laissant sa peau picotant et ses seins délicieusement chauds. Son « choc » était excitant, palpitant, une réaction alléchante et non de répulsion. Elle devrait se sentir coupable, pourtant, la seule culpabilité en elle était noyée sous l'envie pressante de savoir, d'expérimenter, et sous le souvenir du grand plaisir qu'elle avait éprouvé au cours de cette expérience particulière.

Ses lèvres se raffermissant, elle exécuta un point. La curiosité –, c'était sa malédiction, son fléau, la croix qu'elle devait porter. Elle le savait. Malheureusement, le savoir n'étouffait pas l'impulsion. Cette fois, la curiosité la poussait à valser avec un loup – un projet dangereux. Au cours des deux derniers jours, elle l'avait observé, attendant l'attaque qui arriverait, elle s'en était convaincue, mais il s'était comporté en agneau – un agneau ridiculement fort, incroyablement arrogant, sans parler d'expert, mais avec l'innocence d'un nouveau-né candide, comme si une auréole s'était déposée sur ses mèches luisantes.

Plissant les yeux sur son ouvrage, Patience ravala son incrédulité. Il jouait un jeu mystérieux. Malheureusement, en raison de son manque d'expérience, elle ignorait totalement ce que c'était.

— En fait — Minnie s'installa confortablement dans son fauteuil alors que Timms secouait le châle sur lequel elles avaient travaillé —, ce voleur m'inquiète. Vane a peut-être effrayé le spectre, mais le voleur semble être d'une autre trempe.

Patience jeta un bref coup d'œil à Timms.

— Votre bracelet manque toujours ?

Timms grimaça.

— Ada à tout retourner dans la pièce et dans celle de Minnie également. Masters et les servantes ont cherché partout. Il a disparu, dit-elle en soupirant.

— Vous avez dit qu'il était en argent ?

Timms hocha la tête.

— Cependant, je n'aurais pas pensé qu'il avait une grande valeur. Il y avait des feuilles de lierre gravées dessus — vous connaissez le genre de chose. Elle soupira encore. C'était à ma mère et je suis vraiment très… — elle baissa la tête, jouant avec la frange qu'elle venait de nouer — *ennuyée* de l'avoir perdu.

Patience fronça les sourcils d'un air distrait et réalisa un autre point.

Minnie soupira profondément.

— Et maintenant, voici Agatha affligée semblablement.

Patience leva les yeux ; tout comme Timms.

— Oh ?

– Elle est venue me voir ce matin.

Minnie plissa le front avec inquiétude.

– Elle était très bouleversée. Pauvre femme, avec tout ce qu'elle a dû affronter, je n'aurais pour rien au monde voulu que cela se produise.

– Quoi ? insista Patience.

– Ses boucles d'oreille.

L'expression plus sombre que jamais, Minnie secoua la tête.

– La dernière pièce qu'il lui restait, pauvre chère. Des pendants ovales en grenat entouré de saphirs blancs. Vous devez l'avoir vue les porter.

– Quand les a-t-elle vues pour la dernière fois ?

Patience se rappelait bien les boucles d'oreille. Bien qu'elles soient assez belles, elles n'étaient certainement pas des plus coûteuses.

– Elle les a portées pour le dîner il y a deux jours, intervint Timms.

– En effet, acquiesça Minnie d'un signe de tête. C'est la dernière fois où elle les a vues, quand elle les a retirées pour la nuit et les a rangées dans sa boîte sur sa coiffeuse. Quand elle est allée les récupérer hier soir, elles avaient disparu.

Patience plissa le front.

– Je la trouvais distraite hier soir.

– Agitée.

Timms hocha sombrement la tête.

– Plus tard, elle a cherché partout, dit Minnie, mais elle est à présent tout à fait certaine qu'elles ont disparu.

– Pas disparu, rectifia Patience. Elles sont avec le voleur. Nous les retrouverons si nous le coinçons.

La porte s'ouvrit à ce moment ; Vane, suivi de Gerrard, entra sans se presser.

— Bonjour, mesdames.

Vane salua Minnie et Timms d'un signe de tête, puis sourit en direction de Patience. Ses yeux, d'un gris taquin, croisèrent les siens ; la qualité de son sourire, l'expression au fond de ses yeux, s'altéra. Patience sentit la chaleur de son regard alors qu'il glissait paresseusement sur elle, sur ses joues, sa gorge, le renflement du haut de ses seins dévoilé par le col bateau de sa robe de jour. Sa peau picota ; ses mamelons se serrèrent.

Elle réprima un regard mauvais d'avertissement.

— Avez-vous aimé votre chevauchée ?

L'accent de sa voix était aussi candidement innocent que le sien ; la journée d'hier comme celle d'aujourd'hui avait été glorieusement belle — pendant qu'elle avait été enfermée à l'intérieur contre son gré, métaphoriquement attachée au canapé-lit, lui et Gerrard s'étaient divertis en montant à cheval, galopant à travers la campagne.

— En fait, commença Vane d'une voix traînante, s'installant gracieusement sur un fauteuil faisant face au canapé-lit, j'ai fait découvrir à Gerrard les tavernes mal famées des environs.

La tête de Patience se releva brusquement ; bouche bée, elle le dévisagea.

— Nous avons vérifié si l'un des autres les a fréquentés, expliqua Gerrard avec enthousiasme. Peut-être pour y vendre de petits objets aux romanichelles ou aux voyageurs.

Derrière ses cils, Patience lança à Vane un regard noir. Il sourit, beaucoup trop gentiment. Son auréole continua de luire. Patience renifla et baissa les yeux sur son ouvrage.

— Et ? demanda Minnie pour l'inciter à continuer.

— Rien, répondit Vane. Aucun résident du manoir — même pas l'un des valets — n'a visité l'une des gargotes locales récemment. Personne n'a entendu de rumeurs sur quelqu'un vendant de petits articles aux romanichelles et gens de la sorte. Donc, nous n'avons toujours aucun indice pour expliquer pourquoi le voleur s'empare de ces objets, ni ce qu'il fait de ses gains mal acquis.

— En parlant de cela.

Brièvement, Minnie décrivit la perte du bracelet de Timms et des boucles d'oreille de madame Chadwick.

— Donc, dit Vane, son expression se durcissant, qui que ce soit, il n'a pas été dissuadé par le fait que nous avons poursuivi le spectre.

— Donc, que faisons-nous maintenant ? demanda Timms.

— Nous allons devoir vérifier Kettering et Northampton. Il est possible que le voleur ait une relation là-bas.

L'horloge sur le manteau de la cheminée sonna la demi-heure — douze heures trente. Minnie rassembla ses châles.

— Je suis attendue pour discuter des menus avec madame Henderson.

— Je vais laisser ce qui reste pour plus tard.

Timms plia le châle qu'elles frangeaient.

Vane se leva et offrit le bras à Minnie, mais elle le chassa de la main.

— Non, je vais bien. Tu devrais rester et tenir compagnie à Patience.

Minnie fit un grand sourire à Patience.

— Une chose si éprouvante ; être attachée à un canapé-lit.

Réprimant sa réaction devant ses paroles innocentes, Patience sourit gracieusement, acceptant le « cadeau » de Minnie ; une fois que Minnie eut passé devant elle en se dirigeant vers la porte, Patience leva sa broderie, fixa son regard dessus et attrapa fermement l'aiguille.

Gerrard tint la porte ouverte pour Minnie et Timms. Elles passèrent ; il regarda Vane derrière lui. Et il sourit d'une manière charmante.

— Duggan a mentionné qu'il ferait faire de l'exercice à vos chevaux à peu près maintenant. Il se pourrait bien que j'aille courir de ce côté et voir si je peux le trouver.

Patience tourna vivement la tête, juste à temps pour surprendre le salut fraternel de Gerrard alors qu'il franchissait la porte. Il la referma derrière lui. D'incrédulité, elle fixa les panneaux de bois polis.

À quoi pensaient-ils donc tous — la laisser seule avec un loup ? Elle pouvait bien avoir vingt-six ans : c'était vingt-six ans d'inexpérience. Pire, elle entretenait le fort soupçon que Vane considérait son âge, sans parler de son inexpérience, comme un atout positif au lieu de négatif.

Revenant à son ouvrage, elle se rappela sa moquerie un peu plus tôt. Sa colère monta, un bouclier utile. Levant la tête, elle l'examina, debout devant le canapé-lit à environ un mètre. Son regard était froidement évaluateur.

— J'espère bien que vous n'avez pas l'intention de traîner Gerrard dans chaque auberge — chaque « gargote » — à Kettering et Northampton.

Son regard, déjà fixé sur elle, ne fléchit pas ; un sourire lent, indigne de confiance, recourba ses lèvres.

— Pas de tavernes ou d'auberges — ni même de gargotes.

Son sourire s'intensifia.

— Dans les villes, nous visiterons les bijoutiers et les prêteurs sur gages. Ils avancent souvent des fonds en échange de biens.

Il marqua une pause, puis grimaça.

— Mon seul problème est que je ne vois pas pourquoi une personne ou l'autre au manoir voudrait de l'argent supplémentaire. Il n'y a aucun endroit dans les environs pour faire des paris ou jouer.

Abaissant sa broderie sur ses cuisses, Patience plissa le front.

— La personne a peut-être besoin d'argent pour autre chose.

— Je n'imagine pas le général ou Edgar — encore moins Whitticombe — payant les frais d'entretien pour une quelconque servante de village et son bâtard.

Patience secoua la tête.

— Henry serait choqué à cette idée — il est d'un conservatisme flegmatique.

— En effet — et, d'une certaine façon, l'idée sonne faux pour Edmond.

Vane marqua une pause. Patience leva les yeux – il emprisonna son regard.

– À ce que je vois, dit-il alors que sa voix se transformait en ronronnement, Edmond semble plus enclin à la planification qu'à l'exécution.

Le sous-entendu, si fort que Patience ne pouvait pas douter qu'elle l'eût bien compris, était qu'il mettait davantage l'accent sur cette dernière. Ignorant l'étau commençant lentement à lui couper le souffle, elle haussa un sourcil hautain.

– Vraiment ? J'aurais cru que la planification était toujours recommandée.

Très audacieuse, elle ajouta :

– Dans toute entreprise.

Le lent sourire de Vane recourba ses lèvres. Deux longues enjambées de prédateur l'amenèrent à côté du canapé-lit.

– Vous me comprenez mal ; une bonne planification est essentielle à toute campagne réussie.

Emprisonnant le regard de Patience, il tendit la main vers la broderie à présent oubliée allongée sur ses cuisses.

Patience cilla pour se libérer de son emprise alors que le lin glissait de sa poigne relâchée.

– Je l'espère.

Elle fronça les sourcils – de quoi parlaient-ils au juste ? Elle suivit la broderie pendant que Vane la levait – et rencontra ses yeux par-dessus le cerceau.

Il sourit – entièrement loup – et lança son travail – lin, cerceau et aiguille – dans le panier à côté du canapé-lit. La laissant sans protection.

Patience sentit ses propres yeux s'arrondirent. Le sourire de Vane s'intensifia – une étincelle dangereuse brilla dans ses yeux gris. Paresseusement, il leva une main et ses longs doigts glissant sous son menton, il le saisit délicatement. Délibérément, il frôla – en douceur – ses lèvres avec son pouce.

Elles palpitèrent ; Patience aurait aimé avoir la force de se libérer de sa poigne, de s'arracher à son regard.

– Ce que je voulais dire, dit-il d'une voix très grave, c'est que la planification sans l'exécution subséquente est sans valeur.

Il voulait dire qu'elle aurait dû s'accrocher à sa broderie. Trop tard, Patience comprit son message. Elle avait démasqué son plan d'utiliser son ouvrage comme bouclier. Retenant son souffle, elle attendit que sa colère vienne à son secours, monte en réaction au fait d'être lue si facilement, d'être émue si promptement.

Rien ne se produisit. Aucune fureur brûlante n'explosa.

La seule pensée dans sa tête alors qu'elle étudiait ses yeux gris étaient ce qu'il planifiait pour la suite.

Parce qu'elle observait, qu'elle était si profondément plongée dans le gris, elle ne surprit pas le changement, la subtile modification, l'éclat de ce qui ressemblait étrangement à de la satisfaction qui brilla, brièvement, dans ses yeux. Sa main tomba, paupières s'abaissant, il se détourna.

– Dites-moi ce que vous savez sur les Chadwick.

Patience le dévisagea – regarda son dos alors qu'il retournait à son fauteuil. Au moment où il s'assit et se retourna vers elle, elle avait réussi à dompter ses traits, bien qu'ils paraissent étrangement inexpressifs.

— Eh bien — elle s'humecta les lèvres —, monsieur Chadwick est mort il y a environ deux ans : disparu en mer.

Avec les encouragements de Vane, elle se remémora, d'une manière guindée, tout ce qu'elle savait sur les Chadwick. Alors qu'elle arrivait à la fin de ces connaissances, le gong retentit.

Son sourire de séducteur revenant, Vane se leva et marcha lentement vers elle.

— En parlant d'exécution, aimeriez-vous que je vous porte pour le déjeuner ?

Non, elle n'aimerait pas — plissant les yeux devant lui, Patience aurait donné la moitié de sa fortune pour éviter la sensation d'être soulevée si facilement dans ses bras et transportée avec si peu d'efforts. Son contact était troublant, gênant ; il lui faisait penser à des choses auxquelles elle préférerait ne pas songer. Et en ce qui concernait la sensation d'être impuissante dans ses bras, piégée, à sa merci, un pion pour ses caprices — cela était encore pire. Malheureusement, elle n'avait pas le choix. Froidement, ceignant mentalement son bas-ventre, elle inclina la tête.

— Si vous pouviez.

Il sourit — et s'exécuta.

Le lendemain — le quatrième et tout dernier jour de son incarcération, Patience se le jura —, elle se retrouva une fois de plus prisonnière du canapé-lit dans son boudoir calme. Après leur habituel petit déjeuner matinal, Vane l'avait transportée à l'étage — lui et Gerrard devaient passer la journée à chercher à Northampton une trace des objets volés au manoir. La journée était belle. L'idée d'une longue promenade en voiture à cheval, le vent fouettant ses cheveux alors qu'elle était assise sur la banquette du cabriolet de Vane, derrière les chevaux gris dont elle avait déjà beaucoup trop entendu parler, lui avait semblé le paradis. Elle avait été cruellement tentée de leur demander de remettre l'excursion — juste un jour ou deux — jusqu'à ce que son genou soit suffisamment guéri pour lui permettre de s'asseoir dans un carrosse quelques heures, mais, en fin de compte, elle avait tenu sa langue. Ils avaient besoin de découvrir l'identité du voleur dès que possible et bien que le temps était clément aujourd'hui, cela n'était pas une garantie.

Minnie et Timms s'étaient assises avec elle toute la matinée ; comme elle ne pouvait pas aller en bas, elles avaient pris leur déjeuner sur des plateaux. Puis, Minnie s'était retirée pour sa sieste.

Timms avait aidé Minnie à se rendre à sa chambre, mais elle n'était pas revenue.

Elle avait terminé les nappes pour le salon. Examinant ses motifs sans rien faire, Patience se demanda quel projet elle devrait entreprendre ensuite. Peut-être un délicat ensemble pour le plateau de la coiffeuse de Minnie ?

Un coup à la porte lui fit lever la tête sous la surprise. Ni Minnie ni Timms ne frappaient habituellement.

— Entrez.

La porte s'ouvrit avec hésitation ; la tête d'Henry apparut au détour.

— Est-ce que je vous dérange ?

Patience soupira en son for intérieur et agita la main vers un fauteuil.

— Je vous en prie.

Après tout, elle s'ennuyait. Le sourire de chiot d'Henry lui fendit le visage. Redressant les épaules, il entra, une main tenue plutôt visiblement derrière le dos. Il s'avança jusqu'au canapé-lit, puis s'arrêta – et, comme un magicien, produisit son cadeau – une collection de roses tardives et de fleurs de plate-bande d'automne, la verdure fournie par les feuilles de carottes sauvages.

Préparée, Patience arrondit les yeux sous l'étonnement feint et le plaisir. Le plaisir s'étiola lorsque son regard se centra sur les tiges irrégulières et les restes de racines pendantes. Il avait arraché les fleurs dans les buissons et les plates-bandes, sans se soucier du dommage qu'il causait.

– Comme...

Elle s'obligea à former un sourire sur ses lèvres.

– Comme c'est joli, fit-elle en lui prenant les pauvres fleurs des mains. Pourquoi ne sonneriez-vous pas pour appeler une servante afin que je puisse demander un vase ?

Souriant fièrement, Henry traversa jusqu'à la cordelette de la cloche et tira vigoureusement. Puis, serrant les mains derrière le dos, il se balança sur ses orteils.

– Superbe journée dehors.

– C'est vrai ?

Patience essaya de ne pas avoir l'air mélancolique.

La servante arriva et revint rapidement avec un vase et une paire de cisailles de jardinier. Pendant qu'Henry continuait de jacasser sur le temps, Patience s'occupa des fleurs, taillant les extrémités inégales et les racines et les disposant dans le vase. Une fois finie, elle mit les cisailles de côté et tourna vers Henry la petite table basse sur laquelle elle avait travaillé.

— Voilà.

Avec un signe gracieux de la main, elle s'installa confortablement.

— Je vous remercie pour votre gentillesse.

Le visage d'Henry rayonna. Il ouvrit les lèvres — un coup à la porte stoppa ses mots.

Haussant les sourcils, Patience se tourna vers la porte.

— Entrez.

Comme elle s'y était à moitié attendue, c'était Edmond. Il avait apporté sa plus récente strophe. Il offrit un sourire épanoui et ingénu à Patience et à Henry.

— Dites-moi ce que vous en pensez.

Ce n'était pas qu'une strophe — pour Patience, essayant de suivre les subtilités de sa formulation, cela lui parut plus comme la moitié d'un chant.

Henry changea de position et agita nerveusement les pieds, sa gaîté précédente disparaissant sous la mauvaise humeur. Patience s'efforça de réprimer un bâillement. Edmond continua à déclamer sa prose.

Et encore.

Quand le coup suivant retentit, Patience se tourna avec enthousiasme, espérant Masters ou même une servante.

C'était Penwick.

Patience serra les dents — et força un sourire sur celles-ci. Résignée, elle tendit la main.

— Bonjour, monsieur. J'espère que vous vous portez bien ?

— En effet, ma chère.

Penwick s'inclina bien bas – trop bas, il faillit se cogner la tête sur le côté du canapé-lit. Reculant juste à temps, il plissa le front – puis chassa cette expression pour sourire, avec beaucoup trop de chaleur, en regardant dans les yeux de Patience.

– J'avais hâte de vous raconter les derniers développements – les plus récents chiffres sur la production après que nous avons instauré le nouveau schéma de rotation. Je sais, dit-il en baissant un sourire affectueux vers elle, à quel point « notre petite parcelle de terre » vous intéresse.

– Ah, oui.

Que pouvait-elle dire ? Elle s'était toujours servi de l'agriculture pour distraire Penwick et ayant dirigé la Grange depuis longtemps, elle possédait plus qu'une connaissance sommaire sur le sujet.

– Peut-être…

Elle jeta un regard d'espoir à Henry. Ce dernier, les lèvres serrées, avait le regard fixé, sans amabilité, sur Penwick.

– Henry me disait justement à quel point le temps avait été clément au cours des derniers jours.

Henry suivit obligeamment son exemple.

– Il devrait rester beau dans un avenir prévisible. Je discutais avec Grisham ce matin seulement…

Malheureusement, malgré des efforts considérables, Patience ne réussit pas à faire passer Henry aux effets du temps sur les récoltes, ni amener Penwick à se distraire avec Henry avec de telles affaires comme il le faisait habituellement.

Pour couronner le tout, Edmond ne cessait pas de prendre des brides des paroles d'Henry et de Penwick pour les transformer en vers, puis, par-dessus la personne qui parlait, essayait d'engager la discussion avec elle sur la façon dont de tels vers pouvaient s'insérer dans le développement de son drame.

En cinq minutes, la conversation se transforma en jeu de tir à la corde à trois directions pour gagner son attention – Patience était prête à étrangler la servante assez stupide pour avoir divulgué le lieu jusqu'à présent secret où elle se trouvait.

Au bout de dix minutes, elle était prête à étrangler Henry, Edmond et Penwick aussi. Henry protégeait sa position et pontifiait sur les éléments ; Edmond, qui ne répugnait devant rien, parlait à présent d'inclure des dieux mythologiques à titre de commentateur des actions de ses personnages principaux. Penwick, perdant au change dans le chœur de voix, gonfla le torse et demanda pompeusement :

– Où est Debbington ? Je suis étonné qu'il ne soit pas ici, à vous tenir compagnie.

– Oh, il s'est pendu aux basques de Cynster, l'informa Henry avec désinvolture. Ils ont accompagné Angela et maman à Northampton.

Découvrant le regard de Patience rivé sur son visage, Henry lui offrit un visage épanoui.

– Beaucoup de soleil, aujourd'hui ; on ne devrait pas s'étonner qu'Angela ait réclamé un tour dans le cabriolet de Cynster.

Les sourcils de Patience se haussèrent.

– Vraiment ?

Il y avait une note dans sa voix qui stoppa avec succès toute conversation ; les trois gentlemen, méfiants tout à coup, se jetèrent des regards en biais.

— Je pense, déclara Patience, que je me suis assez reposée.

Rejetant la couverture qui était posée sur ses cuisses, elle se poussa jusqu'au bord du canapé-lit et descendit avec précaution sa jambe valide, puis la jambe blessée.

— Si vous étiez assez aimable pour me donner le bras…

Ils se précipitèrent tous pour l'aider. En fin de compte, ce ne fut pas aussi facile qu'elle l'avait cru — son genou était encore très sensible et très raide. Déposer tout son poids sur cette jambe était hors de question.

Ce qui rendait les marches impraticables. Edmond et Henry formèrent une chaise avec leurs bras ; Patience s'assit et se retint à leurs épaules pour garder son équilibre. Gonflé d'importance, Penwick les guida en bas en parlant sans cesse. Henry et Edmond ne pouvaient pas parler — ils se concentraient trop sur la tâche d'équilibrer le poids de Patience en descendant l'escalier.

Ils atteignirent le vestibule d'entrée sans accident et déposèrent avec précaution ses pieds sur les carreaux. À ce point, Patience avait des doutes — ou plutôt, elle *aurait* songé à y penser à deux fois si elle n'avait pas été si préoccupée par la nouvelle que Vane avait amené Angela à Northampton.

Qu'Angela avait aimé la promenade — serait même en ce moment en train d'apprécier la promenade — sur laquelle elle avait elle-même fantasmé, mais n'avait, pour le bien commun, pas cherché à réclamer.

Elle n'était pas de très bonne humeur.

— Le salon du fond, déclara-t-elle.

S'appuyant sur les bras d'Henry et d'Edmond, elle clopina entre eux, essayant de ne pas grimacer de douleur. Penwick jacassa sans fin, recomptant le nombre de boisseaux que « leur petite parcelle de terre » avait produit, ses suppositions matrimoniales s'agitant comme des drapeaux au vent sous le souffle de ses paroles. Patience serra les dents. Une fois qu'ils eurent rejoint le salon du fond, elle leur donnerait leur congé à tous — et ensuite, avec beaucoup de soins, elle se masserait le genou.

Personne ne la chercherait dans le salon du fond.

— Vous n'êtes pas censée être debout.

La déclaration, exprimée d'un ton neutre, emplit le vide soudain où le babil de Penwick s'était élevé.

Patience leva les yeux, puis elle dut relever le menton plus haut : Vane se tenait directement devant elle. Il portait son pardessus à cape ; le vent avait ébouriffé ses cheveux. Derrière lui, la porte latérale était ouverte. Un flot de lumière entrait dans le couloir sombre, mais il ne l'atteignit pas. Il le bloquait — une silhouette très large, très masculine, rendue encore plus large par la cape de son pardessus, grandement étirée par ses larges épaules. Elle ne pouvait pas voir l'expression de son visage, de ses yeux — elle n'en avait pas besoin. Elle savait que son visage était dur, ses yeux gris acier, ses lèvres minces.

L'agacement ondulait par vagues autour de lui ; dans les limites du couloir, c'était une force tangible.

— Je vous avais prévenue des conséquences, dit-il d'une voix tranchante.

Patience ouvrit les lèvres ; tout ce qu'elle émit fut un halètement.

Elle n'était plus debout, mais dans ses bras.

— Juste une minute !

— Dites donc…

— Attendez !

Les exclamations inefficaces moururent derrière eux. Les pas rapides de Vane les ramenèrent dans le vestibule principal avant que Penwick, Edmond et Henry aient pu collectivement ciller.

Reprenant son souffle, Patience lui jeta un regard noir.

— Déposez-moi !

Vane regarda son visage très brièvement.

— Non.

Il commença à grimper les marches.

Patience inspira — deux servantes descendaient l'escalier. Elle sourit quand elles passèrent. Puis, ils se retrouvèrent dans la galerie. Il avait fallu aux autres dix bonnes minutes pour l'amener au rez-de-chaussée ; Vane avait accompli l'inverse en moins d'une minute.

— Les autres *gentlemen*, l'informa-t-elle d'un ton acide, m'aidaient à me rendre dans le salon du fond.

— Des andouilles.

Les seins de Patience se gonflèrent.

— Je *voulais* être dans le salon du fond !

— Pourquoi ?

Pourquoi ? Parce qu'alors, s'il tentait de venir la voir après sa belle journée de sortie à Northampton avec Angela, il n'aurait pas su où la trouver et aurait pu s'inquiéter ?

— Parce que, répondit aigrement Patience, croisant les bras sur ses seins en signe de défense, j'en ai assez d'être dans le boudoir à l'étage.

Le boudoir qu'il avait fait préparer pour elle.

— Je m'y ennuie.

Vane lui jeta un coup d'œil pendant qu'il jonglait avec elle pour ouvrir la porte.

— Vous vous ennuyez ?

Patience regarda dans ses yeux et souhaita avoir utilisé un autre mot. S'ennuyer était, apparemment, comme agiter un drapeau rouge sous le nez d'un séducteur.

— Il ne reste pas beaucoup de temps avant le dîner. Vous pourriez simplement m'amener à ma chambre.

La porte s'ouvrit largement. Vane entra, puis la referma derrière eux d'un coup de pied. Et il sourit.

— Il reste plus d'une heure avant que vous ayez besoin de vous changer. Je vous transporterai dans votre chambre — plus tard.

Ses yeux s'étaient plissés, argentés par son objectif. Sa voix avait pris l'accent d'un ronronnement dangereux. Patience se demanda si l'un des trois autres avait eu le courage de les suivre — elle ne le croyait pas. Depuis que Vane avait si froidement annihilé leurs accusations insensées envers Gerrard, autant Edmond qu'Henry le traitaient avec respect — le genre de respect accordé aux dangereux carnivores. Et Penwick savait qu'il déplaisait à Vane — intensément.

Vane progressa vers le canapé-lit. Patience le considéra avec une inquiétude croissante.

— Que croyez-vous faire ?

— Vous attacher au canapé-lit.

Elle tenta de se renfrogner, essaya d'ignorer le pressentiment qui lui chatouillait l'échine.

— Ne soyez pas idiot ; vous avez dit cela uniquement comme une menace.

Serait-il sage de resserrer ses bras autour de son cou ?

Il atteignit le lit et s'arrêta.

— Je n'use jamais de menaces.

Ses mots flottèrent jusqu'à elle pendant qu'elle fixait les coussins.

— Seulement d'avertissements.

Sur ce, il la fit passer par-dessus le dossier en fer forgé et la déposa en appuyant son dos dessus. Patience se tortilla immédiatement, essayant de pivoter.

Une large paume, écartée sur son ventre, la maintint fermement en place.

— Et ensuite, continua Vane sur le même ton dangereux, il nous faudra voir ce que nous pouvons faire pour… vous distraire.

— Me distraire ?

Patience arrêta ses tortillements futiles.

— Hum.

Ses mots effleuraient doucement les oreilles de Patience.

— Pour soulager votre ennui.

Il y avait suffisamment de lourdeur sensuelle dans ses paroles pour figer temporairement son cerveau — pour attirer son attention et la retenir en hypothèses fascinées — juste assez longtemps pour qu'il s'empare d'une écharpe sur la pile de reprisage abandonnée dans le panier à côté du canapé-lit, la faire passer entre les trous et les volutes du dossier très orné et la sangler fermement autour de sa taille.

— Que…

Patience baissa les yeux sur sa main alors qu'elle disparaissait et que l'écharpe se resserrait. Puis, elle lui lança un regard noir.

— C'est ridicule.

Elle tira sur l'écharpe et essaya de se déplacer vers l'avant, mais il avait déjà serré le nœud. La soie céda juste un peu, puis la retint. Vane arriva lentement devant elle ; Patience lui lança un regard meurtrier — elle ne voulait pas avoir connaissance du sourire sur ses lèvres. Pressant les siennes, elle leva les bras et les tendit par-dessus le dossier du lit. Le barreau ouvragé montait jusqu'à milieu de son dos — bien qu'elle puisse lever les bras par-dessus, elle ne pouvait pas les abaisser beaucoup de l'autre côté. Elle ne pouvait pas toucher le nœud, encore moins le défaire.

Yeux plissés, Patience leva la tête ; Vane l'observait, un sourire calme d'ineffable supériorité masculine sur ses lèvres trop fascinantes. Les yeux de Patience devinrent des fentes.

— Je ne vous laisserai jamais oublier cela.

La courbe de ses lèvres s'intensifia.

— Vous n'êtes pas inconfortable. Contentez-vous de rester assise tranquille pendant la prochaine heure.

Son regard se fit plus vif.

— Cela fera du bien à votre genou.

Patience serra les dents.

— Je ne suis pas un bébé qui a besoin d'être restreint !

— Au contraire, il est évident que vous avez besoin qu'une personne exerce un certain contrôle sur vous. Vous avez entendu madame Henderson : quatre jours entiers. Vos quatre jours se terminent demain.

Estomaquée, Patience le dévisagea.

— Et qui donc vous a chargé d'être mon gardien ?

Elle attira son regard, soutint le contact avec défi — et attendit. Ses yeux se plissèrent.

— Je me sens coupable. J'aurais dû vous renvoyer à la maison dès que je vous ai trouvé dans les ruines.

Le visage de Patience se vida de toute expression.

— Vous auriez aimé m'avoir renvoyée à la maison ?

Vane plissa le front.

— Je me sens coupable parce que vous me suiviez lorsque vous vous êtes blessée.

Patience s'indigna et croisa les bras sous ses seins.

— Vous m'avez dit que c'était *ma* faute parce que je n'étais pas restée là où vous m'aviez dit de rester. De toute façon, si Gerrard est assez vieux à dix-sept ans pour être responsable de ses propres actes, pourquoi en irait-il autrement pour moi ?

Vane baissa les yeux sur elle ; Patience était certaine d'avoir gagné son argument. Puis, il arqua un sourcil arrogant.

— C'est *vous* qui avez un genou déchiré. *Et* une cheville foulée.

Patience refusa de se rendre.

— Ma cheville va bien.

Elle leva le nez en l'air.

— Et mon genou est seulement un peu raide. Si je pouvais le mettre à l'essai…

— Vous pouvez le mettre à l'essai demain. Qui sait ?

L'expression de Vane se durcit.

— Vous aurez peut-être besoin d'une ou deux journées de plus après l'excitation d'aujourd'hui.

Patience plissa les yeux.

— Ne le suggérez même pas, lui conseilla-t-elle.

Vane haussa les deux sourcils, puis, se détournant, marcha d'un pas félin vers la fenêtre. Patience l'observa et essaya de localiser la colère qu'elle devrait ressentir, elle en était sûre. Elle était tout simplement absente. Ravalant son mécontentement, elle s'installa plus confortablement.

— Donc, qu'avez-vous découvert à Northampton ?

Il jeta un coup d'œil derrière lui, puis commença à arpenter l'espace entre les fenêtres.

— Gerrard et moi avons fait la connaissance d'un individu très utile ; le maître de la Guilde de Northampton, pour ainsi dire.

Patience plissa le front.

— De quelle guilde ?

— La Guilde des prêteurs sur gages, des voleurs et des voyous — en supposant qu'il en existe une. Il était très intrigué par nos investigations et assez amusé pour se montrer obligeant. Ses contacts sont considérables. Après deux heures à consommer le meilleur brandy français — à mes frais, évidemment — il nous a assuré que personne n'avait récemment tenté de vendre aucun objet du type que nous cherchons.

— Pensez-vous qu'il soit fiable ?

Vane hocha la tête.

— Il n'avait aucune raison de mentir. Les objets, comme il l'a succinctement exprimé, ne sont pas de qualité suffisante pour attirer son intérêt personnel. Il est également bien connu comme « l'homme à contacter ».

Patience grimaça.

— Vous allez vérifier à Kettering ?

Faisant toujours les cent pas, Vane hocha la tête.

L'observant, Patience réussit à afficher son expression la plus innocente.

— Et qu'ont fait madame Chadwick et Angela pendant que vous et Gerrard rencontriez ce maître de la guilde ?

Vane s'arrêta. Il regarda Patience — l'étudia. Son expression était indéchiffrable. Enfin, il dit :

— Je n'en ai pas la moindre idée.

Sa voix s'était modifiée, un subtil courant sous-jacent d'intérêt éveillé s'étant glissé dans les accents suaves. Patience ouvrit grand les yeux.

— Vous voulez dire qu'Angela ne vous a pas raconté tout dans les moindres détails pendant le trajet de retour ?

Avec de longues enjambées paresseuses, Vane vint vers elle.

— Elle a voyagé — aller et retour — dans le carrosse.

Vane atteignit le bord du canapé-lit. Ses yeux brillaient de la satisfaction du prédateur. Il se pencha plus près.

— Patience ? Êtes-vous réveillée ?

Un coup péremptoire à la porte fut immédiatement suivi du son du verrou que l'on soulevait. Patience pivota vivement — autant qu'elle le put. Vane se redressa ; alors que la porte s'ouvrait, il rejoignit l'arrière du canapé-lit. Avant qu'il puisse tirer sur le nœud pour le défaire, Angela entra en coup de vent.

— Oh !

Angela s'arrêta, ses yeux s'arrondissant de plaisir.

— Monsieur Cynster ! *Excellent* ! Vous devez nous donner votre opinion sur mes achats.

Considérant le carton à chapeau pendant au bout des doigts d'Angela avec une nette désapprobation, Vane hocha la tête dans un salut réservé. Pendant qu'Angela se dirigeait avec enthousiasme vers le fauteuil faisant face au canapé-lit, il se pencha légèrement, ses doigts rejoignant le nœud dans l'écharpe, dissimulé à la vue par ses jambes — seulement pour devoir se redresser rapidement alors que la porte s'ouvrait encore plus grand et que madame Chadwick entrait.

Angela, s'installant dans le fauteuil, leva la tête.

— Venez, maman : monsieur Cynster peut nous dire si les rubans que j'ai achetés sont exactement de la bonne nuance.

Avec un hochement de tête calme pour Vane et un sourire pour Patience, madame Chadwick se dirigea vers le second fauteuil.

— Allons, Angela, je suis certaine que monsieur Cynster a d'autres engagements…

— Non, comment le pourrait-il ? Il n'y a personne d'autre ici. D'ailleurs — Angela lança à Vane un charmant sourire véritablement ingénu —, c'est ainsi que les gentlemen de la haute société passent leur temps : à commenter la mode féminine.

Le soupir de soulagement que Patience avait entendu derrière elle s'interrompit brusquement. Pendant un instant arrêté dans le temps, elle fut fortement tentée de pivoter, de lever les yeux, et de vérifier si l'idée de dandy que se faisait Angela de son tempérament recevait une plus grande approbation aux yeux de Vane que celle qu'elle avait elle-même eue à son égard auparavant. Mais alors, les deux idées étaient en partie vraies.

Vane, elle en était certaine, lorsqu'il commentait la mode féminine, le faisait tout en dépouillant le sujet de son intérêt de ses propres vêtements.

Madame Chadwick poussa un soupir maternel.

— En fait, ma chérie, ce n'est pas tout à fait exact.

Elle offrit à Vane un petit coup d'œil contrit.

— Tous les gentlemen ne font pas...

Au profit de l'instruction d'Angela, madame Chadwick s'embarqua dans une soigneuse explication des distinctions prévalant parmi les mâles de la haute société.

Se penchant en avant, ostensiblement pour redresser la couverture sur les jambes de Patience, Vane murmura :

— C'est mon signal pour fuir.

Le regard de Patience demeura fixé sur madame Chadwick.

— Je suis encore attachée, murmura-t-elle en réponse. Vous ne pouvez pas me laisser ainsi.

Fugitivement, ses yeux croisèrent ceux de Vane. Il hésita, puis son visage se durcit.

— Je vais vous libérer à condition que vous attendiez ici jusqu'à ce que je revienne pour vous porter dans votre chambre.

Tendant les bras au-delà de Patience, il retourna le bord de la couverture d'un coup de poignet. Patience jeta un regard mauvais à son profil.

— Tout ceci est votre faute, l'informa-t-elle dans un murmure. Si je m'étais rendue dans le salon du fond, j'aurais été en sécurité.

Se redressant, Vane rencontra son regard.

— En sécurité de quoi ? Il y a un canapé-lit aussi à cet endroit.

Le regard emprisonné dans le sien, Patience essaya fortement de ne pas laisser les conséquences probables prendre forme dans son esprit. Avec détermination, elle effaça toute pensée de ce qui aurait pu transpirer si Angela n'était pas arrivée quand elle l'avait fait. Si elle réfléchissait trop à cela, elle étranglerait très probablement Angela aussi. Les rangs de ses victimes potentielles croissaient d'heure en heure.

— En tout cas…

Le regard de Vane passa brièvement sur Angela et madame Chadwick. Il se pencha légèrement ; Patience sentit le tiraillement pendant qu'il s'efforçait de libérer l'écharpe de son nœud.

— Vous avez dit que vous vous ennuyiez.

Le nœud céda et il se redressa. Patience leva les yeux et tourna la tête vers l'arrière — et rencontra son regard. Ses lèvres se courbèrent, d'un air beaucoup trop entendu. Un sourcil brun s'arqua, subtilement malicieux.

— N'est-ce pas ce qui distrait habituellement les dames ?

Il savait très bien ce que les femmes trouvaient le plus distrayant — l'expression dans ses yeux, la courbe sensuelle de ses lèvres en était la preuve criante. Patience regarda en sa direction en plissant les paupières, puis croisa les bras et reporta son regard sur madame Chadwick.

— Lâche, persifla-t-elle, juste assez fort pour qu'il l'entende.

— Quand il s'agit d'écolières trop exubérantes, je l'admets volontiers.

Les mots tombèrent doucement, puis il s'écarta d'un pas du dossier du canapé-lit. Le mouvement attira l'attention d'Angela autant que celle de madame Chadwick. Vane sourit, suavement élégant.

— J'ai bien peur, mesdames, de devoir vous quitter. Je dois aller m'occuper de mes chevaux.

Sur un hochement de tête pour madame Chadwick, un sourire vague pour Angela et un dernier regard obscurément provocateur pour Patience, il esquissa une élégante révérence et s'échappa.

La porte se referma derrière lui. Le visage joyeux d'Angela s'était assombri sous une moue boudeuse. Patience gémit intérieurement et jura qu'elle exercerait une vengeance adéquate.

Entre-temps... Collant un sourire intéressé sur ses lèvres, elle regarda les articles se déversant du carton à chapeaux d'Angela.

— Est-ce un peigne ?

Angela cligna des paupières, puis s'égaya.

— Oui. Plutôt bon marché, mais si joli.

Elle leva un peigne écaille de tortue parsemé de strass imitant les diamants.

— Ne pensez-vous pas que c'est tout à fait ce qu'il faut pour ma chevelure ?

Patience se résigna au mensonge. Angela avait aussi acheté du ruban cerise — au mètre. Patience ajouta cela silencieusement à la note de Vane et continua à sourire gentiment.

Chapitre 10

Danger.

Cela aurait dû être son deuxième prénom.

Cela aurait dû être tatoué sur son front.

— Un avertissement rendrait au moins les choses plus justes.

Patience attendit la réaction de Myst ; enfin, la chatte cligna des paupières.

— Hum !

Patience coupa une autre branche couleur d'automne. Yeux plissés, elle se pencha et fourra la branche dans le panier à ses pieds.

Trois jours s'étaient écoulés depuis qu'elle avait échappé au canapé-lit ; ce matin, elle évitait la canne de sir Humphrey. Sa première excursion avait été une randonnée dans le vieux jardin clos. En compagnie de Vane.

Cela, rétrospectivement, avait été une sortie des plus étranges — elle l'avait certainement laissée dans un état des plus étranges. Ils avaient été seuls. L'anticipation avait monté en flèche, seulement pour se voir frustrer — par Vane. Par le lieu où ils se trouvaient. Malheureusement, il n'y avait pas eu d'autres moments privés dans les jours écoulés entre-temps.

Ce qui ne l'avait pas laissée de très bonne humeur — comme si ses émotions, soulevées par cet unique, intense moment insatisfait dans le jardin entouré d'un mur, tournoyaient encore ardemment, non apaisées à ce jour. Son genou était faible, mais avait cessé de la faire souffrir. Elle pouvait marcher librement, mais ne pouvait pas encore aller très loin.

Elle s'était aventurée jusqu'aux massifs d'arbustes pour ramasser des gerbes de feuilles aux couleurs vives pour la salle de musique.

Ramassant le plein panier, Patience le tint en équilibre contre sa hanche. Agitant la main pour signifier à Myst d'avancer la première, elle s'engagea sur le sentier herbeux menant à la maison.

La vie au manoir, temporairement dérangée par l'arrivée de Vane et son accident, reprenait sa routine habituelle. Le seul hic dans le flot sans heurts des événements de la maisonnée anodine était la présence permanente de Vane. Il était quelque part – elle ignorait totalement où.

Émergeant des massifs d'arbustes, Patience scruta les pelouses se déroulant jusque dans les ruines. Le général revenait à grands pas de la rivière, marchant vivement et balançant sa canne. Dans les ruines elles-mêmes, Gerrard était assis sur une pierre, chevalet devant lui. Patience examina les pierres et les entrées en arche à proximité, puis parcourut encore une fois les ruines et les pelouses du regard.

Puis, elle comprit ce qu'elle faisait.

Elle se dirigea vers la porte latérale. Edgar et Whitticombe seraient cachés dans la bibliothèque – même le soleil ne pouvait pas les attirer dehors. La muse d'Edmond s'était faite exigeante : il assistait à peine au repas et, même alors, il était totalement distrait. Henry, bien sûr, était toujours aussi inactif. Il avait, par contre, développé un penchant pour le billard et on le retrouvait fréquemment à pratiquer des coups.

Ouvrant la porte latérale, Patience attendit que Myst passe le seuil d'un pas gracieux, puis elle la suivit et referma la porte. Myst mena la marche dans le couloir. Repositionnant son panier, Patience entendit des voix dans le salon du fond. Le gémissement d'Angela, suivi de la réponse patiente de madame Chadwick. Grimaçant, Patience poursuivit son chemin. Angela avait été élevée à la ville et elle n'était pas habituée à la campagne, avec ses activités modérées et ses saisons lentes. L'arrivée de Vane l'avait transformée en demoiselle typique aux yeux brillants. Malheureusement, elle s'était maintenant lassée de cette image et était revenue à ses airs normaux de jeune fille qui s'étiole.

Parmi les membres restants de la maisonnée, Edith poursuivait sa dentellerie. Et Alice avait été si silencieuse dernièrement que l'on pouvait oublier jusqu'à son existence même.

À partir du vestibule d'entrée, Patience tourna dans un étroit couloir et rejoignit ainsi l'entrée du jardin. Déposant son panier sur une table basse, elle sélectionna un vase lourd. Pendant qu'elle disposait les branches, elle réfléchit à Minnie et à Timms. Timms était plus heureuse, plus détendue à présent que Vane était ici. La même chose pouvait être dite sur Minnie, et plus encore. Elle dormait nettement mieux : ses yeux avaient repris leur brillance habituelle et ses joues n'étaient plus flétries par l'inquiétude.

Patience fronça les sourcils et se concentra sur ses petites branches.

Gerrard aussi était plus détendu. Les accusations et les insinuations l'entourant s'étaient tues, avaient disparu sans laisser de trace, dispersée comme la brume sur la rivière. Exactement comme le spectre.

Cela aussi était le fait de Vane — un autre avantage que leur apportait sa présence. Le spectre n'avait plus été vu.

Le voleur, par contre, continuait de frapper : son plus récent trophée n'était rien de moins que bizarre. La pelote à épingles d'Edith Swithins — un coussinet de satin rose perlé de dix centimètres carrés, arborant un portrait brodé de Sa Majesté George III pouvant difficilement être considéré comme précieux. Cette dernière disparition les avait tous intrigués. Vane avait secoué la tête et dit qu'à son avis, ils avaient un collectionneur invétéré nichant au manoir.

— Un corbeau en résidence, plus probablement.

Patience regarda Myst.

— En as-tu vu un ?

Installée sur ses pattes arrière, Myst rencontra son regard, puis bâilla. Pas délicatement. Ses crocs étaient plutôt impressionnants.

— Pas de corbeau non plus, conclut Patience.

Malgré une vérification de toutes les auberges et les gargotes à proximité, Vane, assisté avec bonheur par Gerrard, n'avait découvert aucun indice pour laisser croire que le voleur vendait les objets volés. Tout cela demeurait un mystère à résoudre.

Patience rangea le panier, puis souleva le vase. Myst sauta en bas de la table et, queue en l'air, mena la marche. Alors qu'elle se dirigeait vers la salle de musique, Patience se fit la réflexion que, exception faite de la présence de Vane et des excentricités du voleur, la maisonnée avait bel et bien replongée dans son existence sans contrainte d'avant.

Avant l'arrivée de Vane, la salle de musique avait constitué sa retraite — aucun des autres n'était porté sur la musique. Elle avait toujours joué, presque chaque jour de sa vie. Passer une heure avec un piano ou bien comme ici, un clavecin l'apaisait toujours, soulageait le fardeau qui avait de tout temps été sien.

Emportant le vase dans la salle de musique, elle le déposa sur la table centrale. Revenant sur ses pas pour fermer la porte, elle scruta son domaine du regard. Et hocha la tête.

— De retour à la normale.

Myot se mettait à son aise dans un fauteuil. Patience se dirigea vers le clavecin. Ces jours-ci, elle ne décidait jamais quelle pièce jouer, mais laissait simplement ses doigts errer. Elle connaissait tant de morceaux, elle laissait juste son esprit choisir sans lui imposer une direction consciente.

Cinq minutes à jouer du piano de façon agitée et décousue — à glisser d'une pièce à l'autre à la recherche de son humeur du moment — suffirent à lui faire comprendre la vérité. *Tout* n'était pas de retour à la normale.

Posant les mains sur ses cuisses, Patience fronça les yeux d'un air menaçant en regardant les touches. Les choses étaient comme avant, comme elles étaient avant l'arrivée de Vane. Les seuls changements étaient pour le mieux; aucun besoin pour elle de se tracasser. Moins besoin de se tracasser qu'avant. Tout se déroulait en douceur. Elle avait son habituelle tournée de petites corvées, apportant de l'ordre dans ses journées — elle trouvait cela satisfaisant avant.

Cependant, loin de se replonger dans la routine rassurante, elle était… irritable. Insatisfaite. Patience replaça les mains sur le clavier. Il ne vint toutefois aucune musique. Au lieu de cela, son esprit, entièrement contre sa volonté, fit apparaître la source de son insatisfaction. Un élégant. Patience baissa les yeux sur ses doigts attendant sur les touches ivoire. Elle essayait de se raconter des histoires et ne réussissait pas tellement bien.

Son humeur était instable et sa colère l'était encore plus. En ce qui concernait ses émotions, elles avaient élu domicile dans un manège. Elle ignorait ce qu'elle voulait, elle ne savait pas ce qu'elle ressentait. Pour une personne habituée à avoir sa vie bien en main, à diriger cette vie, la situation était des plus agaçantes.

Patience plissa les yeux. Sa situation, en fait, était insupportable. Ce qui signifiait qu'il était grandement temps de faire quelque chose à ce propos. La source de son état était évidente : Vane. Juste lui : personne d'autre n'était impliqué même en périphérie. C'était son interaction avec lui qui était la cause de tous ses problèmes.

Elle pourrait l'éviter.

Patience considéra cela sérieusement — et rejeta cette option sur la base qu'elle ne pût pas réussir cela sans s'embarrasser elle-même ou insulter Minnie. Et Vane pourrait ne pas condescendre à se laisser éviter.

Et elle pourrait ne pas être assez forte pour l'éviter.

Plissant le front, elle secoua la tête.

— Ce n'est pas une bonne idée.

Ses pensées revinrent à leur dernier moment ensemble, dans le jardin clos trois jours auparavant. Le pli sur son front se creusa. Pour qui se prenait-il ? Son « pas ici », elle l'avait compris plus tard : le jardin clos était surplombé par la maison. Toutefois, qu'avait-il voulu dire par « pas encore » ?

— Cela, informa-t-elle Myst, suggère un « plus tard ». Un « un de ces jours ».

Patience serra les dents.

— Ce que je veux savoir, c'est *quand* ?

Un désir scandaleux, inadmissible peut-être, mais…

— J'ai vingt-six ans.

Patience considéra Myst comme si elle discutait.

— J'ai le droit de savoir.

Quand Myst réagit avec un regard impassible, Patience poursuivit :

— Ce n'est pas comme si j'avais l'intention de jeter ma vertu aux orties. Il y a peu de chances pour que j'oublie qui je suis, encore moins qui il est et ce qu'il est. Et lui non plus. Tout cela devrait être parfaitement sécuritaire.

Myst enfouit son nez dans ses pattes.

Patience recommença à froncer les sourcils devant le clavier.

— Il ne me séduira pas sous le toit de Minnie.

De cela, elle était convaincue. Ce qui soulevait une question des plus pertinentes. Que voulait-il — que s'attendait-*il* à gagner ? Quel était son but dans tout cela : en avait-il même un ?

Autant de questions pour lesquelles elle ne possédait pas de réponses. Alors que, au cours des derniers jours, Vane n'avait pas manigancé pour avoir un moment seul avec elle, elle était toujours consciente de son regard, toujours consciente de lui, de sa présence vigilante.

— Il s'agit peut-être de badinage amoureux ? En partie, peut-être ?

Encore d'autres questions sans réponses.

Patience serra les dents, puis s'obligea à se détendre. Elle prit une profonde inspiration, expira et inspira de nouveau, puis plaça ses doigts sur les touches avec détermination. Elle ne comprenait pas Vane — l'élégant gentleman avec des réserves imprévisibles — en effet, il l'embrouillait à tout instant. Pire, s'il s'agissait de badinage amoureux, alors il procédait apparemment selon son bon plaisir, sous sa direction, entièrement sans la sienne — et, cela, elle désapprouvait complètement.

Elle n'allait plus penser à lui.

Patience ferma les yeux et laissa ses doigts glisser sur les touches.

Une musique délicate d'une incertitude envoûtante flotta hors de la maison. Vane l'entendit alors qu'il rentrait des écuries. Les accents mélodieux l'atteignirent, puis l'enveloppèrent, enrobèrent son esprit, s'enfonçant dans ses sens. C'était le chant d'une sirène — et il savait précisément qui chantait.

Marquant une pause sur l'allée de gravier avant l'entrée en arche de l'écurie, il écouta l'air mélancolique. Il l'attirait — il pouvait sentir le tiraillement comme s'il était physique. La musique parlait — d'envie, de frustration agitée, de rébellion sous-jacente.

Le crissement du gravier sous ses bottes lui fit reprendre ses esprits. Fronçant les sourcils, il s'arrêta encore. La salle de musique était au rez-de-chaussée, tournant le dos aux ruines ; ses fenêtres donnaient sur la terrasse. Une fenêtre au moins devait être ouverte, sinon il n'aurait pas entendu la musique si nettement.

Pendant un long moment, il fixa la maison sans la voir. La musique devint plus éloquente, cherchant à l'ensorceler, insistant pour le pousser en avant. Pendant une minute supplémentaire, il résista, puis il chassa son hésitation. Le visage décidé, il marcha à grands pas vers la terrasse.

Quand les dernières notes moururent, Patience soupira et leva les doigts des touches. Elle avait retrouvé un certain degré de calme, la musique ayant soulagé un peu son agitation, apaisé son âme. Une catharsis.

Elle se leva, plus sereine, plus sûre d'elle que lorsqu'elle s'était assise. Repoussant le banc, elle le contourna et pivota.

Vers les fenêtres. Vers l'homme qui se tenait debout à côté de la porte française. Son expression était figée, indéchiffrable.

— Je m'étais dit, dit-elle, ses mots délibérés, ses yeux calment sur les siens, que vous songiez peut-être à nous quitter.

Son défi ne pouvait pas être plus clair.

— Non.

Vane répondit sans réfléchir ; aucune pensée n'était requise.

— À part démasquer le spectre et découvrir le voleur, je n'ai pas encore obtenu quelque chose que je veux.

Réservé, autoritaire, le menton de Patience s'éleva d'un cran supplémentaire. Vane l'observa, ses mots résonnant dans sa tête. Quand il avait d'abord formulé la phrase, il n'avait pas mesuré exactement ce qu'était cette chose qu'il voulait. À présent, il savait. Son but, cette fois, était différent des récompenses qu'il désirait habituellement. Cette fois, il voulait beaucoup plus.

Il la voulait, elle – toute entière. Pas seulement son corps, mais son dévouement, son amour, son cœur – tout l'essentiel d'elle-même, le tangible intangible de son être, de son âme. Il voulait tout – et il ne se satisferait de rien de moins.

Il savait aussi pourquoi il la voulait. Pourquoi elle était différente. Cependant, il n'allait pas penser à cela.

Elle était à lui. Il l'avait su à l'instant où il l'avait tenue entre ses bras, le premier soir où la tempête tombait sur eux. Elle était à sa place – et il l'avait su instinctivement, immédiatement, à un niveau encore plus profond que ses os. Il n'avait pas hérité de son surnom par hasard : il avait le don de savoir où tournait le vent. Un chasseur instinctif, il réagissait aux changements d'humeur, d'atmosphère, tirant profit du courant sans pensée consciente.

Il avait su dès le début ce qu'il y avait dans le vent – su dès l'instant où il avait tenu Patience Debbington dans ses bras.

À présent, elle se tenait devant lui, le défi éclairant les étincelles dorées dans ses yeux. Qu'elle fût lasse de leur pause actuelle, c'était clair ; ce qu'elle envisageait pour la remplacer n'était pas aussi évident. Les seules femmes vertueuses et volontaires avec qui il avait déjà interagi étaient parentes avec lui ; il n'avait jamais badiné avec de telles dames. Il n'avait aucune idée de ce que pensait Patience, de ce qu'elle avait accepté jusqu'à présent. Empoignant ses rênes d'une main inébranlable pour réfréner ses propres désirs véhéments, il esquissa délibérément les premiers pas pour le découvrir.

Avec de lentes enjambées félines, il s'approcha d'elle.

Elle ne dit pas un mot. Au lieu de cela, les yeux calmes posés sur les siens, elle leva une main, un doigt, et lentement, lui donnant amplement le temps de réagir, de l'arrêter s'il le pouvait, tendit le bras pour toucher ses lèvres.

Vane ne bougea pas.

La première caresse hésitante le bouleversa violemment en lui-même ; il resserra sa prise sur ses passions. Elle sentit les turbulences momentanées. Ses yeux s'arrondirent, le souffle lui manqua. Puis, il s'immobilisa et elle se détendit et continua à les dessiner de son doigt.

Elle semblait fascinée par ses lèvres. Son regard tomba sur elles ; pendant que son doigt passait sur sa lèvre inférieure et revenait dans un coin, Vane déplaça la tête juste assez pour en frôler le bout d'un baiser.

Elle releva les yeux sur les siens. Enhardie, elle explora plus avant, relevant davantage les doigts pour suivre la courbe de sa joue.

Vane lui rendit sa caresse, levant lentement une main pour faire courir le dos de sa paume le long de la douceur arrondie de sa mâchoire, puis revenir jusqu'à ce que sa paume tienne son menton en coupe. Ses doigts se firent plus fermes ; se déplaçant aux sons d'un tambour lent et régulier que seuls elle et lui pouvaient entendre, il souleva sa tête.

Ils se fixèrent du regard. Puis, il laissa ses paupières retomber, sachant qu'elle l'imitait. En cadence avec le rythme lent, il abaissa ses lèvres sur les siennes.

Elle hésita un instant, puis l'embrassa à son tour. Il attendit un battement de plus avant de réclamer sa bouche ; elle céda instantanément. Glissant ses doigts plus loin, sous le chignon soyeux tombant sur sa nuque, il leva l'autre main et encadra sa mâchoire.

Il retint son visage — et lentement, systématiquement, se déplaçant au rythme fascinant qui les tenait, les poussait, il pilla sa bouche.

Ce baiser fut une révélation — Patience n'avait jamais imaginé qu'un simple baiser puisse être si audacieux, si lourdement investi de signification. Les lèvres de Vane étaient dures ; elles se déplaçaient sur les siennes, les écartant davantage, la guidant avec confiance, lui enseignant sans ménagements tout ce qu'elle était impatiente d'apprendre.

Sa langue envahit la bouche de Patience avec l'arrogance d'un conquérant réclamant le butin de sa victoire. Sans se hâter, il visita tous les coins de son domaine, réclamant chaque centimètre, les marquant en tant que propriétaire — en toute connaissance de cause. Après une longue et complètement foudroyante inspection, il commença à la goûter d'une manière différente. Les petits coups lents et languissants séduisirent les sens enthousiastes de Patience.

Elle avait cédé, néanmoins, son abandon passif ne les satisfaisait ni l'un ni l'autre. Patience découvrit qu'elle était attirée par le jeu — le glissement des lèvres sur des lèvres, la dérape sensuelle d'une langue chaude sur une autre. Elle était plus que prête. La promesse de la chaleur croissante, augmentant régulièrement entre eux et encore plus la tension — l'excitation et quelque chose de plus — qui surgit comme une marée lente derrière la douce chaleur, la poussait en avant. Le baiser s'éternisa et le temps ralentit — l'effet enivrant des souffles partagés lui fit lentement tourner la tête.

Il recula, interrompant le baiser, la laissant reprendre son souffle. Il ne se redressa toutefois pas ; ses lèvres, fermes et sans pitié, restèrent à quelques centimètres des siennes.

Consciente seulement de son désir impulsif, du rythme impérieux et régulier qui battait dans son sang, elle s'étira et toucha ses lèvres avec les siennes.

Il prit brièvement ses lèvres, sa bouche, puis rompit encore le contact.

Patience vola une inspiration et en s'étirant elle suivit ses lèvres avec les siennes. Elle n'avait pas besoin de s'inquiéter : il n'allait nulle part. Les doigts de Vane se raffermirent autour de sa mâchoire ; ses lèvres revinrent, plus dures, plus exigeantes alors qu'il penchait la tête par-dessus la sienne.

Le baiser s'approfondit. Patience n'avait pas imaginé qu'il puisse y avoir davantage et pourtant c'était le cas. La chaleur et la faim se déversèrent en elle. Elle sentit chaque caresse, chaque petit coup audacieux et expert — elle se délecta du plaisir chaud, se noya dedans et le rendit — et elle en voulait plus.

Quand leurs lèvres se séparèrent ensuite, ils respiraient vite tous les deux. Patience ouvrit les yeux et rencontra son regard attentif. Une invitation subtile et une provocation encore plus légère se fondirent dans le gris ; elle examina le spectacle — et considéra comme il pouvait encore beaucoup lui apprendre.

Elle marqua une pause. Puis, elle s'approcha d'un pas, glissant une main, puis l'autre le long de ses larges épaules.

Son corsage toucha son veston ; elle se rapprocha encore plus. Retenant audacieusement son regard, elle pressa les hanches contre ses cuisses.

Le verrou qui s'enclencha pour freiner sa maîtrise de soi était réel, comme s'il avait soudainement serré le poing. La réaction la rassura, lui permit de continuer à soutenir son regard gris.

De relever le défi dans ses yeux.

Les mains de Vane se firent plus douces autour de son visage ; elles glissaient à présent plus loin, se posant brièvement sur ses épaules avant de continuer plus bas avec le regard de Vane toujours calme sur le sien, puis le long de son dos, par-dessus ses hanches, l'attirant pleinement contre lui.

Le souffle manqua à Patience. Ses paupières tombèrent. Sans prononcer un mot, elle leva le visage, offrant ses lèvres. Il les prit, la prit elle – alors que leurs lèvres fusionnaient, Patience sentit ses mains glisser plus bas, traçant délibérément les hémisphères bien développés de son derrière. Il remplit ses mains, puis pétrit – la chaleur se propagea, fourmillant sur sa peau, la laissant enfiévrée. Prenant en coupe sa chair ferme, il la moula contre lui, la faisant délicatement pénétrer plus avant dans le V de ses cuisses tendues.

Elle sentit la preuve de son désir, sentit la dure et lourde réalité palpitante pressée contre son ventre souple. Il la maintint là, les sens pleinement éveillés, totalement conscients, pendant un moment intensément douloureux, puis sa langue surgit lentement, s'enfonçant profondément par petits coups dans la douceur de sa bouche.

Patience aurait haleté, mais elle ne le pouvait pas. La caresse évocatrice, la lente possession de sa bouche, envoya des ondes de chaleur se déverser en elle. Elle s'accumula, chaude et lourde, dans son bas-ventre. Alors que le baiser l'attirait – l'attirait plus profondément –, une langueur enivrante se répandit en elle, pesant sur ses membres, ralentissant ses sens.

Sans les étouffer.

Elle était douloureusement consciente. Éveillée à la fermeté qui l'entourait, à la flexion d'acier des muscles durs autour d'elle. De ses mamelons fortement contractés pressés sur le mur de son torse; de la douceur de ses propres cuisses retenues intimement contre les siennes. De la passion agitée, impérieuse qu'il retenait sans pitié.

Cette dernière était une tentation, mais si fortement et essentiellement dangereuse que même elle n'osait pas l'inciter.

Pas encore. Elle avait encore d'autres choses à apprendre avant.

Comme la sensation de sa main sur son sein – différente à présent qu'il l'embrassait si profondément, maintenant qu'une si grande partie d'elle était en contact avec lui. Son sein gonfla, chaud et dur alors que ses doigts se refermaient dessus; le mamelon était déjà comme un bouton ruché, douloureusement sensible sous son serrement expert.

Et leur baiser se poursuivit, ancrant Patience à son propre battement de cœur, au flux et reflux répétitif d'un rythme qui jouait à l'orée de sa conscience. Le style tourbillonna et s'intensifia, et toujours le battement était là, un crescendo de désir brûlant lentement, conduit, orchestré, de sorte qu'elle ne perdait jamais pied, n'était jamais écrasé par la sensation.

Il lui enseignait.

Quand exactement cela devint clair, Patience n'aurait su le dire, mais elle l'accepta comme la vérité lorsque le gong du déjeuner retentit. Au loin.

Elle l'ignora ; tout comme Vane. Au début. Puis, avec une réticence évidente, il s'écarta de leur baiser.

— Ils le remarqueront si nous ratons le déjeuner.

Il murmura ces mots contre ses lèvres — puis recommença à les embrasser.

— Hum, fut tout ce que Patience se soucia de répondre.

Trois minutes plus tard, il leva la tête. Et baissa les yeux sur elle.

Patience étudia ses yeux, son visage. Pas la plus petite trace de contrition, de triomphe, ni même de satisfaction n'apparaissait dans le gris, dans les traits durs et angulaires. La faim était l'émotion dominante — en lui et en elle. Elle pouvait la sentir profondément en elle, une envie primitive animée par leur baiser, mais encore inassouvie. La faim de Vane paraissait dans la tension qui le tenait, la maîtrise qu'il n'avait pas une fois relâchée.

Ses lèvres se tordirent ironiquement.

— Nous allons devoir y aller.

À contrecœur, il la libéra.

Tout aussi réticente, Patience recula, regrettant instantanément la perte de sa chaleur et le sentiment d'une intimité qu'ils avaient partagé pendant les derniers moments dont le temps n'avait pas été mesuré.

Il n'y avait, découvrit-elle, rien qu'elle souhaitait dire. Vane lui offrit le bras et elle l'accepta, lui permit de la guider vers la porte.

Chapitre 11

Après son après-midi avec Gerrard, Vane se dirigea à grandes enjambées déterminées vers la maison.

Il n'arrivait pas à chasser Patience de son esprit. Son goût, la sensation qu'elle lui procurait, son parfum qui lui faisait tourner la tête d'une manière évocatrice avaient enrobé ses sens et le tourmentaient pour obtenir son attention. Il n'avait pas été aussi obsédé depuis qu'il avait soulevé les jupes d'une femme pour la première fois, néanmoins, il reconnaissait les symptômes. Il n'arriverait pas à se concentrer sur autre chose jusqu'à ce qu'il ait réussi à installer Patience Debbington à sa juste place — sur le dos, sous lui.

Et il ne pouvait pas faire *cela* jusqu'à ce qu'il ait prononcé les mots, posé la question qu'il savait inévitable depuis qu'elle avait atterri dans ses bras la première fois.

Dans le vestibule d'entrée, il rencontra Masters. D'un air décidé, Vane retira ses gants.

— Où est mademoiselle Debbington, Masters ?

— Dans le boudoir de madame, monsieur. Elle s'assoit habituellement avec la maîtresse et madame Timms la plupart des après-midi.

Une botte sur la marche du bas, Vane réfléchit à différents prétextes dont il pouvait user pour extirper Patience de sous l'aile de Minnie. Aucun n'était satisfaisant pour éviter d'attirer l'attention immédiate de Minnie. Encore moins celle de Timms.

— Hum.

Lèvres serrées, il pivota.

— Je serai dans la salle de billard.

— D'accord, monsieur.

Contrairement à la conviction de Masters, Patience ne se trouvait pas dans le boudoir de Minnie. S'étant excusée de leur habituelle séance de couture, elle avait cherché refuge dans le boudoir à l'étage inférieur, là où le canapé-lit, n'étant plus nécessaire, avait été enveloppé dans des draps de lin.

De sorte qu'elle pouvait faire les cent pas en toute liberté, le front plissé en murmurant distraitement pendant qu'elle tentait de comprendre, d'assimiler correctement, de justifier et de faire la paix avec ce qui s'était passé dans la salle de musique ce matin-là.

Son monde avait basculé. Brusquement. Sans avertissement.

— Cela, informa-t-elle avec hargne une Myst imperturbable, recroquevillée confortablement dans un fauteuil, est impossible à nier.

Ce baiser passionné néanmoins expert qu'elle et Vane avaient partagé avait été une révélation à plus d'un plan.

Pivotant vivement, Patience s'arrêta devant la fenêtre. Croisant les bras, elle fixa l'extérieur sans le voir. Les révélations physiques, bien que déjà assez troublantes, n'avaient pas causé de véritable surprise — elles n'étaient, en effet, rien de plus que ce que sa curiosité avait exigé. Elle voulait savoir — il avait consenti à lui enseigner. Ce baiser avait été sa première leçon ; cette partie était claire.

Quant au reste — là était son problème.

— Il y avait là autre chose.

Une émotion qu'elle n'avait jamais cru ressentir un jour ne s'était jamais attendue à ressentir.

— Du moins — grimaçant, elle reprit sa promenade agitée sur place —, je *pense* que c'était le cas.

Le sentiment aigu de perte qu'elle avait éprouvé quand ils s'étaient séparés n'avait pas été une réaction uniquement physique — la séparation l'avait émue à un autre niveau. Et l'envie irrépressible d'intimité — de satisfaire la faim qu'elle sentait en lui — *cela* ne découlait pas de la curiosité.

— Cela devient compliqué.

Frottant son front avec un doigt dans une vaine tentative d'y effacer le pli, Patience s'efforça de comprendre ses émotions, de clarifier ce qu'elle ressentait réellement. Si ses sentiments pour Vane allaient au-delà du physique, cela signifiait-il ce qu'elle croyait que cela signifiait ?

— Comment diable puis-je le savoir ?

Écartant les mains, elle fit appel à Myst.

— Je ne me suis jamais sentie ainsi auparavant.

La pensée suggérait une autre possibilité. S'arrêtant, Patience leva la tête, puis, son assurance lui revenant, elle se redressa et jeta un regard d'espoir à Myst.

— C'est peut-être mon imagination ?

Myst la fixa, sans ciller, à travers ses grands yeux bleus, puis elle bâilla, s'étira, sauta au sol et mena la marche jusqu'à la porte.

Patience soupira. Et la suivit.

La tension révélatrice entre eux — présente depuis le début — s'était intensifiée. Vane le sentit quand il tira la chaise de Patience pendant qu'elle arrangeait ses jupes à la table du dîner ce soir-là. Ce sentiment conscient se glissa sous ses défenses, comme une brosse de soie brute sur son corps, soulevant les poils, provoquant un picotement dans chaque pore.

Jurant intérieurement, il s'assit — et s'obligea à accorder son attention à Edith Swithins. À côté de lui, Patience bavardait avec décontraction avec Henry Chadwick, sans aucun signe décelable de trouble. Pendant que les plats étaient servis et desservis, Vane s'efforça de ne pas s'indigner de ce fait. Elle semblait jovialement inconsciente de tout changement de température entre eux, alors qu'il luttait pour garder le couvercle sur un chaudron bouillonnant.

Le dessert se termina enfin et les dames se retirèrent. Vane garda la conversation accompagnant le porto au strict minimum, puis il guida les gentlemen au salon. Comme d'habitude, Patience était debout avec Angela et madame Chadwick à mi-chemin dans la longue pièce.

Elle le vit s'avancer ; l'éclat fugitif dans ses yeux révélant sa sensibilité envers lui alors qu'il approchait flatta momentanément sa fierté masculine. Très momentanément : à l'instant où il s'arrêta à côté d'elle, son parfum l'atteignit, la chaleur de ses douces courbes tirailla ses sens. Résolument raide, Vane fit un signe d'intelligence imperceptible aux trois dames.

— Je disais à Patience, lâcha Angela avec une moue boudeuse, que c'est tout ce qu'il y a de plus mesquin. Le voleur a dérobé mon nouveau peigne !

— Votre peigne ?

Vane jeta un bref coup d'œil à Patience.

— Celui que j'ai acheté à Northampton, gémit Angela. Je n'ai même pas eu l'occasion de le porter !

— Il pourrait encore réapparaître.

Madame Chadwick essaya d'avoir l'air encourageant, mais sa propre perte plus sérieuse clairement à l'esprit, elle échoua à apaiser sa fille.

— C'est *injuste* !

Les joues d'Angela se marbrèrent de rouge. Elle tapa du pied.

— Je veux qu'on attrape le voleur !

— En effet.

Les deux mots, prononcés par Vane de sa voix la plus traînante, fraîche et ennuyée, réussirent à étouffer la crise d'hystérie imminente d'Angela.

— J'ai dans l'idée que nous aimerions tous mettre la main sur ce criminel insaisissable aux doigts agiles.

— Criminel aux doigts agiles ?

Edmond s'avança d'un pas paresseux.

— Le voleur a-t-il frappé de nouveau ?

Instantanément, Angela reprit sa meilleure attitude théâtrale ; elle raconta son histoire dans un flot de paroles à un public approbateur composé d'Edmond, de Gerrard et d'Henry, tous trois s'étant joints au cercle. Sous le couvert de leurs exclamations, Vane regarda furtivement Patience ; elle sentit son regard et leva la tête, croisant ses yeux, une question se formant dans les siens. Vane ouvrit les lèvres, les détails d'un rendez-vous sur la langue — il les ravala alors qu'à la surprise générale, Whitticombe rejoignait leur groupe.

La récitation volubile du dernier exploit du voleur fut instantanément tempérée, mais Whitticombe en tint peu compte. Après un hochement de tête général pour tous, il se pencha plus près et murmura à l'intention de madame Chadwick. Elle leva immédiatement la tête, regardant de l'autre côté de la pièce.

— Merci.

Tendant la main, elle prit le bras d'Angela.

— Viens, ma chérie.

Le visage d'Angela s'assombrit.

— Oh, mais…

Pour une fois totalement sourde aux remontrances de sa fille, madame Chadwick remorqua Angela à sa suite jusqu'à la méridienne où Minnie était assise.

Vane, comme Patience, suivit la progression de madame Chadwick, tout comme les autres. La question calme de Whitticombe les fit se retourner vers lui.

— Dois-je comprendre que quelque chose d'autre a disparu ?

Entièrement par hasard, il était à présent face aux autres, tous assemblés en demi-cercle comme s'ils s'étaient ligués contre lui. Il ne s'agissait pas d'un regroupement social heureux, pourtant aucun d'entre eux — Vane, Patience, Gerrard, Edmond ou Henry — ne fit le moindre mouvement pour changer de position, pour inclure Whitticombe plus fermement dans leur cercle.

— Le nouveau peigne d'Angela.

Henry récita brièvement la description d'Angela.

— Des diamants ?

Les sourcils de Whitticombe se haussèrent.

— Du strass, rectifia Patience. C'était un… objet *tape-à-l'œil*.

— Hum, fit Whitticombe en plissant le front.

— Cela nous ramène à notre question des premiers jours : pourquoi diable quelqu'un aurait-il envie d'une pelote d'allure criarde et d'un peigne bon marché quelque peu de mauvais goût ?

La mâchoire d'Henry se contracta ; Edmond remua. Gerrard dévisagea Whitticombe d'un air querelleur, lui qui avait fixé un regard froid nettement critique sur Gerrard.

À côté de Vane, Patience se raidit.

— En fait, dit lentement Whitticombe, devançant d'un instant au moins trois autres personnes qui s'apprêtaient à parler, je me demandais s'il n'était pas temps pour nous d'entreprendre une fouille.

Il haussa un sourcil en direction de Vane.

— Qu'en pensez-vous, Cynster ?

— Je pense, dit Vane avant de marquer une pause, le regard glacial fixé sur le visage de Whitticombe jusqu'à ce que personne dans le groupe n'ignore précisément ce qu'il pensait réellement, qu'une fouille s'avérerait vaine. À part le fait que le voleur entendra certainement parler de la fouille avant qu'elle commence et qu'il aura tout le temps voulu pour dissimuler sa cachette ou la changer de place, il y a le problème très considérable de notre site actuel. La maison n'est rien de moins qu'un paradis pour un collectionneur peu regardant, sans parler des terres. Des objets cachés dans les ruines pourraient ne jamais être retrouvés.

Le regard de Whitticombe se vida momentanément, puis il cligna des paupières.

— Ah… oui.

Il hocha la tête.

— Vous avez sans doute raison. Les objets pourraient ne jamais être retrouvés. Très vrai. Bien sûr, une fouille ne fera jamais l'affaire. Si vous voulez bien m'excuser ?

Avec un sourire fugitif, il exécuta une révérence et partit vers l'autre côté de la pièce.

Intrigués à différents degrés, ils le regardèrent tous s'éloigner. Et ils virent le petit groupe rassemblé autour de la méridienne. Timms agita la main.

— Patience !

— Je vous prie de m'excuser.

Touchant brièvement le bras de Vane, Patience traversa la pièce jusqu'à la méridienne pour se joindre à madame Chadwick et Timms, groupées autour de Minnie. Puis, madame Chadwick recula ; Patience s'approcha et assista Timms pour aider Minnie à se lever.

Vane observa pendant que, le bras autour de Minnie, Patience l'accompagnait à la porte.

Avec l'intention de suivre, madame Chadwick pressa Angela de passer devant elle, puis elle fit un détour pour informer le groupe d'hommes désertés :

— Minnie n'est pas bien : Patience et Timms vont la mettre au lit. Je vais y aller aussi, au cas où elles auraient besoin de mon assistance.

Sur ce, elle mena une Angela réticente hors de la pièce et referma la porte derrière elles.

Vane fixa la porte close — et jura intérieurement. Abondamment.

— Bien, fit Henry en haussant les épaules. Laissés à nos propres moyens, quoi.

Il jeta un coup d'œil à Vane.

– Un match de revanche dans la salle de billard, cela vous dit quelque chose, Cynster ?

Edmond leva la tête ; imité par Gerrard. La suggestion recevait à l'évidence leur approbation. Son regard sur la porte fermée derrière eux, Vane haussa lentement les sourcils.

– Pourquoi pas ?

Ses lèvres se fermant en une ligne intransigeante, ses yeux inhabituellement foncés, il agita la main en direction de la porte.

– Il semble y avoir peu d'autres choses à faire ce soir.

Le lendemain matin, l'expression tendant vers la mine sévère, Vane descendit l'escalier principal. Henry Chadwick l'avait battu au billard.

S'il avait eu besoin d'une confirmation du sérieux de l'effet qu'avait son impasse actuelle avec Patience sur lui, *cela* l'avait fourni. Henry pouvait à peine empocher une bille. Néanmoins, il avait été tellement distrait qu'il avait lui-même été encore moins capable d'empocher quoi que ce soit, son esprit totalement absorbé par le où, le quand et le comment – et les sensations probables – de se laisser fondre dans Patience.

Traversant à grands pas le vestibule d'entrée, ses bottes résonnant sur les carreaux, il se dirigea vers le salon du petit déjeuner. Il était temps pour lui et Patience de discuter.

Ensuite…

La table était à moitié occupée ; le général, Whitticombe et Edgar étaient tous là, tout comme Henry, allégrement joyeux avec un grand sourire sur le visage. Vane le croisa sans expression. Il se servit un petit déjeuner copieux et varié, puis il s'assit et attendit Patience.

À son soulagement, Angela ne se présenta pas; Henry l'informa que Gerrard et Edmond avaient déjà mis fin à leur jeûne et étaient partis dans les ruines.

Vane hocha la tête et continua à manger — et à attendre.

Patience n'apparut pas.

Quand Masters et ses laquais surgirent pour desservir la table, Vane se leva. Chaque muscle donnait l'impression d'être raidi, chaque tendon crispé et tendu.

— Masters : où est mademoiselle Debbington?

L'accent dans sa voix par ailleurs calme contenait une bonne dose de froide détermination.

Masters cilla.

— Madame n'est pas bien, monsieur; mademoiselle Debbington est présentement avec madame Henderson pour décider des menus et vérifier les comptes de la maison, comme c'est la journée pour cela.

— Je vois.

Vane fixa sans le voir l'embrasure vide de la porte.

— Et combien de temps faut-il précisément pour les menus et les comptes de la maisonnée?

— Je ne pourrais le dire, monsieur; cependant, elles viennent seulement de commencer et madame y consacre habituellement toute la matinée.

Vane prit une profonde inspiration — et la retint.

— Merci, Masters.

Lentement, il sortit de table et se dirigea vers la porte.

Il avait dépassé le stade des jurons. Il marqua une pause dans le vestibule, puis, le visage prenant l'allure du marbre, il tourna les talons et partit à grandes enjambées vers les écuries. Au lieu de parler avec Patience et des suites probables, il allait devoir se contenter d'une longue et rude chevauchée — sur un cheval.

Il la surprit dans l'office.

Marquant une pause avec la main sur le verrou de la porte à moitié ouverte, Vane sourit, farouchement satisfait. On était en début d'après-midi ; une bonne partie des membres de la maisonnée serait en train de faire la sieste, bien à l'abri — les autres seraient à tout le moins somnolents. Dans l'office, il pouvait entendre Patience chantonner doucement — à part le bruissement de sa robe, il n'entendait pas d'autre son. Il l'avait enfin trouvée seule et dans le lieu parfait. L'office, caché au rez-de-chaussée d'une aile, était un lieu privé et ne contenait pas de canapé-lit, de méridienne ou de meuble similaire.

Dans son état actuel, c'était tout aussi bien. Après tout, un gentleman ne devait pas aller trop loin avec la dame qu'il avait l'intention d'épouser avant de l'informer de ce fait. L'absence de toutes aides habituelles de séduction devrait faire en sorte qu'il soit facile d'en venir au fait, après quoi ils pourraient se retirer dans un endroit offrant un plus grand confort, afin qu'il puisse être de nouveau à l'aise.

La pensée — de la façon dont il soulagerait l'inconfort qui avait gâché sa vie ces derniers jours — le fit se tendre un peu plus. La mâchoire décidée, il inspira profondément. Ouvrant grand la porte, il passa le seuil.

Patience pivota vivement. Son visage s'illumina.

— Bonjour. Vous ne montez pas à cheval ?

Scrutant l'office faiblement éclairé, Vane ferma doucement la porte. Et secoua lentement la tête.

— Je suis sorti ce matin.

La dernière fois qu'il était entré ici, il avait neuf ans — la pièce lui avait paru beaucoup plus spacieuse. Aujourd'hui... Évitant une gerbe de feuilles pendantes, il contourna la table courant au centre de l'étroite pièce.

— Comment se porte Minnie ?

Patience sourit, merveilleusement accueillante, et s'épousseta les mains.

— Juste un petit rhume de cerveau ; elle ira mieux bientôt, mais nous voulons la surveiller. Timms est assise avec elle en ce moment.

— Ah.

Se baissant pour esquiver d'autres herbes qui séchaient, évitant soigneusement le casier de grandes bouteilles, Vane se glissa dans la rangée entre la table centrale et la surface de travail latérale sur laquelle Patience travaillait. Il pouvait tout juste s'y insérer. Le fait s'enregistra, mais faiblement ; ses sens s'étaient centrés sur Patience. Les yeux fixés sur ceux de la jeune femme, il abolit la distance entre eux.

— Je vous cherche depuis des jours.

Le désir lui rendait la voix plus rude ; il vit la même émotion briller dans les yeux de Patience. Il tendit la main vers elle — exactement au même moment où elle-même s'avança vers lui. Elle atterrit dans ses bras, ses mains glissant vers le haut pour encadrer son visage, son propre visage se levant vers le sien.

Vane l'embrassait avant même de savoir ce qu'ils représentaient l'un pour l'autre. C'était la première fois de sa longue carrière qu'il faisait un faux pas, perdait le fil de son plan prédéterminé. Il avait eu l'intention de *parler* d'abord, faire cette déclaration qu'il savait devoir faire ; alors que les lèvres de Patience s'ouvraient d'une manière invitante sous les siennes, alors que leurs langues s'entremêlaient audacieusement, toute pensée de discussion s'envola de son esprit. Les mains de Patience quittèrent son visage pour glisser et se refermer sur ses épaules, amenant ses seins contre son torse, ses cuisses contre les siennes, toute l'ampleur souple de son ventre caressant l'arête douloureuse déformant le devant de sa culotte d'équitation.

Le désir éclata en lui – le sien et, à sa surprise totale, celui de Patience. Son propre désir sexuel, il avait l'habitude de le maîtriser ; le sien était une tout autre chose. Vibrant, merveilleusement naïf, impatient dans son innocence, il contenait un pouvoir beaucoup plus fort auquel il s'était attendu. Et il provoqua quelque chose en lui – quelque chose de plus profond, plus fort, une envie irrésistible poussée par quelque chose de plus puissant que le simple désir sexuel.

La passion monta entre eux ; de désespoir, Vane tenta de lever la tête. Il ne réussit qu'à modifier l'angle de leur baiser. L'intensifiant. L'échec – si totalement sans précédent – attira brusquement son attention. Les rênes lui avaient bel et bien échappé – Patience les tenait à présent – et elle conduisait beaucoup trop vite.

Il s'obligea à se retirer de leur baiser.

– Patience…

Elle couvrit ses lèvres des siennes.

Vane ferma les mains sur les épaules de Patience ; il sentit le violent déchirement au fond de son âme alors qu'il reculait de nouveau.

— Diable, femme, je veux vous *parler* !

— Plus tard.

Les yeux étincelants sous de lourdes paupières, Patience ramena sa tête près de la sienne. Vane s'efforça de résister.

— Voudriez-vous seulement…

— Taisez-vous.

S'étirant vers le ciel, se pressant encore plus ouvertement contre lui, Patience frôla ses lèvres avec les siennes.

— Je ne veux pas parler. Embrassez-moi — *montrez*-moi ce qui vient ensuite.

Ce qui n'était pas l'invitation la plus sage à faire à un séducteur douloureusement excité. Vane gémit quand la langue de Patience glissa plus avant dans sa bouche, quand il la croisa instinctivement. Le duel qui suivit fut trop passionné pour qu'il puisse réfléchir ; un brouillard de passion brûlante voila ses sens. La surface de travail dans son dos rendait toute fuite impossible, même s'il avait rassemblé la force de le faire.

Elle le retenait piégée dans le filet du désir — et avec chaque baiser, les fils devenaient plus solides.

Patience se glorifiait de leur baiser, de la soudaine révélation qu'elle avait attendue exactement cela : expérimenter encore la grisante excitation du désir coulant dans ses veines, de sentir encore l'attrait séduisant de ce quelque chose d'insaisissable — cette émotion qu'elle n'avait pas encore nommée, alors qu'elle s'enroulait autour d'elle — autour d'eux — et l'attirait encore plus profondément.

Plus profondément dans les bras de Vane, dans la passion. Là où l'envie d'assouvir le désir qu'elle sentait sous son expertise devenait irrépressible, un besoin agréablement émouvant enflant au plus profond d'elle.

Elle pouvait le goûter sur sa langue, dans leur baiser ; elle le ressentait – une lente palpitation – s'accumulant graduellement dans son sang.

C'était l'excitation. C'était l'expérience. C'était précisément ce dont son âme curieuse avait grand besoin.

Par-dessus tout, elle devait savoir.

Les mains de Vane sur ses hanches la poussèrent à s'approcher davantage ; dures, exigeantes, elles glissèrent vers le bas, l'agrippant fermement, ses doigts s'enfonçant plus loin alors qu'il la soulevait contre lui. Son membre rigide monta contre elle, imprimant dans sa douceur la preuve ferme de son besoin. Son mouvement évocateur de balancier provoqua une chaleur vibrante en elle ; son membre était comme un fer rouge – un fer rouge avec lequel il la ferait sienne.

Leurs lèvres s'écartèrent brièvement, de sorte qu'ils purent haleter avec difficulté avant que le désir réunisse encore une fois leurs lèvres. Un sentiment d'urgence douloureux et virevoltant surgit en eux, gagnant en puissance, submergeant leurs sens. Elle le sentit en lui – et le reconnut en elle.

Et ensemble, ils travaillèrent à nourrir l'envie croissante, poussés tous les deux par elle. La vague monta et revint sur eux – puis, elle se brisa. Et ils furent pris dans la poussée, dans le besoin urgent tournoyant furieusement, ballottés et soufflés jusqu'à ce qu'ils halètent et s'accrochent l'un à l'autre. Les vagues – de désir, de passion et de besoin immense – s'écrasaient sur eux, les obligeant à prendre conscience du vide en eux, de la brûlante nécessité de le combler, d'atteindre la complétude sur le plan mortel.

– Mademoiselle ?

Le petit coup à la porte les envoya voler loin l'un de l'autre. La porte s'ouvrit; une servante regarda à l'intérieur. Elle repéra Patience, se tournant vers elle sous la faible clarté; selon toute apparence, Patience se trouvait face à la surface de travail, les mains sur un tas d'herbes. La servante leva un panier rempli de lavande aspic.

— Que devrais-je en faire maintenant?

Son pouls résonnant fortement dans les oreilles, Patience s'efforça de se concentrer sur la question. Elle exprima en silence sa reconnaissance pour l'éclairage défaillant — la servante n'avait pas encore vu Vane, s'appuyant nonchalamment sur la surface de travail à un peu plus d'un mètre.

— Ah...

Elle toussa, puis elle dut s'humecter les lèvres avant de pouvoir parler.

— Vous allez devoir retirer les feuilles et couper les têtes. Nous allons utiliser les feuilles et les têtes pour les sachets parfumés, et les tiges serviront à rafraîchir les pièces.

La servante hocha la tête avec enthousiasme et s'avança vers la table centrale.

Patience se retourna vers la surface de travail. Sa tête tournait encore; ses seins montaient et descendaient. Elle savait que ses lèvres étaient enflées — quand elle les avait de nouveau léchées, elle avait senti leur chaleur. Son cœur battant envahissait tout son corps; elle pouvait le sentir jusque dans le bout de ses doigts. Elle avait envoyé la servante cueillir la lavande; elle devait être traitée immédiatement. Un fait sur lequel elle avait sermonné la servante.

Si elle la renvoyait...

Elle jeta un bref coup d'œil à Vane, silencieux et immobile dans l'ombre. Elle seule, proche comme elle l'était, pouvait voir son torse s'élever et redescendre, pouvait voir la lumière qui brillait comme des braises dans ses yeux. Une mèche brillante était tombée sur son front ; pendant qu'elle l'observait, il se redressa et la repoussa. Et il inclina la tête.

— Je vous reverrai plus tard, ma chère.

La servante sursauta et leva la tête. Vane la regarda affablement. Rassurée, la servante sourit et retourna à sa lavande.

Du coin de l'œil, Patience regarda Vane s'échapper, regarda la porte se fermer lentement derrière lui. Quand le verrou cliqueta en place, elle ferma les yeux.

Et s'efforça, sans succès, de réprimer le frisson qui la secoua — d'anticipation. Et de désir.

La tension entre eux était maintenant à vif. Tendue comme un fil de fer, élevée à une sensibilité insoutenable.

Vane le sentit dès l'instant où Patience apparut dans le salon ce soir-là ; le bref regard qu'elle lui décocha exprima clairement qu'elle le sentait aussi. Cependant, ils devaient jouer le jeu, remplir les rôles que l'on attendait d'eux, cachant la passion qui scintillait, chauffée à blanc, entre eux.

Et prier pour que personne d'autre ne le remarque.

Se toucher d'une quelconque façon, même très inoffensive, était hors de question ; ils l'évitèrent ingénieusement — jusqu'à ce qu'en acceptant un plateau de Vane, les doigts de Patience frôlent les siens.

Elle laissa presque tomber le plateau ; Vane réussit tout juste à étouffer un juron.

Mâchoire contractée, il endura, tout comme elle.

Enfin, ils revinrent dans le salon. Le thé avait été bu et Minnie, enveloppée dans ses châles, était sur le point de se retirer. L'esprit de Vane était vide ; il ignorait totalement quels sujets avaient été discutés au cours des deux dernières heures. Il savait, par contre, reconnaître une bonne occasion lorsqu'il en voyait une.

Avançant lentement vers la méridienne, il haussa un sourcil en direction de Minnie.

— Je vais vous porter en haut.

— Une excellente idée ! déclara Timms.

— Hum !

Minnie renifla, mais, épuisée par son rhume, acquiesça avec réticence.

— Très bien.

Alors que Vane la prenait, châles et tout, dans ses bras, elle admit à contrecœur :

— Ce soir, je me *sens* vieille.

Vane rigola et se mit à la taquiner jusqu'à ce qu'elle reprenne son habituel état d'esprit exubérant. Au moment où ils atteignirent sa chambre à coucher, il avait réussi assez bien pour qu'elle commente son arrogance.

— Beaucoup trop sûrs de vous, les Cynster.

Souriant, Vane la déposa sur son habituel fauteuil près de l'âtre. Timms arriva en s'activant : elle l'avait suivi de près.

Tout comme Patience.

Quand Vane recula, Minnie les chassa d'un signe de la main.

— Je n'ai besoin de personne d'autre que Timms ; vous deux, vous pouvez retourner dans le salon.

Patience échangea un regard furtif avec Vane, puis leva les yeux vers Minnie.

— Si vous en êtes sûre…

— J'en suis sûre. Allez, partez.

Ils s'en allèrent —, mais ils ne retournèrent pas dans le salon. Il était déjà tard — ni l'un ni l'autre n'avaient le désir de bavarder sans but.

Cependant, ils ressentaient bien du désir. Il tournait autour d'eux, entre eux, tombait, une toile envoûtante, sur eux. Alors qu'il avançait sans se presser à côté de Patience, la raccompagnant d'un accord tacite jusqu'à sa chambre, Vane accepta que la gestion de ce désir, avec ce qui miroitait à présent entre eux, lui revienne, soit sa responsabilité.

Patience, malgré sa tendance à s'emparer des rênes, était innocente.

Il se rappela ce fait à lui-même quand ils s'arrêtèrent devant sa porte. Elle leva les yeux sur lui — en lui-même, Vane se répéta sévèrement la conclusion qu'il avait atteinte après le fiasco dans l'office. Jusqu'à ce qu'il ait prononcé les paroles que la société lui dictait, elle et lui ne devaient plus se rencontrer seuls sauf dans un cadre respectant davantage les convenances.

Devant la porte de sa chambre à coucher dans la fraîcheur de la nuit qui commençait n'en faisait pas partie ; *l'intérieur* de sa chambre à coucher — où son moi le plus primitif souhaitait se trouver — était encore moins convenable.

Sa mâchoire se contractant, il se le répéta.

Elle scruta ses yeux, son visage. Puis, lentement, mais sans hésitation, elle leva une main sur sa joue, la dessinant avec légèreté vers son menton. Son regard tomba sur les lèvres de Vane.

Contre sa volonté, le regard de Vane s'abaissa sur ses lèvres, sur les douces courbes teintées de rose qu'il connaissait si bien à présent. Leur forme était gravée dans son esprit, leur goût imprégné dans ses sens.

Les paupières de Patience s'abaissèrent en papillonnant. Elle s'étira sur ses orteils.

Vane n'aurait pas pu reculer devant ce baiser – n'aurait pas pu l'éviter – même si sa vie en dépendait.

Leurs lèvres se touchèrent, sans la passion, sans l'envie pressante qui restait puissante dans leurs âmes. Ils la retinrent tous les deux, satisfaits pendant un moment indéfini de simplement toucher et être touché, de laisser la beauté du moment fragile s'étirer, la magie de leur sensibilité accrue les submerger.

Elle les laissa tremblants. Pleins de désir. Étrangement haletants, comme s'ils avaient couru pendant des heures, étrangement faibles, comme s'ils s'étaient battus pendant trop longtemps et avaient presque perdu.

C'était un effort seulement de soulever ses lourdes paupières. L'ayant fait, Vane observa Patience pendant que, encore plus lentement, elle ouvrait les yeux.

Leurs regards se rencontrèrent ; les mots étaient superflus. Leurs yeux disaient tout ce qu'ils avaient besoin d'exprimer ; lisant le message dans les siens, Vane s'obligea à se redresser en s'éloignant du cadre de porte sur lequel il avait dû s'appuyer à un certain moment. Remettant sans pitié son masque imperturbable en place, il haussa un sourcil.

— Demain ?

Il avait besoin de la voir dans un cadre convenable.

Patience grimaça légèrement.

— Cela dépendra de Minnie.

Les lèvres de Vane se tordirent, mais il hocha la tête. Et s'obligea à faire un pas en arrière.

— Je vous verrai au petit déjeuner.

Il tourna les talons et remonta le couloir. Patience resta debout à sa porte et le regarda partir.

Quinze minutes plus tard, un châle laineux enroulé autour de ses épaules, Patience se recroquevilla dans un vieux fauteuil à oreilles près de son âtre et fixa les flammes d'un air maussade. Après un moment, elle remonta ses pieds plus haut, sous la lisière de sa chemise de nuit et, appuyant un coude sur un bras du fauteuil, enfonça le menton dans sa paume.

Myst apparut et, après avoir étudié ses possibilités, elle sauta et prit possession de ses cuisses. Distraitement, Patience la caressa, le regard fixé sur les flammes pendant que ses doigts glissaient sur les oreilles grises redressées et en bas sur l'échine courbée.

Pendant de longues minutes, les seuls bruits dans la pièce furent ceux des flammes crépitant doucement et du ronronnement satisfait de Myst. Ni l'un ni l'autre ne réussit à distraire Patience de ses pensées, de la réalisation à laquelle elle ne pouvait pas échapper.

Elle avait vingt-six ans. Elle avait peut-être vécu dans le Derbyshire, mais ce n'était pas tout à fait la même chose qu'un couvent. Elle avait rencontré bien des gentlemen, plusieurs du même acabit que Vane. Plusieurs de ces gentlemen avaient eu quelques pensées pour elle. Elle, cependant, n'en avait jamais eu pour eux. Jamais avant n'avait-elle passé des heures — pas même des minutes — à penser à un homme en particulier. Tous sans exception avaient échoué à capter son intérêt.

Vane forçait son attention en tout temps. Quand ils se trouvaient dans la même pièce, il la forçait à prendre conscience de lui, retenait ses sens sans effort. Même lorsqu'ils étaient séparés, il restait le centre d'une certaine partie de son esprit. Son visage était facile à invoquer ; il apparaissait régulièrement dans ses rêves.

Patience soupira et fixa les flammes.

Elle ne l'imaginait pas : n'imaginait pas que sa réaction à lui était différente, spéciale, qu'il éveillait ses émotions à un niveau profond en elle. Ce n'était pas de l'imagination, c'était un fait.

Et il était totalement inutile de refuser d'affronter les faits — ce trait de caractère lui était étranger. Inutile de prétendre, d'éviter les pensées de ce qui se serait passé s'il n'avait pas été si honorable et lui avait demandé, en mots ou par geste, d'entrer dans cette chambre ce soir.

Elle l'aurait accueilli, sans trouble ni hésitation. Ses nerfs se seraient peut-être emballés, mais cela aurait été à cause de l'excitation, de l'anticipation et non pas de l'incertitude.

Élevée à la campagne, elle était parfaitement au courant des mécanismes de l'accouplement ; elle n'était pas ignorante dans ce domaine. Cependant, ce qui l'avait étonnée, l'avait retenue — avait forcé sa curiosité — c'était que ces émotions, dans ce cas-ci avec Vane, s'emmêlaient avec l'acte dans son esprit. Ou était-ce l'acte qui s'emmêlait avec les émotions ?

Peu importe, elle avait été séduite — complètement et totalement, à tout jamais — non pas par lui, mais par son *désir* pour lui. C'était, elle le savait dans son cœur, au plus profond de son âme une distinction des plus pertinentes.

Ce désir devait être ce que sa mère avait ressenti, ce qui l'avait poussée à accepter Reginald Debbington en mariage et l'avait piégée dans une union dénuée d'amour pour toute sa vie. Elle avait toutes les raisons de se méfier de cette émotion — de l'éviter, de la rejeter.

Elle ne le pouvait pas. Patience le savait avec certitude, l'émotion vibrait trop puissamment en elle, trop compulsivement pour qu'elle n'en soit jamais libérée.

Mais en soi, cette émotion ne suscitait pas de douleur, de tristesse. En effet, si on lui en avait donné le choix, même aujourd'hui elle admettrait qu'elle aimait mieux avoir l'expérience, l'excitation, la connaissance plutôt que de vivre le reste de sa vie dans l'ignorance.

Imprégnées dans cette aberrante émotion, il y avait une puissance et une joie et une excitation sans bornes — toutes choses dont elle avait soif. Elle était déjà dépendante; elle ne pouvait pas lâcher. Il n'y avait, après tout, aucun besoin de le faire.

Elle n'avait jamais sérieusement songé au mariage; elle pouvait à présent affronter le fait qu'elle l'avait, en fait, évité. Trouvant un prétexte après l'autre pour repousser même sa réflexion sur le sujet. C'était le mariage — le piège — qui avait fait le malheur de sa mère. Aimer, simplement, même si cet amour n'était pas partagé serait doux — doux-amer, peut-être, mais l'expérience n'en était pas une qu'elle rejetterait.

Vane la voulait – il n'avait en aucun temps tenté de dissimuler l'effet qu'elle avait sur lui, tenté de masquer le désir viril qui brillait comme des braises dans ses yeux.

Savoir qu'elle l'excitait était comme un grappin sur son cœur – une facette d'un rêve intime, jusqu'à présent inconnu.

Il avait demandé à la voir demain –, c'était dans les mains des dieux, mais quand le moment viendrait, elle n'allait pas, elle le savait, reculer.

Elle irait le rencontrer – le rejoindrait dans sa passion, son désir, son besoin – et en le contentant et en le satisfaisant, elle se contenterait et se satisferait elle-même. Cela, elle le savait aujourd'hui, était ce qui pouvait être. C'était ainsi qu'elle voulait que ce soit.

Leur liaison durerait aussi longtemps qu'elle le pouvait ; bien qu'elle allait être triste de la voir se terminer, elle ne se ferait pas prendre, piéger dans une vie de misère sans fin comme sa mère.

Souriant, avec une mélancolie ironique, Patience baissa les yeux et caressa la tête de Myst.

– Il peut bien me désirer, mais c'est tout de même un élégant.

Elle pouvait souhaiter que ce ne soit pas le cas, mais ce l'était.

– L'amour n'est pas quelque chose qu'il a à donner – et jamais – entends-moi bien – *jamais* – je ne me marierai sans cela.

C'était le point crucial de l'affaire – c'était son véritable destin.

Elle n'avait aucune intention de le combattre.

Chapitre 12

Vane arriva tôt dans le salon du petit déjeuner le lendemain matin. Il se servit, puis il s'assit et attendit que Patience se présente. Le reste des hommes entrèrent lentement, échangeant leurs habituelles salutations. Vane repoussa son assiette et agita la main afin que Masters lui verse encore du café.

La tension s'était lovée en lui et le tenait ; combien de temps encore avant qu'il puisse la soulager ? Cela, dans son esprit, était un point auquel Patience devait accorder son attention la plus pressante, néanmoins, il pouvait difficilement garder rancune à Minnie pour l'aide que Patience lui apportait.

Devant l'absence de Patience en fin de repas, Vane soupira intérieurement et fixa Gerrard d'un regard sévère.

— J'ai besoin de monter.

C'était vrai, de plus d'une manière, mais au moins il pouvait libérer un peu de son énergie contenue avec un bon galop.

— Êtes-vous partant ?

Gerrard regarda par la fenêtre en plissant les yeux.

— J'avais l'intention d'aller dessiner, mais la lumière semble terne. Je vais plutôt aller à cheval.

Vane haussa un sourcil en direction d'Henry.

— Vous en êtes, Chadwick ?

— En fait — Henry s'installa confortablement sur sa chaise —, j'avais pensé pratiquer mes coups en angle. Je ne voudrais pas perdre la main.

Gerrard rigola.

— Votre victoire contre Vane la dernière fois était due à la chance. N'importe qui pouvait voir qu'il n'était pas tout à fait dans son assiette.

Pas tout à fait dans son assiette ? Vane se demanda s'il devait éduquer le frère de Patience sur précisément à quel point il « n'était pas dans son assiette ». Une poudre bleue ne guérirait pas sa douleur particulière.

— Ah, mais j'ai bien gagné.

Henry s'accrochait à son moment de gloire.

— Je n'ai aucunement l'intention de laisser mon avantage diminuer.

Vane se contenta de sourire sardoniquement, reconnaissant en son for intérieur du refus d'Henry de les accompagner. Gerrard parlait rarement en chevauchant, ce qui convenait beaucoup mieux à son humeur que la volubilité d'Henry.

— Edmond ?

Ils regardèrent tous à l'autre bout de la table où Edmond était en train de contempler son assiette vide, marmonnant dans sa barbe. Ses cheveux pointaient dans des angles étranges là où il les avait agrippés.

Vane haussa un sourcil vers Gerrard, qui secoua la tête. Edmond était nettement aux prises avec sa muse, sourd à tout le reste. Vane et Gerrard repoussèrent leurs chaises et se levèrent.

Patience entra à la hâte. Elle marqua une pause juste à l'entrée de la pièce et cligna des paupières en regardant Vane, à moitié levé.

Il tomba immédiatement sur sa chaise. Gerrard se tourna et le vit assis de nouveau ; il reprit également sa place.

Rassurée, Patience se dirigea vers le buffet, prit une assiette et alla droit à la table. Elle était en retard ; dans les circonstances, elle se contenterait de thé et de rôties.

— Minnie se porte mieux, annonça-t-elle en s'installant.

Regardant au bout de la table, elle rencontra le regard de Vane.

— Elle a passé une bonne nuit et elle m'a assurée qu'elle n'a pas besoin de moi aujourd'hui.

Elle balaya l'air d'un bref sourire par-dessus les têtes d'Henry et d'Edmond, rendant ainsi l'information publique. Gerrard lui fit un grand sourire.

— Je suppose que tu iras dans la salle de musique comme d'habitude. Vane et moi allons faire une randonnée à cheval.

Patience regarda Gerrard, puis dévisagea Vane au bout de la table. Qui la dévisagea en retour. Patience cilla, puis tendit la main vers la théière.

— En fait, si vous patientez quelques minutes, je vais vous accompagner. Après avoir été enfermée ces derniers jours, j'aimerais prendre un peu l'air.

Gerrard regarda Vane, qui contemplait Patience, une expression énigmatique sur le visage.

— Nous allons attendre, fut tout ce qu'il dit.

D'un commun accord, ils se rencontrèrent dans la cour de l'écurie.

Après avoir enfilé son costume en vitesse et s'être précipitée hors de la maison comme un garçon manqué, Patience fut légèrement agacée de ne pas y trouver Gerrard. Vane était déjà monté sur un cheval de chasse gris. Le cavalier comme la monture étaient agités.

Grimpant sur sa selle en amazone, Patience prit les rênes et regarda brièvement la maison derrière.

— Où est-il ?

Lèvres pressées, Vane haussa les épaules.

Trois minutes plus tard, juste au moment où elle s'apprêtait à descendre de cheval et partir à sa recherche, Gerrard surgit. Avec son chevalet.

— Dite donc, je suis désolé, mais j'ai changé d'avis.

Il leva un grand sourire vers eux.

— Il y a des nuages qui arrivent et la lumière est devenue grise —, c'est exactement l'aspect que j'attendais de reproduire. Je dois croquer cela avant que la luminosité change encore.

Il déplaça son fardeau et continua à sourire.

— Allez-y donc sans moi ; au moins, vous pouvez compter l'un sur l'autre pour vous tenir compagnie.

L'intention manquant de naturel de Gerrard était clairement sincère ; Vane ravala un juron. Il regarda rapidement Patience ; elle rencontra son regard, des questions plein les yeux.

Vane comprit ses questions —, mais Gerrard était là, cela lui ressemblait bien, à attendre de les saluer d'un geste lorsqu'ils s'éloigneraient. Sa mâchoire se serrant, il désigna l'entrée en arche de l'écurie.

— Nous y allons ?

Après une minuscule hésitation, Patience hocha la tête et fit claquer ses rênes. Sur un salut de la main indifférent pour Gerrard, elle prit la tête pour partir. Vane la suivit. Alors qu'ils avançaient dans un bruit tonitruant sur la piste au-delà des ruines, il jeta un coup d'œil en arrière. Tout comme Patience. Gerrard, progressant péniblement dans leur sillage, agita joyeusement la main.

Vane jura. Patience regarda en avant.

D'un accord tacite, ils s'éloignèrent du manoir, tirant enfin sur les rênes sur les rives de la Nene. La rivière coulait avec régularité, un ruban gris réfléchissant ondulant doucement entre des berges recouvertes d'herbes épaisses. Une piste bien battue suivait la rivière ; ralentissant le cheval gris jusqu'à ce qu'il trotte, Vane tourna pour la suivre.

Patience amena sa jument à côté de lui ; Vane laissa son regard parcourir son visage, sa silhouette.

Ses doigts se resserrant sur les rênes, il détourna les yeux. Sur les rives luxuriantes de la rivière, pas assez solennel pour la discussion qu'il devait avoir avec elle. Les berges herbeuses pourraient agréablement servir de sofa. Beaucoup trop tentant. Il n'était pas certain de pouvoir se faire confiance dans un tel cadre et, après l'office, il savait qu'il ne pouvait pas avoir confiance en elle. Elle, par contre, était innocente ; *il* n'avait pas d'excuses. Cela mis à part, l'endroit était trop à découvert et Penwick venait souvent à cheval de ce côté. S'arrêter à côté de la rivière était indéfendable. Et Patience méritait mieux que quelques mots informels et une question à dos de cheval.

Grâce à Gerrard, il semblait qu'il allait devoir endurer encore une autre matinée sans progrès. Entre-temps, lui et ses démons rongeaient leur frein.

À côté de lui, Patience trouvait elle aussi l'idée de perdre un autre matin encore moins séduisante. Au contraire de Vane, elle ne voyait aucune raison de ne pas utiliser ce temps. S'étant subrepticement de nouveau rempli la tête d'une vision de lui sur son cheval de chasse, elle exprima la pensée dominant son esprit.

— Vous avez mentionné avoir un frère : vous ressemble-t-il ?

Vane jeta un coup d'œil de son côté, ses sourcils se haussant.

— Harry ? Il réfléchit. Harry a des cheveux châtains bouclés et des yeux bleus, mais autrement — un lent sourire se forma sur le visage de Vane — oui, je suppose qu'il me ressemble beaucoup.

Il jeta un séduisant regard en biais à Patience.

— Mais alors, on dit de nous six que nous nous ressemblons tous — la marque de nos ancêtres communs, sans doute.

Patience ignora la teneur subtile de ce commentaire.

— Tous les six ? Quels six ?

— Les six cousins Cynster les plus âgés — Devil, moi-même, Richard, le frère de Devil, Harry, qui est ma seule fratrie, et Gabriel et Lucifer. Nous sommes tous nés dans une période de cinq à six ans.

Patience le dévisagea. L'idée de six Vane était… Et deux d'entre eux s'appelaient Gabriel et Lucifer ?

— N'y a-t-il aucune femme dans la famille ?

— Dans notre génération, les femmes sont venues plus tard. Les plus âgées sont des jumelles — Amanda et Amelia. Elles ont dix-sept ans et viennent juste d'affronter leur première saison mondaine.

— Et vous vivez tous à Londres ?

— Une certaine partie de l'année. La résidence de mes parents est à Berkeley Square. Mon père, évidemment, a grandi à la Maison Somersham, la résidence ducale principale. Pour lui, c'est son foyer. Bien que lui et ma mère, en fait, toute la famille, sont toujours bienvenus là-bas, mes parents ont décidé d'installer leur résidence principale à Londres.

— C'est donc votre foyer.

Regardant par-dessus les vertes prairies, Vane secoua la tête.

— Plus maintenant. J'ai emménagé dans des appartements il y a des années et j'ai acheté récemment une maison de ville. Quand Henry et moi avons atteint notre majorité, mon père nous a pourvus de sommes considérables et nous a conseillé de l'investir dans l'immobilier.

Son sourire devint plus chaleureux.

— Les Cynster ont toujours accumulé des terres. La terre, après tout, c'est le pouvoir. Devil a la Maison et toutes les propriétés ducales, qui sont à la base de la richesse familiale. Pendant qu'il s'en occupe, nous faisons tous croître notre propre capital.

— Vous avez mentionné que votre frère est propriétaire d'un étalon.

— Près de Newmarket. C'est l'entreprise de choix d'Harry : c'est un expert en matière de chevaux.

— Et vous ?

Patience inclina la tête, les yeux sur son visage.

— Quelle est votre entreprise de choix ?

Vane sourit.

— Le houblon.

Patience cligna des paupières.

— Le houblon ?

— Un ingrédient essentiel utilisé pour donner une saveur aux bières et les clarifier. Je suis propriétaire du manoir Pembury, une propriété près de Tunbridge dans le Kent.

— Et vous cultivez le houblon ?

Le sourire de Vane se moquait.

— Ainsi que des pommes, des poires, des cerises et des noisettes.

Reculant sur sa selle, Patience le dévisagea.

— Vous êtes fermier !

Un sourcil brun s'arqua.

— Parmi d'autres choses.

Reconnaissant la lueur dans ses yeux, elle ravala son indignation.

— Décrivez cet endroit, le manoir Pembury.

Vane obéit, tout à fait content de suivre cette tactique. Après une brève description donnant vie aux vergers et aux champs étalés sur Kentish Weald, il passa à la maison elle-même — la maison où il l'amènerait.

— Deux étages de pierres grises avec six chambres à coucher, cinq salles de réception et les aménagements habituels. Je n'y ai pas passé beaucoup de temps ; la décoration doit être refaite.

Il émit ce commentaire avec désinvolture et il fut heureux de voir l'expression distante, évaluatrice sur le visage de sa compagne.

— Hum, fut tout ce que dit Patience. À quelle distance...

Elle s'interrompit et leva la tête ; une deuxième goutte de pluie s'écrasa sur son nez. Ensemble, elle et Vane regardèrent le ciel et derrière eux. À l'unisson, ils jurèrent.

Des têtes de cumulonimbus menaçants d'un gris foncé avaient gonflé, enflant dans le ciel derrière eux. Un rideau de plomb de pluie diluvienne avançait régulièrement vers eux, à quelques minutes à peine de distance.

Regardant autour d'eux, ils cherchèrent un abri. Ce fut Vane qui repéra le toit d'ardoises de la vieille grange.

— Là. Près de la berge.

Il jeta encore une fois un rapide regard derrière.

— Nous pourrions l'atteindre juste à temps.

Patience avait déjà éperonné sa jument. Vane l'imita, retenant le cheval gris, juste sur les talons de la jument. Ils avancèrent dans un grondement sur la piste. Dans le ciel au-dessus, un tonnerre gronda aussi. Le bord avant du rideau de pluie les atteignit, lançant de lourdes gouttes sur leurs dos. Portes fermées, la grange était nichée dans une dépression peu profonde en retrait de la piste. Patience lutta avec la jument à présent nerveuse pour qu'elle s'arrête devant les portes. Vane tira pour arrêter son cheval dans un glissement et se jeta en bas de la selle. Rênes en main, il ouvrit la porte de la grange en la traînant. Patience fit entrer la jument au petit trot et Vane la suivit, guidant son animal.

Une fois à l'intérieur, il lâcha les rênes et revint à grands pas vers la porte. Alors qu'il la refermait, le tonnerre claqua et le ciel s'ouvrit. La pluie se déversa en trombes. Debout, reprenant son souffle, Vane leva les yeux vers les chevrons. Toujours perchée sur sa jument, Patience l'imita. Le son de la pluie sur le vieux toit formait un rugissement régulier et incessant.

Secouant ses épaules, Vane scruta l'obscurité.

— On dirait qu'elle est utilisée. Le toit semble solide.

Ses yeux s'accoutumant à la pénombre, il s'avança lentement.

— Il y a des boxes le long de ce mur.

Il souleva Patience pour la faire descendre.

— Nous ferions mieux d'y installer les chevaux.

Les yeux grands dans le noir, Patience hocha la tête. Ils menèrent les animaux vers les boxes ; pendant que Vane les dessellait, Patience examina davantage l'endroit. Elle découvrit une échelle menant à un grenier. Elle jeta un coup à Vane dans son dos ; il était encore occupé avec les chevaux. Rassemblant ses jupes, elle grimpa, vérifiant attentivement chaque barreau. Mais, l'échelle était solide. Dans son ensemble, la grange était bien entretenue.

Du haut de l'échelle, Patience survola le grenier du regard. Une large salle construite au-dessus de la majorité de la grange, elle abritait une quantité de foin, parfois en ballots, parfois en vrac. Le plancher était en bois solide. Avançant dans la pièce, elle lâcha ses jupes, les brossa vers le bas, puis elle traversa jusqu'aux portes servant à entrer le foin qui étaient fermées pour protéger la grange des intempéries.

Levant le verrou, elle jeta un petit coup d'œil dehors. Les portes faisaient face au sud, à l'opposé des rafales. Satisfaite que la pluie ne s'infiltre pas à l'intérieur, elle ouvrit les portes, laissant entrer la douce lumière grise dans le grenier. Malgré la pluie, peut-être en raison des lourds nuages, l'air était chaud. La vue dévoilée de la rivière fouettée par le vent et poussée par la pluie ainsi que des prairies légèrement en pente, tout cela aperçu à travers l'écran gris, était apaisante.

Regardant autour d'elle, Patience haussa un sourcil. Sa prochaine leçon avec Vane était due depuis longtemps ; bien que la salle de musique eût été préférable, le grenier ferait l'affaire. Avec du foin à revendre, il n'y avait aucune raison pour qu'ils ne soient pas confortables.

Dans la grange en dessous, Vane mit autant de temps qu'il put à s'occuper des chevaux, mais la pluie ne montrait aucun signe de se calmer. Non qu'il s'y soit attendu ; ayant vu l'étendue des nuages, il savait qu'ils seraient coincés pendant des heures. Quand il n'y eut plus rien à faire, il s'essuya les mains dans la paille propre et les épousseta. Puis, refermant avec détermination et en imagination un poing sur ses propres rênes, il se mit à la recherche de Patience. Il eut un bref aperçu d'elle disparaissant dans le grenier. Sa tête passa le plancher du grenier ; il regarda autour – et jura intérieurement.

Il savait reconnaître les ennuis lorsqu'il en voyait.

Elle tourna la tête et sourit, éliminant toute possibilité d'une fuite lâche. Baignée par la douce lumière entrant à travers les portes à foin ouvertes, elle était assise au milieu d'un immense tas de foin, l'expression invitante, son corps dégageant un attrait sensuel auquel il était déjà trop sensible.

Inspirant profondément, Vane grimpa les derniers barreaux et mit le pied sur le plancher du grenier. Avec toutes les preuves de sa maîtrise suave habituelle, il marcha lentement jusqu'à Patience.

Elle fit voler son calme en éclats — en souriant plus profondément et en lui tendant la main. Instinctivement, il la prit, ses doigts se refermant dessus. Puis, il se ressaisit.

L'expression fermement impassible, il baissa le regard sur son visage, dans ses yeux chauds et séduisants, tout de brun doré et s'efforça de trouver une manière de lui dire que tout cela était de la folie. Qu'après tout ce qui avait transparu entre eux, s'asseoir ensemble dans le foin et regarder la pluie dehors était trop dangereux. Qu'il ne pouvait plus se porter garant de son comportement, de sa maîtrise coutumière alors que son flegme habituel était à présent soumis au feu. Aucun mot ne lui vint à l'esprit — il était incapable de faire une telle admission de sa faiblesse. Même si c'était vrai.

Patience ne lui accorda pas le temps de lutter avec sa conscience — elle tira. Sans prétexte à invoquer, Vane soupira intérieurement — empoigna fermement les rênes de ses démons — et s'enfonça dans la paille à côté d'elle.

Il avait un tour ou deux dans son sac. Avant qu'elle puisse se tourner vers lui, il l'enveloppa de ses bras et la fit reculer, installant la courbe de son dos sur son flanc, de sorte qu'ils puissent contempler le paysage ensemble.

En théorie, une bonne tactique. Patience se détendit contre lui, chaude et confiante — seulement pour imprégner les sens de Vane de mille façons différentes. Sa douceur même fit se tendre ses muscles ; ses courbes, bien ajustées contre lui, dans ses bras, invoquaient ses démons. Il prit avec difficulté une inspiration calmante — et son parfum le submergea, subtilement évocateur, séduisant.

Les mains de Patience glissèrent sur les bras de Vane, enroulés autour de sa taille et se posèrent sur ses mains, ses paumes chaudes courbées sur leur dos. Dehors, la pluie continuait ; à l'intérieur, la chaleur montait. Mâchoire serrée, Vane lutta pour endurer.

Il aurait pu réussir si elle ne s'était pas tournée vers lui sans prévenir. La tête tourna d'abord – et ses lèvres ne furent plus qu'à quelques centimètres des siennes. Son corps suivit, glissant sensuellement entre ses bras ; il resserra son étreinte et enfonça ses doigts dans sa chair tendre, mais il était déjà trop tard.

Le regard de Patience s'était fixé sur les lèvres de Vane.

Le désespoir pouvait réduire même le plus fort à la supplication. Même lui.

– Patience...

Elle l'interrompit, scellant ses lèvres avec les siennes.

Vane s'efforça de la retenir, mais il n'y avait pas de force dans ses bras – pas pour cette manœuvre. Au lieu de cela, ses muscles se tendirent pour l'écraser contre lui. Il réussit à s'empêcher de le faire, seulement pour sentir que leur couple s'enfonçait dans le foin, le tas originalement derrière lui se retrouvant de plus en plus sous lui alors qu'il se compressait sous leurs poids combinés. En quelques secondes, ils étaient presque à l'horizontale, Patience allongée contre lui, à moitié sur lui. Vane gémit intérieurement.

Les lèvres de Vane s'étaient entrouvertes et elle l'embrassait – et il l'embrassait aussi. Jetant sa croisade aux orties contre ce qui s'était avéré inévitable, Vane se concentra sur le baiser. Graduellement, il lui arracha le contrôle, vaguement conscient qu'elle abandonnait les rênes trop volontiers. Cependant, la petite victoire l'encouragea ; il se rappela à lui-même qu'il était plus fort qu'elle, infiniment plus expérimenté qu'elle – et qu'il avait déjà réussi à maîtriser des femmes beaucoup plus avisées qu'elle dans ce domaine depuis des années.

Il maîtrisait la situation.

Cette litanie chantait dans sa tête pendant qu'il roulait et la pressait dans le foin. Elle accepta volontiers le changement, s'accrochant à leur baiser. Vane l'approfondit, pillant sa bouche, espérant ainsi apaiser le besoin clamant et enflant en lui. Il encadra son visage de ses mains et la goûta avec passion; elle l'imita, glissant ses mains sous sa large veste, les écartant, les envoyant explorer son torse, ses côtes et son dos.

Sa chemise était en lin fin. À travers, ses mains le brûlaient.

La bataille finale fut si courte, Vane l'avait perdue avant de l'avoir compris – et après cela, il ne fut pas capable de réaliser quoi que ce soit au-delà de la femme sous lui et de la marée violente de son désir.

Les mains de Patience, ses lèvres, son corps, s'arquant légèrement sous le sien, le pressaient de continuer. Lorsqu'il ouvrit la veste d'équitation en velours et referma une main sur son sein habillé d'un chemisier, elle se contenta de soupirer et de l'embrasser avec encore plus d'urgence.

Sous sa main, son sein se gonfla; entre ses doigts, son mamelon devint un petit bouton serré. Elle haleta lorsqu'il serra, s'arqua lorsqu'il caressa. Et elle gémit lorsqu'il pétrit.

Les minuscules boutons de son chemisier glissèrent facilement hors de leurs boutonnières; les rubans de sa chemise n'avaient pas besoin de plus qu'un petit tiraillement pour les libérer. Et ensuite, sa douceur emplit la main de

Vane, combla ses sens. La peau comme de la soie douce l'excitait ; le poids chaud de sa compagne l'enflammait. Et elle.

Quand il interrompit leur baiser pour lever la tête et examiner le prix qu'il avait capturé, elle l'observa, yeux scintillants d'or sous de lourdes paupières. L'observa quand sa tête descendit et qu'il la prit dans sa bouche. Il téta et elle ferma les yeux. Le halètement fragmenté suivant qui emplit le grenier fut la première note d'une symphonie, une symphonie orchestrée par lui. Elle voulait plus et il donna, repoussant le chemisier souple, tirant la chemise de soie vers le bas, pour dénuder ses seins entièrement sous la douce lumière grise, l'air délicatement rafraîchissant, ses attentions enflammées.

Sous elles, elle brûlait, comme il l'avait imaginé dans ses rêves, jusqu'à ce qu'elle fut excitée et douloureuse – et dans tous ses états, voulant plus. Ses petites mains étaient partout, cherchant désespérément, ouvrant sa chemise et se tendant, affamées, caressantes et implorantes.

C'est là qu'il comprit enfin que la maîtrise était bien au-delà de ses moyens. Il n'en avait plus une miette — elle la lui avait dérobée et l'avait jetée au loin. Elle-même n'en avait certainement pas. Cela, c'était abondamment clair alors que, haletante, ses lèvres merveilleusement gonflées, elle attira son visage vers le sien et l'embrassa voracement.

À moitié sous lui, elle se leva, son corps caressant le sien dans une supplique flagrante — la plus vieille méthode connue d'une femme pour attirer un homme. Elle le voulait — et que le ciel lui vienne en aide, il la voulait. Maintenant.

Son corps était raide de désir, tendu et lourd ; il avait besoin de la faire sienne, de se glisser dans son corps et de trouver la libération. Les boutons retenant sa jupe de velours étaient dans son dos ; les doigts de Vane étaient déjà dessus. Il avait attendu trop longtemps pour parler, pour lui demander officiellement sa main. Il ne pouvait pas se concentrer assez pour formuler une phrase embrouillée –, mais il devait essayer.

Avec un gémissement, Vane se retira de leur baiser. Sur ses coudes au-dessus d'elle, il attendit qu'elle ouvre les yeux. Quand ses cils papillotèrent, il prit une immense inspiration – et la perdit quand ses mamelons frôlèrent l'étendue de son torse. Il trembla – elle frissonna, des frissons ondulant sur son ventre et ses cuisses. L'esprit de Vane se concentra immédiatement – sur le havre doux, entre ses longs membres, son expérience lui fournissant en détails satisfaisants exactement ce que ses réactions réussissaient à provoquer.

Vane ferma les yeux – et tenta de fermer son esprit et de parler, simplement.

Au lieu de cela, sa voix à elle l'atteignit, claire, douce, comme celle d'une sirène, un murmure de pure magie dans l'air lourdement chargé.

– Montrez-moi.

Une supplique émaillait ses mots. Au même instant, Vane sentit les doigts de Patience glisser, planer, puis se refermer délicatement autour de lui. Sa caresse hésitante lui avait contracté la mâchoire, contracter chaque muscle en réaction à l'envie violente de la prendre. Elle n'en semblait pas consciente ; sa caresse en glissade continuait, réduisant en cendres ce qui lui restait de volonté.

— Enseignez-moi, murmura-t-elle, son souffle caressant sa joue comme une plume.

Et ensuite, elle prononça le mot dans un souffle sur ses lèvres :

— Tout.

Ce mot ultime vainquit ses dernières résistances, ce qui lui restait de prudence, de calme maîtrise. Disparu, le gentleman ; disparus, les vestiges de son masque — le conquérant seul demeurait.

Il la voulait — de toutes les fibres de son corps, de toutes les gouttes de son sang. Et elle le voulait. Les paroles étaient superflues.

La seule autre chose qui importait encore était la façon de s'unir. Avec la victoire finale assurée, ses démons — ses esprits qui le faisaient bouger le poussaient — étaient prêts depuis longtemps à offrir leurs talents pour atteindre la gloire de sa manière la plus satisfaisante. Pas une maîtrise, mais une frénésie centrée.

Patience le sentit. Et la savoura : à travers la dureté des mains qui possédaient ses seins, dans la fermeté de ses lèvres alors qu'elles revenaient sur les siennes. Elle s'accrocha avec force, ses mains serrant, puis pétrissant les larges muscles de son dos, glissant un moment plus tard pour explorer avidement son torse.

Elle voulait savoir — tout savoir — *maintenant*. Elle ne pouvait pas supporter d'attendre, de laisser traîner la frustration. Un désir ardent — de ce savoir — pour l'expérience fondamentale dont toutes les femmes mourraient d'envie — s'était épanoui, avait grandi et la consumait à présent.

La poussait alors qu'elle s'arquait légèrement, réagissait à la demande des mains de Vane, de ses lèvres, de sa langue qui pillait.

Il n'était que passion et dureté terriblement chaude. Elle voulait l'attirer en elle, prendre sa chaleur et l'apaiser, libérer la tension enfiévrée le poussant — cette même tension qui l'envahissait lentement. Elle voulait se donner à lui — elle voulait le prendre dans son corps.

Elle le savait, et le temps du déni était depuis longtemps passé. Elle savait qui elle était — elle savait ce qui était possible. Elle s'était satisfaite en sachant qu'elle comprenait comment seraient les choses.

Il n'y avait donc rien pour assombrir son plaisir — du moment, de lui. Elle s'y abandonna avec joie — au frisson de l'excitation alors qu'il tirait sa jupe de velours vers le bas, puis la faisait rouler afin de l'étendre sous elle comme une douce couverture. Ses jupons longs prirent le même chemin, devenant un drap large sous ses épaules. Elle n'éprouvait aucune honte alors que, les lèvres de Vane sur les siennes, il lui retirait sa chemise, la lançant plus loin avant de la reprendre dans ses bras.

Un plaisir aigu fut ce qu'elle connut alors que ses mains, fermes et expertes, la possédaient, dessinaient chaque courbe, chaque renflement doux. Une main se glissa sous sa taille, puis plus bas pour prendre son derrière en coupe. Des doigts forts pétrissaient, caressaient et une agréable fièvre se répandait, s'accumulant dans son ventre, couvrant sa peau d'une fine couche de sueur. La main glissa plus bas, dessinant la longue courbe à l'arrière de sa cuisse jusqu'à son genou, puis glissa vers l'avant, inversant sa direction. Jusqu'à sa hanche, sur ce point sensible où la cuisse s'unit au tronc. Un doigt délicat, insistant, caressa en descendant le long de ce pli – elle frissonna, cherchant soudainement désespérément son souffle.

Et ensuite, il lui écarta les cuisses, gentiment, mais fermement pour prodiguer des caresses apaisantes sur les faces intérieures sensibles. Ses lèvres s'étaient faites plus douces sur les siennes, permettant à Patience de se concentrer sur chaque contact, chaque réaction brûlante. Sur l'excitation, la passion frénétique à peine retenue qui les tenait tous les deux sous son emprise.

Puis, sa main atteignit la fin de sa dernière caresse et elle s'éloigna doucement plus haut, pour caresser la chair qui ne l'avait jamais été, qui n'avait jamais auparavant senti le contact d'un homme.

Le frisson qui la secoua fut de pure excitation – de l'anticipation sensuelle concentrée. S'enfonçant dans le foin souple, Patience haleta et écarta plus grand les cuisses – et sentit les caresses se raffermirent, devenir plus délibérée. Plus intime, plus évocatrices.

Les doux plis semblaient glissants; il les écarta. Des doigts experts trouvèrent un point, un petit morceau de chair, et des éclairs de plaisir la traversèrent. Un plaisir brûlant, chaud et urgent, il la frappa au fond d'elle-même, s'ancra et grandit. Pressant sa tête en arrière, elle interrompit leur baiser. Il la lâcha. Il continua à jouer dans la douceur entre ses cuisses; Patience prit avec difficulté une inspiration beaucoup trop superficielle et s'efforça de soulever les paupières.

Et elle le vit, son visage un masque de concentration gravé par la passion, observant ses propres doigts pendant qu'ils caressaient et tournaient. Puis, l'un d'eux explora.

Le son qui lui échappa fut davantage un halètement qu'un gémissement, plus un cri qu'une plainte. Il jeta un coup d'œil à son visage ; ses yeux se fixèrent aux siens. Elle sentit sa main pressée entre ses cuisses – et sentit l'intrusion de son doigt, pénétrant délicatement mais avec insistance.

Elle haleta encore et ferma les yeux. Il pressa plus loin, plus profondément.

Puis, il la caressa – en elle – très loin au fond, là où elle n'était que moiteur et chaleur, et si pleine de désir. Si pleine de passion en fusion. Une passion qu'il attisait, l'incitant délibérément, l'alimentant cette fournaise interne.

Sur un gémissement frissonnant, Patience se sentit fondre, sentit ses sens s'envoler.

Vane l'entendit, sentit son abandon – et il sourit intérieurement, un peu sombrement. Elle testait ses démons au plus haut point ; rendues à ce stade, la plupart des femmes novices à ce jeu n'auraient pu en supporter davantage ou, plus probablement, auraient été si submergées par le désir qu'elles le supplieraient de les prendre. Pas Patience. Elle l'avait laissé la dénuder entièrement, sans aucun trouble virginal – elle semblait prendre plaisir à se trémousser nue sous lui autant qu'il aimait la voir faire. Et maintenant, alors qu'on se serait attendu à ce que même les dames accomplies perdent pied, elle flottait – prenant tout ce qu'il lui prodiguait et en voulant plus.

Il lui en donna plus, la découvrant intimement, comblant ses sens masculins avec ses secrets féminins. Lentement, il la poussa vers le ciel, faisant tourner la roue de l'excitation sensuelle avec une facilité née de la pratique.

Encore, elle résista. Elle haleta, gémit et s'arqua – et son corps impatient supplia pour en avoir encore plus. Ses besoins n'étaient pas ceux des dames auxquelles il était habitué ; alors qu'il la poussait encore plus haut, il s'en rendit compte au-delà de tous doutes. Patience était plus âgée, plus mature, plus sûre de sa propre personnalité. Elle n'était pas, comprit-il, l'innocente qu'il avait étiquetée – strictement parlant, elle n'avait pas, en fait, beaucoup de cette commodité. Elle en savait suffisamment pour savoir ce qu'ils faisaient et pour avoir pris sa décision.

Et c'était cela qui était différent. Son tempérament et ses conséquences. Elle était franche, sûre d'elle, habituée à prendre les expériences que la vie avait à offrir. À sélectionner et à choisir parmi les fruits de l'arbre de la vie. Et elle avait choisi. Délibérément. Ceci – et lui.

C'était cela qui était différent.

Vane la regarda – son visage légèrement rosi de désir, ses yeux, luisants d'or sous ses lourdes paupières. Et il fut incapable de respirer.

En raison du désir à l'état pur – de besoin à l'état pur. Du besoin d'être en elle.

Du besoin de la faire sienne.

En jurant doucement, il ôta ses mains sur elle et se libéra de sa veste et de sa chemise d'un coup d'épaule. Ses bottes nécessitèrent une minute d'impatience, puis il se leva et retira sa culotte d'équitation. Il pouvait sentir son regard sur lui, descendant dans son dos. Il lança sa culotte et jeta un coup d'œil par-dessus son épaule. Elle était allongée, nue, vautrée dans le foin, attendant calmement. Bouillonnant.

Ses seins se levaient et s'abaissaient rapidement ; sa peau était délicatement rougie.

Nu, en érection complète, il se tourna vers elle.

Pas une seule trace de choc ne s'afficha sur son visage – le visage d'une libertine de Fragonard. Le regard de Patience partit vers le bas, le parcourant, puis se leva lentement vers son visage.

Elle leva les bras. Vers lui.

Vane alla la retrouver – la couvrit – prit ses lèvres dans un baiser brûlant et s'abaissa délicatement sur elle. Elle était chaude et tendue ; elle se raidit quand il testa son hymen. Et elle cria quand, d'un coup bien jaugé, il le fendit. Il se tint immobile pendant un long moment de tension douloureuse, puis elle se détendit autour de lui.

L'instinct l'appela – il donna un coup puissant, profondément dans son corps – et la fit sienne.

Ses rênes lui échappèrent – ses démons prirent le contrôle. Le poussant, la poussant, dans un accouplement frénétique.

Bien au-delà de toute pensée, de la raison, de tout sauf des sensations, Patience tint bon et laissa leur passion l'emporter. Chaque sensation était nouvelle, frappant son esprit, ses sens surchargés, néanmoins elle s'accrochait à chaque frisson, chaque nouveau geste d'intimité, déterminée à ne rien rater, déterminée à tout ressentir.

À connaître le plaisir pur de son corps dur lourd sur le sien, de son torse dur, rendu rude par les poils, râpant ses mamelons sensibles et les doux renflements de ses seins. À savourer la dureté qui la remplissait, le velours inflexible qui pressait profondément en elle, l'étirait, prenait possession d'elle. À expérimenter, avec chaque halètement, chaque souffle désespéré, le pouvoir avec lequel il la poussait plus haut à répétition, la souplesse de son échine, l'union rythmée de leurs corps. À sentir sa vulnérabilité dans sa nudité, dans le poids qui ancrait ses hanches, dans le désir aveugle qui la poussait. À se délecter de l'excitation, passionnément et sans vergogne, érotiquement insatiable qui enflait, grandissait, s'accumulait, puis les submergeait, une marée violente s'emparant avidement d'eux.

Et à sentir, loin en elle, le déploiement d'une force d'ancrage, plus puissante que le désir, plus intense, plus résistante que tout sur terre. Cette force, cette émotion, d'or et d'argent, enfla et la piégea. Elle s'y abandonna et courageusement, avec enthousiasme, en pris possession elle-même en toute connaissance de cause.

Elle était comblée d'extase — avec enthousiasme, elle la partagea, à travers ses lèvres et leurs baisers affamés, à travers la vénération exprimée par ses mains, ses membres, son corps.

Il fit de même ; elle le goûta sur sa langue, sentit sa chaleur dans le corps de son partenaire.

Tout ce dont il avait besoin, elle le lui offrit, tout ce dont elle avait envie, il donna. Bouche à bouche, seins contre torse, douceur empressée agrippant la dureté.

Avec un gémissement, Vane se redressa sur ses bras et réussit à trouver assez de support dans le foin pour la soulever. Il plongea en elle, savourant chaque centimètre chaud qui se referma sur lui, marquant une pause un instant pour la sentir palpiter autour de lui avant de se retirer, seulement pour replonger encore plus profondément. Et encore.

Se rassasiant – et la rassasiant.

Elle se trémoussa, enflammée et pressée sous lui. Il n'avait jamais rien vu d'aussi beau qu'elle, enfermé dans le piège de la passion. Elle se souleva et se tortilla, sa tête tournant aveuglément d'un côté à l'autre alors qu'en elle, elle cherchait l'apaisement. Il s'enfonça davantage et la poussa plus haut, mais encore elle resta au bord de l'extase – elle pouvait monter encore. Tout comme lui.

Et il voulait l'observer – si magnifiquement libertine, si merveilleusement abandonnée – alors qu'elle le prenait et le retenait, alors qu'elle se donnait à lui pour la première fois. Le spectacle lui coupa le souffle – et davantage. Il la prendrait encore, plusieurs fois, mais aucune ne serait comme celle-ci, aussi imprégnée d'émotion que ce moment l'était.

Il sut quand la fin arrivait pour elle, sentit le côté enthousiaste de la tension prêt à exploser – et sentit la chaleur s'épanouir en elle. Il plongea dedans et se laissa aller – laissa son corps faire ce qui lui venait naturellement et les envoya tous les deux au ciel. Et, au dernier moment, il regarda pendant que l'explosion la secouait, pendant que le désir entrait en fusion et transformait son utérus en lave, une poche chaude et fertile pour sa semence.

Serrant les dents, il s'accrocha pendant la dernière seconde et vit sa libération. Il vit les lignes sur son visage étiré par la passion s'adoucir ; il sentit, loin en elle, les fortes ondulations de son apaisement. Sur un soupir silencieux, son corps se ramollit sous le sien. L'expression qui balaya son visage était celle d'un ange en présence du divin.

Vane sentit les frissons le secouer. Fermant les yeux, il les laissa – la laissa – le prendre.

Cela avait été plus – beaucoup plus – que ce à quoi il s'était attendu.

Allongée sur le dos dans le foin, Patience se recroquevilla contre lui, ses jupes et ses chemises retournées sur elle pour la garder au chaud pendant qu'elle dormait, Vane essaya d'accepter la réalité. Il n'avait pas le moindre début d'explication, tout ce qu'il savait était que personne n'avait jamais été ainsi avec lui.

Par conséquent, ce ne fut pas une surprise de découvrir, une fois que ses sens repus lui revinrent, qu'il était de nouveau possédé par un désir urgent.

Pas le même désir urgent qui l'avait guidé ces derniers jours et qu'elle avait si récemment et si remarquablement totalement rassasié, mais un désir apparenté – le besoin compulsif de s'assurer qu'elle soit à lui.

Qu'elle soit sa femme.

Ce mot de cinq lettres l'avait toujours fait tressaillir. Par réflexe, c'était toujours le cas. Toutefois, il n'était pas question pour lui de tourner le dos à son destin – à ce qu'il savait, au fond de lui, être bon.

Elle était la seule pour lui. S'il devait se marier un jour, ce devait être avec elle. Et il voulait des enfants – des héritiers. La pensée d'elle, son fils dans les bras, eut un effet instantané sur lui. Il jura dans sa barbe.

Il jeta un coup d'œil en biais sur les boucles sur le crâne de Patience et souhaita qu'elle se réveille par la seule force de sa volonté. Obtenir son accord formel à leur mariage était devenu sa plus haute priorité. Sa priorité la plus pressante. En l'acceptant comme amant, elle avait déjà accepté informellement. Une fois qu'il aurait présenté sa demande et qu'elle aurait dit oui, ils pourraient céder à leurs sens autant qu'ils le voulaient. Aussi souvent qu'ils le voulaient.

L'idée intensifia son inconfort croissant. Serrant les dents, il essaya de penser à autre chose.

Un peu plus tard, Patience sortit lentement de son sommeil. Elle se réveilla comme jamais auparavant, son corps flottant sur une mer de plaisir précieux, son esprit embrumé par un profond sentiment de paix dorée. Ses membres étaient lourds, alourdis par une chaude langueur ; son corps était regonflé d'énergie, comblé, rassasié. En paix. Pendant de longs moments, aucune pensée ne put traverser cet état rayonnant, puis, graduellement, son environnement empiéta sur lui.

Elle était allongée sur le flanc, enveloppée dans un cocon de chaleur. À côté d'elle, Vane était allongé sur le dos, son corps une pierre dure à laquelle elle s'accrochait. Dehors, la pluie avait cessé, mais des gouttes tombaient encore des avant-toits. À l'intérieur, le rayonnement qu'ils avaient créé s'attardait, les enfermant dans un monde paradisiaque.

Il lui avait donné ceci – lui avait montré cet état de grâce. Le délicieux plaisir l'enveloppait encore. Patience sourit. Une main était posée sur le torse de Vane ; sous sa paume, sous les poils bruns bouclés, elle pouvait sentir battre son cœur, régulier et confiant. Son propre cœur se gonfla.

L'émotion qui se déversa en elle fut plus forte qu'avant, rayonnante des reflets d'or et d'argent, si belle qu'elle lui serra le cœur, d'une douceur si aiguë qu'elle lui fit monter les larmes aux yeux.

Patience ferma très fort ses paupières. Elle avait eu raison – raison d'insister pour savoir, raison d'emprunter cette voie. Peu importe ce qui se passerait, elle chérirait ce moment – et tout ce qui l'avait amenée ici. Aucun regret. Jamais.

L'intense émotion déclina, s'enfonçant dans son esprit en toute connaissance de cause. Ses lèvres se courbant délicatement, elle changea de position et planta un baiser chaud sur le torse de Vane.

Il baissa les yeux. Levant les siens, Patience sourit plus profondément et, ses yeux se fermant, se colla contre lui.

– Hum... c'est bien.

Bien? Regardant son visage, le sourire aux lèvres, Vane sentit quelque chose bouger dans sa poitrine. Puis se verrouiller en place. Le sentiment, et les émotions qui se précipitaient, trébuchaient et se mélangeaient à sa suite n'étaient pas bien du tout. Tout cela le secouait et le laissait avec un sentiment de vulnérabilité. Levant une main, il repoussa la chevelure miel doré de Patience; la masse emmêlée se prit dans ses doigts. Il commença à libérer les mèches, rassemblant ses épingles à mesure.

– Une fois que nous serons mariés, vous pourrez vous sentir bien chaque matin. Et chaque soir.

Se concentrant sur ses cheveux, il ne vit pas le choc surgir dans les yeux de Patience alors qu'abasourdie, elle levait les yeux vers lui. Ne vit pas le choc se transformer en air absent.

Quand il lui jeta un coup d'œil, elle le dévisageait, l'expression fermée, indéchiffrable. Vane plissa le front.

— Qu'y a-t-il ?

Patience inspira d'un souffle temblant et essaya désespérément de reprendre pied mentalement. Elle se lécha les lèvres, puis se concentra sur le visage de Vane.

— Le mariage.

Elle dut faire une pause avant de continuer.

— Je ne me souviens pas en avoir discuté.

Sa voix était monotone, inexpressive.

Le pli sur le front de Vane se creusa.

— Nous en discutons maintenant. Je voulais en parler plus tôt, mais, comme vous le savez bien, nos tentatives de discussion rationnelle n'ont pas remporté beaucoup de succès.

Il tira la dernière mèche de cheveux pour la libérer, la peignant en arrière avec ses doigts avant de l'allonger sur le foin.

— Donc.

Rencontrant ses yeux une fois de plus, il haussa un sourcil calme.

— Quand aura-t-il lieu ?

Patience se contenta de le fixer. Elle était allongée ici, nue dans ses bras, son corps si comblé qu'elle était incapable de bouger et lui, soudainement, absolument sans avertissement, voulait discuter mariage ? Non, même pas en discuter, simplement décider quand il aurait lieu.

La chaleur dorée avait disparu, remplacée par un froid polaire. Un froid plus glacial que la misère grise au-delà des portes à foin, plus glacial que la brise qui s'était levée. Une panique glacée provoqua la chair de poule sur tous ses membres, puis s'enfonça jusqu'à sa moelle. Elle sentit la caresse de l'acier froid – les mâchoires du piège qui se refermaient lentement, régulièrement sur elle.

– Non.

Rassemblant chaque goutte de son courage, elle poussa sur le torse de Vane ; fermant les yeux sur sa nudité, elle s'efforça de se relever. Elle n'aurait jamais réussi, sauf qu'il daigna l'aider.

Il la dévisagea – comme s'il n'en croyait pas ses oreilles.

– Non ?

Il scruta son visage, puis les volets s'abaissèrent sur ses yeux gris. Son expression bondit.

– Non quoi ?

Ses accents de dureté firent frissonner Patience. Se détournant de lui, gardant ses jupes sur ses cuisses, elle chercha sa chemise. Elle la passa par-dessus sa tête.

– Je n'ai jamais eu l'intention de me marier. Pas du tout.

Un mensonge pieux, peut-être, mais une position plus facilement défendable que la vérité pure et simple. Le mariage n'avait jamais été une priorité à son agenda – le mariage à un élégant n'avait jamais figuré dans ses plans. Le mariage avec Vane était simplement impossible – encore plus après la dernière heure.

Sa voix, calmement nette, arriva derrière elle.

– Quoi qu'il en soit, j'aurais cru que les activités de la dernière heure suggéreraient qu'une révision de vos intentions s'imposerait.

Attachant les rubans de sa chemise, Patience pressa les lèvres ensemble et secoua la tête.

– Je ne veux pas me marier.

Le son qu'il émit en se relevant fut moqueur.

— *Toutes* les jeunes femmes veulent se marier.

— Pas moi. Et je ne suis pas si jeune.

Patience finit d'enfiler ses bas. Pivotant, elle attrapa ses jupons.

Elle entendit Vane soupirer.

— Patience…

— Nous ferions mieux de nous hâter; nous sommes restés dehors toute la matinée.

Se levant, elle remonta ses jupons et les attacha à sa taille. Derrière elle, elle entendit le foin bruisser pendant qu'il se levait.

— Ils vont s'inquiéter si nous ne rentrons pas pour le déjeuner.

Sous couvert de relever sa jupe, elle se retourna. N'osant pas le regarder directement — après tout, il était encore nu — elle pouvait tout de même le voir du coin de l'œil et l'empêcher de la toucher. De la prendre dans ses bras.

S'il le faisait, sa résolution chancelante, quelque peu confuse pourrait se désintégrer — et le piège se refermerait violemment sur elle. Elle pouvait encore sentir ses mains sur sa peau, sentir la marque de son corps sur le sien. Sentir sa chaleur en elle.

Elle tira brusquement ses jupes vers le haut.

— Nous ne pouvons pas traîner.

Dans un état frôlant la panique, elle scruta le sol à la recherche de sa veste. Elle était étendue à côté de la culotte d'équitation de Vane. Elle se dépêcha de ce côté.

Consciente qu'il était debout, nu, mains sur les hanches, fronçant les sourcils vers elle, elle ramassa la veste et lui jeta ses culottes à la tête.

Il les attrapa avant qu'elles le frappent. Ses yeux se plissèrent un peu plus.

— *Allez*, venez, l'implora-t-elle. Je vais aller chercher les chevaux.

Sur ce, elle se précipita vers l'échelle.

— *Patience* !

Ce ton particulier était connu pour mettre immédiatement au garde-à-vous des soldats indisciplinés à moitié ivres ; au grand dégoût de Vane, il n'eut aucun effet visible sur Patience. Elle disparut en bas de l'échelle comme s'il n'avait pas parlé.

Le laissant dégoûté — complètement et entièrement — de lui-même.

Il avait raté son coup. Absolument et totalement. Il l'avait agacée — lui avait marché sur les pieds — et elle avait tout à fait le droit de se sentir ainsi. Sa demande — eh bien, il ne l'avait même pas faite ; il avait essayé de louvoyer, de la pousser avec arrogance à accepter sans avoir à demander.

Il avait échoué. Et à présent elle était royalement piquée au vif.

Pas un instant ne croyait-il qu'elle ne voulait pas se marier ; c'était simplement le premier prétexte qui lui était venu à l'esprit — une pauvre excuse en plus.

Jurant abondamment — la seule manière viable pour lui de soulager sa colère — il tira sur sa culotte, puis tendit la main vers sa chemise. Il avait tenté d'éviter de faire une déclaration qu'il savait devoir faire — et maintenant cela allait être dix fois pire.

Serrant les dents, il enfila bruyamment ses bottes, ramassa sa veste en chemin et se dirigea d'un pas furieux vers l'échelle.

À présent, il allait devoir supplier.

Chapitre 13

Supplier ne lui venait pas naturellement.

Ce soir-là, Vane ramena les hommes au salon, avec l'impression de marcher vers son exécution. Il s'était dit que faire sa demande en mariage ne serait pas si difficile.

Étouffer sa colère pendant tout le trajet de retour au manoir et le long après-midi l'avait fortement mis à l'épreuve. Cependant, ayant accepté l'inévitable — le droit de Patience à une demande en mariage formelle et tout à fait adéquate — il avait ravalé sa fureur et obligé ses instincts de conquérant, qu'elle avait fait remonter à la surface avec beaucoup d'efficacité, à rentrer dans les rangs.

Combien de temps y resteraient-ils, c'était discutable, mais il était déterminé à ce que ce soit assez longtemps pour qu'il lui présente sa demande en mariage et qu'elle l'accepte.

Passant lentement les portes du salon, il parcourut du regard ses occupants et sourit intérieurement. Patience n'était pas présente. Il avait saisi le moment, alors que les dames se levaient de table et qu'ils avaient été proches lorsqu'il lui tira sa chaise pour dire, *sotte voce* : « nous devons discuter en privé ».

Ses yeux, grands et dorés, avaient volé vers les siens.

— Quand et où ? avait-il demandé, s'efforçant d'éliminer toute trace d'autorité dans sa voix.

Elle avait étudié ses yeux, son visage, puis baissé le regard. Elle avait attendu à la dernière minute, quand elle était sur le point de se tourner et de s'éloigner de lui pour murmurer :

— Dans le jardin d'hiver. Je vais me retirer tôt.

Réprimant son impatience, il s'obligea à avancer d'un pas paresseux jusqu'à la méridienne où Minnie, comme d'habitude, était assise dans toute sa splendeur habillée de châles. Elle leva la tête à son approche. Il haussa un sourcil nonchalant.

— Je suppose qu'en effet, vous vous portez mieux.

— Pff!

Minnie agita une main dédaigneuse.

— Ce n'était rien de plus qu'un rhume; il y a eu beaucoup trop de tapage autour d'un simple refroidissement.

Elle jeta un regard lourd de sous-entendus à Timms qui s'indigna en silence.

— Au moins, Patience a eu le bon sens de monter tôt, de s'assurer qu'elle ne subirait aucun désagrément après s'être fait tremper autant. Je suppose que tu devrais te retirer tôt, toi aussi.

— Je n'ai pas été mouillé autant qu'elle.

Frôlant avec affection la main de Minnie de ses doigts, Vane fit un signe de tête aux deux femmes.

— Si vous avez besoin d'aide pour monter, appelez-moi.

Il savait qu'elles ne le feraient pas; ce n'était que lorsque Minnie était véritablement souffrante qu'elle acceptait d'être portée. Se détournant d'elle, il s'avança lentement à l'endroit où Gerrard et Edmond taquinaient Henry.

Henry se jeta sur lui à l'instant où il les rejoignit.

— Exactement celui dont nous avons besoin ! Ces deux-là n'arrêtent pas de me casser les pieds avec leur mélodrame alors que je préférerais de loin les affronter au billard. Que diriez-vous d'un match de revanche ?

— Pas ce soir, j'en ai peur, dit Vane en réprimant un faux bâillement. Après avoir passé la moitié de la journée à chevaucher, j'opte pour mon lit le plus vite possible.

Il émit ce commentaire sans rougir, mais son corps réagit à la référence voilée à ses activités matinales et à ses espoirs pour la nuit.

Les autres, évidemment, pensèrent qu'il était épuisé.

— Oh, allons. Vous ne pouvez pas être si fatigué, le réprimanda Edmond. Vous devez être habitué à être debout à des heures indues à Londres.

— En effet, acquiesça Vane laconiquement. Toutefois, être debout est habituellement suivi d'un moment allongé convenablement long.

Pas, bien sûr, nécessairement endormi ; la conversation ne faisait rien pour son confort.

— Une partie n'exigerait pas tellement de temps, supplia Gerrard. Juste une heure ou deux.

Vane n'eut aucune difficulté à étouffer une impulsion lâche d'accepter — de remettre encore une fois les mots inévitables à plus tard. S'il ne réussissait pas cette fois à présenter à Patience le discours qu'il avait passé l'après-midi à répéter, Dieu seul savait quelle immonde punition le destin lui concocterait. Comme devoir mettre un genou à terre.

— Non.

Sa détermination rendit sa réponse définitive.

— Vous allez devoir vous passer de moi ce soir.

La table roulante le sauva de remontrances supplémentaires. Une fois les tasses replacées et que Minnie, refusant inébranlablement son assistance, fut montée, Vane s'obligea à la suivre, à trouver refuge dans sa chambre jusqu'à ce que les autres aient rejoint la salle de billard et se soient installés pour leur partie. Le jardin d'hiver se trouvait après la salle de billard, et on pouvait facilement y accéder en passant par la porte de cette salle.

Quinze minutes à faire les cent pas dans sa chambre ne réussirent pas à apaiser son humeur, mais il l'avait bien en main quand, ayant dépassé en silence la salle de billard, il ouvrit la porte du jardin d'hiver. Elle s'ouvrit et se referma sans bruit, manquant de prévenir Patience. Vane la vit instantanément, scrutant l'extérieur par l'une des fenêtres latérales à travers une touffe de palmiers.

Intrigué, il s'approcha. Ce ne fut que lorsqu'il se tint directement dans son dos qu'il vit ce qu'elle observait avec autant d'intensité : la partie de billard actuellement en cours.

Henry se penchait sur la table, dos à eux, s'alignant pour l'un de ses coups préférés. Pendant qu'ils observaient, il joua, son coude tremblotant, la queue de billard secouée.

Vane s'étrangla de rire.

— Comment diable a-t-il pu me battre ?

Avec un halètement, Patience pivota vivement. Ses yeux plus grands que jamais, une main pressée sur son sein, elle s'efforça de reprendre son souffle.

— *Reculez* ! siffla-t-elle

Elle lui donna des petits coups, puis battit des mains sur lui.

— Vous êtes plus grand que les palmiers, ils pourraient vous voir !

Vane recula obligeamment, mais s'arrêta dès l'instant où ils furent au-delà de la ligne de la salle de billard. Et il laissa Patience, fulminant et faisant des histoires, lui rentrer dedans.

L'impact, tout léger fut-il, coupa à Patience le souffle qu'elle tentait de reprendre. Jurant mentalement, elle recula, décochant à Vane un regard furieux pendant qu'elle tentait de se calmer. D'apaiser son cœur bondissant misérablement, d'étouffer le désir impulsif de faire un pas vers lui et de laisser ses bras rétablir son équilibre, de lever son visage et de laisser son baiser la prendre.

Il avait toujours eu un effet physique sur elle. Maintenant qu'elle s'était allongée nue dans ses bras, l'effet était dix fois pire.

Serrant mentalement les dents, elle imprégna ses traits d'impassibilité et se redressa. Sur la défensive. Serrant les mains devant elle, elle leva la tête et essaya de trouver le bon angle. Pas du défi, mais de l'assurance.

Ses nerfs étaient en pelote avant même qu'il apparaisse — le choc qu'il venait juste de lui donner les avait noués encore davantage. Et le pire était encore à venir. Elle devait entendre ce qu'il avait à dire. Il n'y avait pas d'autre choix. S'il souhaitait lui faire une demande, ce n'était que justice qu'elle le lui permette, afin qu'elle puisse formellement et définitivement décliner son offre.

Il se tenait directement derrière elle, une grande silhouette svelte, quelque peu menaçante. Elle l'avait fait taire avec ses yeux. Inspirant profondément, elle leva un sourcil.

— Vous souhaitiez me parler?

L'instinct de Vane lui criait que tout n'était pas comme il le pensait; le ton de sa question le confirmait. Il étudia ses yeux, ombragés par la pénombre. Le jardin d'hiver était seulement éclairé par le clair de lune se déversant à travers le toit de verre; maintenant, il souhaita avoir insisté pour un lieu de rencontre plus illuminé. Ses yeux se plissèrent.

— Je pense que vous savez ce que je souhaite vous dire.

Il n'attendit pas de confirmation, mais poursuivit.

— Je souhaite vous demander votre main. Nous sommes bien assortis, de toutes les façons. Je peux vous offrir une maison, un avenir, un rang répondant à vos attentes. En tant que ma femme, vous auriez une place assurée au sein de la haute société, si vous souhaitiez la prendre. Quant à moi, je serais satisfait de vivre surtout à la campagne, mais ce serait à vous de décider.

De plus en plus tendu, il marqua une pause. Pas une lueur de réaction n'avait illuminé les yeux de Patience ni adouci ses traits. Avançant plus près, il lui prit la main et la trouva fraîche. La levant, il déposa un léger baiser sur ses doigts froids. De son propre chef, sa voix se baissa.

— Si vous acceptez de devenir ma femme, je jure que votre bonheur et votre confort constitueront ma première et plus ardente préoccupation.

Le menton de Patience se leva légèrement, mais elle ne fit aucune réponse.

Vane sentit son propre visage se durcir.

— Voulez-vous m'épouser, Patience?

La question fut douce, néanmoins déterminée.

— Voulez-vous être ma femme?

Patience prit une profonde inspiration et s'obligea à soutenir son regard.

— Je vous remercie pour votre offre. Elle m'honore plus que je le mérite. Veuillez, je vous en prie, accepter mes regrets les plus sincères.

Malgré sa conviction, un dernier petit espoir désespéré s'était accroché à la vie dans son cœur, mais ses mots l'avaient tué. Il avait prononcé toutes les bonnes paroles, les paroles convenues, mais pas la chose importante. Il n'avait pas dit qu'il l'aimait ; il n'avait fait aucune promesse de l'aimer à tout jamais. Elle respira avec peine et baissa la tête, regarda ses doigts qui tenaient légèrement les siens.

— Je ne souhaite pas me marier.

Le silence — total et impérieux — les tenait, puis les doigts de Vane, très lentement, glissèrent en libérant les siens.

Vane prit une inspiration pas tout à fait stable et s'obligea à reculer. Le conquérant en lui rugit — et lutta pour tendre la main vers elle, la tirer dans ses bras et la prendre, prendre son château d'assaut et l'obliger à reconnaître qu'elle était à lui — seulement à lui. Les poings fortement serrés, il se contraignit à adopter une tactique différente. Lentement, comme il l'avait déjà fait une fois, il tourna autour d'elle.

— Pourquoi ?

Il posa la question directement dans son dos. Elle se raidit ; sa tête se leva. Yeux plissés, il observa une mèche dorée trembler près de son oreille.

— Je crois que, dans les circonstances, j'ai le droit de savoir.

Sa voix était basse, d'une douceur sibylline, dangereusement contenue ; Patience frissonna.

— Je me suis décidée contre le mariage.

— Quand avez-vous pris cette décision ?

Devant son absence de réponse immédiate, il suggéra :

— Après notre rencontre ?

Patience aurait aimé pouvoir mentir. Au lieu, elle leva la tête.

— Oui, mais ma décision n'était pas uniquement la conséquence de cela. Vous rencontrer n'a fait que clarifier l'affaire pour moi.

Un silence tendu descendit encore sur eux. Il le rompit enfin.

— Et comment, précisément, dois-je comprendre cela ?

Patience inspira avec désespoir. Elle se raidit et aurait vivement pivoté pour lui faire face, mais les doigts de Vane sur sa nuque, la plus légère des caresses, la figèrent sur place.

— Non. Répondez-moi.

Elle pouvait sentir la chaleur de son corps à moins de quinze centimètres d'elle, sentir l'orage qu'il tenait en laisse. Il pouvait laisser les rênes tomber à tout moment. La tête lui tourna — l'étourdissement la menaçait. C'était tellement difficile de réfléchir.

Ce qui, bien sûr, était ce qu'il voulait : il voulait qu'elle lâche la vérité. Ravalant, elle garda la tête haute.

— Je n'ai jamais été particulièrement intéressée par le mariage. Je me suis habituée à mon indépendance, à ma liberté, à être ma propre maîtresse. Il n'y a rien que le mariage puisse m'offrir, à quoi j'accorde plus de valeur qui compenserait tout ce que j'abandonnerais.

— Même pas ce que nous avons partagé dans la grange ce matin ?

Elle aurait dû, évidemment, s'attendre à cela, mais elle avait espéré l'éviter. Éviter d'affronter cela. Éviter d'en discuter. Éviter de ternir l'or et l'argent. Elle garda le menton relevé et doucement, calmement, déclara :

— Même pas cela.

Cela, Dieu merci, était vrai. Malgré tout ce qu'elle avait ressenti, tout ce qu'il lui avait fait ressentir, tout ce dont son corps avait envie maintenant, ayant senti le pouvoir de cette émotion d'or et d'argent — l'amour, quoi d'autre cela pouvait-il être ? — elle était encore plus sûre, plus convaincue que sa voie était la bonne.

Elle était amoureuse de lui, comme sa mère avait aimé son père. Aucun autre pouvoir n'était plus grand, aucun autre pouvoir si fatidique. Si elle commettait l'erreur de l'épouser, prenait la voie facile et cédait, elle souffrirait le même destin que sa mère, souffrirait les mêmes jours de solitude et la même douleur sans fin des nuits solitaires, fatales pour l'âme.

— Je ne souhaite pas, sous aucune circonstance, me marier.

Sa fureur lui échappa ; elle vibrait autour d'elle. Pendant un instant, elle crut qu'il s'emparerait d'elle de force. Elle s'empêcha de justesse de pivoter et de s'écarter.

— C'est *insensé* !

Sa colère brûla Patience.

— Vous vous êtes donnée à moi ce matin, ou bien l'ai-je imaginé ? Vous ai-je imaginé nue et haletante sous moi ? Dites-moi, vous ai-je imaginée en train de vous trémousser sans vergogne alors que je m'enfonçais en vous ?

Patience avala et pressa les lèvres encore plus fermement ensemble. Elle ne voulait pas discuter de ce matin — de rien qui le concernait –, mais elle écouta. Écouta pendant qu'il se servait des moments dorés pour l'écorchée, se servait du plaisir argenté comme d'une lance pour l'inciter à dire oui.

Toutefois, acquiescer serait stupide – après avoir été prévenue, avoir vu ce qui se passerait, accepter volontairement la misère –, elle n'avait jamais été aussi stupide.

Et ce serait la misère.

Cette conviction naquit pendant qu'elle écoutait, écoutait attentivement, pendant qu'il lui rappelait, en détails crus, tout ce qui s'était passé entre eux dans la grange. Il était implacable, sans pitié. Il connaissait trop bien les femmes pour savoir où diriger ses piques.

– Vous rappelez-vous comment vous vous êtes sentie lorsque je me suis glissé en vous la première fois ?

Il continua et le désir monta, dansant autour d'elle, en elle. Elle le reconnut pour ce qu'il était ; elle l'entendit dans la voix de Vane. Entendit la passion monter, la sentit, une force tangible alors qu'il réapparaissait à côté d'elle, baissant les yeux sur son visage, ses traits gravés dans la pierre, ses yeux brûlant sombrement. Quand il parla ensuite, sa voix était si grave, si basse qu'elle lui égratigna la peau.

– Vous êtes une dame, née et élevée comme telle ; le rang, les exigences sont dans votre sang. Ce matin, vous vous êtes ouverte pour moi ; vous me vouliez et je vous voulais. Vous vous êtes donnée à moi. Vous m'avez pris en vous – et je vous ai prise. J'ai pris votre hymen, j'ai pris votre virginité – l'innocence que vous aviez, je l'ai prise aussi. Toutefois, ce n'était que l'avant-dernier acte d'un scénario gravé dans la pierre. Le dernier acte est le mariage. Le *nôtre*.

Patience soutint son regard posément, bien qu'il lui fallut toute sa volonté. Pas une fois n'avait-il parlé d'une émotion plus douce — pas une fois n'avait-il même fait allusion à l'amour, encore moins suggéré qu'il pouvait vivre en lui. Il était dur, sans pitié — sa nature n'était pas douce. Elle était exigeante, autoritaire, aussi inflexible que son corps. Le désir et la passion étaient son fort ; qu'il ressentît les deux pour elle était indéniable.

Ce n'était pas suffisant. Pas pour elle.

Elle voulait, avait besoin d'amour.

Elle s'était promis il y avait longtemps de ne jamais se marier sans amour. Elle avait passé l'heure précédant le dîner à fixer le portrait en camée de sa mère, à se souvenir. Les images qu'elle se remémorait étaient encore vives à son esprit — de sa mère seule, sanglotant, esseulée, privée d'amour, se mourant de son absence.

Elle leva le menton, les yeux calmes dans les siens.

— Je ne souhaite pas me marier.

Les yeux de Vane se plissèrent jusqu'à devenir des tessons gris. Une longue minute s'écoula ; il étudia son visage, ses yeux. Puis, son torse enfla ; il hocha la tête une fois.

— Si vous pouvez me dire que ce matin n'a rien signifié pour vous, je vais accepter votre rejet.

Pas un instant ses yeux ne quittèrent ceux de Patience ; elle fut obligée de soutenir son regard pendant qu'à l'intérieur, son cœur souffrait. Il ne lui avait laissé aucun choix. Levant le menton, elle s'efforça d'inspirer — et se contraignit à hausser les épaules à détourner les yeux.

— Ce matin était très agréable, une véritable révélation, mais…

Haussant encore une fois les épaules, elle se tourna de côté et s'éloigna d'un pas.

— Pas assez pour m'engager dans le mariage.

— *Bon sang, regardez-moi* !

L'ordre fut donné à travers des dents serrées.

Pivotant vivement de nouveau vers lui, Patience vit ses poings fermés — et sentit la bataille qu'il menait pour ne pas la toucher. Elle leva immédiatement le menton.

— Vous faites trop d'histoires à ce sujet ; vous, entre tous les hommes, devriez savoir que les dames n'épousent pas tous les hommes avec qui elles partagent leurs corps.

Son cœur se serra ; elle obligea sa voix à prendre un ton plus léger, contraignit ses lèvres à se courber légèrement.

— Je dois admettre que ce matin était très plaisant et je vous remercie sincèrement pour l'expérience. J'ai très hâte à la prochaine fois ; au prochain gentleman qui me plaira.

Pendant un instant, elle craignit d'être allée trop loin. Il y avait quelque chose — un éclair dans ses yeux, une expression fugitive sur son visage qui lui bloquèrent le souffle dans la gorge. Mais il se détendit, pas complètement, mais une bonne part de sa tension effrayante — une tension prête à la bataille — sembla s'écouler de lui.

Elle vit son torse s'élever alors qu'il inspirait, puis il vint vers elle, se déplaçant avec sa grâce féline habituelle. Elle n'était pas certaine de savoir ce qu'elle trouvait le plus troublant — le guerrier ou le prédateur.

— Alors, vous avez aimé cela ?

Ses doigts, frais et calmes, se glissèrent sous son menton et inclinèrent son visage vers le sien. Il sourit —, mais le geste n'atteignit pas ses yeux.

— Vous devriez peut-être réfléchir au fait que si vous m'épousiez, vous auriez le plaisir de vivre cela tous les matins de votre existence ?

Ses yeux se fixèrent sur les siens.

— Je suis tout à fait prêt à jurer que vous ne manquerez jamais de ce plaisir particulier si vous devenez ma femme.

Seul le désespoir lui permit de garder ses traits immobiles, de les empêcher de s'effondrer. En elle, elle sanglotait — pour lui et pour elle. Cependant, elle devait le détourner d'elle. Il n'y avait pas de mots sur terre pour lui expliquer — fier descendant qu'il était d'un clan de guerriers — que ce n'était pas en son pouvoir de lui donner la seule chose dont elle avait besoin pour devenir sa femme.

L'effort de lever hautainement un sourcil l'assomma presque.

— Je suppose, dit-elle en s'obligeant à regarder dans ses yeux, à insuffler la réflexion dans son expression, qu'il pourrait être tout à fait agréable d'essayer encore, mais je ne vois pas la nécessité de vous épouser pour cela.

Les yeux de Vane perdirent toute expression. Elle était à bout de force et elle le savait. Elle mit ce qu'il lui restait d'effort à égayer son sourire, ses yeux, son expression.

— J'imagine qu'il serait très excitant d'être votre amoureuse pendant quelques semaines.

Rien de ce qu'elle pouvait dire, rien de ce qu'elle pouvait faire ne pouvait le blesser ni le choquer autant. Ou le détourner d'elle aussi sûrement. Pour un homme comme lui, de son origine, avec son honneur, refuser d'être sa femme, mais consentir à être sa maîtresse était le coup bas ultime. À sa fierté, à son ego, à sa valeur en tant qu'homme.

Les poings si fortement serrés sur ses jupes que ses ongles lui coupaient les paumes, Patience se contraignit à le regarder d'un air inquisiteur. S'obligea à ne pas trembler quand elle vit le dégoût enflammer ses yeux l'instant avant que des volets d'acier se ferment.

Elle se contraignit à maintenir sa position fermement, tête toujours haute quand ses lèvres se courbèrent.

— Je vous demande d'être ma femme... et vous m'offrez d'être ma putain.

Les mots étaient déshonorants, empreints de dédain, rendus amers par une émotion qu'elle n'arrivait pas à situer. Il la regarda pendant une longue minute, puis, comme si rien d'une grande importance n'avait transparu, s'inclina devant elle avec élégance.

— Je vous prie d'accepter mes excuses pour tout inconvénient que ma demande importune peut vous avoir causé.

Seule la glace dans sa voix indiquait ses sentiments.

— Comme il ne reste rien à dire, je vais vous souhaiter une bonne nuit.

Avec un de ses hochements de tête gracieux habituels, il se dirigea vers la porte. Il l'ouvrit et, sans regarder en arrière, partit, tirant doucement la porte dans son dos pour la fermer.

Patience resta à sa place ; pendant un long moment, elle se contenta de rester là, fixant la porte, n'osant pas se permettre de réfléchir. Puis, le froid traversa sa robe et elle frissonna. S'enveloppant de ses bras, elle s'obligea à marcher, à faire un tour apaisant autour du jardin d'hiver. Elle retint ses larmes. Pourquoi diable pleurait-elle ? Elle avait fait ce qu'il fallait. Elle se rappela sévèrement à elle-même que tout était pour le mieux. Que la torpeur qui l'enveloppait disparaîtrait avec le temps.

Que cela n'avait pas d'importance si elle ne ressentait plus jamais cette chaleur d'or et d'argent — ni la joie de donner son amour.

Vane avait traversé la moitié du comté voisin avant de reprendre ses esprits. Ses chevaux gris avançaient régulièrement au pas sur la route éclairée par la lune, leurs mouvements faciles dévorant les derniers kilomètres jusqu'à Bedford quand, comme saint Paul, il fut frappé par une révélation aveuglante.

Mademoiselle Patience Debbington n'avait peut-être pas menti, mais elle n'avait pas révélé toute la vérité.

Jurant abondamment, Vane ralentit ses chevaux. Plissant les yeux, il tenta de réfléchir. Un exercice auquel il ne s'était pas adonné depuis son départ du jardin d'hiver.

En quittant Patience, il s'était rendu dans les massifs d'arbustes, faisant les cent pas et jurant en privé. Pour le bien que cela lui avait fait. Jamais dans sa vie n'avait-il eu à affronter une telle débâcle — il souffrait dans des endroits tendres qu'il ignorait posséder. Et elle ne l'avait même pas touché. Incapable de fermer le couvercle sur le chaudron de ses émotions qui, à ce stade, bouillonnaient en lui, il s'était décidé pour une retraite stratégique comme seule option viable.

Il était allé voir Minnie. Sachant qu'elle avait le sommeil léger, il avait gratté à sa porte et l'avait entendue le prier d'entrer. La pièce était plongée dans l'obscurité, soulagée seulement par un rayon de lune. Il l'avait empêchée d'allumer sa bougie ; il ne voulait pas qu'elle voie son visage de ses yeux perçants, qu'elle y lise l'émoi et la douleur qui devaient être gravés sur ses traits il en était sûr. Encore moins ses yeux. Elle l'avait écouté jusqu'au bout – il lui avait dit qu'il s'était rappelé un rendez-vous urgent à Londres.

Il serait de retour, lui assura-t-il, pour s'occuper du spectre et du voleur dans quelques jours. Après qu'il aurait découvert comment s'occuper de sa nièce, qui ne voulait pas l'épouser – il avait réussi à empêcher cet aveu de franchir ses lèvres.

Minnie, béni soit son grand cœur, l'avait prié de partir, bien sûr. Et il était parti, immédiatement, réveillant seulement Masters pour verrouiller la maison après son départ et, bien sûr, Duggan, présentement perché derrière lui.

Maintenant, cependant, avec la lune l'enveloppant de ses rayons frais, avec la nuit si noire autour de lui, avec les sabots de ses chevaux émettant le seul son rompant le silence qui résonnait – maintenant, la raison avait daigné lui revenir.

Quelque chose clochait. Il était un fervent partisan de deux et deux font quatre. Dans le cas de Patience, autant qu'il pût le voir, deux et deux faisaient cinquante-trois.

Comment, se demanda-t-il, une femme – une dame élevée dans la bonne société – qui avait, dès la première fois où elle l'avait vu, jugé qu'il pouvait probablement corrompre son frère simplement par association, en était-elle venue à batifoler dans l'herbe avec lui ?

Qu'est-ce qui l'avait poussée à faire cela ?

Pour certaines femmes, la stupidité aurait pu être la réponse, mais voici une femme qui avait eu le courage, la détermination sans faille, de le prévenir de s'éloigner dans un effort pour protéger son frère.

Et avait ensuite eu le courage de présenter ses excuses.

Voici aussi une femme qui ne s'était jamais allongée avec un homme, n'avait jamais même partagé un baiser passionné. Ne s'était jamais offerte ainsi – jusqu'à ce qu'elle se donne à lui.

À l'âge de vingt-six ans.

Et elle s'attendait à ce qu'il croit…

Avec un juron virulent, Vane tira sur les rênes. Il arrêta les chevaux, puis se mit en devoir de tourner le cabriolet. Il s'arma de courage pour l'inévitable commentaire de Duggan. Le silence de martyre de son homme de main fut encore plus éloquent.

Marmonnant un autre juron – devant sa propre colère et pour la femme qui, pour une raison impossible, l'avait provoqué – Vane fit aller ses bêtes au pas pour rentrer au manoir Bellamy.

Alors que les kilomètres filaient, il repassa dans sa tête tout ce que Patience avait dit dans le jardin d'hiver et avant. Il n'y comprenait toujours rien. Rejouant encore une fois leurs paroles dans la serre, il fut conscient d'une envie dominante de mettre les mains sur elle, puis de lui faire violemment l'amour. Comment *osait*-elle se dépeindre sous un tel jour ?

Mâchoire serrée, il jura d'aller au fond des choses. Qu'il y eût quelque chose derrière sa position, il n'en doutait pas.

Patience était sensée, même logique pour une femme ; elle n'était pas le genre à jouer à des jeux de demoiselle capricieuse. Il y aurait une raison, un fait qu'elle considérait d'une importance cruciale que lui, pour l'instant, ne voyait pas du tout.

Il allait devoir la convaincre de le lui révéler.

Réfléchissant aux possibilités, il concéda qu'étant donnée sa première impression insensée de lui, elle avait dû se mettre dans la tête une idée étrange, sans parler de fantaisiste. Il n'y avait, cependant, peu importe sous quel angle on envisageait la proposition, aucune raison pour qu'ils ne se marient pas — qu'elle ne devienne pas sa femme. De son point de vue à lui, et de celui de quiconque avait les meilleurs intérêts de Patience à cœur, du point de vue de sa famille à lui, et à elle, et de la haute société, elle était parfaite pour la position en tout point.

Tout ce qu'il avait à faire était de la convaincre du fait. Trouver l'obstacle qui l'empêchait de l'épouser et le surmonter. Peu importe qu'il doive, pour se faire, agir malgré son opposition incisive.

Alors que les toits de Northampton s'élevaient devant eux, Vane sourit sombrement. Il s'était toujours épanoui sous les défis.

Deux heures plus tard, alors qu'il était debout sur la pelouse du manoir Bellamy et regardait en haut la fenêtre obscure de la chambre à coucher de Patience, il se rappela ce fait à lui-même.

Il était une heure passé ; la maison était plongée dans l'obscurité. Duggan avait décidé de dormir dans les écuries ; que le diable l'emporte si Vane acceptait de faire de même.

Cependant, il avait personnellement vérifié toutes les serrures du manoir ; il n'y avait pas d'autre façon d'entrer que de jouer du marteau sur la porte d'entrée – un geste qui réveillerait à coup sûr non seulement Masters, mais toute la maisonnée.

D'un air sévère, Vane étudia la fenêtre de la chambre de Patience au troisième étage et le lierre ancien qui poussait au-delà. Après tout, c'était sa faute s'il était là dehors.

Rendu à mi-hauteur, il avait épuisé tous ses jurons. Il était beaucoup trop vieux pour cela. Heureusement, l'épaisse tige centrale du lierre passait près de la fenêtre de Patience. Alors qu'il approchait du rebord en pierre, il réalisa tout à coup qu'il ignorait si elle avait le sommeil profond ou léger. Avec quelle force pouvait-il frapper sur la vitre pendant qu'il s'accrochait au lierre ? Et quel tapage pouvait-il faire sans alerter Minnie ou Timms, dont les chambres étaient situées plus loin dans cette aile ?

À son soulagement, il n'eut pas à le découvrir. Il était presque sur le rebord de la fenêtre quand il aperçut une silhouette grise derrière la vitre. L'instant suivant, la forme changea de position et s'étira – Myst, comprit-il en tendant la main vers le loquet. Il entendit un grattement, puis la fenêtre s'ouvrit obligeamment.

Myst l'ouvrit plus grand en lui donnant un petit coup de tête et elle regarda en bas.

Miaou !

Offrant une prière sincère au dieu des chats, Vane grimpa. Poussant la fenêtre pour l'ouvrir large, il recourba son bras dessus et réussit à passer une jambe par-dessus le rebord. Le reste fut facile.

En sécurité sur du bois solide, il se pencha et fit courir ses doigts sur l'échine de Myst, puis il la gratta derrière les oreilles. Elle ronronna vivement, puis, queue en l'air, le bout tressaillant, marcha d'un air digne vers le feu. Vane se redressa et entendit un bruissement en direction de l'énorme lit à colonnes. Il époussetait des feuilles et des brindilles sur ses épaules et sur les basques de son pardessus quand Patience sortit de l'ombre. Sa chevelure tombait comme un voile de bronze ondulant sur ses épaules ; elle serrait un châle sur son corps, par-dessus sa chemise de nuit en linon.

Ses yeux étaient plus grands que des soucoupes.

— Que faites-vous ici ?

Vane haussa les sourcils et il contempla la manière dont sa chemise de nuit collait aux longs membres en dessous. Lentement, il laissa son regard errer vers le haut, jusqu'à ce que ses yeux atteignent son visage.

— Je suis venu accepter votre offre.

S'il avait éprouvé un doute quant à la façon dont il l'avait comprise, le vide total qui envahit son visage l'aurait chassé.

— Ah…

Yeux toujours arrondis, elle cligna des paupières en le regardant.

— De quelle offre s'agit-il ?

Vane décida qu'il était plus sage de ne pas répondre. Il retira son pardessus d'un coup d'épaule et le laissa tomber sur la banquette sous la fenêtre. Sa veste suivie. Patience le regarda avec une agitation croissante ; Vane fit semblant de ne rien voir. Il alla devant l'âtre et s'accroupit pour s'occuper du feu.

Hésitant derrière lui, Patience se tordait littéralement les mains — un geste qu'elle n'avait jamais esquissé de sa vie — et se demanda désespérément quelle tactique adopter maintenant. Puis, elle réalisa que Vane attisait le feu. Elle fronça les sourcils.

— Je n'ai pas besoin d'un bon feu en ce moment.

— Vous l'apprécierez assez vite.

Ah oui ? Patience fixa le large dos de Vane et essaya de ne pas remarquer les mouvements de ses muscles sous le lin fin. Essaya de ne pas réfléchir à ce qu'il voulait dire, à ce qu'il planifiait. Puis, elle se souvint de son pardessus. Plissant le front, elle se rendit en flânant jusqu'à la banquette sous la fenêtre, avançant d'un pas léger, ses pieds froids sur les lattes nues. Elle fit courir une main sur les basques de son pardessus — elles étaient humides. Elle regarda par la fenêtre ; la brume venant de la rivière s'avançait sur la terre.

— Où étiez-vous ?

S'était-il lancé à la recherche du spectre ?

— À Bedford, aller et retour.

— Bedford ?

Patience remarqua la fenêtre ouverte. Elle pivota pour le regarder en face.

— Comment êtes-vous entré ici ?

Quand elle s'était réveillée et l'avait découvert, il se tenait sous le clair de lune, baissant les yeux sur Myst.

Vane la contempla.

— Par la fenêtre.

Il revint au feu ; Patience se retourna vers la fenêtre.

— Par la…

Elle regarda dehors — et en bas.

— Doux Jésus : vous auriez pu vous tuer !

— Je ne l'ai pas fait.

— Comment êtes-vous entré ? Je suis certaine d'avoir verrouillé la fenêtre.

— Myst l'a ouverte.

Patience pivota pour dévisager sa chatte, pelotonnée à sa place préférée sur une petite table d'un côté du feu. Myst observait Vane avec une approbation toute féline — après tout, il créait une belle flambée.

Il créait aussi une confusion totale.

— Que se passe-t-il ?

Patience revint devant l'âtre juste au moment où Vane se levait. Il se tourna et tendit la main vers elle, l'assistant dans son dernier pas pour entrer dans ses bras.

Atténué uniquement par le linon léger, son contact l'enflamma. Patience haleta. Elle leva les yeux.

— Que…

Vane scella ses lèvres avec les siennes et l'attira contre lui de tout son long. Les lèves de Patience s'entrouvrirent instantanément ; Patience jura intérieurement. La langue, les lèvres, les mains de Vane commençaient à opérer leur magie. Elle tenta désespérément de prendre pied mentalement — de s'accrocher au choc, à la surprise, à la colère et même à l'affolement idiot — n'importe quoi pour lui donner la force de s'écarter de… cela.

De l'émerveillement de son baiser semblable à une drogue, du désir immédiat qui enfla en elle. Elle savait exactement ce qui se passait, savait avec précision où il la menait. Et elle était impuissante à l'en empêcher. Pas alors que son corps en entier — et tout son cœur — s'était follement arrêté devant cette perspective.

Pas même la morgue ne pouvant venir à son secours, elle abandonna toute résistance et répondit à son baiser.

Avidement. Était-ce ce matin seulement qu'elle l'avait goûté pour la dernière fois ? Si oui, elle était dépendante de lui. Au-delà de tout espoir de retour.

Les mains de Patience glissèrent vers le haut, sur ses épaules ; ses doigts trouvèrent leur chemin dans son épaisse chevelure. Ses seins se gonflant, ses mamelons sensibles contre le mur dur de son torse, Patience recula brusquement, cherchant désespérément son souffle.

Elle haleta quand ses lèvres glissèrent sur sa gorge, puis se collèrent avec passion sur le point où son pouls résonnait. Elle frissonna et ferma les yeux.

— Pourquoi êtes-vous ici ?

Ses paroles étaient comme un fil d'argent dans le clair de lune. Sa réponse fut prononcée d'une voix aussi sombre que les ombres les plus profondes.

— Vous m'avez offert d'être mon amoureuse, vous vous rappelez ?

C'était comme elle l'avait cru ; il n'allait pas la laisser partir tout de suite. Il n'en avait pas fini avec elle, n'était pas encore rassasié d'elle. Les yeux fermés avec force, Patience savait qu'elle devait combattre. Au lieu, son cœur obstiné chantait.

— Pourquoi êtes-vous allé à Bedford ?

S'y était-il rendu à la recherche d'information ou parce que…

— Parce que j'avais perdu la tête. J'ai retrouvé la raison et je suis revenu.

Patience était très heureuse qu'il ne puisse pas voir le sourire qui courba ses lèvres — doux, discret, totalement fou d'amour — tout occupé qu'il était à marquer sa gorge au fer rouge avec ses lèvres. Ses paroles confirmaient l'interprétation qu'elle avait faite de son tempérament, de ses réactions ; il avait vraiment été blessé et en colère – assez furieux pour la quitter. Elle aurait eu une bien moins bonne opinion de lui si, après tout ce qu'elle avait dit dans le jardin d'hiver, il ne s'était pas senti ainsi. Et en ce qui concernait le besoin qui l'avait ramené à elle – le désir et la passion qu'elle sentait couler si ardemment dans ses veines –, elle ne pouvait qu'éprouver de la reconnaissance pour cela.

Il leva la tête, ses lèvres revenant sur les siennes. Une main caressant sa joue maigre, Patience l'accueillit sans réserve. Le baiser s'approfondit ; le désir et la passion se mêlèrent et augmentèrent. Quand il leva la tête la fois suivante, ils étaient tous les deux enflammés – tous les deux très conscients de ce qui bouillonnait ardemment entre eux.

Leurs regards s'accrochèrent. Ils respiraient tous les deux rapidement, ils avaient tous les deux un objectif clair.

Sentant la caresse de l'air plus frais sous sa gorge, Patience baissa les yeux. Et vit les doigts de Vane libérant rapidement, délibérément les minuscules boutons sur le devant de sa chemise de nuit. Elle contempla le spectacle un instant, consciente de son sang palpitant, du rythme qui semblait vibrer autour d'eux. Quand ses doigts dépassèrent le point entre ses seins et continuèrent plus bas, sa respiration se fit tremblante.

Et ferma les yeux.

– Je ne serai pas votre putain.

Vane entendit le tremblement dans sa voix. Il regretta le mot, mais… Il jeta un coup d'œil à son visage, puis baissa les yeux, regardant les petits boutons blancs glisser entre ses doigts, observant les pans de sa chemise de nuit s'ouvrir lentement, dévoilant son corps souple et somptueux.

— Je vous ai demandé d'être ma femme, vous m'avez offert d'être mon amante. Je vous veux encore en tant qu'épouse.

Les yeux de Patience s'ouvrirent brusquement. Il rencontra son regard, le visage contracté, la passion gravée dessus, durci par la détermination.

— Cependant, si je ne peux pas faire de vous ma femme, alors je vous prendrai comme amante.

Pour toujours, si nécessaire.

Sa chemise de nuit était ouverte à la taille. Il glissa une main à l'intérieur, la paume glissant avec possessivité sur sa hanche, les doigts s'enfonçant dans la chair tendre pendant qu'il l'attirait contre lui. Il prit ses lèvres, sa bouche — une seconde plus tard, il sentit le frisson qui la traversa, sa reddition douloureusement douce.

Il sentit ses doigts sur sa nuque ; ils glissèrent dans sa chevelure. Les lèvres de Patience étaient douces, malléables, impatientes d'apaiser — il s'en régala, se délecta de sa bouche, de la chaleur qu'elle offrait si volontiers. Elle se pressa contre lui. À l'intérieur de sa chemise de nuit, il glissa la main dans son dos, pour caresser, puis prendre en coupe le renflement de son derrière. La moitié inférieure de sa chemise de nuit toujours attachée restreignait sa portée ; retirant sa main, Vane s'écarta de leur baiser.

Patience cilla, hébétée. Il lui prit la main et la tira sur quelques pas jusqu'au fauteuil. Il s'assit, puis s'empara de son autre main aussi et l'amena à se tenir debout entre ses genoux. Elle l'observa, souffle inégal alors qu'il détachait rapidement le reste de sa chemise de nuit.

Puis, les deux pans furent libérés. Lentement, presque avec révérence, Vane tendit les mains et écarta totalement la chemise, la repoussant pour dénuder ses épaules arrondies. Pour la dénuder entièrement sous son regard. Son cœur se serrant, l'entre-jambes douloureux, il la contempla tout son soûl. Son corps brillait comme de l'ivoire sous le clair de lune, ses seins deux monts fiers couronnés de boutons de rose roses, sa taille étroite, découpée, le renflement de ses hanches doux comme de la soie. Son ventre était légèrement arrondi, se terminant devant la fine couverture de bouclettes couleur bronze au sommet de ses cuisses. De longues cuisses sveltes qui l'avaient déjà enserré une fois.

La respiration tremblante, Vane tendit les mains vers elle.

Ses paumes brûlantes glissèrent sur son dos, la poussant en avant, rompirent le charme qui tenait Patience. Sur un halètement, elle le laissa l'attirer plus près ; elle dut agripper ses épaules pour se stabiliser. Il leva la tête, l'invitation très claire dans ses yeux. Patience pencha la tête et l'embrassa, amoureusement, ouvertement, lui donnant tout ce qu'elle avait à offrir.

Elle était à lui — elle le savait. Il n'y avait aucune raison de ne pas lui faire plaisir, et de se faire plaisir, de cette façon. Aucune raison de ne pas laisser son corps dire ce qu'elle n'avouerait jamais en paroles.

Après un long et langoureux baiser satisfaisant, les lèvres de Vane glissèrent des siennes pour dessiner la courbe de sa gorge, pour embraser le sang pulsant juste sous sa peau. Patience inclina légèrement la tête en arrière pour lui offrir un meilleur accès ; ses doigts s'enfoncèrent dans ses épaules, ceux de son partenaire se resserrèrent autour de sa taille alors qu'il en tirait le meilleur avantage. Il la tint fermement pendant que ses lèvres s'égaraient plus bas, sur les renflements de ses seins parfaitement mûrs. Elle prit une profonde inspiration, murmurant d'un ton appréciateur quand le mouvement pressa sa chair plus fermement sur ses lèvres.

Son murmure se termina par un halètement quand ses dents égratignèrent délicatement un mamelon ruché au maximum, puis qu'il le prit dans sa bouche. Elle sentit ses os fondre. Une des mains de Patience remonta son épaule dans un glissement jusqu'à sa nuque, puis ses doigts remontèrent encore pour serrer sa tête convulsivement pendant qu'il lapait ses seins, taquinant les sommets à présent douloureux, apaisant un instant, puis excitant ensuite, la soulageant une minute, puis la poussant subitement jusqu'à l'apogée d'une sensation insoutenable.

Sa respiration fut pressante bien avant que sa bouche poursuive son chemin, plus bas, pour explorer les tendres creux de sa taille, pour se régaler de la courbe sensible de son ventre. Ses mains, ses paumes chaudes et dures s'agrippèrent à ses hanches, la soutenant. Puis, sa langue, chaude et glissante, donna de petits coups dans son nombril — le sifflement irrégulier de sa respiration se brisa net.

Quand sa langue plongea, le rythme familièrement évocateur, elle vacilla et haleta son nom. Il ne répondit pas. Au lieu, il parsema de langoureux baisers chauds le long de son ventre tremblant. Et sur les douces bouclettes à sa base.

— *Vane* !

Sa protestation abasourdie contenait peu de conviction ; au moment où elle franchit ses lèvres, Patience s'arquait déjà, s'étirant sur ses orteils, ses genoux s'écartant, ses membres malléables, ses hanches s'inclinant alors qu'elle s'offrait instinctivement aux caresses passionnées suivantes.

Elles vinrent – un baiser si intime qu'elle put à peine supporter la sensation explosive. Il le fit suivre d'autres baisers, pas sans pitié, mais incessants, pas violents, mais insistants. Puis, la langue de Vane glissa entre ses propres lèvres avant de passer entre celles de Patience.

Pendant un moment limpide, Patience crut qu'il l'avait poussée trop loin et qu'elle allait mourir – mourir du bonheur glorieux brûlant ses nerfs, de l'excitation distillée enflammant chaque veine. C'était trop – à tout le moins, elle perdrait l'esprit.

Sa langue glissa paresseusement sur sa chair palpitante – et l'envolée s'intensifia, le serrement devint plus serré. Chaud comme un fer rouge, elle donnait de petits coups, tournoyait, plongeait et fouillait – et ses membres se liquéfièrent. La chaleur monta et rugit en elle.

Elle ne mourut pas et elle ne s'effondra pas au sol en une masse incohérente. Au lieu, elle s'accrocha à lui et perdit tout espoir de faire semblant que la vérité n'était pas réelle – qu'elle ne serait pas à lui, ne serait pas tout ce qu'il désirait.

Il remplit ses paumes avec les siennes, la prit en coupe et la soutint, la maintint en équilibre pendant qu'il la goûtait. L'explorait avec sa langue, la taquinait et l'excitait jusqu'à ce qu'elle sanglote.

Sanglote sous l'urgence, gémissant de désir.

Il était affamé – elle le laissa se régaler ; il avait soif – elle le pressa de boire. Tout ce qu'il demanda, elle donna, même s'il ne se servait pas de mots et qu'elle n'avait que son instinct pour la guider. Il prit tout ce qu'elle offrait et ouvrit plus large les portes avec assurance, entrant et réclamant tout ce qui était son droit incontestable. Il la maintint dans cet état, à lui, indéniablement à lui, dans un monde étourdissant de sensations vives, réalisant à travers des nerfs fourmillants l'intimité lui dérobant son âme.

Les doigts serrés dans ses cheveux, les yeux fermés, le plaisir glorieux explosant, une brume dorée à l'intérieur de ses paupières, Patience frissonna et s'abandonna — à la chaleur croissante, au plaisir culminant qui lui faisait signe.

Avec un dernier coup de langue traînante, savourant son goût acidulé, le piquant incroyablement érotique de Patience s'enfonçant dans ses os, Vane recula. Une main sous le renflement charnu de son derrière et la prise convulsive de Patience sur ses cheveux la gardaient droite. Le regard de Vane parcourant son visage rougi, il détacha d'un tour de poignet les deux boutons qui fermaient son pantalon.

Elle était déjà au ciel, flottant, satisfaite jusqu'au bout des orteils ; il avait la ferme intention de lui donner encore plus de plaisir.

Ce fut le travail d'une minute pleine d'expérience pour lui de se préparer, puis il passa entre ses cuisses et poussa les genoux de Patience sur le fauteuil, les glissant de chaque côté de ses hanches. Le fauteuil était vieux, bas, profond et confortable — fait juste pour cela.

Hébétée, elle suivit ses instructions implicites, nettement incertaine, mais impatiente d'apprendre. Il savait que son corps était prêt — douloureusement vide, désirant qu'il la remplisse. Quand ses cuisses glissèrent au-delà de ses hanches, il se saisit d'elle et l'attira contre lui, puis il la fit glisser vers le bas.

Il plongea en elle — et la vit fermer les yeux, ses paupières tombant alors qu'elle expulsa un doux et long soupir.

Son corps s'étira, sa douceur accommodant sa dureté. Puis, elle changea de position, pressant plus profondément pour le prendre davantage en elle, pour s'empaler plus complètement.

Pendant un moment arrêté dans le temps, il pensa perdre la tête.

Certainement tout contrôle. Ce ne fut pas le cas, mais il mena un combat cruel contre ses démons, bavant pour l'avoir, pour la ravir complètement. Il les fit reculer, les retint — et se mit en devoir de lui donner... tout ce qu'il pouvait.

Il la souleva, puis l'abaissa ; elle comprit rapidement le rythme, comprit qu'elle pouvait bouger elle-même. Il relâcha sa prise sur ses hanches, la laissa croire qu'elle déterminait l'allure ; en réalité, il ne lâcha jamais, mais compta chaque coup, évalua la profondeur de chaque pénétration facile.

Ce fut une chevauchée magique, intemporelle, sans contrainte. Se servant de chaque parcelle de son expertise, il créa un paysage sensuel pour elle, le faisant surgir des besoins de Patience, de ses sens, de sorte que tout ce qu'elle ressentit, tout ce qu'elle expérimenta fit partie d'un tout stupéfiant. Ses propres besoins, il les retint, tout comme les envies de ses démons, leur permettant uniquement les sensations qu'il éprouvait alors que rigide, gonflé, étourdi par la passion, ivre de son goût s'attardant dans sa bouche, il plongea dans sa chaleur collante et la sentit accueillir avec joie son étreinte.

Il lui offrit cela : la joie sensuelle sans mélange, la joie pure comblée au-delà de toute description ; sous sa tutelle subtile, elle haleta, se balança et suffoqua pendant qu'il la remplissait, l'excitait, la faisait jouir jusqu'à tomber dans l'oubli. Il lui donna tout et plus — il se donna à elle.

Ce ne fut que lorsqu'elle monta sur la dernière marche, la dernière volée menant au ciel qu'il lâcha ses rênes et la suivit dans son sillage. Il avait fait tout ce qu'il pouvait pour l'attacher à lui avec passion. À la fin, pendant qu'ils haletaient et s'accrochaient à la beauté qui les submergeait, les traversait, passait entre eux, il s'abandonna et savoura, jusqu'à la moelle, dans les recoins profonds de son cœur, dans les coins les plus éloignés de son être, le plaisir glorieux qu'il entendait capturer pour l'éternité.

Chapitre 14

Une vibration profonde et régulière réveilla Vane à l'heure sinistre précédant l'aube. Clignant des paupières pour ouvrir grand les yeux, s'efforçant de distinguer les formes dans la faible clarté, il lui fallut une minute entière pour réaliser que la vibration émanait d'un poids chaud au centre de son torse.

Myst était pelotonnée dans le creux juste sous son sternum, contemplant son visage à travers des yeux bleus imperturbables.

Et ronronnant assez pour réveiller les morts.

Une autre source de chaleur, le souple corps féminin blotti sur son flanc, s'enregistra dans son esprit. Vane jeta un coup d'œil en biais. Patience était à l'évidence accoutumée au ronronnement rugissant de Myst — elle resta sourde au monde.

Il ne put retenir le grand sourire qui recourba ses lèvres. C'était aussi bien qu'elle soit endormie. Malgré les hauts et les bas de la veille, particulièrement les bas, c'étaient les hauts, particulièrement le dernier sommet, qui dominaient son esprit.

Revenir droit ici et lui faire passionnément l'amour avait été la bonne tactique à adopter. Magistrale, sans être violente. S'il avait trop insisté, elle se serait butée et aurait résisté – et il n'aurait jamais appris ce qui la retenait de se marier.

De cette manière, il pouvait céder à ses sens, assouvir les envies de ses démons et l'envelopper dans une toile sensuelle qui, peu importe ce qu'elle en pensait, était tout à fait aussi solide que la toile qu'elle avait déjà elle-même tissée, bien qu'involontairement, autour de lui. Et entre les nœuds qu'il nouerait l'un après l'autre dans la toile qui l'attacherait à lui, il allait doucement, avec précaution, gagner sa confiance, sa foi et en fin de compte, elle se confierait à lui.

Ensuite, il ne resterait qu'à tuer son dragon particulier faisant obstruction et à la ravir.

Simple.

Le sourire de Vane se fit ironique. Il s'efforça de contenir son rire cynique. Myst n'apprécia pas son torse tremblant; elle enfonça ses griffes, ce qui coupa son rire net. Il fronça les sourcils en la regardant, mais, étant donné son assistance remarquable de la veille, il ne la poussa pas de son perchoir confortable.

Mis à part tout le reste, *il* se sentait assurément à l'aise – enfoncé dans un lit chaud avec la dame qu'il voulait avoir pour femme dormant doucement à côté de lui. À cet instant précis, il ne voyait rien d'autre qu'il pouvait vouloir davantage au monde; ce paradis était complet. Hier soir, il avait confirmé, au-delà de la moindre trace de doute que Patience l'aimait. Elle l'ignorait peut-être – ou non, mais ne souhaitait pas l'admettre, même à elle-même. Il ne savait pas quelle situation était la bonne, mais il connaissait la vérité.

Une dame comme elle ne pourrait pas s'offrir à lui, le prendre dans son corps et l'aimer comme elle l'avait fait si dans son cœur elle ne ressentait pas véritablement de l'amour pour lui. Il fallait davantage que de la curiosité, plus que du désir ou même de la confiance pour qu'une femme se donne complètement, totalement comme Patience le faisait chaque fois qu'elle s'offrait à lui.

Un tel don de soi désintéressé découlait de l'amour et rien d'autre.

Il avait possédé trop de femmes pour ne pas connaître la différence, pour ne pas la sentir et la chérir comme un cadeau inestimable. Ce que Patience en comprenait, il l'ignorait, mais plus leur relation persistait, plus elle s'y habituerait.

Ce qui lui semblait éminemment désirable.

Vane sourit malicieusement à Myst.

Qui bâilla et sortit ses griffes.

Vane émit un son sifflant. Myst se leva, s'étira, puis descendit d'un air royal et marcha à pas feutrés jusqu'au bout du lit. Marquant une pause, elle se tourna et le dévisagea.

Plissant le front, Vane la fixa en retour –, mais le geste de la chatte soulevait la question « et ensuite ? » dans son esprit.

Son corps réagit instantanément, avec une suggestion totalement prévisible ; il la prit en considération, mais la rejeta. Dorénavant, quant à lui, Patience était à lui – s'était à lui de l'aimer, de la protéger. À ce point, la protéger signifiait préserver les apparences. Il était hors de question qu'une servante entre par hasard et les découvre, membres entremêlés.

Grimaçant, Vane se tourna lentement sur le côté. Patience était allongée dans le duvet, profondément endormie. Il fixa son visage, se délecta de sa beauté, se baigna de sa chaleur ; il leva une main pour repousser une mèche — et s'arrêta. S'il la touchait, elle se réveillerait peut-être — et il serait possiblement incapable de partir. Il réprima un soupir.

Silencieusement, il se glissa hors de son lit.

Avant de descendre pour le petit déjeuner, Vane fit un détour par les appartements de Minnie. Sa surprise de le voir était clairement visible sur son visage. La conjecture emplissait ses yeux. Avant qu'elle puisse s'attaquer à lui, il déclara nonchalamment :

— À mi-chemin, j'ai constaté que mon rendez-vous à Londres était beaucoup moins important que mes obligations ici. Je suis donc revenu.

Minnie ouvrit large ses vieux yeux.

— *Vraiment* ?

— Vraiment.

Vane vit Minnie échanger un regard chargé de sens avec Timms — qui avait à l'évidence était informée de son départ. Sachant d'expérience les tortures qu'elles pouvaient toutes deux lui infliger, il les salua d'un brusque hochement de tête.

— Je vais donc vous laisser à votre petit déjeuner et partir prendre le mien.

Il s'échappa de la chambre de Minnie avant qu'elles puissent reprendre leurs esprits et commencer à le taquiner.

Il entra dans le salon du petit déjeuner, accueilli par les habituels signes d'intelligence et salutations. Les gentlemen de la maisonnée étaient tous présents ; Patience ne l'était pas. Réprimant un petit sourire satisfait, Vane se servit au buffet, puis s'installa à sa place.

Le rayonnement qui l'enveloppait depuis les petites heures du matin ne l'avait pas encore quitté ; il réagit à la variante d'Edmond pour sa dernière scène par un sourire agréable et quelques suggestions parfaitement sérieuses, ce qui amena Edmond, remonté et impatient de servir sa muse exigeante, à partir en hâte.

Vane se tourna vers Gerrard. Qui afficha un grand sourire.

— Je suis décidé à commencer un nouveau dessin aujourd'hui. Il y a une vue précise des ruines, englobant les restes de la maison de l'abbé, que j'ai toujours voulu dessiner. La lumière est rarement bonne dans ce coin, mais elle le sera ce matin.

Il vida sa tasse de café.

— Je devrais esquisser l'essentiel d'ici le déjeuner. Et si nous montions à cheval cet après-midi ?

— Mais certainement.

Vane rendit son grand sourire à Gerrard.

— Vous ne devriez pas passer toutes vos journées à plisser les yeux devant des pierres.

— C'est ce que je lui dis depuis toujours, s'indigna le général en sortant d'un pas lourd et bruyant.

Gerrard repoussa sa chaise et suivit le général. Ce qui laissa Vane contemplant le profil ordinaire d'Edgar.

— Sur quel Bellamy portent vos recherches actuellement ? s'enquit Vane.

Le reniflement dédaigneux de Whitticombe fut clairement audible. Il repoussa son assiette et se leva. Le sourire de Vane s'approfondit. Il haussa les sourcils d'un air encourageant vers Edgar.

Edgar coula un regard prudent vers Whitticombe. Ce ne fut que lorsque son ennemi juré eut passé la porte qu'il se retourna vers Vane.

— En fait, avoua Edgar, j'ai commencé sur le dernier abbé. C'était un membre de la famille, vous savez.

— Vraiment ?

Henry leva la tête.

— Dites donc, cet endroit — l'abbaye, veux-je dire — était-il aussi important que Colby le prétend ?

— Eh bien…

Edgar se fit un devoir de leur brosser un portrait juste de l'abbaye Coldchurch au cours des années précédant immédiatement la dissolution des monastères. Son discours fut agréablement court et succinct ; Vane comme Henry furent sincèrement impressionnés.

— Et maintenant, je ferais mieux de m'y remettre.

Avec un sourire, Edgar quitta la table.

Laissant Vane avec Henry. À l'heure où Patience arriva, dans un bruissement frénétique de jupes, l'humeur détendue de Vane était même allée jusqu'à l'inciter à accorder à Henry son match de revanche si longuement attendu à la table de billard. Heureux comme un roi, Henry se leva et sourit à Patience.

— Je ferais mieux d'aller voir comment va maman.

Avec un hochement de tête pour Vane, il s'en alla d'un pas tranquille.

Complètement épris — adouci par son humeur et cette conséquence inattendue — Vane s'écroula sur sa chaise, la faisant pivoter afin d'avoir une vue dégagée sur Patience pendant qu'elle se servait au buffet, puis venait à table. Elle prit sa place habituelle, séparée de lui par la place vide de

Gerrard. Avec un bref sourire et un regard d'avertissement, elle s'appliqua à manger son petit déjeuner. S'attela au gros monticule qu'elle avait empilé sur son assiette.

Vane l'examina d'un air impassible, puis leva le regard sur son visage.

— Quelque chose a dû avoir un bon effet sur vous : votre appétit s'est certainement amélioré.

La fourchette de Patience s'arrêta en l'air; elle baissa les yeux sur son assiette. Puis, elle haussa les épaules, mangea la portion sur sa fourchette, puis le contempla calmement.

— Je me souviens vaguement d'avoir eu très chaud.

Elle haussa les sourcils, puis revint à son assiette.

— J'étais plutôt fiévreuse, en fait. J'espère que ce n'est pas contagieux.

Elle prit une seconde fourchette pleine, puis lui jeta un regard en biais.

— Avez-vous passé une nuit calme ?

Masters et ses laquais rôdaient autour — à portée de voix — attendant de desservir la table.

— En fait, non.

Vane rencontra le regard de Patience. Le souvenir le fit bouger sur sa chaise.

— Ce qui vous a tenu sous son emprise a dû me déranger aussi : je soupçonne que la maladie pourrait durer quelque temps.

— Comme… c'est dérangeant, réussit à dire Patience.

— En effet, répondit Vane en commençant à se laisser prendre à son propos. Il y a des moments où je me suis senti enveloppé dans une chaleur moite.

Une rougeur se répandit sur les joues de Patience; Vane savait qu'elle s'étendait jusqu'au bout de ses seins.

— Comme c'est étrange, répliqua-t-elle.

Elle prit sa tasse de thé et but.

— Pour moi, c'était comme une chaleur explosant à l'intérieur.

Vane se raidit — encore plus ; il s'efforça de combattre un déplacement évocateur sur sa chaise.

Déposant sa tasse, Patience repoussa son assiette.

— Heureusement, le malaise avait disparu le matin venu.

Ils se levèrent. Patience avança lentement vers la porte ; Vane marchait nonchalamment à côté d'elle.

— Peut-être, murmura-t-il alors qu'ils passaient dans le vestibule, d'une voix basse destinée à elle seule. Cependant, je soupçonne que votre malaise reviendra ce soir.

Elle jeta un regard à moitié méfiant, à moitié scandalisé sur son visage ; il sourit, tout en dents.

— Qui sait ? Vous pourriez découvrir que vous avez encore plus chaud.

Pendant un instant, elle eut l'air… intriguée. Puis, la mordante dignité vint à son secours. Fraîchement, elle inclina la tête.

— Si vous voulez bien m'excuser, je vais aller faire mes gammes.

Marquant une pause au pied de l'escalier, Vane la regarda traverser le vestibule avec grâce — observa ses hanches osciller avec leur habituelle liberté sans retenue ; il ne réussit pas tout à fait à retenir son sourire de loup. Il songeait à la suivre — et à tenter de déranger ses gammes — quand un valet de pied descendit les marches en hâte.

— Monsieur Cynster, monsieur. Madame vous demande. C'est urgent, dit-elle; elle est dans tous ses états. Elle attend dans son boudoir.

Vane se dépouilla de sa fourrure de loup en un clin d'œil. Sur un bref hochement de tête pour le valet de pied, il entreprit de monter. Il grimpa la deuxième volée deux marches à la fois. Plissant le front, il se dirigea rapidement vers les appartements de Minnie.

Dès qu'il ouvrit la porte, il vit que le valet n'avait pas menti; Minnie était blottie dans son fauteuil, ses châles bouffés, l'air tout à fait pareil à un hibou malade — sauf pour les larmes coulant sur ses joues parcheminées. Refermant la porte, Vane traversa promptement la pièce et mit un genou à terre à côté du fauteuil. Il serra une de ses mains fragiles dans la sienne.

— Que s'est-il passé?

Les yeux de Minnie étaient baignés de larmes.

— Mes perles, murmura-t-elle d'une voix tremblotante. Elles ont disparu.

Vane jeta un coup d'œil à Timms, rôdant d'un air protecteur. Le visage sombre, elle hocha la tête.

— Elle les a portées hier soir comme d'habitude. Je les ai moi-même rangées sur la coiffeuse, après que nous — Ada et moi — avons aidé Min à se mettre au lit.

Elle tendit le bras en arrière, soulevant un boîtier en brocart sur la petite table derrière elle.

— On les garde toujours là-dedans, sans les mettre sous clé. Min les porte tous les soirs, de sorte que cela a toujours paru inutile. Et avec le voleur se délectant de brillants bon marché, les perles ne semblaient pas menacées.

Deux longs rangs avec les boucles d'oreille assorties. Vane les avait vues sur Minnie depuis aussi loin qu'il s'en souvenait.

— Les perles étaient mon cadeau de jeune mariée de la part d'Humphrey, renifla Minnie en pleurant. C'était la seule chose — de tous les bijoux qu'il m'a offerts — qui était la plus personnelle.

Vane ravala un juron qui surgissait à ses lèvres, refoula la vague de colère en constatant que l'un des bénéficiaires de la charité de Minnie la remboursait de cette manière. Il lui pressa la main, lui communiquant sa compassion et sa force.

— Si elles étaient ici hier soir, quand ont-elles disparu ?

— Il faut que ce soit ce matin, quand nous sommes allées faire notre promenade de santé. Autrement, il y a toujours eu quelqu'un dans cette pièce.

Timms paraissait assez en colère pour jurer.

— Nous avons l'habitude d'une courte marche autour du jardin clos chaque fois que le temps le permet. Ces matins-là, nous y allons habituellement dès que le brouillard se lève. Ada range ici pendant notre absence, mais elle est toujours partie avant notre retour.

— Aujourd'hui — Minnie dut avaler avant de poursuivre —, dès que nous avons passé la porte, j'ai vu que le boîtier n'était pas à sa place habituelle. Ada laisse toujours tout en place, mais il était de travers.

— Il était vide.

La mâchoire de Timms se contracta.

— Cette fois, le voleur est allé bien trop loin.

— En effet.

Le visage sombre, Vane se leva. Il pressa la main de Minnie, puis la relâcha.

— Nous allons récupérer vos perles, je le jure sur mon honneur. Jusque-là, essayer de ne pas vous inquiéter.

Il jeta un coup d'œil à Timms.

— Pourquoi ne pas descendre dans la salle de musique ? Vous pourrez informer Patience pendant que je mets quelques affaires en marche.

Timms hocha la tête.

— Excellente idée.

Minnie fronça les sourcils.

— Mais c'est l'heure où Patience s'exerce au piano, je ne voudrais pas m'imposer.

— Je pense que vous allez découvrir, dit Vane en aidant Minnie à se lever, que Patience ne vous le pardonnera pas si vous ne vous imposez ***pas*** pendant qu'elle fait ses gammes.

Par-dessus la tête de Minnie, il échange un regard avec Timms.

— Elle ne voudra pas être tenue à l'écart.

Après avoir accompagné Minnie et Timms à la salle de musique et laissé sa marraine entre les mains compétentes de Patience, Vane se réunit avec Masters, madame Henderson, Ada et Grisham, les serviteurs de grade supérieur de Minnie.

Leur choc et leur colère instantanée envers celui qui avait osé blesser leur généreuse maîtresse étaient palpables. Après leur avoir garanti qu'aucun d'eux n'était soupçonné et avoir reçu l'assurance que tout le personnel actuel était entièrement fiable, Vane fit ce qu'il put pour verrouiller la porte de l'écurie.

– Le vol vient tout juste de se produire.

Il regarda Grisham.

– Quelqu'un a-t-il demandé un cheval ou le carrosse ?

– Non, monsieur, fit-il en secouant la tête. Ce groupe n'aime pas beaucoup se promener.

– Cela devrait faciliter les choses. Si quelqu'un demande un transport – ou même un valet pour livrer quelque chose –, retarde-le et envoie une personne m'en informer immédiatement.

– Ouais, monsieur.

Grisham avait le visage sérieux.

– Je vais le faire, bien sûr.

– En ce qui concerne les portes...

Vane pivota pour regarder Masters, madame Henderson et Ada.

– Je ne vois aucune raison de ne pas informer le personnel – le personnel à l'extérieur de la maison également. Nous avons besoin que tout le monde ouvre l'œil. Je veux entendre parler de tout ce qui frappe quelqu'un comme étant étrange, peu importe à quel point c'est sans importance.

Madame Henderson grimaça fugitivement. Vane haussa les sourcils.

– Un événement étrange a-t-il été rapporté récemment ?

– Assez étrange.

Madame Henderson haussa les épaules.

— Cependant, je ne vois pas comment cela pourrait signifier quelque chose ; cela n'a rien à voir avec le voleur ou les perles.

— Néanmoins…

Vane lui fit signe de parler.

— Les servantes en ont rendu compte encore et encore — cela fait de méchantes éraflures sur le plancher.

Vane fronça les sourcils.

— Qu'est-ce qui fait de méchantes éraflures ?

— Du sable !

Madame Henderson poussa un soupir de martyr.

— Nous n'arrivons pas à comprendre où elle va le chercher, mais nous le balayons constamment — juste un filet, chaque jour — dans la chambre de mademoiselle Colby. Surtout éparpillé sur le tapis de l'âtre et autour.

Elle plissa le nez.

— Elle a cet éléphant tapageur en tain — un objet païen elle a confié à l'une des servantes qu'il s'agit d'un souvenir que lui a légué son père. Apparemment, il était missionnaire en Inde. Le sable n'est habituellement pas loin de l'éléphant, mais il ne semble pas en être la source. Les servantes l'ont bien épousseté, mais il semble parfaitement propre. Pourtant, le sable est toujours là, chaque jour.

Les sourcils de Vane s'élevèrent très haut, des visions d'Alice Colby se faufilant dehors au cœur de la nuit pour enterrer des objets chapardés flottant dans son esprit.

— Elle traîne peut-être le sable de l'extérieur ?

Madame Henderson secoua la tête ; son double menton trembla vigoureusement.

— Du sable de mer, j'aurais dû dire : c'est ce qui rend toute cette affaire si étrange. Les grains sont fins et blanc argenté. Et où, près d'ici, pourrait-on trouver du sable semblable ?

Vane plissa le front et laissa s'évanouir ses images fantasques. Il rencontra le regard de madame Henderson.

— Je suis d'accord que l'affaire est étrange, mais, comme vous, je ne vois pas comment cela pourrait signifier quoi que ce soit. Cependant, c'est précisément le genre d'événement étrange que je veux que l'on me rapporte, qu'il soit visiblement lié au voleur ou non.

— D'accord, monsieur.

Masters se redressa.

— Nous allons parler au personnel immédiatement. Vous pouvez compter sur nous.

Sur qui d'autre pouvait-il compter ?

Cette question tournait dans la tête de Vane alors qu'en quittant le boudoir de madame Henderson, il s'aventurait dans le vestibule. À son avis, Patience, Minnie et Timms — et Gerrard — avaient toujours été au-delà de tout soupçon. Il y avait un élément de franchise, de candeur à la fois chez Patience et chez Gerrard qui rappelait à Vane Minnie elle-même ; il savait, au fond de son âme, que ni l'un ni l'autre, ni Timms, étaient impliqués.

Cela laissait une foule d'autres personnes — d'autres dont il était beaucoup moins sûr.

Son premier arrêt fut pour la bibliothèque. La porte s'ouvrit sans bruit, dévoilant une longue pièce, lambrissée d'étagères à livres du sol au plafond sur toute sa longueur. De longues fenêtres ponctuaient les étagères d'un côté, offrant un accès à la terrasse ; une fenêtre était entrouverte en ce moment, laissant entrer une brise légère, réchauffée par le soleil d'automne.

Deux bureaux se faisaient face sur l'autre mur en longueur. L'exemplaire plus grand, plus imposant, plus près de la porte ployait sous les tomes, le reste de sa surface recouvert de papiers qui pouvaient tenir dans un poing serré. La chaise bien rembourrée derrière le bureau était vide. En contraste, le bureau à l'autre bout de la pièce était presque nu. Il était l'hôte d'un unique bouquin, un lourd volume relié en cuir avec des pages dorées sur tranche, actuellement ouvert et soutenu par Edgar qui était assis derrière le bureau. La tête penchée, le front plissé, il ne donnait aucun signe d'avoir entendu Vane entrer.

Vane s'avança sur le sol moquetté. Il était arrivé à la hauteur du fauteuil à oreilles flanquant l'âtre et tournant le dos à la porte avant de réaliser qu'il était occupé. Il s'arrêta.

Calée avec bonheur dans le profond fauteuil, Edith Swithins s'activait à créer de la dentelle. Le regard fixé sur les fils qu'elle entremêlait, elle non plus ne donna aucun signe de l'avoir remarqué. Vane la soupçonnait d'être à moitié sourde, mais de le cacher en lisant sur les lèvres des gens.

Marchant plus bruyamment, il s'approcha d'elle. Elle sentit sa présence seulement lorsqu'il fut proche. Sursautant, elle leva les yeux.

Vane fit apparaître un sourire rassurant.

— Je m'excuse de vous interrompre. Passez-vous souvent vos matinées ici ?

Le reconnaissant, Edith sourit avec décontraction.

— Je suis ici la plupart des matins ; je descends immédiatement après mon petit déjeuner et je m'installe avant que les hommes entrent. C'est calme et… chaud, conclut-elle en indiquant le feu d'un signe de tête.

Edgar leva la tête en entendant des voix ; après un regard myope vers eux, il reprit sa lecture. Vane sourit à Edith.

— Savez-vous où est Colby ?

Edith cligna des paupières.

— Whitticombe ?

Elle pencha la tête pour regarder d'un côté du fauteuil à oreilles.

— Doux Jésus, voyez-vous cela ! Je croyais qu'il était là tout ce temps.

Elle sourit à Vane avec un air de confidence.

— Je m'assois ici afin de ne pas avoir à le regarder. C'est un genre d'homme — elle pinça les lèvres — très *froid*, ne pensez-vous pas ?

Elle hocha la tête, puis secoua sa dentelle.

— Pas du tout le genre de gentleman sur lequel on a besoin de s'attarder.

Le sourire moqueur de Vane était sincère. Edith revint à sa dentelle. Il reprit sa progression vers le fond de la pièce.

Edgar leva la tête quand il s'approcha et il lui offrit un sourire ingénu.

— Je ne sais pas non plus où se trouve Whitticombe.

Il n'y avait rien qui clochait avec l'ouïe d'Edgar. Vane s'arrêta à côté du bureau.

Retirant son binocle, Edgar l'essuya, fixant le bureau de son ennemi juré à l'autre bout de la longue pièce.

— Je dois avouer que je n'accorde pas beaucoup d'attention à Whitticombe dans les meilleures circonstances.

Comme Edith, je pensais qu'il était ici – derrière son bureau.

Replaçant son binocle, Edgar leva les yeux sur Vane à travers ses verres épais.

– Mais alors, je ne vois pas aussi loin, pas avec ces lunettes sur le nez.

Vane haussa les sourcils.

– Vous et Edith avez découvert une méthode ingénieuse pour tenir Whitticombe à distance.

Edgar sourit.

– Cherchiez-vous quelque chose dans la bibliothèque ? Je suis sûr de pouvoir vous aider.

– Non, non.

Vane déploya son sourire de séducteur – celui destiné à dissiper les soupçons.

– Je me promenais sans but, tout simplement. Je vais vous laisser reprendre votre travail.

Sur ces mots, il revint sur ses pas. Depuis la porte de la bibliothèque, il regarda en arrière. Edgar s'était retiré dans son volume. Edith Swithins n'était pas visible du tout. La paix régnait dans la bibliothèque. En sortant, Vane fronça les sourcils.

Sans bases logiques, il était le premier à admettre que son instinct lui disait que le voleur était une femme. Le sac à ouvrage d'une grande capacité d'Edith Swithins, qui l'accompagnait partout, exerçait une fascination presque irrésistible. Cependant, il se doutait que le séparer d'elle assez longtemps pour le fouiller dépassait ses capacités actuelles. D'ailleurs, si elle se trouvait dans la bibliothèque avant même que Whitticombe quitte le salon du petit déjeuner, il semblait peu probable qu'elle put avoir dévalisé la chambre de Minnie pendant la courte période où elle avait été vide.

Peu probable –, mais pas impossible.

Alors qu'il se dirigeait vers la porte latérale, Vane se débattit avec une autre possibilité encore plus compliquée. Le voleur de Minnie – celui qui avait dérobé les perles – pouvait ne pas être la même personne que celle qui avait perpétré les vols précédents. Quelqu'un avait pu voir l'occasion de se servir du voleur et « collectionneur invétéré » comme bouc émissaire pour un crime plus sérieux.

S'approchant de la porte secondaire, Vane grimaça – et espéra que cette hypothèse, qui bien qu'elle ne soit pas hors de sa portée, le fut au moins pour la majorité des occupants du manoir Bellamy. Les affaires de la maisonnée de Minnie étaient déjà assez brouillées.

Il avait eu l'intention d'aller se promener dans les ruines, pour voir s'il pouvait localiser Edmond, Gerrard, Henry et le général – selon Masters, ils étaient tous dehors. Les voix provenant du salon du fond l'arrêtèrent.

– Je ne vois pas *pourquoi* nous ne pouvons pas allez encore une fois en carrosse à Northampton.

La plainte dans la voix d'Angela était marquée.

– Il n'y a rien à faire *ici*.

– Ma chérie, tu dois vraiment cultiver un peu de gratitude.

Madame Chadwick semblait lasse.

– Minnie a été extrêmement gentille de nous accueillir.

– Oh, évidemment que je suis *reconnaissante*.

Le ton d'Angela donnait l'impression qu'il s'agissait d'une maladie.

— Mais c'est tellement *ennuyeux* d'être coincée ici avec rien d'autre à voir que de vieilles pierres.

Gardant le silence dans le couloir, Vane pouvait facilement imaginer la moue d'Angela.

— Remarquez, continua-t-elle, je me disais que l'arrivée de monsieur Cynster changerait les choses. Vous avez dit que c'était un séducteur, après tout.

— *Angela* ! Tu as seize ans, monsieur Cynster n'est pas du tout quelqu'un pour toi !

— Eh bien, je le *sais* ; il est si vieux, pour commencer ! Et beaucoup trop sérieux. J'ai bien pensé qu'Edmond pourrait être mon ami, mais ces jours-ci il marmonne sans cesse des vers. La plupart du temps, ils n'ont même pas de sens ! Et en ce qui concerne Gerrard…

Réconforté par le fait qu'il n'aurait plus à repousser les avances juvéniles d'Angela, Vane recula de quelques pas et grimpa l'escalier de service.

D'après tout ce qu'il avait glané, madame Chadwick gardait Angela près d'elle, sans aucun doute une sage décision. Comme Angela ne se présentait plus à la table du petit déjeuner, il se doutait que cela signifiait qu'elle et madame Chadwick passaient toute la matinée ensemble. Aucune, à son avis, n'était une bonne candidate pour le rôle de voleuse, soit pour les perles de Minnie, soit plus en général.

Ce qui ne laissait qu'un seul membre féminin de la maisonnée dont il fallait encore tenir compte. Avançant lentement dans l'un des couloirs interminables du manoir, Vane se fit la remarque qu'il ignorait totalement comment Alice Colby passait ses journées.

Le soir de son arrivée, Alice lui avait dit que sa chambre se situait un étage sous celle d'Agatha Chadwick. Vane partit d'un bout de l'aile et frappa à chaque porte. S'il ne recevait pas de réponse, il ouvrait la porte et regardait à l'intérieur. La plupart des chambres étaient inoccupées, les meubles recouverts de housses.

À mi-chemin dans l'aile, cependant, juste au moment où il était sur le point d'ouvrir en grand une nouvelle porte, la poignée lui fut arrachée de sa poigne lâche – et il se retrouva la cible du regard noir d'Alice.

Un regard aux yeux noirs *malveillants*.

– Que croyez-vous faire au juste, monsieur? À déranger des gens vivant dans la crainte de Dieu pendant leurs prières! C'est scandaleux! C'est déjà assez triste que ce mausolée qui sert de maison n'ait pas de chapelle – pas même un sanctuaire décent –, mais je dois supporter en plus des interruptions de gens tels que *vous*.

Laissant la tirade couler sur lui comme l'eau sur le dos d'un canard, Vane scruta la chambre, conscient d'une curiosité rivalisant avec celle de Patience. Les rideaux étaient fermement tirés. Il n'y avait pas de feu dans l'âtre, pas même des cendres. Il y régnait un froid palpable, comme si la pièce n'était jamais réchauffée, jamais aérée. Le peu de meubles qu'il pouvait voir était ordinaire et utilitaire, sans aucun des beaux objets généralement retrouvés éparpillés partout dans le manoir. Comme si Alice Colby avait pris possession de la chambre et y avait imprimé son caractère.

Les derniers objets qu'il remarqua furent un prie-Dieu* avec un coussin bien usé, une Bible tout abîmée ouverte sur la tablette et l'éléphant du récit de madame Henderson. Ce dernier était posé à côté du foyer, ses flancs de métal voyants luisant dans la lumière perçant par la porte ouverte.

---

* En français dans le texte original.

— Qu'avez-vous à dire pour votre défense, c'est ce que j'aimerais savoir. Quel est votre prétexte pour interrompre mes prières ?

Alice croisa les bras sur sa maigre poitrine et fixa sur lui des yeux comme des poignards noirs.

Vane reporta son regard sur son visage. Son expression se durcit.

— Je m'excuse de déranger vos dévotions, mais c'était nécessaire. Les perles de Minnie ont été volées. Je voulais savoir si vous aviez entendu quelque chose ou vu qui que ce soit d'étrange dans les alentours.

Alice cligna des paupières. Son expression ne se modifia pas d'un iota.

— Non, espèce d'homme stupide. Comment aurais-je pu voir quelqu'un ? Je *priais* !

Sur ce, elle recula et referma la porte.

Vane fixa les panneaux — et combattit l'envie de les démolir. Sa colère — une véritable colère de Cynster — n'était jamais une chose sage à provoquer. En cet instant, elle était déjà aux aguets, une bête affamée cherchant le sang. Quelqu'un avait blessé Minnie ; dans une partie de son cerveau, pas tout à fait insignifiante, cela équivalait à un acte d'agression contre lui. Lui — le guerrier dissimulé sous le vernis d'un élégant — réagit. Agit. De façon appropriée.

Inspirant profondément, Vane s'obligea à se détourner de la porte d'Alice. Il n'y avait pas de preuve pour suggérer son implication, pas plus que pour quelqu'un autre.

Il revint vers la porte latérale. Il ne tomberait peut-être pas instantanément sur le coupable en vérifiant les allées et venues des gens, mais, en ce moment, c'était tout ce qu'il pouvait faire. Ayant localisé toutes les femmes, il partit à la recherche des autres hommes.

Luttant avec sa conviction instinctive que le voleur « collectionneur » était une femme, il y avait l'espoir à moitié formé que toute cette affaire puisse s'avérer un simple écart de conduite – comme Edgar, Henry ou Edmond étant à court d'argent et assez idiots, et assez faibles, pour être tentés par l'impensable. En marchant sur la pelouse, Vane laissa mourir cette idée. Les perles de Minnie valaient une petite fortune.

Leur petit voleur, en supposant qu'il s'agisse d'une seule et même personne, venait de franchir le pas vers le vol qualifié.

Les ruines semblaient désertes. Depuis le mur du cloître, Vane aperçut le chevalet de Gerrard, installé de l'autre côté des ruines, face à la maison de l'abbé, une partie des bois dans le dos de Gerrard. Le papier épinglé sur le chevalet ondulait sous la brise. La boîte de crayons de Gerrard était posée sous le chevalet ; son tabouret de peintre était installé derrière.

Tout cela, Vane pouvait le voir. Gerrard, pas du tout. Supposant qu'il avait pris un moment pour s'étirer les jambes et de se promener sans but, Vane se détourna. Inutile de demander à Gerrard s'il avait vu quelque chose : il avait quitté la table du petit déjeuner avec un objectif en tête et avait sans aucun doute été aveugle à tout le reste.

Revenant dans le cloître, Vane entendit, faible comme la brise, un marmonnement intense. Il découvrit Edmond dans la nef, assis près des fonds baptismaux en ruines, créant à voix haute.

Quand la situation lui eut été expliquée, Edmond cilla.

— Je n'ai vu personne. Mais alors, je ne regardais pas. Tout un régiment de la cavalerie aurait pu charger devant moi et je ne l'aurais pas remarqué.

Il fronça les sourcils et baissa les yeux; Vane attendit, espérant une aide, si petite soit-elle.

Edmond leva la tête, les sourcils toujours réunis.

— Je n'arrive pas à décider si cette scène devrait être jouée dans la nef ou dans le cloître. Qu'en pensez-vous?

Avec une retenue remarquable, Vane ne le lui dit pas. Après une pause lourde de sens, il secoua la tête et revint vers la maison.

Il contournait les pierres écroulées quand il s'entendit appeler par son nom. Pivotant, il vit Henry et le général sortant des bois à grands pas. Alors qu'ils s'approchaient, il demanda :

— Vous êtes allés vous promener ensemble, si je comprends bien?

— Non, non, lui assura Henry. Je suis tombé par hasard sur le général dans la forêt. Je suis allé faire une randonnée jusqu'à la route principale; il y a une piste qui revient ici par les bois.

Vane le savait. Il hocha la tête et contempla le général, soufflant légèrement alors qu'il s'appuyait sur sa canne.

— Je sors toujours en passant par les ruines; une bonne promenade entraînante sur un terrain inégal. Bon pour le cœur, vous savez.

Les yeux du général se fixèrent sur le visage de Vane.

— Mais pourquoi voulez-vous le savoir, hein? Vous n'êtes pas vous-même amateur de promenades, je le sais.

— Les perles de Minnie ont disparu. J'allais vous demander si vous aviez vu quelqu'un agissant étrangement pendant vos promenades.

— Doux Jésus ; les perles de Minnie !

Henry semblait abasourdi.

— Elle doit être affreusement bouleversée.

Vane hocha la tête ; le général grogna.

— Je n'ai vu personne jusqu'à ce que je tombe sur Henry, ici.

Ce qui, Vane remarqua, ne répondait pas vraiment à sa question. Il accorda son pas à celui du général. Henry, sur son autre flanc, revint à sa volubilité habituelle, couvrant d'exclamations futiles la distance qui les séparait de la maison.

Fermant les oreilles au bavardage d'Henry, Vane passa mentalement la maisonnée en revue. Il avait localisé tout le monde à l'exception de Whitticombe, qui était sans aucun doute de retour dans la bibliothèque, absorbé par ses précieux volumes. Vane supposa qu'il ferait mieux de vérifier, juste pour en être certain.

Il fut sauvé de cette nécessité par le gong du déjeuner — Masters le frappa alors qu'ils rejoignaient le vestibule. Le général et Henry se dirigèrent vers la salle à manger. Vane resta en arrière. En moins d'une minute, la porte de la bibliothèque s'ouvrit. Whitticombe menait la marche, nez en l'air, son aura de supériorité ineffable claquant comme une cape au vent autour de lui. Dans son sillage, Edgar aidait Edith Swithins à sortir de la bibliothèque avec son sac de dentelles.

L'expression impassible, Vane attendit qu'Edgar et Edith le dépassent, puis il entra sur leurs talons.

Chapitre 15

Minnie ne se montra pas à la table du déjeuner ; Patience et Timms étaient également absentes. Gerrard ne se présenta pas non plus, mais, se souvenant des commentaires de Patience sur sa capacité à tout oublier pendant qu'il saisissait une vue en particulier, Vane ne s'inquiéta pas de lui.

Minnie, c'était une autre histoire.

Le visage sombre, Vane mangea tout juste un minimum, puis il grimpa l'escalier. Il détestait affronter les larmes féminines. Elles le laissaient toujours avec une impression d'impuissance – une émotion que son moi guerrier n'appréciait pas.

Il atteignit la chambre de Minnie ; Timms le laissa entrer, l'expression distraite. Elles avaient tiré le fauteuil de Minnie près de la fenêtre. Un plateau-déjeuner était posé en équilibre sur les larges bras. Assise sur la banquette sous la fenêtre devant Minnie, Patience l'incitait gentiment à manger.

Patience leva la tête quand Vane s'approcha ; leurs yeux se croisèrent brièvement. Vane s'arrêta à côté du fauteuil de Minnie.

Minnie leva la tête, une expression d'espoir à vous briser le cœur dans les yeux.

Respirant la quiétude, Vane s'accroupit. Le visage au niveau de celui de Minnie, il décrivit ses actions dans les grandes lignes, ce qu'il avait appris — et un peu de ce qu'il pensait.

Timms hocha la tête. Minnie essaya de sourire avec confiance. Vane posa un bras autour d'elle et l'étreignit.

— Nous allons les trouver, n'ayez crainte.

Le regard de Patience se fixa sur son visage.

— Gerrard ?

Vane entendit l'ensemble de sa question dans son ton.

— Il est dehors à dessiner depuis le petit déjeuner — apparemment, il y a une perspective difficile rarement bien disposée pour le dessin.

Il soutint son regard.

Tout le monde l'a vu partir — et il n'est pas encore rentré.

Le soulagement passa comme un éclair dans ses yeux ; son rapide sourire lui fut entièrement dédié. Elle revint immédiatement à sa tâche de nourrir Minnie.

— Allez, vous devez garder vos forces.

Adroitement, elle réussit à faire accepter à Minnie un morceau de poulet.

— En effet, intervint Timms depuis les environs de la banquette. Vous avez entendu votre filleul. Nous allons trouver vos perles. Inutile de s'étioler comme une fleur entre-temps.

— Je suppose que non.

Jouant avec la frange de son châle du dessus, Minnie jeta à Vane un regard frappé de malheur et effroyablement fragile.

— J'avais légué mes perles à Patience par testament ; j'ai toujours voulu qu'elle les ait.

— Et je les aurai un jour, pour me rappeler tout ceci et à quel point vous pouvez être têtue lorsqu'il s'agit de manger.

Résolument, Patience lui présenta un morceau de panais.

— Vous êtes pire que Gerrard ne l'était et Dieu sait qu'il était déjà assez compliqué.

Se fabriquant un petit rire, Vane se pencha et embrassa la joue extrêmement fine de Minnie.

— Arrêtez de vous en faire et faites ce que l'on vous dit. Nous allons trouver les perles ; sûrement, vous ne doutez pas de moi ? Si oui, je dois faiblir.

Cette dernière remarque lui valut un pauvre sourire. Soulagé même par cela, Vane distribua un sourire de canaille sûr de lui à tout le monde et partit.

Il partit à la recherche de Duggan.

Son homme de main était sorti pour faire faire de l'exercice à ses chevaux ; Vane passa le temps dans les écuries à bavarder avec Grisham et les palefreniers. Une fois Duggan revenu et les bêtes installées dans les stalles, Vane sortit pour aller jeter un coup d'œil sur un poulain dans un champ à proximité — et il se fit accompagner par Duggan.

Duggan avait été un jeune palefrenier à l'emploi de son père avant d'être promu au poste de valet personnel du fils aîné de la maison. C'était un serviteur expérimenté et fiable. Vane avait confiance en ses capacités et se fiait à ses opinions sur les autres serviteurs, implicitement. Duggan avait visité le manoir Bellamy plusieurs fois au fil des ans, autant dans l'entourage des parents de Vane qu'avec lui.

Et il connaissait bien Duggan.

— Qui est-ce, cette fois ? demanda Vane une fois qu'ils furent à bonne distance des écuries.

Duggan tenta de prendre un air d'innocence. Lorsque Vane ne montra aucun signe d'y croire, il sourit malicieusement.

— Une jolie petite domestique. Ellen.

— Une domestique ? Cela pourrait être utile.

Vane s'arrêta à côté de la clôture du champ du poulain et s'appuya sur la rampe.

— As-tu entendu parler du dernier vol ?

Duggan hocha la tête.

— Masters nous en a informés avant le déjeuner ; il a même fait venir le garde-chasse et ses gars.

— Quelle est ton évaluation des serviteurs ? Des suspects probables parmi eux ?

Duggan réfléchit, puis lentement, catégoriquement, secoua la tête.

— C'est un bon groupe, aucun chapardeur, personne en difficulté financière. Madame est généreuse et bonne, personne ne voudrait la blesser.

Vane hocha la tête, ne s'étonnant pas de voir la confiance de Masters trouver un écho.

— Masters, madame Henderson et Ada surveilleront les mouvements dans la maison ; Grisham s'occupera des écuries. Je veux que tu passes autant de temps que possible à surveiller les terres, depuis le périmètre de la maison jusqu'à la distance la plus éloignée qu'un homme peut parcourir à pied.

Duggan plissa les paupières.

— Vous pensez que quelqu'un pourrait essayer de passer les perles à un complice ?

— Cela ou bien les enterrer. Si tu remarques des changements dans le sol, mène une enquête. Le jardinier est vieux : il ne plantera rien nulle part à ce temps-ci de l'année.

— C'est bien vrai.

— Et je veux que tu écoutes ta domestique : encourage-la à parler autant qu'elle le souhaite.

— Mon Dieu ! Duggan grimaça. Vous ignorez ce que vous me demandez.

— Et pourtant, insista Vane. Alors que Masters et madame Henderson rapporteront tout fait étrange, les jeunes servantes, ne voulant pas avoir l'air stupide ou attirer l'attention sur quelque chose sur quoi elles sont tombées en faisant une chose qu'elles ne devraient pas, pourraient ne pas mentionner un incident bizarre pour commencer.

— Oui, bien.

Duggan tira sur son lobe d'oreille.

— Je suppose, voyant comme il s'agit d'une vieille dame et qu'elle a toujours été bonne, que je peux faire le sacrifice.

— En effet, répondit sèchement Vane. Et si tu entends quoi que ce soit, viens me trouver sans tarder.

Laissant Duggan réfléchir à la façon d'organiser ses fouilles, Vane revint à grandes enjambées vers la maison. Le soleil avait depuis longtemps quitté son zénith. Entrant dans le vestibule principal, il rencontra Masters en route vers la salle à manger avec l'argenterie.

— Monsieur Debbington est-il dans les environs ?

— Je ne l'ai pas vu depuis le petit déjeuner, monsieur. Toutefois, il a pu rentrer et être quelque part ici.

Vane plissa le front.

– Il n'est pas allé à la cuisine en quête de nourriture ?

– Non, monsieur.

Le pli sur son front se creusa.

– Où se trouve sa chambre ?

– Troisième étage, aile ouest : l'avant-dernière.

Vane grimpa les marches deux à la fois, puis s'élança dans la galerie qui ouvrait sur l'aile ouest. Pendant qu'il montait au troisième étage, il entendit des pas descendre. Il leva la tête, s'attendant à moitié à voir Gerrard. Au lieu, il vit Whitticombe.

Whitticombe ne le vit pas jusqu'à ce qu'il tourne dans la même volée de marches ; il hésita un tout petit peu, puis poursuivit sa descente déterminée. Il inclina la tête.

– Cynster.

Vane lui rendit son salut.

– Avez-vous vu Gerrard ?

Les sourcils de Whitticombe se haussèrent avec dédain.

– La chambre de Debbington est au bout de l'aile, la mienne est près de l'entrée de l'escalier. Je ne l'ai pas vu en haut.

Sur un autre bref hochement de tête, Whitticombe continua en bas des marches. Fronçant les sourcils, Vane poursuivit sa montée.

Il sut qu'il avait la bonne chambre dès l'instant où il ouvrit la porte ; les odeurs combinées du papier, de l'encre, du fusain et de la peinture suffisaient à le confirmer. La pièce était étonnamment bien rangée ; Vane soupçonna avec cynisme l'influence de Patience. Une grande table en bois avait été poussée contre les larges fenêtres ; sa surface, le seul endroit encombré dans la chambre, était couverte de piles d'esquisses éparpillées, de cahiers à dessin et d'un assortiment de plumes, de becs de plume et de crayons nichés parmi un tas de copeaux de bois provenant de la taille des crayons.

Négligemment, Vane marcha jusqu'au bureau et baissa les yeux dessus.

La lumière entrant à flots en bas par la fenêtre se reflétait sur la surface de la table. Vane vit que les copeaux de crayon avaient récemment été déplacés, puis rassemblés. Il y avait des restes de copeaux entre les feuilles des dessins éparpillés et entre les pages des cahiers à dessin.

Comme si quelqu'un avait feuilleté le tout, puis remarqué les copeaux dérangés et les avait de nouveau ordonnés.

Vane fronça les sourcils, puis chassa cette idée. Probablement juste une domestique curieuse — et amoureuse.

Il regarda dehors par les fenêtres. L'aile ouest était du côté de la maison opposé aux ruines. Cependant, le soleil descendait avec régularité; la rare lumière du matin de Gerrard avait depuis longtemps disparu.

Un picotement, une trace de pressentiment dérangeant glissèrent le long de l'échine de Vane. Se rappelant distinctement le chevalet et le tabouret de Gerrard, mais sans Gerrard, Vane jura.

Il descendit les marches beaucoup plus rapidement qu'il les avait grimpées.

L'expression sombre, il traversa le vestibule, longea le couloir et sortit par la porte latérale. Et s'arrêta net.

Il mit un instant de trop à effacer l'expression sombre sur son visage. Patience, avançant lentement en compagnie de son harem, avait immédiatement centré son attention sur lui ; l'inquiétude avait déjà brillé dans ses yeux. Vane jura en son for intérieur. Reprenant trop tard sa façade coutumière, il marcha paresseusement à sa rencontre.

Et au-devant de son harem.

Penwick était là. Vane serra les dents et répondit au signe de tête de Penwick avec une arrogance distante.

— Minnie se repose, l'informa Patience.

Ses yeux scrutèrent les siens.

— J'avais pensé prendre un peu d'air.

— Une bonne idée, déclara Penwick. Il n'y a rien comme un tour des jardins pour chasser les migraines.

Chacun l'ignora et regarda Vane.

— Je pensais que vous alliez chevaucher avec le jeune Gerrard, dit Henry.

Vane résista à l'envie de lui donner un coup de pied.

— C'est le cas, répondit-il. J'allais justement le faire revenir.

Edmond fronça les sourcils.

— C'est bizarre.

Il reporta son regard en arrière sur les ruines.

— Je peux imaginer qu'il rate le déjeuner, mais ce n'est pas facile d'ignorer les tiraillements de son estomac aussi longtemps. Et la lumière a presque disparu. Il ne peut pas être encore en train de dessiner.

— Nous ferions peut-être mieux d'organiser une battue, suggéra Henry. Il a dû changer de place par rapport à ce matin.

— Il pourrait être n'importe où, intervint Edmond.

Vane serra les dents.

— Je sais où il était ; je vais aller le chercher.

— Je vous accompagne.

Les paroles de Patience étaient une déclaration. Un regard sur son visage indiqua à Vane qu'argumenter serait un effort gaspillé. Il hocha brièvement la tête.

— Permettez-moi, ma chère mademoiselle Debbington.

Onctueusement, Penwick lui offrit le bras.

— Naturellement, nous allons tous venir, pour nous assurer que votre esprit est tranquillisé. Je dirai un ou deux mots à Debbington, soyez sans crainte. Nous ne pouvons pas le laisser vous bouleverser en faisant si peu attention.

Le regard que lui décocha Patience était cinglant.

— Vous ne ferez rien de tel. J'en ai plus qu'assez de vos tentatives d'ingérences, monsieur !

— En effet.

Saisissant l'occasion, Vane s'empara de la main de Patience. Avançant d'un pas, repoussant Penwick, il l'attira de l'autre côté. Et il partit vers les ruines à toute vitesse.

Patience se hâta à côté de lui. Les yeux scrutant les ruines, elle n'émit aucune protestation à devoir courir à moitié pour le suivre.

Vane baissa un regard vers elle.

— Il était installé à l'extrémité la plus éloignée, au-delà du cloître, face à la maison de l'abbé.

Patience hocha la tête.

— Il a pu oublier le déjeuner, mais il n'aurait pas oublié un rendez-vous à chevaucher avec vous.

Jetant un coup d'œil en arrière, Vane vit Edmond et Henry, se lançant dans l'excitation d'une recherche, se détourner, Edmond se dirigeant vers la veille église, Henry du côté opposé au cloître. Eux, au moins, se montraient utiles ; Penwick, d'un autre côté, suivait avec acharnement dans leur sillage.

— Peu importe, dit Vane alors qu'ils atteignaient le premier mur écroulé, il aurait dû être rentré à l'heure qu'il est ; la lumière n'est plus et les angles aurait changé une fois midi sonné.

Il aida Patience à passer par-dessus des pierres inégales, puis ils se dépêchèrent du côté ouest du cloître. Henry venait juste de rejoindre le côté est. Dans la nef, ils pouvaient entendre Edmond, sa voix de poète résonnant, appelant Gerrard. Aucune réponse ne leur parvint.

Rejoignant le mur le plus éloigné, Vane aida Patience à grimper sur la rangée de pierres éboulées de laquelle elle était tombée tant de nuits auparavant. Puis, il se tourna et regarda vers la maison de l'abbé.

La scène qu'il embrassa était telle qu'il l'avait vue plus tôt. Précisément comme il l'avait vue plus tôt.

Vane jura. Il ne prit pas la peine de s'excuser. Sautant en bas, il souleva Patience pour la déposer sur les vieux insignes. Sa main serrée dans la sienne, il se dirigea vers le chevalet de Gerrard.

Il leur fallut dix minutes pendant lesquelles ils avancèrent avec difficulté — traversant essentiellement l'ensemble du complexe de l'abbaye — pour atteindre l'étendue herbeuse sur laquelle Gerrard s'était positionné. La pelouse s'élevait doucement en s'éloignant de la maison de l'abbé, puis plongeait vers l'orée broussailleuse de la forêt. Gerrard s'était installé sous le point le plus haut de l'élévation, bien en avant de l'inclinaison brusque, à quelques mètres devant le portail en arche tombant en ruine, tout ce qui restait du mur qui avait encerclé le jardin de l'abbaye.

Étreignant la main de Patience, sentant ses doigts serrer les siens, Vane marcha à grands pas droit sur le chevalet. La page voletant dessus était vierge.

Patience blêmit.

— Il n'a jamais commencé.

La mâchoire de Vane se contracta.

— Il a bien commencé.

Il donna une chiquenaude sur les restes abîmés d'une feuille de papier prise sous les épingles.

— Elle a été déchirée.

Resserrant sa prise sur la main de Patience, il regarda vers les arbres.

— Gerrard !

Son rugissement s'estompa dans le silence.

Un bruit de bottes traînant sur le sol annonça l'apparition d'Henry. Il grimpa tant bien que mal par-dessus le mur écroulé, puis, se redressant, il fixa le chevalet déserté. Ensuite, il regarda Patience et Vane.

— Pas de signe de lui là d'où je viens.

Edmond surgit au détour de l'autre extrémité des ruines. Comme Henry, il fixa le chevalet, puis gesticula derrière lui.

— Il n'est nulle part autour de l'église.

Le visage de marbre, Vane leur désigna les arbres de la main.

— Commencez par ce bout.

Ils hochèrent la tête et s'en allèrent. Vane baissa le regard sur Patience.

— Préféreriez-vous patienter ici ?

Elle secoua la tête.

— Non, je vous accompagne.

Il ne s'était attendu à rien de moins. La main de Patience enfermée dans la sienne, ils retracèrent leurs pas sur la pelouse et la contournèrent pour entrer dans la forêt.

Penwick, sifflant et soufflant, les rattrapa loin dans les bois. Appelant le nom de Gerrard, ils quadrillaient la région ; après avoir fait une pause pour reprendre son souffle, Penwick manifesta sa désapprobation.

— Si vous m'aviez permis de parler avant à Debbington — lui faire prendre bonne conscience de ses responsabilités — toutes ces bêtises, je m'en flatte, ne se seraient pas produites.

Repoussant une mèche de cheveux sur son front, Patience le dévisagea.

— Quelles bêtises ?

— C'est évident.

Penwick avait repris son souffle et son attitude coutumière.

— Le garçon a un rendez-vous avec une servante volage. Il dit qu'il dessine et il se glisse dans les bois.

Patience en resta bouche bée.

— Est-ce ce que vous faisiez à son âge ? s'enquit Vane, poussant en avant sans s'arrêter.

— Eh bien…

Penwick tira pour replacer son gilet, puis surprit le regard de Patience.

— Non ! Bien sûr que non. De toute façon, nous ne parlons pas de moi, mais du jeune Debbington. Un agitateur en devenir, je n'en ai pas le moindre doute. Élevé par des femmes. Dorloté. Qui peut se déchaîner sans un bon guide masculin. À quoi d'autre pouvez-vous vous attendre ?

Patience se raidit.

— Penwick.

Vane attira le regard de Penwick.

— Soit vous rentrez chez vous, soit vous vous taisez. Sinon, je prendrai grand plaisir à vous enfoncer les dents dans la gorge.

L'acier inflexible teintant sa voix indiquait nettement qu'il disait la vérité.

Penwick pâlit, puis rougit et se redressa.

— Si mon assistance n'est pas la bienvenue, naturellement, je vais partir.

— Faites donc, affirma Vane d'un signe de tête.

Penwick regarda Patience ; elle le dévisagea froidement en retour. Avec l'air d'un martyr rejeté, Penwick renifla et tourna les talons.

Quand les craquements de ses pas qui s'éloignaient moururent, Patience soupira.

— Merci.

— Tout le plaisir était pour moi.

Vane grogna. Il fit jouer les muscles de ses épaules.

— En fait, j'espérais qu'il reste et continue à parler.

Le gloussement de Patience lui picota la gorge.

Après dix minutes supplémentaires de vaines recherches, ils virent Edmond et Henry à travers les arbres. Patience s'arrêta et poussa un soupir inquiet.

— Vous ne pensez pas, dit-elle en se tournant vers Vane alors qu'il s'arrêtait à côté d'elle, que Gerrard pourrait bien en fait être parti avec une servante ?

Vane secoua la tête.

— Faites-moi confiance.

Il regarda autour de lui — la région boisée était étroite ; ils n'avaient pas omis une partie du territoire. Il baissa les yeux vers Patience.

— Gerrard ne s'intéresse pas encore aux femmes à ce point.

Henry et Edmond les rejoignirent. Mains sur les hanches, Vane jeta un dernier coup d'œil autour de lui.

— Retournons aux ruines.

Ils se tenaient sur la pelouse devant le chevalet de Gerrard et survolaient du regard l'immense tas de pierres renversées et de rochers friables. Le soleil peignait le ciel en rouge ; ils ne leur restaient qu'une heure avant que la lumière déclinante ne rende la recherche dangereuse.

Henry exprima leurs pensées en paroles.

— C'est relativement à découvert ici. Ce n'est pas comme s'il y avait *beaucoup* d'endroits où quelqu'un pourrait se tapir sans se faire voir.

— Il y a des trous, par contre, dit Patience. Je suis tombée dans l'un d'eux, vous vous rappelez ?

Vane la regarda, puis il reporta son regard sur le chevalet — sur l'élévation de la pelouse derrière lui. Pivotant brusquement, il marcha à grandes enjambées jusqu'au bord et regarda en bas. Sa mâchoire se contracta.

— Il est ici.

Patience se dépêcha de rejoindre Vane ; serrant son bras, en équilibre sur le bord, elle baissa la tête.

Gerrard gisait affalé sur le dos, les bras rejetés en arrière, les yeux fermés. La déclivité, qui semblait assez douce à partir de tout autre point de vue, était très raide, plongeant verticalement sur deux mètres dans une crevasse étroite, dissimulée par les talus en pente de chaque côté.

Le visage de Patience se vida de son sang.

— Oh, non !

Vane sauta en bas, atterrissant aux pieds de Gerrard. Patience se laissa immédiatement tomber sur le bord, rassemblant ses jupes autour de ses jambes. Vane entendit le bruissement. Il regarda autour de lui. Ses yeux lancèrent des éclairs d'avertissement ; Patience inclina le menton avec obstination et s'avança plus près du bord en se tortillant.

Jurant à voix basse, Vane se tourna vers elle, la saisit à la taille et la souleva pour la déposer au sol debout à côté de Gerrard.

Dès que Vane la lâcha, Patience se mit à genoux à côté de son frère.

— Gerrard ?

Un poing froid lui enserrait le cœur. Il était mortellement pâle, ses cils foncés formant des croissants sur ses joues crayeuses. D'une main tremblante, elle repoussa une mèche de cheveux, puis encadra son visage de ses mains.

— Doucement, la prévint Vane. N'essayez pas de le bouger tout de suite.

Il vérifia le pouls de Gerrard.

— Son pouls est fort. Il n'est probablement pas gravement blessé, mais nous devrions vérifier s'il a des os brisés avant de le déplacer.

Soulagée sur un point, elle s'assit un peu en arrière et observa Vane tâter le torse, les bras et les jambes de Gerrard. Atteignant les pieds de celui-ci, il fronça les sourcils.

— Rien ne semble cassé.

Patience fronça elle aussi les sourcils, puis tendit les bras vers la tête de Gerrard, écartant les mains, faisant glisser ses doigts dans son épaisse chevelure pour examiner son crâne. Ses doigts scrutateurs trouvèrent une rugosité, une profonde écorchure, puis sa paume devint collante. Patience se figea — et leva les yeux vers Vane. Sa respiration se fit tremblante, puis, reposant délicatement la tête de Gerrard au sol, elle retira sa main et examina sa paume. Les traces de rouge dessus. Perdant toute expression, elle leva la main pour la montrer aux autres.

— On l'a…

L'expression de Vane devint dure comme la pierre.

— Frappé.

Gerrard reprit ses esprits avec un gémissement de douleur.

Patience vola immédiatement à ses côtés. Assise au bord de son lit, elle essora un linge dans une cuvette perchée sur la table de nuit. Les épaules appuyées contre le mur au-delà du lit, Vane l'observait baigner le front et le visage de Gerrard.

Gerrard gémit encore, mais s'abandonna à ses soins. D'une impassibilité sévère, Vane attendit. Une fois qu'ils avaient eu établi qu'on avait assommé Gerrard, ils l'avaient transporté à la maison. Edmond et Henry avaient emballé les effets de Gerrard et les avaient suivis. Patience, affolée et s'efforçant de se maîtriser, était restée à côté de son frère.

Elle était redevenue elle-même une fois qu'ils eurent monté Gerrard à l'étage. Elle avait su exactement ce qu'il fallait faire et s'était activée avec son habituelle compétence. Bien qu'elle soit restée pâle et les traits tirés, elle n'avait pas paniqué. Dans un silence approbateur, Vane l'avait laissée donner des ordres à gauche et à droite et était allé annoncer la nouvelle à Minnie.

En traversant la galerie, il avait vu, dans le vestibule au rez-de-chaussée, Edmond et Henry entourés de leur cour, informant les autres membres de la maisonnée de « l'accident » de Gerrard. Avant de quitter les ruines, ils avaient découvert la pierre qui l'avait frappé — une partie de l'ancienne entrée en arche. Pour Edmond et Henry, cela signifiait que Gerrard s'était tenu debout sous l'arche au mauvais moment, avait été touché par la maçonnerie qui tombait, puis avait trébuché en reculant et était tombé dans la crevasse. L'opinion de Vane n'était pas aussi optimiste. Dissimulé dans les ombres de la galerie, il avait étudié chaque visage, écouté chaque exclamation d'horreur. Tout cela avait des accents de sincérité — fidèle à la forme, aux caractères ; personne ne donna de signe de culpabilité ni d'avoir été préalablement au courant. Grimaçant, il avait continué son chemin jusqu'aux appartements de Minnie.

Après avoir informé Minnie et Timms, il était retourné aider Patience à expulser tous les autres qui s'étaient rassemblés — toute l'étrange maisonnée de Minnie — de la chambre de Gerrard. Bien qu'il ait réussi avec tout le monde, il n'avait pas pu évincer Minnie et Timms.

Vane jeta un coup d'œil à l'endroit où Minnie était pelotonnée dans un vieux fauteuil près du foyer, où un feu rugissait à présent. Timms se tenait à côté d'elle, une main lui pressant l'épaule, lui communiquant un réconfort muet. Leur attention était fixée sur le lit. Vane observa le visage de Minnie et mit un autre forfait sur le compte du spectre — ou était-ce celui du voleur ? Ils paieraient — pour chaque ride se creusant dans le visage de Minnie, pour la préoccupation et l'inquiétude agitée dans ses vieux yeux.

— *Oh* ! Ma tête !

Gerrard tenta de se redresser. Patience le repoussa sur le lit.

— Tu as une entaille à l'arrière, reste allongé calmement sur le flanc.

Encore hébété, Gerrard obéit, clignant des paupières comme un hibou à travers la pièce à présent faiblement éclairée. Son regard se fixa sur la fenêtre. Le soleil s'était couché ; les dernières flambées vermillon striaient le ciel.

— C'est le soir ?

— J'en ai bien peur.

Se donnant une poussée pour s'éloigner du mur, Vane avança lentement jusqu'à un endroit où Gerrard pouvait le voir. Il sourit d'une manière rassurante.

— Vous avez raté la journée.

Gerrard fronça les sourcils. Patience se leva pour débarrasser la cuvette ; Gerrard leva une main et tâta sa tête avec précaution. Ses traits se contorsionnèrent quand il toucha sa plaie. Baissant la main, il regarda Vane.

— Que s'est-il passé ?

Soulagé, autant par la clarté et la précision dans le regard de Gerrard que par sa question éminemment pratique. Vane grimaça.

— J'espérais que *vous* seriez capable de *nous* l'apprendre. Vous êtes sorti pour dessiner ce matin, vous vous rappelez ?

Le froncement de sourcils de Gerrard reprit sa place.

— La maison de l'abbé du côté ouest. Je me souviens m'être installé.

Il marqua une pause ; Patience revint s'asseoir à côté de lui. Elle prit ses mains dans les siennes.

— As-tu commencé à dessiner ?

— Oui.

Gerrard s'apprêta à hocher la tête, puis tressaillit.

— *J'ai* dessiné. J'ai esquissé les lignes générales, puis je me suis levé et je suis allé étudier les détails.

Il plissa le front dans un effort pour se souvenir.

— Je suis retourné à mon tabouret et j'ai continué à dessiner. Ensuite…

Il grimaça et jeta un coup d'œil à Vane.

— Rien.

— On vous a frappé à l'arrière de la tête avec une pierre, l'informa Vane. Qui venait à l'origine de l'entrée en arche derrière vous. Essayez de vous rappeler ; vous étiez-vous levé et aviez-vous reculé ? Ou bien n'avez-vous jamais quitté votre siège ?

Le pli sur le front de Gerrard devint plus marqué.

— Je ne me suis pas levé, dit-il enfin. J'étais assis à dessiner.

Il regarda Patience, puis Vane.

— C'est la dernière chose dont je me souvienne.

— Avez-vous vu quelque chose, sentit quoi que ce soit ? Quelle est la toute dernière chose dont vous vous souvenez ?

Gerrard fit la grimace, puis secoua la tête — très légèrement.

— Je n'ai rien vu et rien senti. J'avais mon crayon dans la main et je dessinais ; j'avais commencé à incorporer les détails autour de ce qui reste de la porte d'entrée de l'abbé.

Il leva les yeux vers Patience.

— Tu me connais : je ne vois rien, n'entends rien.

Il reporta son regard sur Vane.

— J'étais très loin.

Vane hocha la tête.

— Combien de temps avez-vous dessiné ?

Gerrard haussa les sourcils en remplacement d'un haussement d'épaules.

— Une heure ? Deux ? répondit-il en levant une épaule. Qui sait ? C'était peut-être trois, mais je doute que ce fût aussi longtemps. Laissez-moi voir mon esquisse et je vais avoir une meilleure idée.

Il leva la tête avec l'air d'attendre ; Vane échangea un regard avec Patience, puis revint à Gerrard.

— L'esquisse sur laquelle vous travailliez a été arrachée du chevalet.

— *Quoi* ?

L'exclamation incrédule de Gerrard trouva écho chez Timms. Gerrard secoua la tête avec précaution.

— C'est ridicule. Mes dessins ne valent rien — pourquoi le voleur en déroberait-il un ? Il n'était même pas terminé.

Vane échangea un long regard avec Patience, puis il le reporta sur le visage de Gerrard.

— Il est possible que ce soit la raison pour laquelle on vous a assommé : afin que vous ne terminiez jamais votre plus récente perspective.

— Mais, pourquoi ?

La question intriguée venait de Minnie.

Vane se tourna pour la regarder.

— Si nous le savions, nous en saurions bien davantage.

Plus tard ce soir-là, d'un accord unanime, ils tinrent une réunion dans la chambre de Minnie. Elle et Timms, Patience et Vane, se rassemblèrent devant le feu de Minnie. Se laissant choir sur le tabouret à côté du fauteuil de Minnie, une de ses mains frêles dans les siennes, Patience scruta le visage des autres, éclairés par la lumière vacillante des flammes.

Minnie était inquiète, mais sous sa fragilité il y avait un côté tenace et une détermination à connaître la vérité. Timms semblait considérer les malfaiteurs comme un affront personnel, sinon à sa dignité, du moins certainement à celle de Minnie. Elle était résolument déterminée à démasquer les vilains.

Quant à Vane… Patience laissa son regard errer sur ses traits, plus austères que jamais sous la lumière dorée changeante. Un ensemble d'angles et de lignes, son visage était déterminé. Il ressemblait à… un guerrier ayant donné son serment. L'idée fantasque surgit dans sa tête, mais elle ne sourit pas. L'épithète ne lui allait que trop bien : il semblait décidé à éradiquer, à annihiler la personne qui avait osé perturber la paix de Minnie.

Et celle de Patience.

Elle savait que ce dernier fait était vrai – la vérité lui avait été transmise par la caresse de ses mains sur ses épaules lorsqu'il l'avait aidée avec Gerrard, par la façon dont ses yeux scrutaient son visage, y cherchant l'inquiétude, les signes de détresse.

La sensation de se trouver dans son cercle de protection était agréablement réconfortante. Même si elle se disait que ce n'était que temporaire – pour le présent et non pour l'avenir – elle ne pouvait pas s'empêcher de le savourer.

— Comment va Gerrard ? demanda Timms, arrangeant ses jupes dans le deuxième fauteuil.

— Il dort en paix, répondit Patience.

Il s'était agité à mesure que la soirée avançait, jusqu'à ce qu'elle insiste pour lui donner une dose de laudanum.

— Il est confortablement installé dans son lit et Ada veille sur lui.

Minnie baissa les yeux sur elle.

— Va-t-il vraiment bien ?

Vane, appuyé sur le manteau de la cheminée, changea de position.

— Il n'y a pas de signe de commotion cérébrale, autant que j'ai pu voir. Je soupçonne que mis à part une douleur à la tête, il sera redevenu lui-même au matin.

Timms grogna.

— Mais qui l'a frappé ? Et pourquoi ?

— Sommes-nous certains qu'on l'a frappé ?

Minnie regarda Vane.

Sombrement, il hocha la tête.

— Ses souvenirs sont clairs et lucides, pas confus. S'il était assis comme il l'a dit, il est impossible qu'une pierre qui tombait ait pu le toucher sous cet angle, avec ce genre de force.

— Ce qui nous ramène à mes questions, dit Timms. Qui ? Et pourquoi ?

— En ce qui concerne le « qui », ce devait être le spectre ou le voleur.

Patience jeta un coup d'œil à Vane.

— En supposant qu'il ne s'agit pas d'une seule et même personne.

Vane fronça les sourcils.

— Il semble y avoir peu de motifs d'imaginer qu'il s'agisse de la même personne. Le spectre s'est tenu tranquille depuis que je l'ai pourchassé, alors que le voleur a poursuivi ses activités sans marquer de pause. Il n'y a aussi aucune indication que le voleur s'intéresse un tant soit peu aux ruines, alors qu'elles ont toujours été le repaire particulier du spectre.

Il ne mentionna pas sa conviction que le voleur était une femme et par conséquent improbable qu'elle ait eu la force ou le courage de matraquer Gerrard.

— Nous ne pouvons pas éliminer le voleur en tant que coupable de l'événement d'aujourd'hui, mais le spectre semble le vilain le plus probable.

Vane se déplaça pour regarder le visage de Timms.

— En ce qui concerne le « pourquoi », je me doute que Gerrard a vu quelque chose — quelque chose qu'il n'a peut-être même pas eu conscience d'avoir vu.

— Ou bien, le malfrat a *cru* qu'il avait vu quelque chose, intervint Timms.

— Il est vraiment très bon pour remarquer les détails, dit Patience.

— Un fait que toute la maisonnée connaissait. Quiconque a déjà vu l'un de ses dessins serait conscient du détail qu'il insère. Vane remua. Je pense, étant donné la disparition de sa dernière esquisse, que nous pouvons conclure sans danger qu'il a bien vu quelque chose qu'une personne ne voulait pas qu'il voie.

Patience grimaça.

— Il ne se rappelle rien de particulier à propos de ce qu'il a dessiné.

Vane rencontra son regard.

— Il n'y a pas de raison pour que cette chose, quelle qu'elle soit, ait semblé hors de l'ordinaire à ses yeux.

Ils gardèrent le silence, puis Minnie demanda :

— Crois-tu qu'il coure un danger ?

Le regard de Patience se posa vivement sur le visage de Vane. Il secoua résolument la tête.

— Le coupable sait à présent que Gerrard ne comprend rien à cela et il ne constitue pas une véritable menace pour Gerrard à présent.

Lisant le manque de conviction dans tous leurs yeux, il s'expliqua à contrecœur :

— Il est resté allongé dehors inconscient pendant des heures. Si Gerrard était une véritable menace pour le malfrat, celui-ci aurait eu amplement le temps de se débarrasser de lui de manière permanente.

Patience frissonna, mais hocha la tête. Le visage de Minnie comme celui de Timms prit un air sombre.

— Je veux que ce vilain soit attrapé, déclara Minnie. Nous ne pouvons pas continuer ainsi.

— En effet, fit Vane en se redressant. Ce qui explique pourquoi je suggère que nous nous retirions à Londres.

— À Londres ?

— Pourquoi Londres ?

Réinstallant ses épaules contre le manteau de la cheminée, Vane regarda les trois visages tournés vers lui.

— Nous avons deux problèmes : le voleur et le spectre. Si nous songeons au voleur, alors, même si les vols ne suivent ni rimes ni raisons, les chances que le malfaiteur soit un membre de la maisonnée sont élevées. Étant donné le nombre d'objets volés, il doit y avoir une cachette quelque part ; nous avons pratiquement éliminé toute possibilité que les biens dérobés aient été vendus. Si nous déménageons la maisonnée à Londres, dès que nous quitterons cette maison, le personnel, au-dessus de tout soupçon, pourra entreprendre une fouille complète. Simultanément, lorsque nous arriverons à Londres, je vais m'arranger pour que tous les bagages soient vérifiés aussi. Dans une maison à Londres, d'autres vols et la dissimulation subséquente des objets pris seront beaucoup plus difficiles.

Minnie hocha la tête.

— Je le vois bien. Mais quand est-il du spectre?

— Le spectre, dit Vane, son expression devenant plus sévère, est le candidat le plus probable au poste du vilain d'aujourd'hui. Il n'y a pas de preuve indiquant que le spectre vient de l'extérieur; il appartient plus probablement à la maisonnée. Tout ce qui s'est déjà passé — les sons et les lumières — pouvait être le fait d'une personne fouillant les ruines la nuit, lorsqu'il n'y a personne dans les environs. Les événements d'aujourd'hui se sont vraisemblablement produits parce que Gerrard s'est trop rapproché sans le savoir de quelque chose que le spectre veut cacher. Tout ce qui s'est passé suggère que le spectre veut fouiller les ruines sans la présence de qui que ce soit. En allant à Londres, nous donnons au spectre précisément ce qu'il désire : les ruines désertées.

Timms plissa le front.

— Mais s'il fait partie de la maisonnée et que celle-ci est à Londres…

Ses mots s'estompèrent alors que la compréhension illuminait son visage.

— Il voudra revenir.

Vane sourit sans humour.

— Exactement. Il nous suffira d'attendre pour voir qui fera le premier geste pour revenir.

— Mais le fera-t-il, crois-tu ? Minnie grimaça. Persistera-t-il, même après aujourd'hui ? Il doit comprendre qu'il lui faut être plus prudent dorénavant ; il doit craindre d'être pris.

— Pour ce qui est de craindre d'être pris, je ne puis le dire. Cependant – la mâchoire de Vane se contracta –, je suis très convaincu que si ce sont les ruines inoccupées qu'il veut, il sera incapable de résister à l'occasion de les avoir pour lui seul.

Il attira le regard de Minnie.

— Cette personne qui incarne le spectre est obsédée ; peu importe ce qu'elle cherche, elle n'abandonnera pas.

Il en fut donc décidé ainsi : toute la maisonnée allait se rendre à Londres dès que Gerrard serait assez bien pour voyager. Pendant qu'il effectuait une dernière tournée de la maison silencieuse et endormie, Vane établit une liste mentale des préparations à mettre en marche le lendemain. La dernière partie de sa tournée de garde l'amena au troisième étage de l'aile ouest.

La porte de la chambre de Gerrard était ouverte ; une douce lumière se répandait sur le plancher du couloir.

Silencieusement, Vane s'approcha. Il s'arrêta dans l'ombre de l'embrasure de la porte et observa Patience, assise sur une chaise droite installée en retrait du lit, les mains serrées sur ses cuisses, veillant sur le sommeil de Gerrard. La vieille Ada sommeillait, affalée dans le fauteuil près du foyer.

Pendant de longs moments incalculables, Vane se contenta de regarder – de s'en mettre plein la vue – les courbes douces de Patience, la brillance dorée de sa chevelure, son expression intrinsèquement féminine. Le simple dévouement de sa pose, de son visage, l'émouvait – ainsi voudrait-il que l'on veille ses enfants, qu'on en prenne soin, qu'on les protège. Pas le genre de protection qu'il fournissait, mais une protection, un soutien d'un genre différent et tout aussi important. Il fournirait l'un, elle fournirait l'autre – les deux côtés d'une même pièce aimante.

Il sentit une vague d'émotions l'assaillir; il avait depuis longtemps dépassé le stade de s'en libérer. Les mots qu'il avait utilisés pour décrire le spectre résonnèrent dans sa tête. La description s'appliquait également à lui. Il était obsédé et il n'allait pas abandonner.

Patience sentit sa présence lorsqu'il s'approcha. Elle leva la tête et sourit fugitivement, puis elle revint à Gerrard. Vane courba ses mains sur ses épaules, puis l'étreignit et gentiment, mais fermement, la tira debout. Elle fronça les sourcils, mais le laissa l'attirer dans le cercle de ses bras.

Tête penchée, il parla à voix basse.

– Venez. Il n'est plus en danger maintenant.

Elle grimaça.

– Mais…

– Il ne sera pas content s'il se réveille et vous découvre affalée sur cette chaise, le veillant comme s'il avait six ans.

Le regard que Patience pencha sur lui déclarait très clairement qu'elle savait précisément sur quelle corde il tirait. Vane le soutint avec un sourcil arrogamment levé. Il resserra son bras autour d'elle.

— Personne ne va lui faire de mal et Ada est ici s'il appelle.

Il la guida vers la porte.

— Vous lui serez plus utile demain si vous dormez un peu cette nuit.

Patience jeta un coup d'œil par-dessus son épaule. Gerrard était toujours profondément endormi.

— Je suppose…

— Exactement. Il n'est pas question pour moi de vous laisser ici, à veiller toute la nuit sans raison.

La tirant par-delà le seuil, Vane referma la porte derrière eux.

Patience cilla et ouvrit de grands yeux ; elle ne voyait qu'obscurité.

— Tenez.

Le bras de Vane se glissa autour de sa taille et serra, la gardant contre lui. Il la fit tourner vers l'escalier principal en marchant lentement. Malgré la mélancolie qui tombait, Patience n'eut aucune difficulté à se détendre dans sa chaleur, à se laisser fondre dans le confort de sa force.

Ils marchèrent en silence dans la maison plongée dans la pénombre jusque dans l'aile opposée.

— Vous êtes sûr que Gerrard ira bien ?

Elle posa la question quand ils atteignirent le couloir menant à sa chambre.

— Faites-moi confiance.

Les lèvres de Vane frôlèrent sa tempe.

— Il ira bien.

Il y avait une note dans sa voix, grondant doucement à travers elle, qui la rassura davantage que les simples mots.

Ce qui lui restait de vive inquiétude fraternelle, de crispation peut-être irrationnelle, disparu. Lui faire confiance ?

Bien voilée par l'obscurité, Patience laissa ses lèvres se recourber en un sourire entendu, très féminin.

Sa porte se dessinait devant eux. Vane l'ouvrit en grand et lui tendit la main pour la faire entrer. Un gentleman en serait resté là — il avait toujours su qu'il n'en était pas un. Il la suivit à l'intérieur et referma la porte dans son dos.

Elle avait besoin de sommeil ; il serait incapable de se reposer avant qu'elle rêve. Préférablement blottie dans ses bras.

Patience entendit le verrou s'enclencher et sut qu'il était dans la chambre avec elle. Elle ne regarda pas en arrière, mais avança lentement devant le feu. Il flambait, attisé par un serviteur attentionné. Elle fixa les flammes.

Et tenta de clarifier ce qu'elle voulait. Maintenant. À cet instant.

De lui.

Il avait dit la vérité : Gerrard n'avait plus six ans. Le temps pour elle de veiller sur lui était passé. S'accrocher ne ferait que le retenir. Cependant, il était le centre de sa vie depuis si longtemps, elle avait besoin de quelque chose pour le remplacer. De quelqu'un pour le remplacer.

Au moins pour ce soir.

Elle avait besoin que quelqu'un prenne d'elle tout ce qu'elle pouvait donner. Donner était son exutoire, sa libération — elle avait besoin de donner autant qu'elle avait besoin de respirer. Elle avait besoin qu'on ait besoin d'elle — avait besoin que quelqu'un la prenne tel qu'elle était, pour ce qu'elle était. Pour ce qu'elle pouvait lui donner.

Ses sens se tendirent vers Vane lorsqu'il s'approcha. Inspirant profondément, elle pivota.

Et le découvrit à côté d'elle.

Elle regarda son visage, les lignes angulaires dorées par la lueur du feu. Ses yeux, gris voilé, scrutèrent les siens. Mettant de côté toute pensée du bien et du mal, elle leva les mains sur son torse.

Il s'immobilisa.

Faisant glisser ses mains vers le haut, elle s'approcha davantage ; refermant ses mains sur sa nuque, elle se pressa contre lui et leva ses lèvres vers les siennes.

Leurs lèvres se rencontrèrent. Et fusionnèrent. Affamées. Elle sentit les mains de Vane se fermer sur sa taille, puis il bougea et ses bras se refermèrent comme un étau autour d'elle.

Son invitation, son acceptation, secoua Vane jusqu'à l'âme ; il réussit tout juste à ne pas l'écraser contre lui. Ses démons hurlèrent leur victoire ; il les menotta rapidement, les mis en laisse, puis reporta son attention sur elle. De son propre gré, elle se pressa plus près. Laissant ses mains glisser le long des angles délicats de son dos, il la moula contre lui, pressant ses hanches de s'avancer, puis, glissant les mains plus loin, il prit en coupe les courbes fermes de son derrière et l'attira avec force dans le V de ses cuisses arc-boutées.

Elle haleta et lui offrit de nouveau sa bouche ; voracement, il s'en empara. Au fond de son esprit, une litanie d'avertissements résonnait et lui rappelait ses démons enchaînés, les concepts du comportement civilisé, de l'expertise sophistiquée — toutes marques de son expérience de séducteur. Ladite expérience, sans instruction consciente, conçut un plan d'action. Il faisait chaud devant le feu – ils pouvaient se déshabiller devant, puis retourner au confort civilisé du lit de Patience.

Ayant formulé un plan, il se concentra sur son implantation. Il l'embrassa profondément en l'explorant d'une manière évocatrice – et sentit sa réaction embrasée. La langue de Patience s'entremêla audacieusement avec la sienne ; distrait, ayant envie d'expérimenter la douce réaction encore une fois, il l'excita, l'attisa pour qu'elle répète la caresse. Elle le fit, mais lentement, si lentement que ses sens suivirent chaque coup de langue, chaque contact glissant avec une intensité vertigineuse.

Ce ne fut que lorsqu'il reprit enfin ses esprits et ralentit un peu leur baiser qu'il sentit ses mains sur son torse. À travers sa chemise, ses paumes le marquaient au fer rouge, ses doigts le pétrissant. Elle leva vivement ses mains sur ses épaules ; son veston restreignait ses mouvements. Elle tenta de repousser le vêtement. Interrompant leur baiser, Vane la lâcha et donna un coup d'épaule. Veston et gilet tombèrent au sol.

Elle attaqua sa cravate, aussi enthousiaste que les démons de Vane. Repoussant ses mains, il dénoua rapidement les plis d'une chiquenaude, puis tira pour libérer la longue bande de tissu. Patience avait déjà tourné ses attentions sur ses boutons de chemise ; en quelques secondes, elle les avait défaits. Retroussant les pans pour les libérer de sa ceinture, elle les ouvrit sèchement et lança ses mains affamées sur lui, ses doigts s'emmêlant dans ses poils serrés.

Regardant son visage, Vane savoura l'expression d'émerveillement sensuel sur ses traits, la lueur d'anticipation dans ses yeux.

Il tendit les mains vers les lacets du corset de Patience.

Patience était ensorcelée. Il l'avait explorée, mais elle n'avait pas encore eu la chance de son côté de l'explorer. Elle écarta les doigts et ses sens se délectèrent de la chaude résistance des muscles tendus sur des os durs. Elle explora les creux et les pans vastes de son torse, les larges stries de sa cage thoracique. Des poils bruns serrés bouclèrent et se prirent dans ses doigts minces ; les disques plats de ses mamelons durcirent à son contact.

Tout cela était parfaitement fascinant. Impatience d'élargir ses horizons, elle saisit les pans de sa chemise.

Tout comme il saisit les manches de sa robe.

Ce qui suivit la fit glousser — d'une manière idiote, enflammée. Les mains refermées l'un sur l'autre, ils se balancèrent et oscillèrent. Simultanément, ils ajustèrent tous les deux leur prise. Pendant qu'elle luttait pour lui retirer sa chemise, lui — avec bien plus d'expertise — la dépouilla de sa robe.

Il l'attira fortement dans ses bras et s'empara de sa bouche, la pillant passionnément, un bras la retenant contre lui pendant que l'autre main s'occupait du cordon de son jupon.

Patience releva le défi et lui rendit avidement son baiser — pendant que ses doigts occupés luttaient avec les boutons de son pantalon. Leurs lèvres se rencontrèrent et se fondirent ensemble, s'écartant seulement pour fusionner passionnément de nouveau.

Ses jupons tombèrent au sol au même moment où elle poussait son pantalon sur ses hanches. Il interrompit leur baiser. Leurs yeux se rencontrèrent, leurs regards enflammés entrant en collision. Avec un juron lâché à voix basse, il recula et retira ses bottes et son pantalon.

Les yeux ronds, Patience le contempla ; les lignes sculptées et brutalement dures de son corps baignant dans la lumière dorée du feu.

Il leva la tête et la surprit à l'observer. Il se redressa, mais avant qu'il puisse tendre les bras vers elle, elle agrippa la lisière de sa propre chemise et en un seul mouvement fluide, la souleva par-dessus sa tête.

Ses yeux fixés aux siens, elle laissa la douce soie tomber, oubliée, entre ses doigts. Ses mains, ses bras se tendant vers lui, elle se fondit délibérément dans son étreinte.

L'instant précieux de la réunion, du premier contact de la peau nue sur la peau nue, provoqua un délice exquis et lancinant en elle. Elle inspira une petite bouffée d'air. Paupières baissées, elle drapa ses bras sur ses larges épaules et se pressa plus près, déposant ses seins sur son torse, ses cuisses rencontrant les siennes beaucoup plus dures, son ventre souple un berceau pour la dureté endémique de son membre.

Leurs corps glissèrent et bougèrent, puis se tendirent. Les bras de Vane se refermèrent sur elle comme un étau d'acier.

Et elle sentit la tension lovée en lui. La tension entravée qu'il retenait.

Le pouvoir et la force, elle les sentit dans ses muscles tendus, dans les tendons raidis qui l'entouraient, la poussaient vers lui. La fascinait. L'enhardissait et l'encourageait. Elle voulait la connaître — la sentir, la toucher, s'en délecter. Resserrant ses bras autour de son cou, elle se pressa encore davantage contre lui. Levant la tête, elle frôla ses lèvres des siennes. Et murmura :

— Abandonnez-vous.

Vane l'ignora — elle ne savait pas, ne pouvait pas savoir, ce qu'elle demandait. Baissant la tête, il captura ses lèvres dans un long baiser interminable destiné à intensifier la merveilleuse sensation de son corps nu contre le sien. Elle donnait l'impression d'être de la soie fraîche, vibrante, délicate et sensuelle ; le glissement du corps de Patience contre le sien était une caresse puissante, le laissant douloureusement excité, le pressant avec urgence.

Il devait l'amener au lit. Bientôt.

Elle s'écarta de leur baiser pour déposer des baisers chauds, la bouche ouverte, sur sa clavicule, sur la peau sensible juste sous sa gorge.

Et pour tendre la main vers lui.

Elle le toucha. Vane s'immobilisa. Délicatement hésitante, elle courba les doigts sur sa longueur rigide. Il se raidit — et prit une inspiration désespérée.

Son lit. Ses démons rugissaient.

Guidée par un instinct infaillible, ses doigts se refermant avec plus d'assurance sur lui, elle lécha un mamelon plat de sa langue brûlante et murmura :

— Lâchez les rênes.

La tête de Vane tourna.

Le libérant, elle leva la tête. Enroulant ses bras autour de son cou, elle s'étira contre lui et, pliant un genou, leva une cuisse ferme et ivoire jusqu'à sa hanche.

— Prenez-moi.

Elle avait perdu l'esprit — mais, c'était déjà fait pour lui.

Toutes pensées sur le lit et la sophistication civilisée disparurent de sa tête. Sans direction consciente, ses mains se refermèrent sur les globes fermes de son derrière et il la souleva. Instantanément, elle enroula ses longues jambes autour de ses hanches et se pressa avec force contre lui.

Ce fut elle qui fit les ajustements nécessaires pour capturer la tête palpitante de son membre dans la chair glissante entre ses cuisses, le laissant immobile, souffrant de désir et désespéré à la porte de son corps.

Et ce fut elle qui esquissa le premier geste pour plonger, le prendre dans son corps, pour s'empaler sur sa dureté rigide.

Chaque muscle contracté, Vane s'efforça de respirer, s'efforça de renier l'envie impérieuse de la ravir. S'enfonçant plus bas, elle trouva ses lèvres avec les siennes, les frôlant d'une manière séductrice.

— Abandonnez-vous.

Il ne le fit pas, ne le pouvait pas : céder entièrement le contrôle était au-delà de ses forces. Cependant, il desserra sa prise, lâcha du mou autant qu'il l'osa. Ses muscles se tendant, bougeant, il la souleva — et donna un coup vers le haut alors qu'elle plongeait.

Elle apprit rapidement. Quand il la souleva encore, elle se détendit, puis se raidit quand il la remplit, ralentissant sa descente glissante, l'étirant afin qu'elle le prenne davantage en elle qu'avant.

Vane serra les dents. Sa tête tournait à toute allure alors qu'encore et encore elle se refermait, brûlante de passion, sur lui. Quand exactement la vérité se fit-elle jour en lui et qu'il comprit qu'elle lui faisait l'amour, lui donnait intentionnellement du plaisir, lui prodiguant les caresses les plus intimes, il l'ignorait. Cependant, c'était clair comme de l'eau de roche.

On ne l'avait jamais aimé ainsi – jamais avant une femme ne s'était déployée ainsi pour lui prodiguer du plaisir avec autant de détermination, pour le ravir.

Les caresses glissantes continuèrent; il était certain de finir par perdre la tête. Le feu monta, une flamme après l'autre en lui. Il brûlait, et elle était la source de sa chaleur.

Il s'enfouit dans la fournaise humide qu'elle lui offrait et sentit qu'elle l'accueillait avec audace. Avec un gémissement à moitié réprimé, il tomba à genoux sur le tapis devant l'âtre.

Elle s'ajusta tout de suite, impatiente d'utiliser sa nouvelle prise sur le plancher pour le monter plus passionnément.

Il ne pouvait plus supporter cela encore bien longtemps. Vane referma ses mains autour de ses hanches et la retint sur lui, essayant de reprendre son souffle, voulant désespérément prolonger la merveilleuse séance. Patience se tortilla, luttant pour reprendre la tête. Vane serra les dents sur un sifflement d'agonie. Remontant ses mains dans un glissement sur la longueur de son dos, il l'inclina vers l'arrière et plus loin, l'arquant de sorte que ses seins, gonflés et mûrs fussent à sa porter pour s'en régaler.

Il se rassasia.

Patience entendit son propre halètement quand sa bouche se referma goulûment sur un mamelon gonflé. Un sanglot plaintif suivit quelques moments plus tard. Chaud et affamé, il lécha ses seins, puis téta les sommets extrêmement sensibles jusqu'à ce qu'elle fut certaine de mourir. En elle, sa lourde dureté la remplissait, la complétait; pressé profondément en elle, il se balança encore plus loin, la possédant – son corps, son esprit et ses sens.

Piégée dans son étreinte, elle haleta et se tortilla ; incapable de se soulever, mais refusant d'être contredite, elle changea de direction et roula les hanches contre lui.

Ce fut au tour de Vane de haleter. Il sentit la tension lovée en lui se raidir encore davantage et plus, investie d'une force qu'il n'avait aucun espoir de maîtriser. De retenir.

Tendant la main entre eux, il glissa les doigts dans ses boucles humides et la trouva. Il suffit d'une caresse et elle éclata, se fragmenta, ses sens explosant dans un cri étouffé alors qu'elle s'écroulait dans ce précipice invisible et dans un oubli comblé.

Il la suivit, un battement de cœur plus tard.

Le feu s'était consumé et il ne restait que des cendres lorsqu'ils remuèrent. Leurs corps, collés ensemble, donnaient l'impression d'être trop profondément empêtré pour se séparer. Les deux se réveillèrent, mais aucun ne bougea, trop heureux de leur proximité, de leur intimité.

Le temps s'étira et toujours, ils s'accrochaient l'un à l'autre, leurs pouls ralentissant, leurs corps se refroidissant, leurs âmes encore en vol.

Enfin, Vane pencha la tête et frôla la tempe de Patience de ses lèvres. Elle leva la tête. Il étudia ses yeux, puis l'embrassa doucement, en s'attardant.

Quand leurs lèvres se séparèrent, il demanda :

– Avez-vous changé d'idée à présent ?

Il sentit sa perplexité, puis elle comprit. Elle ne s'écarta pas, mais secoua la tête.

– Non.

Vane ne discuta pas. Il l'étreignit et sentit sa chaleur l'envelopper, sentit son cœur battre à l'unisson avec le sien. Des minutes incalculables plus tard, il la souleva et la porta dans son lit.

Chapitre 16

Pourquoi ne voulait-elle pas l'épouser ?

Qu'avait-elle contre le mariage ?

Ces questions tournaient dans la tête de Vanc alors qu'il menait ses chevaux sur la route de Londres. C'était le surlendemain matin de l'accident de Gerrard. Déclaré apte à voyager, Gerrard était assis sur le siège du conducteur à côté de lui, contemplant vaguement le paysage.

Vane ne voyait même pas les oreilles de son cheval de tête. Il était trop absorbé par ses pensées sur Patience et la situation dans laquelle il se trouvait. La dame elle-même, en compagnie de Minnie et Timms, voyageait dans le carrosse suivant son cabriolet ; derrière lui, un cortège de carrosses de louage conduisaient le reste de la maisonnée du manoir Bellamy loin de cette demeure.

Une soudaine pression sur sa cheville gauche fit baisser les yeux à Vane ; il regarda pendant que Myst se réinstallait en se pelotonnant sur sa botte gauche. Au lieu de se joindre à Patience dans le carrosse fermé, Myst avait étonné sa maîtresse et choisit de voyager avec lui. Bien qu'il n'ait rien contre les chats, ou les jeunots, Vane aurait volontiers échangé ses deux compagnons contre Patience.

Afin de pouvoir l'interroger plus encore sur sa position inexplicable.

Elle l'aimait, mais refusait de l'épouser. Étant donné sa situation, et la sienne, cette décision se qualifiait aisément d'inexplicable. Sa mâchoire se contractant, Vane regarda devant lui, fixant l'espace entre les oreilles de son cheval de tête.

Son plan original – supprimer les barrières de Patience en utilisant la passion, la rendant ainsi tellement dépendante de son amour qu'elle en viendrait à considérer le mariage avec lui comme étant dans son meilleur intérêt et à lui avouer ce qui l'inquiétait autant – avait fini par développer un problème majeur. Il n'avait pas compté devenir lui-même dépendant, possédé par le désir le plus puissant qu'il n'eut jamais connu. Accro au point où ce désir – et ses démons – n'était plus soumis à sa volonté.

Ses démons – et ce besoin abrutissant – s'étaient affranchis de lui cette première fois dans la grange. Il avait pardonné cela, se disant que c'était compréhensible étant donné les circonstances et ses frustrations refoulées. La nuit où il avait envahi sa chambre à coucher, il avait tenu ses rênes fermement en main ; il avait froidement gardé sa maîtrise avec succès, même sous la pleine puissance du feu intérieur de Patience. Cette réussite l'avait laissé content de lui, très sûr de lui.

Leur troisième interlude deux nuits plus tôt avait fait éclater cette autosatisfaction.

Il était passé à un cheveu de perdre de nouveau la maîtrise de lui-même.

Pire : elle le savait. Une sirène aux yeux dorés, elle l'avait délibérément tenté – et presque attiré vers les rochers.

Qu'une femme puisse réduire son sang-froid tant vanté à un simple vestige de sa puissance despotique habituelle n'était pas un fait auquel il aimait réfléchir. Il avait dormi seul la nuit dernière – mal. Il avait passé la moitié de la nuit à réfléchir, se posant des questions avec lassitude. La vérité était qu'il était beaucoup plus profondément pris au piège qu'il ne l'avait cru. La vérité était qu'il mourrait d'envie de se laisser aller – de se perdre totalement – en l'aimant. Le simple fait de formuler cette pensée suffisait à le perturber – il avait toujours mis la perte de contrôle, particulièrement dans ce domaine, sur le même pied que la capitulation.

Capituler en toute connaissance de cause – s'abandonner consciemment comme elle l'avait demandé – était... trop troublant à imaginer.

Leur relation avait développé des courants sous-jacents dangereux – des courants qu'il n'avait pas prévus quand il avait mis le cap sur cette stratégie particulière. Que se passerait-il si elle s'en tenait résolument à son refus inexplicable ? Serait-il un jour capable de renoncer à elle ? De la laisser partir ? D'épouser une autre femme ?

Vane changea de position sur le siège dur et replaça les rênes entre ses mains. Il ne voulait même pas réfléchir à ces questions. En effet, il refusait catégoriquement de les prendre en considération. S'il elle pouvait adopter une position, alors lui aussi.

Elle allait l'épouser – elle allait devenir sa femme. Il devait seulement la convaincre qu'il n'y avait pas d'autres choix sensés.

La première étape consistait à découvrir la base de sa position inexplicable, la raison qui l'empêchait d'accepter le mariage. Alors que le cabriolet avançait à vitesse lente afin que les carrosses puissent suivre, il se débattit avec des plans pour découvrir le problème de Patience, qui devenait à présent le sien.

Ils s'arrêtèrent brièvement pour le déjeuner à Harpenden. Patience, tout comme Timms, passa son temps à dorloter Minnie qui n'était toujours pas dans son assiette. À part une question exprimée à voix basse pour s'enquérir de la robustesse de Gerrard, Patience n'eut pas de temps à passer avec lui. Apaisant ses inquiétudes fraternelles, il la laissa retourner aux côtés de Minnie, étouffant toute pensée de la prendre dans son cabriolet. Le besoin de Minnie était plus grand que le sien.

Leur défilé se remit en route. Gerrard se réinstalla confortablement, observant tout d'un œil perçant et curieux.

— Je ne suis jamais allé si loin au sud.

— Oh ?

Vane garda le regard sur ses chevaux.

— Où, précisément, se situe votre demeure ?

Gerrard le lui dit, décrivant la vallée à l'extérieur de Chesterfield en utilisant des mots comme coups de pinceau ; Vane n'eut aucune difficulté à l'imaginer.

— Nous avons toujours vécu là, conclut Gerrard. Dans l'ensemble, Patience dirige le tout, mais elle a commencé à m'enseigner les ficelles l'an dernier.

— Cela a dû être difficile lorsque votre père est mort si inopinément ; difficile pour votre mère et Patience de prendre les rênes.

Gerrard haussa les épaules.

— Pas vraiment. Elles géraient le domaine depuis des années avant cela ; d'abord maman, puis Patience.

— Mais…

Vane fronça les sourcils. Il jeta un coup d'œil à Gerrard.

— Sûrement, votre père gérait le domaine ?

Gerrard secoua la tête.

— Cela ne l'a jamais intéressé. Eh bien, il n'était jamais là. Il est mort lorsque j'avais six ans et même à cette époque, je ne me souvenais pas de lui. Je ne me rappelle pas qu'il ait séjourné chez nous plus de quelques nuits. Maman disait qu'il préférait Londres et ses amis londoniens : il ne rentrait pas très souvent à la maison. Cela la rendait triste.

Son regard se fit distant alors que le souvenir s'emparait de lui.

— Elle essayait sans cesse de nous le décrire, de nous dire à quel point il était séduisant et un gentleman, comment il montait si bien ses chevaux de chasse, comment il portait la cape du gentleman d'une manière tellement élégante. Chaque fois qu'il apparaissait, même si ce n'était que pour une journée, elle désirait toujours vivement que nous voyions à quel point il était impressionnant.

Il grimaça.

— Toutefois, je ne me souviens nullement à quoi il ressemblait.

Un frisson secoua l'âme de Vane. Que Gerrard, avec sa mémoire visuelle nette, n'ait aucun souvenir de son père, cela en disait long. Néanmoins, que des gentlemen bien nantis agissent envers leurs familles comme Reginald Debbington n'était ni incroyable ni un crime. Cependant, il n'avait jamais fréquenté de près des enfants de tels hommes, n'avait jamais eu un motif de ressentir de la peine et de la colère en leur nom — une peine et une colère qu'eux-mêmes, les défavorisés, ne savaient pas devoir ressentir — pour ce que leur père ne leur avait pas donné. Toutes les choses que sa propre famille — les Cynster — chérissait et défendait : la famille, la maison, le foyer. *Posséder et chérir* était la devise des Cynster. Le premier nécessitait le second — c'était une chose que tous les mâles Cynster comprenaient depuis leurs plus jeunes années. Vous désiriez, vous saisissiez — puis, vous acceptiez la responsabilité. Activement. Quand il s'agissait de la famille, les Cynster n'étaient rien sinon actifs.

Pendant que le cabriolet roulait bon train, Vane s'efforça de comprendre la réalité que Gerrard avait décrite — il pouvait voir la maison de Gerrard, mais il ne concevait pas son atmosphère, comment elle fonctionnait. Le concept dans son ensemble — une famille sans son chef naturel, son protecteur le plus loyal — lui était étranger.

Par contre, il pouvait imaginer l'opinion de Patience — sa future femme déterminée, indépendante et à l'esprit pratique — sur le comportement de son père. Vane fronça les sourcils.

— Votre père… Patience y était-elle très attachée ?

Le regard perplexe de Gerrard suffit comme réponse.

— Attachée à lui ?

Ses sourcils se haussèrent.

— Je ne le pense pas. Quand il est mort, je me souviens qu'elle a dit quelque chose à propos du devoir et de ce qui était attendu de nous.

Après un moment, il ajouta :

— C'est difficile de s'attacher à quelqu'un qui n'est pas là.

Quelqu'un qui n'accordait pas de valeur à l'attachement. Vane entendit les mots dans sa tête — et s'interrogea.

Les ombres s'allongeaient quand leur défilé arriva dans Aldford Street, juste à l'ouest de South Audley Street. Vane lança les rênes à Duggan et sauta en bas. Le carrosse de voyage de Minnie s'arrêta en oscillant derrière son cabriolet, directement devant les marches du numéro vingt-deux. Une résidence discrète de gentleman. Le numéro vingt-deux avait été loué à court terme par un certain monsieur Montague, le représentant d'affaires de nombreux Cynster.

Ouvrant la porte du carrosse de Minnie, Vane aida Patience à descendre sur la chaussée. Timms la suivit, puis Minnie. Vane se garda bien d'essayer de la porter. Au lieu de cela, avec Patience lui offrant du support sur son autre flanc, il aida Minnie à grimper les marches raides. Le reste de la maisonnée de Minnie commença à déboucher de leurs carrosses, attirant l'attention des promeneurs tardifs. Une armée de valets de pied sortie en masse de la demeure pour prendre les bagages.

En haut de l'escalier, la porte d'entrée resta ouverte. Patience, guidant Minnie avec précaution, leva la tête quand elles atteignirent le porche étroit — et découvrit un étrange personnage debout dans le vestibule, tenant la porte grande ouverte. Les épaules voûtées, le physique maigre et nerveux, avec une expression qui aurait rendu hommage à un chat trempé, il était le plus vieux majordome qu'elle n'eût jamais rencontré.

Vane, cependant, sembla ne trouver rien d'extraordinaire à l'homme ; il hocha brièvement la tête alors qu'il aidait Minnie à passer le seuil.

— Sligo.

Sligo exécuta une révérence.

— Monsieur.

Minnie leva un visage rayonnant.

— Tiens, Sligo, quelle agréable surprise !

Suivant Minnie dans son sillage, Patience aurait pu jurer que Sligo rougit. L'air mal à l'aise, il s'inclina de nouveau.

— Madame.

Dans la mêlée qui suivit, alors que Minnie et Timms, puis les autres étaient accueillies et accompagnées à leurs chambres, Patience eut amplement le temps d'observer Sligo et l'autorité absolue qu'il exerçait sur les serviteurs subalternes. Masters comme madame Henderson, qui avaient voyagé avec leur maîtresse, reconnurent clairement Sligo et le traitèrent en égal respecté.

Au soulagement de Patience, Vane s'occupa de distraire Henry, Edmond et Gerrard, les empêchant d'être dans les jambes de tout le monde pendant que les autres membres de la maisonnée étaient installés. Quand ces trois-là finirent enfin par aller explorer leurs nouveaux appartements pendant l'heure précédant le dîner, Patience poussa un soupir de lassitude et se laissa choir sur une méridienne du salon.

Et elle leva les yeux sur Vane, debout dans sa pose habituelle, une épaule appuyée contre le manteau de la cheminée.

— Qui est Sligo ? demanda Patience.

Les lèvres de Vane se courbèrent légèrement.

— L'ancienne ordonnance de Devil.

Patience fronça les sourcils.

— Devil, le duc de St-Ives ?

— Le seul et même. Sligo agit comme concierge pour Devil lorsqu'il est à l'extérieur de la ville. Il se trouve que Devil et sa duchesse Honoria sont revenus hier pour prendre part à la vie citadine, alors j'ai emprunté Sligo.

— Pourquoi ?

— Parce qu'il nous faut quelqu'un dans la maison digne de confiance qui connaît un ou deux trucs. Sligo coordonne actuellement les fouilles de tous les bagages entrants. Il est entièrement digne de confiance et totalement fiable. Si vous voulez qu'une chose soit faite — n'importe quoi —, demandez-le-lui, et il s'en occupe.

— Mais…

Le froncement de sourcils de Patience s'intensifia.

— Vous serez ici. Non?

Vane rencontra directement son regard.

— Non.

Le désarroi — ou était-ce une simple déception? — passa fugitivement dans les yeux dorés de Patience. Vane plissa le front.

— Je ne déserte pas, mais on doit penser un moment au fait qu'il faille montrer que monsieur Vane Cynster qui, on le sait, a récemment acheté une maison confortable à seulement un jet de pierre dans Curzon Street ne peut pas avoir de raison valable de résider sous le toit de sa marraine.

Patience grimaça.

— Je n'avais pas songé à cela. Je suppose qu'à présent que nous sommes à Londres, nous devrons nous soumettre aux règles de la haute société.

À la vérité, il ne pouvait pas passer la nuit dans le lit de Patience.

— Précisément.

Vane étouffa sa réaction. Il y avait d'autres options, mais il n'était pas nécessaire qu'elle les connaisse tout de suite. Une fois qu'il aurait manœuvré pour remettre leur relation sur une base plus stable, il lui dévoilerait son secret. Jusque-là…

Se redressant, il s'éloigna d'une poussée du manteau de la cheminée.

— Je ferais mieux d'y aller. Je vais venir voir comment vous vous êtes installés demain.

Patience soutint son regard, puis tendit calmement une main. Il s'en empara, puis se pencha pour frôler ses jointures de ses lèvres. Et elle sentit le petit frisson électrique qui la parcourut.

Satisfait pour le moment, il la quitta.

— C'est *telllllllement* excitant !

Entendant le chant dithyrambique d'Angela pour la dixième fois ce matin-là, Patience l'ignora. Bien calée dans un coin de l'une des deux méridiennes du salon, elle continua à broder encore une autre nappe de plateau. L'activité avait perdu son charme, mais elle devait faire quelque chose de son esprit — de ses mains — en attendant l'apparition de Vane.

En supposant qu'il viendrait. Il était déjà bien après onze heures.

À côté d'elle, Timms était assise en train de repriser ; Minnie, ayant bien survécu aux rigueurs du voyage, était enfoncée dans le confort d'un grand fauteuil à oreilles devant l'âtre. L'autre méridienne jouait les hôtes pour madame Chadwick et Edith Swithins. Angela — celle aux déclarations idiotes — se tenait debout près de la fenêtre, jetant un coup d'œil aux passants à travers les rideaux de dentelle.

— Je suis impatiente de tout voir : les théâtres, les chapelières, les couturières.

Les mains serrées sur sa poitrine, Angela pivota vivement et tournoya.

— Ce sera si *merveilleusement* excitant !

Cessant de tournoyer, elle regarda sa mère.

— Êtes-vous certaine que nous ne pouvons pas y aller avant le déjeuner ?

Madame Chadwick soupira.

— Comme il a été entendu, nous irons faire une courte excursion cet après-midi pour décider quelles chapelières pourraient convenir.

— Ce devra être dans Bruton Street, déclara Angela. Mais Edmond dit que les meilleures boutiques sont situées dans Bond Street.

— Bond Street est juste derrière Bruton Street.

Patience avait passé le voyage à lire un guide touristique.

— Une fois que nous aurons parcouru l'une sur toute sa longueur, nous atteindrons l'autre.

— Oh. Bien.

Ses projets de l'après-midi assurés, Angela retourna à ses rêves éveillés.

Patience résista à l'envie de jeter un coup d'œil sur l'horloge posée sur le manteau de la cheminée. Elle pouvait entendre son tic-tac régulier, faisant le décompte des minutes écoulées ; il lui semblait qu'elle l'écoutait depuis des heures.

Elle savait déjà que la vie en ville ne lui conviendrait jamais. Habituée aux heures de la campagne, la routine de prendre le petit déjeuner à dix heures, le déjeuner à quatorze heures et le dîner à vingt heures ou plus tard ne trouverait jamais grâce à ses yeux. C'était déjà assez désagréable de s'être réveillée à son heure coutumière pour découvrir le salon du petit déjeuner vide et d'avoir dû se contenter de thé et de rôties dans le petit salon. Assez désagréable qu'il n'y ait pas de piano avec lequel se distraire. Encore pire le fait qu'il fût apparemment inacceptable pour elle de marcher dehors sans escorte. Pire que tout était le fait que le numéro vingt-deux, Aldford Street fut bien plus petit que le manoir Bellamy, ce qui signifiait qu'ils étaient tous pêle-mêle, dans les jambes les uns des autres — et sous le nez de tous — en tout temps.

Avoir à supporter les autres dans un espace aussi restreint semblait destiné à la rendre folle.

Et Vane n'était pas encore arrivé.

Quand il serait là, elle l'informerait sans mâcher ses mots de ce qu'elle pensait de son idée de les déménager à Londres. Il valait mieux pour eux qu'ils chassent le voleur et le spectre. Bientôt.

L'horloge continua à tictaquer. Patience serra les dents et persévéra avec son aiguille.

Un coup frappé à la porte d'entrée donnant sur la rue lui fit lever la tête. De concert avec tout le monde, à l'exception d'Edith Swithins — elle continua sa dentellerie avec bonheur. L'instant d'après, un grondement de voix sourdes atteignit leurs oreilles tendues. Patience soupira intérieurement — avec un soulagement qu'elle n'avait aucune intention d'examiner trop attentivement. Le visage de Minnie s'éclaira alors que des pas familiers de félin s'approchaient. Timms sourit.

La porte s'ouvrit. Vane entra lentement pour être accueilli par une panoplie de sourires. Son regard alla fugitivement sur Patience. Elle le rencontra calmement. Elle l'observa pendant qu'il les gratifiait tous d'un signe de tête, puis saluait Minnie élégamment et affectueusement, s'enquérant de sa santé et de son sommeil.

— J'ai très probablement dormi plus que toi, répondit Minnie, une étincelle coquine dans le regard.

Vane sourit paresseusement et n'esquissa aucun geste pour la démentir.

— Êtes-vous prête à affronter le parc ?

Minnie grimaça.

— Demain, je te laisserai peut-être me convaincre de faire une promenade. Aujourd'hui, je serai satisfaite de rester assise tranquille à rassembler mes forces flageolantes.

Son teint, mieux qu'il ne l'était les derniers jours, montrait qu'elle ne courait aucun risque de s'étioler. Rassuré, Vane leva les yeux vers Patience, l'observant avec un calme réservé qu'il n'aima pas.

— Peut-être, dit-il en reportant son regard sur Minnie, si vous êtes installée aujourd'hui, pourrais-je amener mademoiselle Debbington à votre place ?

— Je t'en prie.

Minnie tourna un visage rayonnant vers Patience et fit des gestes pour la chasser.

— C'est si difficile pour Patience de rester coincée à l'intérieur.

Vane jeta un regard canaille en biais vers Patience.

— Bien, mademoiselle Debbington. Êtes-vous d'attaque pour un tour du parc ?

Le regard fixé sur le sien, Patience hésita.

Angela ouvrit la bouche et s'avança d'un pas ; madame Chadwick lui fit signe de reculer, articulant en silence un « non ! » catégorique. Angela recula en faisant la moue.

Incapable de lire quoi que ce soit dans les yeux de Vane pour expliquer le défi dans ses mots, Patience arqua un sourcil.

— En effet, monsieur. Je serais des plus heureuses d'avoir l'occasion de prendre un peu d'air frais.

Vane fronça les sourcils en son for intérieur devant son acceptation tempérée. Il patienta pendant qu'elle mettait son ouvrage de côté et se levait, après un hochement de tête pour Minnie et les autres, il offrit son bras à Patience pour quitter la pièce.

Il s'arrêta dans le vestibule.

Patience retira sa main sur sa manche et se tourna vers l'escalier.

— Je ne vous ferai pas attendre plus d'une minute.

Vane tendit le bras, s'empara de son coude et l'attira de nouveau vers lui. Jusqu'à ce qu'elle soit juste sous son regard, plongé dans ses yeux à présent arrondis. Après un moment, il demanda à voix basse :

— Les autres. Où sont-ils ?

Patience s'efforça de réfléchir.

— Whitticombe a envahi la bibliothèque ; elle est bien pourvue, mais malheureusement très petite. Edgar et le général n'avaient nulle part où aller, alors ils ont bravé le froid, mais je ne sais pas combien de temps ils resteront absents. Edgar a dit quelque chose à propos de faire une visite à Tattersall.

— Hum.

Vane fronça les sourcils.

— Je vais m'assurer que Sligo est au courant.

Il recentra son attention sur Patience.

— Les autres ?

— Henry, Edmond et Gerrard sont allés droit dans la salle de billard.

La poigne de Vane sur son coude se relâcha ; se libérant d'une torsion, Patience se redressa — et lui décocha un regard sévère.

— Je ne vous dirai pas ce que je pense d'une maison qui possède une salle de billard, mais pas de salle de musique.

Les lèvres de Vane tressaillirent.

— Il s'agit bien d'une résidence de *gentleman.*

Patience s'indigna.

— Peu importe, je ne pense pas que l'attrait du billard maintiendra le trio dans un état de satisfaction très longtemps. Ils planifiaient toutes sortes d'excursions.

Elle gesticula avec ampleur.

— À Exeter Exchange, dans Haymarket, Pall Mall. Je les ai même entendus mentionner un endroit appelé Peerless Pool.

Vane cilla.

— C'est fermé.

— Ah oui ?

Patience haussa les sourcils.

— Je vais leur dire.

— Oubliez cela. Je vais les informer moi-même.

Vane lui jeta un nouveau coup d'œil.

— Je vais bavarder avec eux pendant que vous allez chercher votre pelisse et votre bonnet.

Patience acquiesça avec un hochement de tête hautain. Vane la regarda monter les marches, puis, fronçant encore plus résolument les sourcils, se dirigea à grands pas vers la salle de billard — pour établir quelques règles de base.

Il revint dans le vestibule alors que Patience mettait le pied sur les carreaux. Quelques minutes plus tard, il l'aida d'une main à monter dans le cabriolet et grimpa à côté d'elle. Le parc était fermé ; en dirigeant ses chevaux vers les arbres, Vane repassa la liste des membres de la maisonnée de Minnie. Et fronça les sourcils.

— Alice Colby.

Il jeta un coup d'œil à Patience.

— Où est-elle ?

— Elle n'est pas descendue pour le petit déjeuner.

Les sourcils de Patience s'arquèrent.

— Je suppose qu'elle doit se trouver dans sa chambre. Je ne l'ai pas vue dans les alentours, à présent que vous le mentionnez. Elle prie probablement. Elle semble employer une bonne partie de son temps à cette fin.

Patience haussa les épaules et regarda devant elle. Vane l'observa, laissant ses yeux glisser un regard appréciateur sur elle. Tête haute, face au vent, elle scrutait l'avenue devant eux. Sortant de son bonnet, quelques mèches fines de cheveux brun doré voltigeaient sur ses joues. Sa pelisse était du même bleu pastel que la robe de jour simple qu'elle portait dessous. Son cerveau enregistra le fait que ni l'un ni l'autre n'était neuf, encore moins à la dernière mode, mais à ses yeux, la vision qu'elle offrait assise sur le siège du conducteur de son cabriolet était parfaite. Même si son menton était relevé un peu trop haut et son expression un tantinet trop réservée.

Intérieurement, il fronça les sourcils, puis il regarda ses chevaux.

— Nous allons devoir nous assurer que personne dans la ménagerie de Minnie n'a l'occasion de sortir seul. Je pense que nous pouvons présumer qu'il n'y a pas de conspiration ni de partenariat, du moins entre des individus sans liens de parenté. Cependant, nous devons garantir qu'aucun d'eux n'a l'occasion de transférer l'un ou l'autre des objets de valeur volés, comme les perles, à un complice. Ce qui signifie que nous — vous, moi, Gerrard, Minnie et Timms avec l'aide de Sligo — devrons les accompagner chaque fois qu'ils quitteront la maison.

— Angela et madame Chadwick envisagent de visiter Bruton Street et Bond Street cet après-midi.

Patience plissa le nez.

— Je suppose que je pourrais y aller avec elles.

Vane réprima un grand sourire.

— S'il vous plaît.

La plupart des dames de sa connaissance se hâteraient d'aller dans Bruton Street et Bond Street pour un oui ou pour un non. Le peu d'enthousiasme de Patience augurait bien pour une vie paisible dans le Kent.

— J'ai accepté, avec convenablement de réticence, d'agir comme guide pour Henry, Edmond et Gerrard cet après-midi et j'ai filé à Sligo le tuyau de surveiller Edgar et le général.

Patience fronça les sourcils.

— Il y aurait pas mal de personnes à surveiller si elles décidaient de sortir seules.

— Nous allons devoir modérer leur goût pour les délices de la ville.

Vane remarqua les carrosses arrêtés sur le bas-côté devant eux.

— En parlant de cela… Regardez, les grandes dames de la haute société.

Même sans cet avertissement, Patience les aurait reconnues. Elles étaient assises délicatement enveloppées sur des sièges de velours ou de cuir, leurs élégants turbans oscillant sous les salutations, les yeux vifs et perçants, les mains gantées s'agitant avec expertise pendant qu'elles disséquaient et discutaient chaque parcelle de potin potentiel. Des femmes mariées jeunes mais élégantes aux douairières aux regards vigilants, elles étaient sûres d'elles, sûres de leur rang dans la société. Leurs carrosses bordaient le chemin à la mode pendant qu'elles échangeaient de l'information et des invitations.

Plusieurs têtes se tournèrent vers eux pendant qu'ils roulaient régulièrement sur la route. Des turbans s'inclinèrent avec grâce ; Vane répondit aux salutations avec décontraction, mais il ne s'arrêta pas. Patience remarqua que plusieurs des yeux sous ces turbans s'attardèrent sur elle. Les expressions qu'elle décela étaient soit stupéfaites, hautement désapprobatrices ou les deux. Levant le menton, elle les ignora. Elle savait que sa pelisse et son bonnet n'étaient pas à la mode. Sans chic. Ressemblant même possiblement aux vêtements d'une mémère.

Cependant, elle ne serait à Londres que quelques semaines — pour attraper le voleur — de sorte que sa garde-robe n'avait pas vraiment d'importance.

Du moins, pour elle.

Elle jeta un coup d'œil discret à Vane, mais ne put déceler dans son expression aucune indication qu'il en avait conscience. Elle ne pouvait rien y lire du tout. Il ne donna aucun signe d'avoir enregistré, encore moins réagit aux regards les plus malins dirigés vers lui. Patience s'éclaircit la gorge.

— Il semble y avoir beaucoup de dames présentes ; je ne pensais pas qu'un si grand nombre serait revenu en ville.

Vane haussa les épaules.

— Pas tout le monde le fait, mais le Parlement a repris ses activités, de sorte que les hôtesses politiques sont rentrées, exerçant leur influence avec les habituels bals et dîners. C'est ce qui amène la haute société à revenir. Les quelques semaines de tourbillon de mondanités remplissent agréablement le temps entre l'été et le début de la saison de chasse.

— Je vois.

Survolant du regard les carrosses devant, Patience remarqua une dame qui au lieu de se prélasser langoureusement et de les regarder passer s'était redressée d'un bond. Une seconde plus tard, elle agita la main — impérieusement.

Patience jeta un coup d'œil à Vane ; d'après la direction de son regard et ses lèvres serrées, il avait déjà vu la dame. Son hésitation était palpable, puis la tension s'accumulant chez lui comme s'il se préparait à quelque chose il ralentit ses chevaux. Le cabriolet s'arrêta en oscillant à côté d'un élégant coupé de ville.

Occupé par la dame d'un âge similaire à celui de Patience, avec des cheveux châtains brillants et une paire d'yeux bleu gris excessivement perspicaces. Leur propriétaire sourit avec joie.

Sombrement, Vane hocha la tête.

— Honoria.

La dame reporta son sourire éclatant sur lui. Il s'approfondit très légèrement.

— Vane. Qui est-ce ?

— Permettez-moi de vous présenter mademoiselle Patience Debbington. La nièce de Minnie.

— Vraiment ?

Sans attendre davantage, la dame tendit la main à Patience.

— Honoria, ma chère mademoiselle Debbington.

— La duchesse de St-Ives, déclara Vane d'un air sombre.

Honoria l'ignora.

— C'est un plaisir de vous rencontrer, ma chère. Comment se porte Minnie ?

— Elle est beaucoup mieux qu'elle était.

Patience oublia ses vêtements miteux et répondit avec décontraction devant le caractère franc de la duchesse.

— Elle a attrapé un rhume il y a quelques semaines, mais elle a étonnamment bien survécu au voyage jusqu'ici.

Honoria hocha la tête.

— Combien de temps prévoit-elle rester en ville ?

Jusqu'à ce qu'ils attrapent leur voleur — démasquent le spectre. Patience soutint le regard clair de la duchesse.

— Ah…

— Nous n'en sommes pas sûrs, dit Vane d'une voix traînante. C'est seulement l'un des habituels sauts de puce de Minne en ville, mais cette fois elle a amené toute sa ménagerie avec elle.

Il haussa ses sourcils en signe d'ennui manifeste.

— Vraisemblablement pour la distraire.

Le regard d'Honoria resta calmement posé sur son visage assez longtemps pour que Patience se demande à quel point elle croyait à l'explication désinvolte de Vane. Puis, Honoria reporta son regard sur elle — et elle sourit chaleureusement, d'une manière accueillante — beaucoup plus personnellement que s'y était attendue Patience.

— Je suis certaine que nous allons nous rencontrer de nouveau très bientôt, mademoiselle Debbington.

Honoria pressa les doigts de Patience.

— Je vais vous laisser continuer : vous avez sans aucun doute un matin occupé devant vous. En effet — elle déplaça son regard sur Vane —, j'ai quelques visites à faire moi aussi.

Vane, lèvres serrées, hocha brièvement la tête — et mit ses chevaux en train.

Alors qu'ils roulaient sur l'avenue, Patience regarda son visage sérieux.

— La duchesse paraît très gentille.

— Elle l'est. Très gentille.

Aussi très fouineuse et assurément beaucoup trop perspicace. Vane serra intérieurement les dents. Il savait que la famille le découvrirait à un moment donné, mais il ne s'était pas attendu à ce que ce soit aussi vite.

— Honoria est en réalité la chef de famille.

Il s'efforça de trouver les mots pour expliquer avec précision ce que cela signifiait, mais il abandonna. Reconnaître le pouvoir qu'Honoria — que n'importe quelle femme Cynster — exerçait dans la famille était une chose que lui et tous ses parents mâles trouvaient toujours excessivement difficile.

Vane plissa les paupières et dirigea son équipage vers les grilles du parc.

— Je vais venir vous chercher demain à peu près à la même heure. Une promenade en voiture ou bien à pied me semble la meilleure façon pour nous d'échanger de l'information sur ce que les autres ont fait et où ils ont l'intention d'aller.

Patience se raidit. Il l'avait amenée se promener aujourd'hui afin qu'ils puissent coordonner leurs plans – il voyait la sortie comme une réunion de campagne.

– En effet, répondit-elle, quelque peu aigrement.

Un instant plus tard, elle dit :

– Nous devrions demander à Sligo de nous accompagner ?

Lorsque Vane la regarda en fronçant les sourcils elle ajouta :

– Afin que nous puissions obtenir ses opinions de première main.

Vane fronça encore plus les sourcils – ses chevaux détournèrent son attention.

Alors qu'ils négociaient entre les grilles du parc et tournaient sur la voie publique bondée, Patience resta assise en se tenant raide ; en son for intérieur, les émotions bouillonnaient. Quand les sabots des chevaux touchèrent les pavés d'Aldford Street, elle leva le menton.

– Je comprends que vous vous sentez obligé d'identifier le voleur et le spectre, mais, à présent que vous êtes revenu à Londres, j'imagine que vous avez d'autres obligations – d'autres distractions – auxquelles vous préféreriez consacrer votre temps.

Sa respiration était tendue ; un étau froid s'était resserré autour de son cœur. Elle sentit le regard rapide de Vane. Tête haute, yeux en avant, elle poursuivit :

– Je suis certaine qu'à présent que Sligo s'est joint à nous, nous pourrions trouver une façon de vous transmettre l'information pertinente sans que vous n'ayez à perdre votre temps en promenades inutiles, en voiture ou à pied.

Elle ne s'accrocherait pas. À présent qu'ils étaient en ville et qu'il pouvait voir qu'elle n'avait pas sa place dans son monde élégant, qu'elle n'arrivait pas à la cheville des beautés aux atours exquis avec qui il avait l'habitude de frayer, elle ne tenterait pas de le retenir. Comme sa mère s'était accrochée à son père. Leur relation était temporaire ; dans son esprit, elle pouvait déjà en voir la fin. En faisant le premier pas pour reconnaître l'inévitable, elle pourrait, c'était possible, préparer son cœur au coup à venir.

— Je n'ai aucune intention de ne pas vous voir au moins une fois par jour.

Les mots étaient secs, imprégnés d'une rage inflexible que Patience ne pouvait pas ne pas reconnaître. Interloquée, elle regarda Vane. Le carrosse s'arrêta en oscillant, il attacha les rênes et sauta en bas.

Puis, il pivota vivement. Il la saisit à la taille et la souleva à bout de bras de son siège — et la déposa avec une maîtrise rigide et tremblante sur la chaussée devant lui.

Ses yeux comme des épées soutenaient le regard de Patience. Essoufflée, Patience cligna des paupières devant lui. Son visage était dur, comme un masque de guerrier. Des vagues de colère et d'agressivité lapaient l'air autour d'elle.

— Quand il s'agit de distractions, l'informa-t-il à travers des dents serrées, rien au monde ne peut vous surpasser.

Ses mots étaient lourds de sens — un sens qu'elle ne comprenait pas. Mentalement complètement déboussolée, Patience tenta de reprendre son souffle. Avant qu'elle réussisse, Vane l'avait guidée au pas en haut des marches et l'avait raccompagnée dans le vestibule. Yeux plissés, il baissa le regard sur elle.

— Ne vous attendez pas à me voir disparaître de sitôt.

Sur ce, il tourna les talons et sortit à grand bruit.

Chapitre 17

Deux jours plus tard, Vane monta avec raideur les marches du numéro vingt-deux, Aldford Street, en route pour voir Patience. Si elle n'était pas prête à venir en voiture avec lui ce matin, il y aurait des ennuis.

Il n'était pas de bonne humeur.

Il ne l'était pas depuis deux jours.

Après avoir laissé Patience dans Aldford Street, sa colère montrant ses dents, il était allé trouver refuge chez White's pour se calmer et réfléchir. Il avait supposé, étant donné leur intimité et tout ce qu'il lui avait déjà révélé sur lui-même, qu'elle n'allait pas – ne pouvait pas – le confondre avec son père. Il avait à l'évidence fait une fausse supposition. Son attitude et ses commentaires exprimaient clairement qu'elle le mesurait à l'aune de Reginald Debbington – et qu'elle ne réussissait pas à percevoir de différence nette.

Sa réaction initiale avait été une violente blessure qu'il n'avait pas encore aujourd'hui totalement éliminée. Après les efforts précédents de Patience qui lui avait fait fuir le manoir Bellamy, il avait cru avoir surmonté la « blessure ». Il avait eu tort à cet égard aussi.

Calé dans un coin tranquille chez White's, il avait passé des heures infructueuses à composer des discours laconiques et concis destinés à exposer précisément comment et en quoi il différait de son paternel – un homme pour qui la famille avait peu d'importance. Ces arguments étaient devenus de plus en plus énergiques; en fin de compte, il avait jeté les phrases par-dessus bord en faveur de l'action. Cela, tous les Cynster le savaient très bien, parlait plus fort que les mots.

Jugeant maintenant que les dommages dans sa famille avaient déjà été faits, il avait ravalé sa fierté et était allé trouver Honoria – pour lui demander, innocemment, si elle pouvait songer à donner un de ses bals impromptus. Juste pour la famille et les amis. Un tel bal serait un outil utile pour son projet avoué – convaincre Patience que pour lui et tous les Cynster le mot «famille» avait beaucoup d'importance.

Les grands yeux d'Honoria et sa réflexion pensive l'avaient mis sur les dents. Cependant, son accord qu'un bal impromptu puisse être une bonne idée avait réussi à apaiser un peu sa colère. Abandonnant la duchesse de Devil à ses préparations, il s'était retiré pour établir ses propres plans. Et pour broyer du noir d'un air sombre.

Quand l'aube du matin précédent s'était levée et qu'il avait une fois de plus tourné la tête de ses chevaux vers Aldford Street, il en était arrivé à la conclusion qu'il devait y avoir autre chose – plus qu'une simple fausse opinion empêchant Patience de se marier. Il était absolument convaincu du genre de femme qu'il avait choisi; il savait au fond de son âme que l'idée qu'il s'était faite d'elle n'était pas erronée. Seul un motif puissant pouvait obliger une femme comme elle, avec autant d'amour et de dévouement à offrir, à considérer le mariage comme un risque inacceptable.

Il y avait quelque chose de plus – une chose qu'il n'avait pas encore apprise à propos du mariage de ses parents.

Il avait monté les marches du numéro vingt-deux décidé à découvrir ce dont il s'agissait – seulement pour se voir informer que mademoiselle Debbington n'était pas libre pour aller se promener avec lui. Elle avait, semblait-il, été séduite par les couturières de Bruton Street. Son humeur reprit un tour sombre.

Heureusement pour Patience, Minnie surveillait l'arrivée de Vane. Subitement alerte, elle avait réclamé sa compagnie pour la promenade promise sur les sentiers graveleux de Green Park. En route, elle l'informa joyeusement que, par un étrange coup du sort bienveillant, Honoria était tombée par hasard sur Patience dans Bruton Street l'après-midi précédent et avait insisté pour la présenter à sa couturière préférée, Célestine, la conséquence étant une séance d'essayage à laquelle participait en ce moment Patience pour une série de robes comprenant une robe de soirée dorée absolument *éblouissante,* lui assura avec grand plaisir Minnie.

Discuter avec le sort bienveillant était impossible. Même si, à cause d'Edith Swithins qui s'était jointe à leur promenade, ledit destin s'était assuré qu'il n'ait pas l'occasion d'interroger Minnie à propos du père de Patience et de la profondeur de son ignominie.

Une heure plus tard, rassuré que la santé de Minnie fût pleinement revenue, il la raccompagna au numéro vingt-deux seulement pour découvrir que Patience était toujours absente. Laissant un message laconiquement exprimé pour elle aux soins de Minnie, il partit chercher une distraction ailleurs.

Aujourd'hui, il voulait Patience. S'il pouvait faire les choses à sa façon, il aurait Patience, mais c'était peu probable. Une intimité de ce genre dans les circonstances actuelles serait fort peu probablement offerte – et il avait un pressentiment méfiant qu'il ne serait pas sage de s'embarquer dans d'autres manœuvres de séduction jusqu'à ce que leur relation soit stable et régulière.

Avec *sa* main tenant fermement la barre.

Sligo ouvrit la porte à son coup péremptoire. Avec un bref hochement de tête, Vane entra. Et s'arrêta net.

Patience était dans le vestibule à l'attendre – sa vue lui coupa littéralement le souffle. Alors que son regard glissait inexorablement sur elle, sur la pelisse verte en douce laine de mérinos coupée de façon austère et épousant bien ses formes, son collet rigide encadrant son visage, sur les gants brun pâle et les demi-bottes, sur la jupe vert pâle pointant sous le bord de la pelisse, Vane sentit quelque chose en lui se serrer, faire clic et se verrouiller.

Respirer était tout à coup plus difficile que si quelqu'un lui avait enfoncé un poing dans le ventre.

Sa chevelure brillante sous la lumière entrant à flots par la porte était coiffée différemment, plus ingénieusement pour attirer l'attention sur ses grands yeux dorés, sur l'ivoire de son front et de ses joues et sur la ligne délicate, néanmoins décidée de sa mâchoire. Et sur la douce vulnérabilité de ses lèvres.

Dans un coin lointain de son esprit affolé, Vane dit merci à Honoria, puis fit suivre le mot d'un juron. C'était déjà assez difficile avant. Comment diable était-il censé se débrouiller avec ceci ?

Son torse se gonflant, il obligea son esprit à se reprendre. Il se concentra sur le visage de Patience – et interpréta son expression. Elle était calme, non teintée par l'émotion. Elle attendait obligeamment — comme il était requis par leurs plans — il n'y avait rien de plus, voilà ce que son expression déclarait, derrière sa promenade en voiture avec lui.

Ce fut sa posture « obéissante » qui fit tout basculer — piqua de nouveau sa colère. Luttant pour ne pas se renfrogner, il hocha la tête avec brusquerie et tendit le bras.

— Prête ?

Quelque chose dansa dans ses grands yeux, mais le vestibule était trop faiblement éclairé pour qu'il puisse identifier l'émotion. Doucement, elle inclina la tête et s'avança avec grâce pour prendre son bras.

Patience était assise très droite dans le cabriolet de Vane et s'efforçait de respirer à travers la cage de fer qui s'était refermée sur sa poitrine. Au moins, il ne pouvait pas désapprouver son apparence ; Celestine et Honoria lui avaient assuré que sa nouvelle pelisse et son bonnet étaient la toute dernière mode. Et sa robe neuve en dessous était sans contredit une amélioration par rapport à l'ancienne. Néanmoins, d'après sa réaction, il semblait que son apparence avait peu d'importance. Elle se rappela avec sévérité à elle-même qu'elle ne s'était pas vraiment attendue à ce que ce soit le cas. Elle avait acheté les robes parce qu'elle n'avait pas renouvelé sa garde-robe depuis des années et le moment paraissait bien choisi. Une fois qu'ils auraient attrapé le voleur — et le spectre — et que Gerrard aurait acquis un vernis citadin suffisant, elle et lui se retireraient une fois de plus dans le Derbyshire. Elle ne reviendrait probablement jamais à Londres.

Elle avait fait l'acquisition d'une nouvelle garde-robe parce que c'était la chose sensée à faire et parce que ce n'était pas raisonnable d'obliger Vane Cynster, un élégant, à paraître en public avec une femme mal fagotée.

Non qu'il sembla s'en soucier d'une manière ou d'une autre. Patience réprima un reniflement et releva légèrement le menton.

— Comme je vous l'ai dit, madame Chadwick et Angela ont visité Bruton Street lors de notre premier après-midi ici. Angela nous a traînées dans tous les établissements de couturières, même ceux destinés aux douairières. Et a demandé le prix de presque tout ce qu'il y avait en vue. C'était vraiment très embarrassant. Heureusement, les réponses qu'elle a reçues ont fait leur effet. Elle semble avoir accepté qu'il puisse être plus pragmatique de faire venir une couturière pour lui confectionner quelques robes.

Les yeux sur ses chevaux, Vane se renfrogna.

— Où étaient Angela et madame Chadwick pendant que vous étiez chez Celestine ?

Patience rougit.

— Honoria est tombée sur nous dans Bruton Street. Elle a insisté pour me présenter à Celestine, et les choses — elle gesticula — ont suivi leur cours à partir de là.

— Les *choses* ont cette habitude une fois qu'Honoria met son nez dedans.

— Elle a été très gentille, rétorqua Patience. Elle a même engagé la conversation avec madame Chadwick et Angela tout le temps que j'étais occupée avec Celestine.

Vane se demanda à quel point Honoria allait le faire payer pour cela. Et avec quelle monnaie ?

— Heureusement, avoir l'occasion de fréquenter le salon de Celestine et de bavarder avec une duchesse a beaucoup remonté le moral d'Angela. Nous sommes ensuite allées dans Bond Street, sans plus de drames. Ni madame Chadwick ni Angela n'ont montré de signe de vouloir s'entretenir avec les joailliers des établissements que nous avons dépassés, et nous n'avons rencontré personne d'autre en route.

Vane grimaça.

— Je ne pense vraiment pas que ce soit l'une ou l'autre. Madame Chadwick est honnête jusqu'à la moelle et Angela est trop bête.

— En effet.

Le ton de Patience se fit acerbe.

— Si bête que rien d'autre qu'une visite chez Gunter ne pouvait couronner son après-midi. Rien ne pouvait l'en dissuader. C'était bondé de jeunots et un trop grand nombre d'entre eux ont passé leur temps à la lorgner. Elle voulait y retourner hier après-midi — madame Chadwick et moi l'avons plutôt amenée chez Hatchards.

Les lèvres de Vane tressaillirent d'humour.

— Elle a dû aimer cela.

— Elle a gémi tout le temps de notre visite.

Patience lui jeta un bref regard.

— C'est tout ce que j'ai à rapporter. Qu'ont fait les hommes ?

— Du tourisme.

Vane prononça ces mots avec répugnance.

— Henry et Edmond sont possédés par un démon qui les pousse à poser les yeux sur chaque monument dans la métropole. Heureusement, Gerrard est assez content de les accompagner et de les surveiller. Jusqu'ici, il n'a rien à rapporter. Le général et Edgar se sont décidés pour Tattersalls comme centre d'intérêt pour leurs journées. Sligo ou l'un de ses laquais les suivent et veillent, jusqu'à présent en vain. Je me suis occupé de leurs après-midi et de leurs soirées. Les seuls qui n'ont pas encore bougé de la maison sont les Colby.

Vane jeta un regard à Patience.

— Alice a-t-elle émergé de sa chambre ?

— Pas pour longtemps.

Patience fronça les sourcils.

— En fait, elle était peut-être comme ça aussi au manoir Bellamy. Je l'avais imaginée dans les jardins ou dans l'un des salons, mais elle a pu rester dans sa chambre tout le temps. C'est vraiment très mauvais pour la santé.

Vane haussa les épaules.

Patience lui jeta un regard en biais, étudiant son visage. Il avait dirigé ses chevaux vers un trajet moins fréquenté, loin de l'avenue à la mode. Bien qu'il y ait des carrosses dans les environs, il n'était pas nécessaire pour eux d'échanger des salutations.

— Je n'ai pas eu l'occasion de parler à Sligo, mais je présume qu'il n'a rien trouvé ?

L'expression de Vane devint sombre.

— Rien du tout. Il n'y avait aucun indice dans les bagages. Sligo fouille clandestinement toutes les chambres au cas où les objets volés auraient été introduits en douce d'une manière quelconque.

— Introduits en douce ? Comment ?

— Le sac à ouvrage d'Edith me vient spontanément en tête.

Patience le dévisagea.

— Vous ne pensez pas qu'*elle*…

Vane arriva à une intersection et tourna rapidement à droite.

— Où est Edith en ce moment ?

— Dans le salon, à créer de la dentelle, évidemment.

— Son fauteuil fait-il face à la porte ?

— Oui.

Patience fronça les sourcils.

— Pourquoi ?

Vane lança un regard.

— Parce qu'elle est sourde.

Patience continua à froncer les sourcils, puis la compréhension se fit jour en elle.

— Ah.

— Exactement. Donc...

— Hum.

L'expression de Patience s'était faite pensive.

— Je suppose...

Une demi-heure plus tard, la porte du salon du numéro vingt-deux s'ouvrit ; Patience regarda à l'intérieur.

Edith Swithins était installée sur la méridienne face à la porte, créant de la dentelle comme une forcenée. Son grand sac en tricot était posé sur la carpette à côté de la méridienne. Il n'y avait personne d'autre.

Souriant jovialement, Patience entra et ferma presque la porte, s'assurant que le verrou ne s'enclenchait pas. *À quel point* Edith était sourde, ils l'ignoraient. Avec une gaîté résolue, elle fondit sur Edith.

Qui leva la tête — et lui rendit son sourire.

— Je suis tellement contente de vous trouver, commença Patience. J'ai toujours voulu apprendre comment faire de la dentelle. Je me demandais si vous pourriez m'apprendre les bases.

Edith rayonna positivement.

— Mais bien sûr, chère. C'est vraiment très simple.

Elle leva son ouvrage.

Patience plissa les yeux.

— En fait — elle regarda autour d'elle —, nous devrions peut-être nous approcher de la fenêtre. La lumière est bien meilleure là.

Edith gloussa.

— Je dois avouer que je n'ai pas vraiment besoin de voir les points, j'en fais depuis si longtemps.

Elle se leva tranquillement de la méridienne.

— Je vais seulement prendre mon sac…

Patience tendit la main vers le sac — et concéda en son for intérieur que Vane avait raison. Il était profond, plein et étonnamment lourd. Il fallait absolument qu'il soit fouillé. Hissant le sac, elle pivota vivement.

— Je vais tirer ce fauteuil en place pour vous.

Une fois qu'Edith, tenant délicatement son ouvrage en cours, eut traversé la pièce, Patience avait positionné un fauteuil à oreilles très profond en face de la fenêtre, dos à la porte. Déposant le sac à ouvrage à côté, caché à la vue de son occupante par la partie en surplomb du fauteuil, elle aida Edith à s'y asseoir.

— Maintenant, si je m'assois ici sur la banquette sous la fenêtre, il y aura bien assez de lumière pour que nous voyions toutes les deux.

Obligeamment, Edith s'installa confortablement.

— Bon.

Elle leva son ouvrage.

— La première chose à remarquer…

Patience contempla les fils fins. Dans sa vision périphérique, la porte s'ouvrit lentement. Vane entra et referma la porte avec précaution. À pas feutrés, il s'approcha. Une latte craqua sous son poids. Il se figea. Patience se tendit. Edith continua à bavarder allégrement.

Patience recommença à respirer. Vane avançant gracieusement, puis se baissa hors de vue derrière le fauteuil d'Edith. Du coin de l'œil, Patience vit le sac à ouvrage d'Edith s'éloigner dans un glissement.

Elle s'obligea à écouter la leçon d'Edith, se contraignit à suivre suffisamment pour poser des questions sensées. Rayonnante de fierté, Edith lui transmettait son savoir; Patience l'encouragea et admira et espéra que le Tout Puissant lui pardonnerait sa fourberie, étant donné qu'elle avait pour but de voir la justice triompher.

Accroupi derrière le fauteuil, Vane farfouilla dans le sac, puis constatant l'inutilité du procédé il le renversa délicatement sur la carpette. Le contenu, un fatras de petites choses, plusieurs non identifiables, du moins pour lui, roula sur le tas mou. Il les éparpilla en fronçant les sourcils, essayant de se rappeler la liste des objets dérobés au cours des derniers mois. Peu importe, les perles de Minnie n'y étaient pas.

— Et maintenant, dit Edith, il nous faut seulement un crochet…

Elle regarda là où son sac avait été déposé.

— Je vais le chercher.

Patience s'accroupit, les yeux baissés, les mains se tendant comme si le sac était vraiment là.

— Un crochet, répéta-t-elle.

— Un crochet fin, ajouta Edith.

Crochet. Fin. Derrière la chaise, Vane fixait l'assortiment d'outils innommables. Que diable pouvait bien être un crochet fin ? Examinant frénétiquement différents articles en écaille de tortue et les rejetant, ses doigts se refermèrent enfin sur une mince baguette couronnée par une pointe en métal, courbée à une extrémité — un hameçon miniature.

— Je sais qu'il est là quelque part.

La voix d'Edith, légèrement grincheuse, poussa Vane à agir. Tendant la main autour du dossier du fauteuil, il glissa l'outil dans la paume tendue de Patience.

Elle le serra.

— Le voilà !

— Oh, bien. Maintenant, nous l'insérons ici, juste comme ceci…

Pendant qu'Edith continuait sa leçon et que Patience apprenait consciencieusement, Vane remit le contenu du sac à ouvrage à travers sa gueule béante. Secouant légèrement le sac pour replacer le tout, il reprit lentement sa position à côté du fauteuil. Se déplaçant avec une immense prudence, il se leva et se faufila jusqu'à la porte.

Main sur la poignée, il jeta un regard en arrière ; Patience ne leva pas les yeux. Ce ne fut que lorsqu'il eut regagné le vestibule principal, la porte du salon bien refermé derrière lui qu'il recommença à respirer librement.

Patience le rejoignit dans la salle de billard une demi-heure plus tard.

Soufflant pour repousser les mèches folles s'emmêlant dans ses cils, elle rencontra son regard.

— J'en connais davantage sur la dentellerie que j'ai possiblement besoin d'en savoir même si je vivais jusqu'à cent ans.

Vane sourit. Et se pencha sur la table.

Patience grimaça.

— J'en comprends qu'il n'y avait rien dedans ?

— Rien.

Vane s'aligna pour son coup suivant.

— Personne n'utilise le sac à ouvrage d'Edith comme contenant de rangement, vraisemblablement parce qu'une fois que quelque chose y entre, on pourrait ne jamais le retrouver.

Patience réprima un gloussement. Elle regarda Vane changer de position, puis s'aligner sur la bille. Comme au manoir Bellamy quand elle l'avait observé depuis le jardin d'hiver, il avait retiré sa veste. Sous un gilet serré, les muscles ondulaient, puis se contractaient. Il frappa la bille d'un coup franc, l'envoyant rouler dans la poche à l'opposée.

Vane se redressa. Il regarda Patience et remarqua son regard fixe. Soulevant sa queue de billard de sur la table, il s'approcha davantage en flânant. Et s'arrêta directement devant elle.

Elle cilla, puis inspira rapidement et entraîna son regard vers son visage.

Vane emprisonna son regard. Après un moment, il murmura :

— Je prévois quelques complications.

— Oh ?

Le regard de Patience s'était déjà détourné du sien, se collant plutôt sur ses lèvres. S'appuyant plus lourdement sur sa queue de billard, Vane laissa son regard parcourir le visage de la jeune femme.

— Henry et Edmond.

Les coins des lèvres recourbées de Patience attirèrent et retinrent son attention.

— Ils commencent à devenir agités.

— Ah.

La pointe de la langue de Patience apparut entre ses lèvres, puis en traça délicatement les contours.

Vane inspira avec difficulté. Et se pencha plus près.

— Je peux les tenir en main pendant la journée, mais les soirées… pourraient poser problème, dit-il en penchant la tête d'un côté.

Ses paroles s'estompèrent alors que Patience s'étirait vers le haut.

Leurs lèvres se touchèrent, se caressèrent légèrement, puis se collèrent. Les deux cessèrent de respirer. Les mains de Vane se refermèrent avec force autour de la queue de billard ; Patience frissonna. Et plongea dans le baiser.

— Il doit être dans la salle de billard.

Vane releva brusquement la tête ; il jura et changea de place, dissimulant Patience à la porte. Elle se précipita plus loin dans l'ombre au-delà de la table, là où sa rougeur était moins visible. Ainsi que la passion dans ses yeux. La porte s'ouvrit, et Vane empocha une bille avec une facilité nonchalante.

— Vous voilà !

Henry entra tranquillement dans la pièce.

Suivi de Gerrard et d'Edmond.

— J'ai vu suffisamment d'attractions pour une journée.

Henry se frotta les mains ensemble.

— C'est le moment parfait pour une partie.

— Pas pour moi, j'en ai bien peur.

Avec décontraction, Vane tendit sa queue de billard à Gerrard et résista à l'envie de les étrangler tous. Il tendit la main vers sa veste.

— Je me suis attardé uniquement pour vous dire que je reviendrai à quinze heures. Je suis attendu ailleurs pour le déjeuner.

— Oh. D'accord.

Henry arqua un sourcil vers Edmond.

— Une partie ?

Edmond, ayant échangé un sourire avec Patience, haussa les épaules.

— Pourquoi pas ?

Gerrard se joignit à eux après un hochement de tête pour sa sœur. Le pouls battant furieusement, encore essoufflée, Patience précéda Vane lorsqu'il quitta la pièce.

Elle entendit la porte se refermer sur eux, mais ne s'arrêta pas. Elle n'osait pas. Elle mena la marche jusqu'au vestibule ; là seulement elle pivota et avec tout le calme qu'elle peut rassembler elle affronta Vane.

Il baissa les yeux sur elle. Ses lèvres se tordirent ironiquement.

— Je pensais ce que j'ai dit à propos d'Henry et d'Edmond. J'ai accepté d'amener Gerrard, Edgar et le général chez White's ce soir. Henry et Edmond ne voulaient pas y aller, et nous ne pourrions pas les garder en vue s'ils le faisaient. Se pourrait-il que vous puissiez les rappeler sous votre botte ?

Le regard que lui jeta Patience en disait long.

— Je vais voir ce que je peux faire.

– Si vous pouvez les garder en laisse, je vous serai reconnaissant à jamais.

Patience examina la lueur dans ses yeux gris et se demanda comment utiliser au mieux une telle dette à son égard. Ce qu'elle pourrait lui faire faire. Puis, elle réalisa que son regard s'était collé de nouveau sur ses lèvres. Elle cilla et hocha sèchement la tête.

– Je vais essayer.

– Je vous en prie.

Emprisonnant son regard, Vane leva un doigt et dessina la courbe de sa joue. Puis, il la tapota légèrement.

– Plus tard.

Sur un signe de tête, il partit à grands pas vers la porte.

Pour Patience, la soirée musicale de lady Hendrick ce soir-là s'avéra une expérience éminemment peu mémorable. Elle, Minnie et Timms, les trois Chadwick et Edmond y assistèrent.

Persuader Henry et Edmond de se joindre au groupe avait été la simplicité même ; pendant le déjeuner, elle avait allégrement demandé à Gerrard d'escorter le groupe autrement féminin à l'événement ce soir-là. Mis dans l'embarras, Gerrard avait rougi et bredouillé un mot d'excuse ; du coin de l'œil, Patience avait vu Henry et Edmond se regarder subrepticement. Avant que Gerrard n'ait atteint la fin de son explication, Henry l'interrompit pour offrir ses services. Edmond, se rappelant le lien entre la musique et le théâtre, déclara qu'il viendrait aussi.

Au moment où ils passaient le seuil de la salle de musique de lady Hendrick, Patience se félicita de sa réussite magistrale.

Ils saluèrent leur hôtesse, puis s'avancèrent dans la pièce déjà bondée. Dans le sillage de Minnie, Patience marchait au bras d'Edmond. Celui d'Henry avait été réclamé par sa mère. Minnie et Timms étaient bien connues ; ceux qui les saluaient firent un signe de tête à Patience en lui souriant. Vêtue d'une nouvelle robe, elle rendit les salutations avec sérénité, ébahie en son for intérieur de l'assurance communiquée par une lès de soie vert mousse.

Timms guida Minnie vers une chaise* à moitié inoccupée. Elles prirent possession de l'espace libre, engageant la conversation avec la dame déjà bien calée dans l'autre coin. Laissant le reste du groupe tourner en rond sans but.

Avec un soupir intérieur, Patience prit les autres en main.

— Il y a une chaise là-bas, Henry. Vous pourriez peut-être aller la chercher pour votre maman.

— Oh. D'accord.

Henry rejoignit à grandes enjambées la chaise non réclamée près du mur. À l'invitation de leur hôtesse, tous les invités s'installaient ; les places furent soudainement en manque.

Ils installèrent madame Chadwick à côté de la méridienne de Minnie.

— Et moi ?

Angela, vêtue d'une robe blanche ornée de beaucoup trop de rosettes roses et de ruban cerise, se tenait debout à se tordre les doigts dans ledit ruban.

— Il y a quelques chaises là-bas.

---

* En français dans le texte original.

Edmond indiqua quelques places libres dans les rangées de chaises à dossier droit alignées devant un clavecin et une harpe.

Patience hocha la tête.

— Nous allons nous y asseoir.

Ils se dirigèrent vers les chaises. Ils avaient presque atteint leur objectif lorsqu'Angela se rebiffa.

— Je pense que l'autre côté pourrait être meilleur.

Patience ne fut pas trompée. Les quelques jeunots contraints par leurs mères d'assister à la soirée s'étaient agglutinés en un groupe irrité de l'autre côté de la salle.

— Votre maman s'attendrait à ce que vous vous assoyiez avec votre frère.

Passant adroitement son bras sous le sien, elle ancra Angela à son flanc.

— Les jeunes dames qui s'aventurent seules gagnent rapidement une réputation d'être de mœurs légères.

Angela fit la moue. Et jeta des regards d'envie de l'autre côté de la pièce.

— Ce n'est qu'à quelques mètres.

— Quelques mètres de trop.

Atteignant les chaises vacantes, Patience s'assit, attirant Angela vers elle. Edmond se glissa sur la chaise à gauche de Patience ; au lieu de s'installer à côté de sa sœur, Henry opta pour une place derrière Patience. Alors que les musiciens apparaissaient sous les applaudissements polis, Henry traîna sa chaise en avant, sifflant *sotto voce* à Angela de se déplacer.

Des regards désapprobateurs furent jetés de leur côté. Patience tourna la tête et lui lança un regard mauvais. Henry renonça.

Avec un soupir de soulagement intérieur, Patience s'installa confortablement dans sa chaise et se prépara à donner son attention à la musique.

Henry se pencha en avant et lui siffla à l'oreille :

— Un rassemblement très élégant, n'est-ce pas ? J'imagine que c'est ainsi que les dames de la haute société passent la majorité de leurs soirées.

Avant que Patience puisse réagir, la pianiste avait posé les doigts sur les touches et commençait un prélude, l'un des préférés de Patience. Soupirant en son for intérieur, elle se prépara à plonger dans le confort des accords familiers.

— Bach.

Edmond se pencha plus près, sa tête oscillant en rythme.

— Une jolie petite pièce. Destinée à communiquer les joies du printemps. Étrange choix à ce moment de l'année.

Patience ferma les yeux et bâillonna ses lèvres. Et entendit Henry se déplacer derrière son épaule.

— La harpe sonne comme la pluie printanière, ne pensez-vous pas ?

Patience serra les dents.

La voix d'Edmond l'atteignit.

— Ma chère mademoiselle Debbington, vous sentez-vous bien ? Vous êtes plutôt pâle.

Les mains fermement serrées sur ses cuisses pour résister à l'envie de chauffer quelques oreilles, Patience ouvrit les yeux.

— J'ai bien peur, murmura-t-elle, de commencer à souffrir d'un mal de tête.

— Oh.

— Ah.

Un silence béni régna — pendant une demi-minute.

— Peut-être…

Mains fortement serrées, Patience ferma les yeux, les lèvres et souhaita pouvoir en faire autant avec ses oreilles. La seconde suivante, elle sentit une douleur franche derrière ses tempes.

Privée de musique, privée de toute justice naturelle, elle se replia sur la possibilité d'imaginer la récompense qu'elle réclamerait pour le massacre de sa soirée. Quand elle verrait Vane la prochaine fois. Plus tard. Peu importe quand cela serait.

Au moins, Edith Swithins et les Colby avaient eu le bon sens de rester à la maison.

Précisément à cet instant, dans la demi-pénombre de l'enceinte de la salle de cartes chez White's, Vane, le regard sur le général et Edgar, assis tous les deux à une table de whist, prenait une lente gorgée de l'excellent vin de bordeaux du club et se disait que la soirée de Patience ne serait pas — ne pouvait pas — être plus ennuyeuse que la sienne.

Restant dans l'ombre, enveloppé dans l'ambiance calme et mesurée embaumant les odeurs masculines de beau cuir, de fumée de cigare et de bois de santal, il avait été obligé de décliner de nombreuses invitations et contraint d'expliquer avec un sourcil paresseusement haussé qu'il jouait les guides pour le neveu de sa marraine. Cela en soi n'avait soulevé aucun sourcil. Le fait qu'il croyait apparemment que le rôle de guide l'empêchait de s'asseoir à une table de cartes, oui.

Il pouvait difficilement expliquer son but véritable.

Réprimant un bâillement, il parcourut la pièce du regard, repérant facilement Gerrard observant l'action à une table de jeu de hasard. L'intérêt que montrait Gerrard était intellectuel – il ne semblait pas nourrir un désir profond de se joindre au jeu.

Prenant note mentalement d'informer Patience que son frère était peu susceptible de ressentir l'attrait qui avait fait tomber si bas tant d'hommes, Vane se redressa, dénoua ses épaules, puis revint s'appuyer au mur.

Cinq minutes sans incident plus tard, Gerrard le rejoignit.

– De l'action jusqu'à présent ?

Gerrard hocha la tête vers la table où Edgar et le général étaient assis.

– Pas à moins que vous ne comptiez le fait que le général a embrouillé ses trèfles avec ses piques.

Gerrard sourit et survola la pièce du regard.

– Cela ne semble pas un endroit probable où une personne passerait des objets volés à une autre.

– Par contre, c'est un très bon lieu où tomber par hasard sur un vieil ami. Ni l'un ni l'autre de nos deux pigeons ne montre toutefois de signe de vouloir écourter leur brillante activité.

Le sourire de Gerrard s'élargit.

– Au moins, cela rend leur surveillance assez facile.

Il lança un coup d'œil à Vane.

– Je peux m'en sortir ici si vous souhaitez vous joindre à vos amis. J'irai vous chercher s'ils bougent.

Vane secoua la tête.

– Je ne suis pas d'humeur.

Il désigna les tables d'un geste.

— Comme nous sommes ici, vous feriez aussi bien d'élargir vos horizons. Seulement, n'acceptez pas de paris.

Gerrard rit.

— Ce n'est pas mon genre.

Il repartit se promener lentement entre les tables, nombreuses d'entre elles entourées de gentlemen prenant plaisir au jeu par procuration.

Vane se plongea de nouveau dans l'ombre. Il n'avait pas été tenté, même vaguement, d'accepter l'offre de Gerrard. En ce moment, il n'était pas d'humeur à se joindre à la camaraderie habituelle née d'une partie de cartes. En ce moment, son esprit était entièrement consumé par une question sans réponse, par une devinette, par une furieuse anomalie.

Par Patience.

Il avait désespérément besoin de s'entretenir avec Minnie, seul. La vie de famille de Patience, son père, détenait la clé — la clé de son avenir.

Ce soir avait été une perte de temps ; aucun progrès n'avait été réalisé. Sur aucun plan. Demain serait différent. Il y verrait.

Le lendemain matin se leva sur un jour ensoleillé et dégagé. Vane osa grimper les marches du numéro vingt-deux relativement tôt. Au loin, une cloche sonna — onze coups graves. Le visage déterminé, Vane s'empara du marteau de porte. Aujourd'hui, il était décidé à voir des progrès.

Deux minutes plus tard, il redescendait les marches. Bondissant dans son cabriolet, il libéra les rênes d'un coup de poignet, attendant à peine que Duggan se précipite derrière avant d'envoyer ses chevaux battre la chaussée vers le parc.

Minnie avait loué un coupé de ville.

Il sut à l'instant où il les repéra que quelque chose de capital s'était produit. Elles étaient toutes — il n'y avait pas d'autre mot — agitées. Elles étaient toutes là, entassées dans le coupé de ville : Patience, Minnie, Timms, Agatha Chadwick, Angela, Edith Swithins et aussi étonnant que cela puisse paraître, Alice Colby. Elle était vêtue d'un vêtement si sombre et terne qu'il aurait pu servir de tenue de deuil à une veuve ; les autres étaient beaucoup plus attirantes. Patience, vêtue d'une élégante robe de randonnée d'un vert frais, était belle à croquer.

Arrêtant son cabriolet derrière le coupé, Vane freina ses appétits de concert avec ses chevaux et descendit paresseusement sur le bas-côté.

— Tu as raté Honoria, l'informa Minnie avant qu'il n'atteigne le coupé. Elle organise l'un de ses bals impromptus et elle nous a tous invités.

— Vraiment ?

Vane fit apparaître une expression d'innocence.

— Un vrai bal !

Angela sautillait sur son siège.

— C'est tout simplement *merveilleux* ! Je vais devoir me procurer une robe de bal neuve.

Angela Chadwick lui adressa un signe d'intelligence.

— C'était très gentil de la part de votre cousine de nous inviter tous.

— Je n'ai pas assisté à un bal depuis je ne sais plus quand.

Edith Swithins tourna un visage rayonnant vers Vane.

— Ce sera presque une *aventure*.

Vane ne peut s'empêcher de lui rendre son sourire.

– Quand aura-t-il lieu ?

– Honoria ne te l'a-t-elle pas dit ? dit Minnie en fronçant les sourcils. Je pensais qu'elle avait dit que tu étais au courant ; c'est mardi prochain.

– Mardi.

Vane hocha la tête, comme s'il gravait ce fait dans sa mémoire. Il regarda Patience.

– Des idioties frivoles, les bals.

Alice Colby renifla presque.

– Mais comme la dame est une duchesse, j'imagine que Whitticombe dira que nous devons y aller. Au moins, l'affaire est assurée d'être convenablement sophistiquée et digne.

Alice émit le commentaire en direction du monde en général. Elle ferma ses lèvres pincées en concluant et fixa son regard droit devant elle.

Vane la dévisagea, l'air pincé. Tout comme Minnie et Timms. Chacun d'eux avait assisté à un des bals impromptus donnés par Honoria. Avec tous les Cynster rassemblés dans une pièce, sophistiqué et digne avaient tendance à être écrasé par jovial et vigoureux.

Décidant qu'il était temps qu'Alice apprenne comment vivait l'autre moitié du monde, Vane se contenta de hausser un sourcil et reporta son attention sur Patience.

Elle le regarda précisément à ce moment-là. Leurs regards se rencontrèrent et se soudèrent ; Vane jura intérieurement. Il devait parler à Minnie ; il voulait parler à Patience. Avec elle assise là, attendant qu'il lui demande de l'accompagner pour une promenade, il ne pouvait pas plutôt inviter Minnie. Pas sans ajouter à ses problèmes, sans laisser à Patience le sentiment qu'après tout, il avait bien commencer à lui retirer son affection.

Son affection, qui avait actuellement une faim de loup. Était affamée. Bavait en souhaitant de l'attention. Bavait devant elle. Il haussa un sourcil paresseux.

— Aimeriez-vous faire une promenade, mademoiselle Debbington ?

Patience vit la faim dans ses yeux, brièvement, fugitivement, mais bien assez clairement pour la reconnaître. L'étau qui s'était déjà fermé sur son cœur se resserra. Inclinant la tête avec grâce, elle tendit une main gantée — et s'efforça de réprimer le frisson qui la parcourut quand ses doigts se refermèrent solidement sur les siens.

Il ouvrit la porte et l'aida à descendre. Elle se tourna vers le coupé. Madame Chadwick souriait ; Angela boudait. Edith Swithins souriait positivement.

Minnie, cependant, fit bouffer ses châles et échangea un rapide regard avec Timms.

— En fait, dit Timms, je pense que nous ferions mieux de rentrer. La brise est un peu fraîche.

C'était une journée de l'été indien. Le soleil brillait vivement, la brise était presque douce.

— Hum ! Vous avez peut-être raison, grommela Minnie d'un ton bourru.

Elle décocha un regard à Patience.

— Aucune raison que tu n'ailles pas faire une promenade, Vane pourra te ramener dans son cabriolet. Je sais à quel point tes randonnées te manquent.

— En effet. Nous vous reverrons plus tard à la maison.

Timms donna un petit coup au cocher avec le bout de son parasol.

— À la maison, Cedric !

Laissée sur le bas-côté à fixer le carrosse d'un air perplexe, Patience secoua la tête. Le bras de Vane apparut à côté d'elle. Posant les doigts sur sa manche, elle jeta un coup d'œil à son visage.

— Qu'est-ce que c'était que tout cela ?

Les yeux de Vane rencontrèrent les siens. Il haussa les sourcils.

— Minnie et Timms sont des entremetteuses invétérées. Ne le saviez-vous pas ?

Patience secoua de nouveau la tête.

— Elles ne se sont jamais comportées ainsi avec moi auparavant.

Elles n'avaient jamais eu Vane dans leur mire auparavant non plus. Vane garda cette pensée pour lui et guida Patience à travers la pelouse. Il y avait de nombreux couples se promenant près de la voie carrossable. En hochant la tête et en souriant, répondant aux salutations tout en se dirigeant vers l'espace moins bondé, Vane laissa ses sens se délecter de l'expérience d'avoir Patience une fois de plus à ses côtés. Il l'avait attirée aussi près qu'il était convenablement permis ; sa jupe verte bruissait contre ses bottes. Elle était entièrement femme, douce et pulpeuse, à quelques centimètres à peine de lui ; il devint plus dur à cette seule pensée. La brise soufflant doucement fit flotter son parfum jusqu'à son visage — chèvrefeuille, rose, et cette odeur indéfinissable qui réveillait tous les instincts de chasseur qu'il possédait.

Brusquement, il s'éclaircit la gorge.

— Il ne s'est rien passé hier soir ?

C'était un effort d'élever la voix au-delà des notes râpeuses dans laquelle elle était plongée.

— Rien.

Patience lui jeta en biais un regard acéré, légèrement curieux.

— Tristement, Edmond et Henry ont repris leur pire comportement compétitif. Les objets volés ou la disposition desdits articles semblaient excessivement loin de leurs esprits. Si l'un ou l'autre est le voleur ou le spectre, je mangerai mon bonnet.

Vane grimaça.

— Je ne pense pas que votre bonnet neuf court un quelconque danger.

Il examina l'élégante création perchée sur ses boucles.

— Est-ce celui-ci ?

— Oui, répondit Patience, avec quelque hargne.

Il aurait pu au moins le remarquer.

— Je pensais qu'il avait l'air différent.

Vane donna une chiquenaude à la cocarde perchée au-dessus de son sourcil — et rencontra son regard avec un air beaucoup trop innocent.

Patience se renfrogna.

— Je comprends que le général et Edgar n'ont esquissé aucun mouvement suspect hier soir ?

— Des mouvements suspects en masse, mais plus dans la veine de se voir étrangement bernés. En ce qui concerne plus précisément notre affaire, cependant, Masters a eu des nouvelles du manoir.

Les yeux de Patience s'arrondirent.

— Et ?

Vane grimaça.

– Rien.

Regardant devant lui, il secoua la tête.

– Je ne comprends pas. Nous savons que les objets n'ont pas été vendus. Nous ne les avons pas découverts dans les bagages amenés en ville. Cependant, ils ne sont pas au manoir. Grisham et le personnel ont été très méticuleux : ils ont même vérifié les lambris à la recherche de panneaux secrets. Il y en a quelques-uns. Je n'ai pas dit à Grisham où ils se trouvaient, mais il les a tous trouvés. Vide, évidemment – j'avais regardé avant notre départ. Ils ont vérifié sous des lattes de planchers branlantes. Ils ont également fouillé les terres et les ruines. Entièrement. En passant, ils ont bien découvert des débris déplacés juste au-delà de la porte de la maison de l'abbé.

– Oh?

– Quelqu'un a dégagé une partie des insignes. Il y a un anneau de fer inséré dans la pierre – une ancienne trappe. Cependant, la trappe n'a *pas* été ouverte récemment.

Vane attira le regard de Patience.

– Devil et moi l'avons soulevée il y a des années : le cellier dessous a été rempli. Il n'y a rien sous cette pierre, pas même un trou dans lequel on pourrait cacher quelque chose. Donc, cela n'explique rien, encore moins pourquoi on a assommé Gerrard.

– Hum.

Patience fronça les sourcils.

– Je vais lui demander s'il s'est rappelé autre chose sur ce qu'il a vu avant d'être frappé.

Vane hocha la tête d'un air absent.

– Malheureusement, rien de tout cela ne jette de lumière sur notre mystère. L'énigme quant à l'endroit où les biens volés, y compris les perles de Minnie, ont disparu s'épaissit avec chaque jour qui passe.

Patience grimaça et resserra brièvement sa prise sur son bras – simplement parce que cela semblait la chose à faire, réconforter et compatir.

– Nous allons simplement devoir rester vigilants. Sur nos gardes. Quelque chose se produira.

Elle leva les yeux et rencontra le regard de Vane.

– Il le faut.

Il n'y avait pas matière à contester. Vane fit glisser sa main libre sur les doigts de Patience, ancrant sa main sur sa manche.

Ils marchèrent quelques minutes en silence, puis Vane jeta un coup d'œil au visage de Patience.

– Êtes-vous excitée à l'idée du bal d'Honoria ?

– Oui.

Patience le regarda fugitivement.

– Je comprends que c'est un honneur d'y être invité. Comme vous l'avez vu, madame Chadwick et Angela sont aux oiseaux. Je ne peux qu'espérer que le respect admiratif suffira à maîtriser Henry. Edmond, cependant, continuera de ne pas être impressionné. Je suis certaine qu'il viendra, mais je doute que même un bal ducal ait le poids suffisant pour altérer sa confiance en lui.

Vane prit note mentalement de mentionner cela à Honoria.

Patience leva la tête vers lui, une inquiétude au fond des yeux.

– Y serez-vous ?

Vane haussa les sourcils.

– Quand Honoria convoque, nous obéissons tous.

– Vraiment ?

– Elle est la duchesse de Devil.

Devant le froncement de sourcils perplexe qui demeurait sur le visage de Patience, Vane s'expliqua :

– Il est le chef de famille.

Regardant devant elle, Patience articula un « oh » silencieux. Elle était clairement encore intriguée.

Les lèvres de Vane formèrent un sourire ironique.

– Il y avait deux autres dames dans le carrosse avec Honoria lorsqu'elle s'est arrêtée pour nous inviter.

Patience regarda Vane.

– Je pense qu'elles étaient aussi des Cynster.

Vane garda un visage impassible.

– À quoi ressemblaient-elles ?

– Elles étaient plus âgées. Une était foncée et parlait avec un accent français. Elle a été présentée comme la douairière.

– Helena, duchesse douairière de St-Ives : la mère de Devil.

La seconde marraine de Vane. Patience hocha la tête.

– L'autre avait les cheveux bruns, elle était grande et pleine de dignité ; une lady Horatia Cynster.

L'expression de Vane s'assombrit.

– Ma mère.

– Oh.

Patience lui jeta un coup d'œil.

– Votre mère tout comme la douairière ont été… très gentilles.

Elle regarda devant elle.

— Je n'avais pas compris. Les trois — Honoria et les deux autres dames — semblaient très proches.

— Elles le sont.

La résignation résonnait dans la voix de Vane.

— Très proches. Toute la famille est très proche.

Articulant un second « oh » muet, Patience le regarda encore.

Lui jetant un regard en biais, Vane examina son profil et se demanda ce qu'elle avait pensé de sa mère — et ce que sa mère avait pensé d'elle. Non qu'il anticipait de résistance sur ce front. Sa mère accueillerait sa fiancée les bras ouverts. Et avec énormément d'information confidentielle et de conseils beaucoup trop avisés. Dans le clan Cynster, c'était ainsi que les choses se faisaient.

Un besoin profondément ancré et la nécessité d'un engagement envers la famille formaient, il en était certain, les défenses de Patience, une partie de l'obstacle qui s'élevait entre elle et le mariage. C'était un des éléments de son problème dont il devait à peine se soucier : tout ce qu'il avait à faire était de la présenter à *sa* famille pour faire disparaître d'un coup ce problème chez Patience.

Malgré les sacrifices que cela exigeait de lui, la résidence St-Ives mardi soir prochain était assurément l'adresse où l'envoyer. Après qu'elle aurait vu tous les Cynster ensemble dans leur environnement naturel, cette inquiétude qu'elle avait à ce niveau serait apaisée.

Elle verrait et croirait qu'il se souciait de la famille. Et ensuite…

Inconsciemment, les doigts de Vane se resserrèrent sur ceux de Patience : elle leva un regard interrogateur. Vane sourit — à la manière d'un loup.

— Je rêvais, c'est tout.

Chapitre 18

Pour Patience, les trois jours suivants passèrent en un tourbillon de brèves rencontres, de consultations à voix basse, de projets désespérés pour retrouver les perles de Minnie ponctué d'essayages de dernière minute pour sa nouvelle robe de bal, tout cela inséré entre les sorties mondaines nécessaires pour garder la maisonnée de Minnie en observation. Sous l'activité frénétique courait une excitation grandissante, une augmentation du frisson d'anticipation.

Frisson rehaussé chaque fois qu'elle voyait Vane, chaque fois qu'ils échangeaient des regards furtifs, chaque fois qu'elle sentait le poids de la contemplation personnelle et grandement passionnée de Vane à son égard.

Impossible de le cacher, de l'éviter ; le désir entre eux devenait plus fort, plus chargé d'électricité au fil des jours. Elle ne savait pas si elle devait l'en rendre responsable ou s'en prendre à elle-même.

Quand vint l'heure de monter les imposantes marches de la résidence St-Ives et de passer dans le vestibule vivement éclairé, ses nerfs étaient roulés en boule et serrés au creux de son ventre. Elle se dit que c'était stupide de laisser l'instant l'émouvoir autant, d'imaginer que de grandes choses naîtraient de cette soirée. Il s'agissait d'un simple bal familial privé, un événement impromptu comme Honoria avait mis tant de peine à lui assurer. Il n'y avait pas de raison – pas de logique – à sa réaction.

– Vous voilà !

Honoria, splendidement vêtue d'une robe de soie mûre, accueillant informellement ses invités à la porte se lança pratiquement sur elle lorsque Patience passa le seuil de la salle de musique. Saluant Minnie, Timms et les autres membres de leur entourage d'un hochement de tête, Honoria leur fit gracieusement signe d'avancer, mais retint Patience.

– Je dois vous présenter à Devil.

Passant adroitement son bras sous celui de Patience, elle avança jusqu'à l'endroit où un grand gentleman théâtralement vêtu de noir était debout en train de parler avec deux matrones. Honoria lui donna un petit coup de doigt sur le bras.

– Devil, mon mari. Le duc de St-Ives.

L'homme se tourna, considéra Patience, puis jeta un regard en biais légèrement interrogateur à Honoria.

– Patience Debbington, expliqua sa femme. La nièce de Minnie.

Devil sourit, d'abord à sa femme, puis à Patience.

– C'est un plaisir de vous rencontrer, mademoiselle Debbington.

Il s'inclina avec grâce.

– J'ai entendu dire que vous arrivez du manoir Bellamy. Vane semble avoir trouvé son séjour là-bas inopinément distrayant.

Les doux accents de sa voix grave, distinctement familière roulèrent sur Patience et la traversèrent. Elle résista à l'envie de cligner des paupières. Vane et Devil auraient pu être frères – la ressemblance, la marque autocratique de leurs traits, la ligne agressive du nez et de la mâchoire étaient impossibles à manquer. La différence principale était dans leur coloration : alors que la chevelure de Vane était d'un brun doré et ses yeux gris froid, les cheveux de Devil étaient noirs comme l'ébène et ses grands yeux vert pâle.

Il y avait d'autres différences aussi, mais les similitudes les écrasaient. Depuis leur carrure, leur taille distinctive et le plus frappant de tout, la lueur malicieuse dans leurs yeux et l'inclinaison totalement indigne de confiance de leurs lèvres, ils étaient nettement comme une seule et même personne sous la peau. Des loups sous forme humaine.

Une forme très virile, distinctement affolante.

— Comment allez-vous, Votre Seigneurie.

Patience tendit la main et aurait plongé dans la profonde révérence requise, mais Devil s'empara de ses doigts et l'en empêcha.

— *Pas* « Votre Seigneurie ».

Il sourit, et Patience sentit le pouvoir hypnotisant de son regard alors qu'il levait ses doigts gantés à ses lèvres.

— Appelez-moi Devil ; tout le monde le fait.

Pour une bonne raison, décida Patience. Malgré cela, elle ne put s'empêcher de lui rendre son sourire.

— Voici Louise, je dois lui parler.

Honoria jeta un coup d'œil à Patience.

— Je vous revois plus tard.

Sa jupe bruissant impérieusement, elle retourna vers la porte.

Devil sourit. Il se tourna de nouveau vers Patience — son regard passa au-dessus d'elle.

— Minnie te demande.

Vane salua Patience de la tête alors qu'il s'arrêtait à côté d'elle, puis il reporta les yeux sur Devil.

— Elle veut revivre quelques-uns de nos exploits les plus embarrassants ; plutôt toi que moi.

Devil soupira avec chaleur. Il leva la tête, cherchant dans la foule qui augmentait l'endroit où Minnie tenait sa cour, assise comme sur un trône sur la méridienne près du mur.

— Je pourrais l'impressionner avec le poids de mon comportement ducal ?

Il haussa les sourcils pour Vane, qui afficha un grand sourire.

— Tu peux essayer.

Devil sourit. Sur un hochement de tête pour Patience, il les laissa.

Patience rencontra le regard de Vane ; instantanément, elle fut consciente de la tension dont il était victime. Une étrange timidité s'empara d'elle.

— Bonsoir.

Quelque chose de passionné surgit dans les yeux de Vane ; son visage se durcit. Il tendit la main vers la sienne. Elle la céda volontiers. Il la souleva, mais au lieu de frôler ses lèvres sur le dos de ses doigts, il inversa sa main. Les yeux calmement posés sur les siens, il pressa les lèvres à l'intérieur de son poignet. Son pouls bondit sous sa caresse.

— Il y a une personne que vous devriez rencontrer.

Sa voix était basse, râpeuse. Plaçant la main de Patience sur sa manche, il la fit tourner.

— Salut, cousin. Qui est-ce ?

Le gentleman qui leur bloquait la voie était à l'évidence un autre Cynster — un qui avait les cheveux brun pâle et les yeux bleus. Vane soupira et fit les présentations – et continua à le faire à mesure que d'autres apparaissaient. Ils étaient tous semblables – dangereusement semblables – tous grands, tous doucereusement sûrs d'eux – tous élégants. Le premier se faisait appeler Gabriel; il fut suivi par Lucifer, Demon et Scandal. Patience découvrit qu'il lui était impossible de ne pas s'adoucir sous leurs sourires experts. Elle saisit le moment pour reprendre son souffle, son sang-froid. La meute – elle les qualifia immédiatement ainsi – bavardait et échangeait des pointes avec une aisance facile. Elle réagit avec décontraction, mais resta vigilante. Comment pouvait-on prétendre de ne pas avoir été prévenu avec des noms comme ceux-là? Elle garda la main fermement ancrée sur la manche de Vane.

Quant à lui, il ne montra aucune envie de vouloir s'éloigner d'elle. Elle se dit de ne pas voir trop de signification dans ce fait. Il y avait peut-être tout simplement très peu de dames d'un genre à attirer son intérêt dans une foule composée de membres de sa famille et d'amis.

Un grincement aigu suivi d'un pincement de corde annonça le début de la danse. Quatre des grands hommes qui l'entouraient hésitèrent; Vane, non.

– Aimeriez-vous danser, ma chère?

Patience sourit en guise d'acceptation. Sur un hochement de tête gracieux pour les autres, elle consentit à être guidée sur le plancher de danse.

Avançant dans un espace se dégageant rapidement au centre de la pièce, Vane l'attira avec assurance dans ses bras. Quand ses yeux s'élargirent, il haussa un sourcil.

– Vous valsez bien dans les régions sauvages du Derbyshire, non?

Patience leva le menton.

— Évidemment. Je prends beaucoup de plaisir à une bonne valse.

— *Beaucoup de plaisir* ?

Les premiers accords d'une valse enflèrent dans l'air. Les lèvres de Vane se soulevèrent malicieusement.

— Ah, mais il vous faut encore valser avec un Cynster.

Sur ce, il l'attira plus près et l'entraîna dans la danse en virevoltant.

Patience écarta les lèvres pour demander avec morgue exactement pourquoi les Cynster étaient de tels champions de cet art — une fois qu'ils eurent tourné trois fois, elle avait sa réponse. Il lui fallut trois autres tours avant de réussir à inspirer et à refermer la bouche. Elle avait l'impression de s'être envolée — descendant en piqué, balayant l'espace. Tournoyant sans effort, tout cela en rythme.

Son regard ébahi tomba sur la robe mûre de la dame du couple devant eux qui tournait tout aussi vigoureusement qu'elle. Honoria — leur hôtesse. Dans les bras de son mari.

Un rapide regard révéla que tous les Cynster qui avaient poliment conversé avec elle plus tôt avaient demandé la main d'une dame et envahi le plancher. Il était facile de les repérer dans la foule ; ils ne tournaient pas plus vite que les autres, mais avec plus d'enthousiasme, avec énormément plus de puissance. Une puissance exploitée, maîtrisée.

Les pieds volant, la jupe tournoyant, elle était poussée par les bras de fer qui la tenaient, par le corps si puissant qui la guidait aisément, l'arrêtait, inversait sa direction et la faisait tourner. Patience s'accrocha avec force — à sa raison et à Vane.

Non qu'elle sentit qu'elle était en danger d'être lâchée.

Cette pensée se centra plus nettement sur sa proximité et sa force. Ils approchaient du bout de la pièce ; sa main brûlant comme un fer rouge à travers la soie fine de sa robe, il l'attira plus près, plus profondément dans son étreinte protectrice. Ils effectuèrent le virage ; Patience inspira désespérément – et sentit son corsage et ses seins bouger contre la veste de Vane. Ses mamelons se contractèrent, douloureusement serrés.

Avec un halètement étouffé, elle leva les yeux et son regard entra en collision avec le sien, gris argenté, intensément hypnotique. Elle ne pouvait pas détourner les yeux, pouvait à peine respirer pendant que la pièce tournait autour d'eux. Ses sens perçurent de moins en moins de choses, jusqu'à ce que le monde dont elle avait conscience tienne dans le cercle de ses bras.

Le temps s'arrêta. Tout ce qui resta fut le balancement de leurs corps, pris par le rythme impérieux et puissant qu'eux seuls pouvaient entendre. Les violons jouaient un thème mineur ; la musique qui jouait entre eux venait d'une source différente.

Elle enfla et augmenta de volume. Des hanches rencontrèrent des cuisses, caressèrent et s'écartèrent alors qu'ils se déplaçaient entre les virages. Le rythme appelait, leurs corps réagissaient, se coulant sans effort dans la danse, vibrant avec son battement, s'échauffant lentement. Se touchant avec une lenteur désespérante. Excitant et promettant. Quand les violons cessèrent et que leurs pieds ralentirent, la musique continua à jouer.

Vane inspira profondément ; l'air vibra un moment entre eux. Il contraignit ses bras à lâcher Patience, il lui prit la main et la posa sur sa manche, incapable, même s'il savait que beaucoup trop de gens les observaient avidement, de ne pas poser sa main libre sur ses doigts.

Il sentit son léger frisson, soutint son poids alors qu'un instant, elle s'appuya plus lourdement sur lui, cillant rapidement pendant qu'elle s'efforçait de se libérer de la magie.

Elle leva les yeux et observa son visage. Calmement, beaucoup plus calmement que ce qu'il ressentait, il haussa un sourcil.

Patience se redressa. Regardant devant elle, elle leva le nez en l'air.

— Vous valsez très honorablement.

Vane rigola à travers ses dents. Sa mâchoire contractée pour réprimer l'envie de l'amener dans un tourbillon à travers l'une des portes menant à l'extérieur de la salle de musique. Il connaissait cette maison comme sa poche. Alors qu'elle ne connaissait peut-être pas les choix qui s'offraient à eux, lui, oui. Cependant, beaucoup trop d'yeux les observaient et Honoria, pour commencer, ne lui pardonnerait jamais. Pas si tôt dans la soirée, quand des absences soudaines seraient trop évidentes.

Plus tard. Il avait déjà abandonné toutes idées de pouvoir traverser la soirée sans rassasier ses démons. Pas alors qu'elle portait cette robe.

Qualifiée d'éblouissante par Minnie. Fichtrement insupportable, à son avis.

Il avait bien eu l'intention d'établir sa limite, du moins jusqu'à ce qu'elle accepte sa demande. Maintenant… Il était possible de tenter un loup au-delà de sa limite.

Il baissa les yeux. Patience avançait lentement avec sérénité à son bras. La robe de soie bronze bien ajustée sur ses seins, avec un minuscule volant pour manche, mettait ses épaules en valeur, détournant l'attention de l'éclatante étendue de peau crémeuse, le renflement épanoui du haut de ses seins, la délicate formation de ses épaules. La longue jupe droite délicatement drapée sur ses hanches pulpeuses dissimulait élégamment son derrière ; elle voletait autour de ses jambes, le bord ondulé pour dévoiler ses chevilles avec une lenteur désespérante pendant qu'elle marchait.

Bien que le décolleté fût plongeant, il n'y avait rien de particulièrement scandaleux à propos de la robe. C'était la combinaison de la femme qui la portait et du tissu drapé parfaitement par Celestine qui lui posait problème.

Seulement de son point de vue avantageux était-il possible de voir à quel point les seins de Patience montaient et descendaient.

Une seconde plus tard, il s'obligea à lever la tête et à regarder droit devant.

Plus tard.

Il prit une profonde inspiration et la retint.

— 'Soir, Cynster.

Un élégant gentleman sortit de la foule, le regard sur Patience.

— Mademoiselle…

Habilement, il regarda Vane.

Qui soupira. Distinctement. Et hocha la tête.

— Chillingworth.

Vane jeta un coup d'œil à Patience.

— Permettez-moi de vous présenter le comte de Chillingworth.

Il regarda Chillingworth.

— Mademoiselle Debbington, la nièce de lady Bellamy.

Patience esquissa une petite révérence. Chillingworth sourit d'une façon charmante et s'inclina aussi gracieusement que n'importe quel Cynster.

— Je comprends que vous êtes venue en ville avec lady Bellamy, mademoiselle Debbington. Trouvez-vous la capitale à votre goût ?

— En fait, non.

Patience ne voyait aucune raison de tergiverser.

— J'ai bien peur d'être dépendante des matinées qui commencent presque à l'aube, monsieur, une heure que la haute société semble fuir.

Chillingworth cilla. Il jeta rapidement un regard à Vane, puis le reporta fugitivement à l'endroit où la main de Vane couvrait les doigts de Patience, reposant sur sa manche. Il haussa les sourcils et sourit doucereusement à Patience.

— Je suis presque tenté d'expliquer, ma chère, que notre apparent rejet des heures matinales est, en fait, une conséquence naturelle de nos activités des heures plus *tardives*. Mais alors…

Il jeta un regard en biais à Vane.

— Il vaut peut-être mieux que je laisse de telles explications à Cynster, ici présent.

— Peut-être que oui.

Il était impossible de rater l'accent tranchant dans le ton de Vane.

Fugitivement, Chillingworth sourit, mais quand il reporta son regard sur Patience, il était de nouveau calmement sérieux.

— Vous savez, c'est vraiment très étrange. Il sourit. Alors que je me découvre rarement d'accord avec les

Cynster, on doit admettre que leur goût dans un certain domaine reflète remarquablement les miens.

— Vraiment ?

Patience accueillit le compliment voilé avec un sourire assuré. Ayant échangé des répliques avec Vane depuis trois semaines, le comte, aussi charmant et indéniablement séduisant soit-il, n'avait aucune chance de la formaliser.

— Vraiment.

Chillingworth se retourna pour interroger Vane.

— Ne trouvez-vous pas cela remarquable, Cynster ?

— Pas du tout, répondit Vane. Certaines choses sont si manifestement évidentes que même vous pouvez vous en rendre compte.

Les yeux de Chillingworth lancèrent des éclairs. Vane continua doucereusement :

— Cependant, étant donné vos goûts similaires, on en convient, vous pourriez réfléchir à où de tels goûts pourraient vous mener.

Il désigna l'autre bout de la pièce d'un signe de tête.

Chillingworth, comme Patience, regarda dans cette direction et ils virent Devil et Honoria d'un côté de la salle de bal, clairement engagés dans une discussion pointue. Pendant qu'ils les observaient, Honoria serra les mains sur un bras de Devil et le poussa pour le faire tourner en direction du fond de la salle. Le regard que Devil jeta au plafond, l'air de martyr qu'il lança à sa femme pendant qu'il acquiesçait, déclarait nettement qui avait gagné ce round.

Chillingworth secoua tristement la tête.

— Ah, comme le puissant est tombé !

— Vous feriez mieux d'être sur vos gardes, conseilla Vane, étant donné que vos goûts sont si parallèles à ceux des Cynster, vous pourriez vous retrouver dans une situation que votre constitution ne vous a pas préparé à gérer.

Chillingworth sourit.

— Ah, mais je ne souffre pas du talon d'Achille que le destin a placé comme entrave chez les Cynster.

Souriant toujours, il s'inclina devant Patience.

— Votre serviteur, mademoiselle Debbington. Cynster.

Sur un dernier signe de tête, il partit, ignorant le regard aux yeux plissés de Vane.

Patience leva les yeux sur le visage de Vane.

— Quel talon d'Achille ?

Vane se réveilla.

— Rien. C'est seulement son idée d'une plaisanterie.

Si c'était une plaisanterie, elle avait eu un drôle d'effet.

— Qui est-il ? demanda Patience. Est-ce un parent quelconque des Cynster ?

— Il n'est pas apparenté, du moins par le sang.

Après un moment, Vane ajouta :

— Je suppose que ces jours-ci, c'est un Cynster à titre honorifique.

Il jeta un coup d'œil à Patience.

— Nous l'avons élu pour services rendus au duché.

— Oh ?

Patience laissa ses yeux poser sa question.

— Lui et Devil ont une histoire. Demandez à Honoria de vous en parler, une bonne fois.

Les musiciens avaient recommencé à jouer. Avant que Patience puisse ciller, Lucifer s'inclinait devant elle. Vane la laissa partir, un peu à contrecœur, pensa-t-elle. Mais, pendant qu'elle tournoyait sur le plancher, elle le vit tournoyer aussi, une éblouissante brunette dans les bras.

Brusquement, Patience détourna les yeux et accorda son attention à la danse et s'efforça de s'en sortir avec la langue bien pendue de Lucifer. Et ignorant son cœur qui se serrait.

La fin de la mesure les retrouva bien loin au fond de la pièce. Lucifer la présenta à un groupe de dames et de gentlemen, bavardant ensemble avec aisance. Patience essaya de se concentrer, tenta de suivre la conversation.

Elle sursauta littéralement quand des doigts durs se refermèrent autour d'elle, levèrent sa main de sur la manche de Lucifer et la posèrent, fermement, sur un bras semblable.

— Arriviste, gronda Vane.

Et il s'insinua adroitement entre Lucifer et Patience. Lucifer sourit avec charme.

— Tu dois travailler pour la mériter, cousin. Tu sais qu'aucun d'entre nous n'apprécie ce qui vient trop facilement.

Vane le tua d'un regard, puis se tourna vers Patience.

— Venez, allons nous promener. Avant qu'il vous mette ses fausses idées dans la tête.

Intriguée, Patience se laissa escorter dans une promenade sans but autour de la pièce.

— Quelles fausses idées ?

— Oubliez cela. *Doux Jésus,* voilà lady Osbaldestone ! Elle me déteste depuis que j'ai collé une bille au bout de sa canne. Elle ne pouvait pas comprendre pourquoi elle n'arrêtait pas de glisser loin d'elle. Allons de l'autre côté.

Ils allèrent d'un côté et de l'autre à travers la foule, bavardant ici, échangeant des présentations là. Néanmoins, lorsque la musique reprit, un autre Cynster apparut devant elle comme par magie.

Demon Harry, le frère de Vane, la lui vola ; Vane la reprit à l'instant où la musique cessa. La voluptueuse blonde qu'il avait fait tournoyer autour de la salle n'était nulle part en vue.

La valse suivante amena Devil à s'incliner devant elle avec une élégance ineffable. Alors qu'il lui faisait prendre le premier virage, il lut sa question dans ses yeux et sourit.

— Nous partageons toujours.

Son sourire s'approfondit quand les yeux de Patience s'élargirent de leur propre chef. Seul le rire malicieux dans les yeux de son partenaire assura à Patience qu'il la taquinait.

Et ainsi se passèrent les choses, une valse après l'autre. Après chacune, Vane réapparaissait. Patience essaya de se dire que cela ne signifiait rien, que ce pouvait être simplement qu'il n'avait rien trouvé de plus brillant, pas de dame plus attirante avec qui passer son temps.

Elle ne devrait pas en faire trop de cas — néanmoins, son cœur s'élevait d'un cran, un barreau vertigineux plus haut sur l'échelle de l'espoir irrationnel chaque fois qu'il réclamait sa main et sa position à ses côtés.

— Ces bals qu'organise Honoria sont une si bonne idée.

Louise Cynster, l'une des tantes de Vane, s'appuya sur le bras de son mari, lord Arthur Cynster et sourit à Patience.

— Malgré le fait que nous évoluons tous dans les mêmes cercles, la famille est si grande, nous pouvons souvent passer des semaines sans nous croiser, du moins pas assez longtemps pour échanger nos nouvelles.

— Ce que veut dire ma très chère femme, dit doucereusement lord Arthur, est que, bien que les femmes de la famille se réunissent souvent, elles ratent l'occasion de voir comment l'autre moitié de la famille se comporte, et ces petites réunions d'Honoria assurent que nous nous présentons tous pour y défiler. Ses yeux pétillèrent. Pour être inspecté, comme il se trouve.

— Bah !

Louise tapota sèchement le bras d'Arthur avec son éventail.

— Comme si vous, les hommes, aviez besoin du moindre prétexte pour défiler quelque part. Et pour ce qui est d'être inspecté ! Il n'y a pas une dame de la haute société qui ne vous dira pas que les Cynster sont passés maîtres en matière de s'inspecter eux-mêmes.

Le commentaire provoqua de petits rires et des sourires tout autour. Le groupe se dispersa quand la musique reprit. Gabriel se matérialisa pour exécuter une révérence devant Patience.

— Mon tour, je crois ?

Patience se demanda si les Cynster avaient le monopole des sourires voraces. Ils avaient tous également des langues agiles et promptes : pendant chaque danse, elle avait vu son attention fermement retenue par les reparties vives qui semblaient être leur marque de commerce.

Un peu de grabuge s'ensuivit quand ils commencèrent à tournoyer. Passant près de l'épicentre, Patience découvrit Honoria luttant avec Devil.

— Nous avons déjà dansé une fois. Tu devrais danser avec l'une de nos invitées.

— Mais je veux danser avec *toi*.

Le regard qui allait avec cette phrase était intransigeant. Malgré son statut, Honoria n'était clairement pas immunisée.

— Oh, très bien.

L'instant suivant, ravie, elle tournoyait avec expertise, puis Devil pencha la tête vers elle.

Alors qu'elle et Gabriel les dépassaient en tournoyant, Patience entendit la cascade du rire d'Honoria, vit l'éclat sur son visage alors qu'elle regardait son mari, puis fermait les yeux et le laissait la faire virevolter.

Le spectacle la saisit au cœur.

Cette fois, quand la musique ralentit enfin et s'arrêta, elle avait perdu la trace de Vane. Supposant qu'il réapparaîtrait bientôt, elle bavarda avec décontraction avec Gabriel. Demon les rejoignit, tout comme un monsieur Aubrey-Wells, un sémillant et très méticuleux gentleman. Son intérêt était le théâtre. N'ayant vu aucune des récentes productions, Patience écouta avec attention.

Puis, à travers un trou dans la foule, elle vit Vane parlant à une jeune beauté. La jeune fille était d'une exquise beauté avec une abondante chevelure blonde. Sa robe d'une élégance discrète en soie bleu pâle hurlait positivement « outrageusement coûteuse ».

— Je pense que vous trouverez la production au Theatre Royal digne d'une visite, entonna monsieur Aubrey-Wells.

Patience, le regard fixé sur le tableau de l'autre côté de la pièce, hocha distraitement la tête.

La beauté jeta un coup d'œil autour d'elle, puis posa sa main sur le bras de Vane. Il regarda derrière eux, puis il prit sa main dans la sienne. Rapidement, il la guida vers une porte à double battant dans le mur. L'ouvrant, il l'aida à entrer d'une main et la suivit à l'intérieur.

Et il referma la porte.

Patience se raidit ; le sang se vida de son visage. Brusquement, elle reporta son regard sur monsieur Aubrey-Wells.

— Le Theatre Royal ?

Monsieur Aubrey-Wells hocha la tête — et poursuivit son discours.

— Hum.

À côté de Patience, Gabriel fit un signe de tête à Demon, puis il inclina la tête vers la porte maudite.

— On dirait que c'est sérieux.

Le cœur de Patience s'effondra.

Demon haussa les épaules.

— J'imagine que nous en entendrons parler plus tard.

Sur ce, ils se tournèrent tous les deux attentivement vers Patience. Qui garda le regard fixé sur monsieur Aubrey-Wells, répétant ses remarques comme si le théâtre lui occupait tout l'esprit. En réalité, son esprit était rempli de Cynster, au pluriel comme au singulier.

Des élégants, tous autant qu'ils étaient. Tout un chacun.

Elle n'aurait jamais dû l'oublier, n'aurait jamais dû laisser ses sens la rendre aveugle à la réalité.

Cependant, elle n'avait rien perdu, étant donné tout ce qu'elle n'avait pas voulu donner. Elle s'était attendue à cela dès le début. Avec un effort, elle réprima un frisson qui voulait la secouer tout entière. Elle s'était sentie entourée de chaleur et de rires ; à présent, une froide déception lui transperçait les os et la glaçait jusqu'à la moelle. Pour ce qui était de son cœur, il était si gelé qu'elle était convaincue qu'il allait se fissurer d'un instant à l'autre. Exploser en petits éclats de glace.

Son visage donnait la même impression.

Elle laissa la conversation de monsieur Aubrey-Wells lui passer par-dessus les oreilles et se demanda ce qu'elle devait faire. Comme en réponse, le visage de Gerrard dansa dans sa vision restreinte.

Il lui sourit, puis plus timidement il sourit à son escorte.

Métaphoriquement, Patience s'empara de lui.

— Monsieur Cynster, monsieur Cynster et monsieur Aubrey-Wells ; mon frère, Gerrard Debbington.

Elle accorda aux hommes un minimum de temps pour échanger des salutations, puis souriant trop gaiement tourna vers eux tous un visage rayonnant.

— Je devrais vraiment aller voir comment se porte Minnie.

Monsieur Aubrey-Wells sembla perplexe ; elle lui offrit un sourire encore plus épanoui.

— Ma tante, lady Bellamy.

Prenant le bras de Gerrard, elle leur décocha un autre sourire éclatant.

— Si vous voulez bien nous excuser ?

Ils s'inclinèrent tous avec une grâce fougueuse, Gabriel et Demon réussissant facilement mieux que monsieur Aubrey-Wells. Serrant les dents intérieurement, Patience guida Gerrard plus loin.

— Ne t'avise jamais de faire une révérence comme ça.

Gerrard lui décocha un regard ébahi.

— Pourquoi pas ?

— Oublie cela.

Ils durent naviguer parmi les gens. La foule était à son plus fort. Le dîner n'avait pas encore été servi. Tout le monde était arrivé, mais peu étaient déjà repartis.

Afin de se rendre à la méridienne de Minnie, ils devaient par la force des choses passer devant la porte à double battant à travers laquelle Vane et la beauté avaient disparu. Patience avait l'intention de la dépasser d'un pas gracieux, le nez en l'air. Au lieu, alors qu'ils approchaient des panneaux à l'allure innocente, elle ralentit.

Quand elle s'arrêta à quelques pas de la porte, Gerrard lui lança un regard interrogateur. Patience le vit ; elle mit un moment à le soutenir.

— Continue, toi.

Prenant une profonde inspiration, elle se redressa. Serrant les lèvres, elle leva la main de sur sa manche.

— Je veux vérifier quelque chose. Peux-tu accompagner Minnie au dîner ?

Gerrard haussa les épaules.

— Bien sûr.

Souriant, il poursuivit lentement son chemin.

Patience le regarda partir — puis elle tourna les talons et marcha directement vers la porte à double battant. Elle savait parfaitement bien ce qu'elle faisait — même si elle ne pouvait pas formuler une seule pensée cohérente sous le voile de la colère qui enveloppait son cerveau. Comment Vane *osait*-il la traiter ainsi ? Il n'avait même pas dit au revoir. Il était peut-être un élégant jusqu'au bout des orteils, mais il allait devoir apprendre quelques bonnes manières.

D'ailleurs, la beauté était trop jeune pour lui, elle pouvait avoir à peine plus de dix-sept ans. Une gamine tout juste sortie de sa salle de classe –, c'était scandaleux.

La main sur la poignée de porte, Patience marqua une pause – et essaya de penser à une phrase d'introduction –, une qui convenait à la scène sur laquelle elle allait très probablement tomber. Rien ne lui vint immédiatement en bouche. D'un air sévère, elle chassa son hésitation. Si rien ne lui venait sous le feu de l'action, elle pourrait toujours crier.

Les yeux comme des fentes, elle saisit la poignée et tourna.

La porte vola vers l'avant, ouverte de l'intérieur. Arrachée au sol, Patience trébucha sur le seuil surélevé et fut flanquée contre le torse de Vane.

L'impact lui souffla l'air dans les poumons ; le bras de Vane, se refermant sur elle, continua à lui couper le souffle. Haletante, les yeux ronds, Patience leva les yeux sur son visage.

Ses yeux rencontrèrent les siens.

– Bonsoir.

Son expression intense fit se raidir Patience, seulement pour réaliser que le bras autour d'elle, la stabilisant, la piégeait également.

Fermement contre lui.

Étourdie, elle regarda autour d'elle ; les silhouettes sombres d'énormes feuilles pointaient au-dessus de pots lourds plus foncés, regroupés sur un sol à carreaux. Le clair de lune entrait à flots à travers des murs de longues fenêtres et des puits de lumière au plafond, traçant des sentiers argentés serpentant entre les bosquets de palmiers et de fleurs exotiques. Les riches parfums de la terre et une humidité chaude se dégageant des plantes qui poussaient planaient dans l'air lourd.

Elle et Vane se tenaient dans l'ombre, juste au-delà d'un rayon de lumière filtrant à travers la porte ouverte. À un mètre de là, enveloppée dans la douce pénombre se tenait la beauté, les observant avec une curiosité non voilée.

La beauté sourit et exécuta une petite révérence.

— Comment allez-vous ? Mademoiselle Debbington, n'est-ce pas ?

— Ah… oui.

Patience la regarda, mais ne put voir aucun signe de désordre — la fille semblait impeccable.

La voix de Vane tomba au milieu de sa confusion totale, comme un glas qui sonnait.

— Permettez-moi de vous présenter mademoiselle Amanda Cynster.

Stupéfaite, Patience leva les yeux ; il emprisonna son regard et sourit.

— Ma cousine.

Patience articula un « oh » innocent.

— Au premier degré, ajouta-t-il.

Amanda s'éclaircit la gorge.

— Si vous voulez bien m'excuser ?

Sur un rapide hochement de tête, elle glissa devant eux, puis passa la porte.

Brusquement, Vane leva la tête.

— Souviens-toi de ce que j'ai dit.

— *Évidemment*, je m'en souviendrai.

Amanda tourna vers lui un front plissé à l'air dégoûté.

— Je vais l'attacher comme un boudin et ensuite je vais le pendre par les…

Elle gesticula, puis, sur un bruissement de jupes, marcha d'un pas raide dans la foule.

Patience se fit la remarque qu'Amanda Cynster parlait comme une beauté qui n'aurait jamais besoin d'être secourue.

Elle, par contre, en aurait peut-être besoin.

Vane reporta son attention sur elle.

— Que faites-vous ici ?

Elle cilla et regarda de nouveau autour d'elle – puis inspira, un mouvement rendu difficile par le fait que ses seins étaient pressés contre son torse. Elle balaya la pièce d'un geste.

— Quelqu'un a mentionné que c'était un jardin d'hiver. Je songeais à suggérer à Gerrard d'en installer un à la Grange. J'ai pensé y jeter un coup d'œil.

Elle scruta la pénombre feuillue.

— Examiner les aménagements.

— Vraiment ?

Vane sourit, une très infime courbe dans ses longues lèvres, et il la lâcha.

— Je vous en prie.

D'une main, il poussa la porte pour la fermer ; de l'autre, il désigna la pièce.

— Je serais plus qu'heureux de faire la démonstration de certains des avantages d'un jardin d'hiver.

Patience lui décocha un rapide regard et s'empressa d'avancer d'un pas, hors de sa portée. Elle contempla les arches formant le plafond.

— Cette pièce a-t-elle toujours fait partie de la maison ou a-t-elle été ajoutée?

Derrière elle, Vane fit glisser le verrou de la porte; il s'enclencha sans bruit.

— Originalement, je crois qu'il s'agissait d'un encorbellement.

Avançant sans se presser, il suivit Patience sur le sentier principal dans les profondeurs enveloppées de palmiers.

— Hum, intéressant.

Patience admira un palmier surplombant le sentier, des feuilles ressemblant à des mains positionnées comme si elles étaient prêtes à saisir une personne non méfiante.

— Où Honoria se procure-t-elle de telles plantes?

Passant sous le palmier, elle laissa courir ses doigts à travers les frondes des fougères délicates entourant le palmier à sa base — et lança un rapide coup d'œil derrière elle.

— Est-ce que les jardiniers les cultivent?

Marchant à pas réguliers dans son sillage, Vane attira son regard. Ses sourcils se haussèrent un tout petit peu.

— Je n'en ai aucune idée.

Patience regarda devant elle — et accéléra l'allure.

— Je me demande quelles autres plantes s'acclimatent bien dans un tel environnement. Les palmiers comme ceux-ci doivent être plutôt difficiles à trouver dans le Derbyshire.

— En effet.

— Des lierres s'acclimateraient bien, j'imagine. Et des cactus, bien sûr.

— Bien sûr.

Avançant avec légèreté sur le sentier, touchant distraitement cette plante, puis celle-là, Patience regardait devant elle – et essayait de repérer une sortie. Le sentier serpentait au hasard ; elle n'était plus sûre de connaître sa position.

– Pour la Grange, peut-être qu'une orangeraie serait plus sensée.

– Ma mère en possède une.

Les mots arrivèrent tout juste derrière elle.

– C'est vrai ?

Un bref regard en arrière révéla que Vane était presque à la hauteur de son épaule. Aspirant vite une bouffée d'air, Patience reconnut mentalement l'excitation nerveuse qui s'était sanglée autour de ses poumons avec force, qui avait commencé à tendre ses nerfs avec beaucoup d'efficacité. L'envie, l'anticipation frissonnèrent sous le ciel sombre éclairé par la lune. Essoufflée, les yeux ronds, elle allongea le pas.

– Je dois me souvenir de le demander à lady Honoria – oh !

Elle s'interrompit. Pendant un moment, elle resta figée sur place, savourant la simple beauté d'une fontaine en marbre, la base de son piédestal entourée de délicates feuilles ; elle s'élevait, chatoyant sous la douce lumière blanche au centre d'une petite clairière isolée, enveloppée de fougères. L'eau coulait régulièrement du pichet de la vierge partiellement vêtue figée pour toujours dans sa tâche consistant à remplir le large bassin au contour en volutes.

Le lieu avait clairement été conçu pour fournir à la dame de la maison une retraite privée, agréable et apaisante où broder, ou simplement se reposer et rassembler ses pensées. Sous le clair de lune, entouré d'ombres mystérieuses et plongé dans un silence rendu seulement plus intense par les soupirs distants de la musique et le tintement argenté de l'eau, cet endroit était d'une beauté magique.

L'espace de trois battements de cœur, la magie immobilisa Patience.

Puis, à travers la fine soie de sa robe, elle sentit la chaleur du corps de Vane. Il ne la toucha pas, mais cette chaleur et la sensibilité éclatante qui la parcourut la firent rapidement avancer. Prenant une inspiration désespérée, elle désigna la fontaine.

— Elle est merveilleuse.

— Hum, lui parvint la réponse très près derrière.

Trop près. Patience se mit à se diriger vers un banc de pierre ombragé par la canopée des palmiers. Réprimant un halètement, elle s'approcha de la fontaine.

Le piédestal de la fontaine était fixé dans un disque de pierre ; elle monta sur l'unique marche de quinze centimètres de large. Sous ses semelles, elle sentit le changement entre carreaux et marbre. Une main sur le bord du bassin, elle baissa les yeux, puis, ses nerfs tressautant violemment, elle s'obligea à se pencher et à examiner les plantes nichées à la base du piédestal.

— Celles-ci semblent plutôt exotiques.

Derrière elle, Vane observa la manière dont sa robe s'était tendue sur les courbes de son derrière — et ne discuta pas. Ses lèvres se retroussant d'anticipation, il se déplaça — pour déclencher son piège.

Le cœur battant la chamade, sautant des battements dans son affolement, Patience se redressa et s'apprêta à glisser autour de la fontaine pour mettre une distance entre elle et le loup avec qui elle était piégée dans le jardin d'hiver. Au lieu de cela, elle tomba sur un bras.

Elle le regarda en clignant des paupières. Une manche grise impeccable enveloppait des os solides bien recouverts de muscles d'acier, un large poing refermé sur le bord à volutes du bassin, il indiquait très clairement qu'elle n'irait nulle part.

Patience pivota brusquement – et découvrit sa retraite bloquée de la même façon. Se tournant davantage, elle rencontra le regard de Vane ; debout sur le plancher de carreaux, une marche en dessous d'elle, les bras appuyés sur le bord, les yeux presque au même niveau que les siens. Elle les étudia, lut son intention dans le gris argenté, sur les traits de son visage qui se durcissaient, dans la ligne sensuelle de ces lèvres intransigeantes.

Elle n'en crut pas ses yeux.

– *Ici* ?

Le mot, aussi faible soit-il, reflétait son incrédulité avec précision.

– Ici. Maintenant.

Son cœur battit violemment. Une sensibilité faite de picotements courut sur sa peau. La certitude dans sa voix, dans les notes graves, la riva sur place. L'idée de ce qu'il suggérait figea son cerveau.

Elle avala et s'humecta les lèvres, n'osant pas détourner les yeux des siens.

– Mais… quelqu'un pourrait entrer.

Son regard s'abaissa, ses paupières voilant ses yeux.

– J'ai verrouillé la porte.

– Ah oui ?

Frénétiquement, elle jeta un coup d'œil derrière vers la porte ; un tiraillement sur son corsage ramena brusquement son attention et rassembla ses esprits. Sur le premier bouton de son corsage, à présent défait. Elle fixa la spirale dorée et écaille de tortue.

– Je pensais qu'ils servaient seulement d'ornement.

– Moi aussi.

Vane fit sauter le second des gros boutons. Ses doigts se déplacèrent vers le troisième et dernier bouton, sous ses seins.

– Je dois me souvenir de complimenter Celestine sur sa création prévoyante.

Le dernier bouton glissa hors de sa boutonnière – ses longs doigts glissèrent sous la soie. Patience inspira désespérément ; il avait des doigts agiles avec les verrous et d'autres choses. À cette pensée, elle sentit les rubans de sa chemise céder ; la soie fine glissa vers le sol.

Sa main chaude et ferme se referma sur un sein.

Patience haleta. Elle oscilla – et agrippa ses épaules pour rester debout. La seconde d'après, les lèvres de Vane étaient sur les siennes ; elles changèrent de position, puis s'immobilisèrent, dures et exigeantes. Pendant un instant, elle garda sa position, savourant le goût enivrant du désir – de son besoin d'elle – puis elle céda, s'ouvrant à lui, l'invitant à entrer, se réjouissant effrontément de sa conquête.

Le baiser s'approfondit, pas par degrés, mais par monts et par vaux, dans une descente précipitée aveugle et essoufflée, une poursuite vertigineuse des plaisirs sensuels, des plaisirs charnels.

Les poumons brûlants par manque d'air, Patience recula sur un halètement. Tête rejetée en arrière, elle respira profondément. Ses seins se soulevèrent de façon spectaculaire ; Vane pencha la tête pour leur rendre hommage.

Elle sentit sa main sur sa taille, brûlante à travers sa robe mince alors qu'il la retenait en équilibre devant lui ; elle sentit ses lèvres, ardentes comme un fer rouge, exciter et tirailler ses mamelons. Puis, il prit la chair engorgée dans la chaleur mouillée de sa bouche. Elle se raidit. Il téta – son cri étranglé vibra dans le clair de lune.

– Ah.

Ses yeux brillèrent malicieusement quand il leva la tête et reporta son attention sur son autre sein.

– Vous devrez vous le rappeler. Cette fois, pas de cris.

Pas de cris ? Patience s'accrochait à lui, s'accrochait désespérément à sa conscience pendant qu'il se régalait. Sa bouche, son contact, attira et divisa son attention, caressa et nourrit le désir qui l'enflammait déjà.

Mais, c'était impossible – ce devait l'être.

Il y avait le banc –, mais il était froid et étroit, et certainement trop dur. Puis, elle se souvint comme il l'avait soulevée une fois et l'avait aimée.

– Ma robe – elle va terriblement se froisser. Tout le monde devinera.

Sa seule réponse fut de coincer les pans de son corsage dans son dos, dénudant complètement ses seins.

À travers le halètement qui suivit, Patience réussit à dire :

– Je parlais de ma jupe. Nous ne serons jamais capables de…

Le petit rire grondant qui s'échappa de lui la laissa frissonnante.

– Pas un seul pli.

Ses lèvres frôlèrent les bouts de ses seins, à présent contractés et douloureux ; ses dents égratignèrent délicatement les pointes ruchées et des épées lui transpercèrent la chair.

— Faites-moi confiance.

Sa voix était grave, sombre, lourde de passion. Il leva la tête. Ses mains se refermèrent sur sa taille. Délibérément, il l'attira vers lui afin que ses seins picotant soient pressés sur sa veste. Elle haleta, et il pencha la tête et l'embrassa, l'embrassa jusqu'à ce qu'elle soit complètement ramollie, jusqu'à ce que ses membres faiblissants puissent à peine la soutenir.

— Vouloir, c'est pouvoir.

Il prononça ces paroles dans un souffle contre ses lèvres.

— Et je *vais* vous prendre.

Pendant un moment indéfinissable, leurs regards se rencontrèrent — aucun faux-semblant, aucune fourberie ne pouvaient dissimuler les émotions qui les poussaient. Simples, sans complication. Urgentes.

Il la retourna ; Patience regarda la fontaine en clignant des paupières, d'un blanc éclatant sous le clair de lune, cilla devant la jeune fille presque nue remplissant régulièrement la vasque. Elle sentit Vane derrière elle, chaud, solide — en érection. Il pencha la tête ; ses lèvres mordillèrent le côté de sa gorge. Patience se laissa aller contre lui, inclinant la tête vers l'arrière, encourageant ses caresses. Elle laissa ses mains retomber sur ses flancs, sur les cuisses de Vane, dures comme le chêne derrière elle. Écartant les doigts, elle agrippa les longs muscles tendus — et les sentit durcir encore plus.

Il tendit la main autour d'elle ; elle attendit de sentir ses mains se refermer sur ses seins, de le sentir se remplir les mains avec son trésor.

Au lieu de cela, avec l'extrémité de ses doigts, il dessina les courbes gonflées, encercla les bouts douloureux. Patience frissonna – et s'affaissa davantage contre lui. Ses mains la quittèrent ; elle le sentit tendre les bras. Elle s'obligea à ouvrir les yeux. Sous ses paupières lourdes, elle l'observa pendant qu'avec une main, il dessinait le sein nu de la jeune fille, caressant avec amour la pierre froide.

Abandonnant la vierge, ses doigts descendirent avec légèreté dans l'eau claire du bol en marbre. Puis, il leva les mêmes doigts sur sa chair enflammée – et la toucha comme il avait caressé la vierge – délicatement, d'une manière évocatrice. Séduisante.

Patience ferma les yeux – et trembla. Ses doigts froids, mouillés, descendirent lentement et tracèrent – une exquise sensation la parcourut. Pressant la tête en arrière contre son épaule, elle se mordit la lèvre pour refouler un gémissement et bougea les doigts sur les cuisses de Vane. Et elle réussit à dire dans un halètement :

– C'est…

– Le destin.

Après un moment, elle lécha ses lèvres desséchées.

– Comment ?

Elle sentit le changement en lui, la poussée de passion qu'il réfréna immédiatement. Sa propre réaction explosive, le besoin urgent de le voir la prendre complètement et entièrement, et de se donner de la même façon coupa le souffle à Patience.

– Faites-moi confiance.

Il tendit la main autour d'elle encore une fois, se déplaçant plus près ; sa force coulait autour d'elle, l'enveloppait.

Ses mains se refermèrent sur ses seins, non plus délicatement taquines, mais affamées. Il remplit ses mains et pétrit ; Patience sentit les flammes monter – en lui, en elle.

— Faites seulement ce que je vous dis. Et ne réfléchissez pas.

Patience gémit mentalement. Comment ? Quoi ?

— Souvenez-vous seulement de ma robe.

— Je suis un expert, vous vous souvenez ? Agrippez le bord de la vasque avec les deux mains.

Perplexe, Patience s'exécuta. Vane bougea derrière elle ; l'instant d'après, sa jupe, puis ses jupons furent relevés au-dessus de sa taille. L'air frais balaya l'arrière de ses cuisses, ses fesses, exposées au clair de lune.

Elle rougit violemment – et ouvrit la bouche pour protester.

La seconde suivante, elle oublia tout de sa protestation, oublia tout sur tout, alors que de longs doigts connaisseurs se glissaient entre ses cuisses.

Infailliblement, ils la trouvèrent déjà moite et gonflée. Il dessina les contours et excita lentement, taquina et caressa, puis lui donna de petits coups de doigt évocateurs.

Les yeux fermés, Patience se mordit la lèvre pour retenir une plainte. Il tendit la main plus au fond, la caressant dans sa douceur ; elle haleta et agrippa le bol en marbre plus fortement.

Puis, il tendit la main, une large paume glissant sous sa robe et ses jupons, glissant sur sa hanche pour s'écarter avec possessivité sur son ventre nu.

Ensuite, la main se déplaça, les doigts fouillant ses poils bouclés avec assurance. Jusqu'à ce qu'ils découvrent son point le plus sensible et s'y installent.

Elle ne peut trouver assez de souffle pour haleter – encore moins gémir ou crier. Patience attira désespérément une bouffée d'air dans ses poumons et sentit Vane derrière elle. Sentit la longueur chaude et dure presser entre ses cuisses. Sentit l'ampleur de la tête donner de petits coups dans sa douceur et trouver l'entrée.

Lentement, il plongea en elle, faisant délicatement reculer les hanches de Patience, puis l'arrêtant, la préparant alors qu'il glissait complètement dans sa maison. Et la remplissait.

Lentement, délibérément, il se retira – et revint, pressant si profondément qu'elle se leva sur ses orteils.

Son halètement resta dans l'air comme une étincelle d'argent sous le clair de lune, preuve éloquente de son état.

Encore et encore, avec la même force retenue sans pitié, il la remplit. Il l'excita. Il l'aima.

La main sur son ventre ne bougea pas, mais la tint simplement en équilibre afin qu'elle puisse le recevoir, puisse sentir sa possession encore et encore, la lente pénétration répétitive s'imprimant dans son cerveau autant que dans son corps, sur ses émotions comme sur ses sens.

Elle était à lui et elle le savait. Elle se donna avec joie, elle le reçut avec bonheur, s'efforça docilement de retenir ses gémissements pendant qu'il se déplaçait et s'enfonçait plus avant.

Collant les fesses de Patience plus fermement sur ses hanches, il bougea plus violemment en elle, donnant des coups plus profonds, plus puissants.

La tension — en lui, en elle, les tenait si fort — grandissait, enflait, se tendait. Patience ravala un halètement — et s'accrocha à sa raison. Et pria pour la libération tout en se demandant, hébétée, si elle allait perdre l'esprit cette fois.

Encore et encore, il la remplit. La lumière dorée qu'elle connaissait maintenant et désirait brilla à l'horizon. Elle tenta de se tendre vers elle — de l'attirer plus près — essaya de se resserrer autour de lui et de le presser.

Et soudainement, elle réalisa que dans cette position, ses options étaient limitées.

Elle était à sa merci et ne pouvait rien faire pour changer cela.

Avec un halètement elle baissa la tête, ses doigts se resserrant sur le bord du bol. Le plaisir sans pitié, passionné roula par vagues en elle, ruant chaque fois qu'il s'enfonçait en elle et l'étirait. La complétait.

Patience sentit un cri se développer — et se mordit la lèvre avec force.

Vane s'enfonça encore en elle et la sentit frissonner. Il resta plongé dans sa chaleur une seconde de plus, puis se retira en douceur. Et s'enfonça encore en elle.

Il n'était pas pressé. Savourant la douceur brûlante et moite qui l'accueillait, le gant de velours qui lui allait si bien, se réjouissant de tous les signes grisants de son corps qui l'acceptait — la façon naturelle et abandonnée que les hémisphères de son derrière, brillant comme de l'ivoire sous le clair de lune, rencontraient son corps, la moiteur glissante qui faisait briller son membre, l'absence totale de toute retenue, le caractère complet de son abandon — il prit le temps d'apprécier tout cela.

Derrière lui, elle se raidit et se tendit et remua avec impuissance.

Il la soutint. Et la remplit encore lentement. Elle était presque frénétique. Il se retira d'elle, donna de petits coups pour qu'elle écarte les jambes plus large et la remplit encore plus profondément.

Un petit cri aigu étouffé lui échappa.

Vane plissa les yeux et retint fermement ses rênes.

— Qu'est-ce qui vous a amenée ici ? Dans le jardin d'hiver ?

Après une minute arrêtée dans le temps, Patience haleta.

— Je vous l'ai dit : les aménagements.

— Et non parce que vous m'avez vu entrer ici avec une belle jeune fille ?

— Non !

La réponse fusa trop rapidement.

— Eh bien, temporisa Patience dans un souffle, c'était ta cousine.

De sa main libre, Vane la contourna, remplissant sa paume de la rondeur gonflée de son sein. Il chercha et trouva le bouton serré de son mamelon — et le roula délicatement entre son pouce et son index avant de presser fermement.

— Vous ne l'avez su qu'une fois que je vous l'ai dit.

Patience ravala vaillamment son cri.

— La musique s'est arrêtée : ils doivent tous être au dîner.

Elle était si essoufflée, elle pouvait à peine parler.

— Nous allons le rater si nous ne nous hâtons pas.

Elle allait mourir s'il ne se hâtait pas.

Des lèvres fermes caressèrent sa nuque.

— Les beignets de homard peuvent attendre. J'aime mieux vous prendre.

Au soulagement de Patience, il resserra sa poigne sur elle, la maintint avec plus de rigidité encore pendant qu'il poussait plus puissamment. Les flammes en elle rugirent, puis explosèrent et fondirent ; le soleil vif de la libération s'approcha régulièrement. Devint régulièrement plus lumineux. Puis, il marqua une pause.

— On dirait que vous passez à côté de quelque chose ici.

Patience savait ce qu'elle ratait. Le soleil brillant s'arrêta à trois battements de cœur. Elle serra les dents — un cri enfla dans sa gorge.

— Je vous l'ai dit : vous êtes à moi. Je vous veux — et vous seule.

Les mots prononcés doucement, avec une solide conviction repoussèrent toutes autres pensées dans la tête de Patience. Ouvrant les yeux, elle fixa un regard aveugle sur la vierge en marbre scintillant doucement sous le clair de lune.

— Je ne veux être à l'intérieur d'aucune autre femme — je n'ai envie d'aucune autre femme.

Elle sentit le corps de Vane se tendre — puis, il plongea profondément.

— Seulement vous.

Le soleil s'écrasa sur elle.

Un plaisir chaud la submergea comme une immense vague, balayant tout sur son passage. Sa vision se voila ; elle n'eut pas conscience de crier.

Déplaçant sa main sur ses lèvres, Vane étouffa le gros de son cri extatique — le son démolit tout de même sa maîtrise de soi. Son torse se gonfla, il s'efforça de contenir le désir faisant rage en lui, attaquant ses sens, du feu liquide dans son bas-ventre.

Il réussit – jusqu'à ce que les ondes de son plaisir le caressent. Il sentit la puissance se rassembler, le sentit enfler, grandir et s'accumuler en lui. Et en cet instant final, alors que le cosmos explosait autour de lui, il s'abandonna.

Et fit ce qu'elle lui avait déjà demandé une fois, s'abandonna – et se déversa en elle.

Dès l'instant où la porte du carrosse de Minnie se referma, l'enveloppant dans la sécurité de son obscurité, Patience s'affaissa sur les assises. Et pria d'avoir suffisamment la force de contrôler ses membres pour quitter le véhicule et marcher jusqu'à son lit quand ils arriveraient à Aldford Street.

Son corps ne semblait plus lui appartenir. Vane en avait pris possession et l'avait laissé mou. Épuisé. La demi-heure entre leur retour dans la salle de bal et le départ de Minnie avait été presque une course. Ce n'était que grâce au soutien furtif de Vane, à ses manœuvres prudentes, qu'elle avait pu dissimuler son état. Son état profondément repu.

Au moins, elle avait été capable de parler. Avec une cohérence raisonnable. Et réfléchir. D'une certaine façon, cela avait empiré les choses. Parce que la seule chose à laquelle elle pouvait penser, c'était ces mots qu'il avait murmurés contre sa tempe quand elle avait enfin remué entre ses bras.

— Avez-vous changé d'idée maintenant ?

Elle dut trouver la force de dire non.

— Femme têtue, voilà ce qu'avait été sa réponse prononcée comme un doux juron.

Il ne l'avait pas pressée davantage, mais il n'avait pas abandonné.

Elle rejouait sa question dans sa tête. Son ton – celui d'une détermination discrète, mais inébranlable – la dérangeait. Sa force était profonde, pas seulement une caractéristique physique ; la vaincre – le convaincre qu'elle n'acquiescerait pas et ne deviendrait pas sa femme – s'avérait un combat plus difficile qu'elle ne l'avait escompté. La possibilité gênante que sans le vouloir, elle eût piqué sa fierté, attisé son âme de conquérant et doive maintenant affronter toute la force de ce côté de son caractère n'était pas non plus une pensée réjouissante.

Pire que tout était le fait qu'elle avait hésité avant de répondre non.

La tentation, sans s'être annoncée, était apparue et avait échappé à sa garde. Après tout ce qu'elle avait vu, tout ce qu'elle avait observé des Cynster, de leurs femmes et de leurs attitudes franches et appliquées avec rigidité au sujet de la famille, il était impossible d'échapper au fait que l'offre de Vane était la meilleure qu'elle recevrait jamais. La famille – la seule chose qui lui importait le plus – était d'une importance capitale pour lui.

Étant donné ses autres attributs – sa fortune, son statut social, sa beauté – que pouvait-elle désirer de plus ?

Le problème c'est qu'elle connaissait la réponse à cette question.

C'était pour cela qu'elle avait dit non. Pourquoi elle continuerait à dire non.

L'attitude des Cynster envers la famille était possessive et protectrice. C'était un clan de guerriers – l'engagement franc qu'elle avait initialement trouvé si étonnant était, vu sous cet angle, parfaitement compréhensible. Les guerriers défendaient ce qui leur appartenait. Les Cynster, semblait-il, considéraient leur famille comme un bien à être défendu à tout prix, dans tous les domaines. Leurs sentiments naissaient de leurs instincts de conquérants – l'instinct de garder la mainmise sur ce qu'ils avaient gagné.

Parfaitement compréhensible.

Mais pas suffisant.

Pas pour elle.

Sa réponse demeurait la même – devait le rester : non.

Chapitre 19

Sligo ouvrit la porte du numéro vingt-deux à neuf heures le lendemain matin.

Vane hocha sèchement la tête et entra.

— Où est madame la comtesse ?

Il jeta un rapide coup d'œil dans le vestibule ; il était miséricordieusement inoccupé. À l'exception de Sligo qui le regardait, bouche bée.

Vane fronça les sourcils.

Sligo cligna des paupières.

— Je pense bien que madame est encore au lit, monsieur. Devrais-je envoyer à l'étage…

— Non.

Vane regarda l'escalier.

— Quelle chambre est la sienne ?

— Dernière à droite.

Vane commença à monter.

— Tu ne m'as pas vu. Je ne suis pas ici.

— D'accord, monsieur.

Sligo regarda Vane monter, puis secoua la tête. Et retourna à son porridge.

Localisant ce qu'il espéra avec ferveur être la porte de Minnie, Vane frappa doucement sur les panneaux. Un instant plus tard, Minnie le pria d'entrer. Il obéit — rapidement — en refermant la porte silencieusement derrière lui.

Appuyée sur ses oreillers, une tasse de chocolat fumant dans les mains, Minnie le dévisagea.

— Doux Jésus ! Cela fait des années que je t'ai vu debout à l'heure des coqs.

Vane s'avança vers le lit.

— J'ai besoin d'un sage conseil, et vous êtes la seule personne qui puisse m'aider.

Minnie rayonna.

— Eh bien alors, qu'est-ce qui se prépare ?

— Rien.

Incapable de s'asseoir, Vane fit les cent pas à côté du lit.

— C'est là le problème. Ce qui devrait se préparer, c'est un mariage.

Il décocha un regard acéré à Minnie.

— Le mien.

— Ah ha !

Le triomphe brillait dans les yeux de Minnie.

— Ainsi tourne le vent, hein ?

— Comme vous le savez bien, déclara Vane avec des notes sèches dans la voix, le vent tourne de ce côté depuis que j'ai posé les yeux pour la première fois sur votre nièce.

— Parfaitement convenable, comme cela devrait l'être. Où est le hic ?

— Elle ne veut pas de moi.

Minnie cligna des paupières. Son expression satisfaite s'évanouit.

— *Ne veut pas de toi* ?

Un total ahurissement résonna dans sa voix ; Vane s'efforça de ne pas grincer des dents.

— Précisément. Pour une raison impossible et inconnue, je ne suis pas convenable.

Minnie garda le silence ; son expression disait tout.

Vane grimaça.

— Ce n'est pas moi spécifiquement, mais les hommes ou le mariage en général contre quoi elle s'est décidée.

Il décocha un regard acéré vers Minnie.

— Vous savez ce que cela veut dire. Elle a hérité de votre entêtement, plus les intérêts.

Minnie renifla et mit son chocolat de côté.

— Une fille très lucide, notre Patience. Cependant, si elle nourrit des réserves à propos du mariage, j'aurais pensé que *toi,* de tous les hommes, aurais été capable de relever le défi de la faire changer d'avis.

— Ne pensez pas que je n'ai pas essayé.

Il y avait une note d'exaspération dans les mots de Vane.

— Tu dois avoir tout embrouillé. Quand lui as-tu fait ta demande ? Dans le jardin d'hiver hier soir ?

Vane essaya de ne pas se souvenir du jardin d'hiver hier soir. Des souvenirs nets l'avaient gardé éveillé jusqu'à l'aube.

— J'ai d'abord présenté ma demande — deux fois — au manoir Bellamy. Et j'ai répété l'offre plusieurs fois depuis.

Il tourna les talons et traversa le tapis avec raideur.

— Avec de plus en plus de persuasion.

— Hum.

Minnie fronça les sourcils.

— Cela semble sérieux.

— Je pense…

Vane s'arrêta ; mains sur les hanches, il leva les yeux vers le plafond.

— Non : je *sais* qu'elle m'a initialement confondu avec son père. Elle s'attendait à ce que je me comporte comme il l'avait fait.

Il pivota brusquement et revint d'un pas raide.

— Elle s'attendait d'abord à ce que je ne m'intéresse pas du tout au mariage, et lorsque je lui ai prouvé le contraire, elle a présumé que je n'avais pas de véritable intérêt pour la famille. Elle pensait que je faisais cette offre pour des raisons purement superficielles : parce qu'en fait, elle pouvait convenir.

— Un Cynster ne pas se soucier de la *famille* ! Minnie bougonna. À présent qu'elle vous a rencontrés en si grand nombre, elle ne peut pas encore être aveugle.

— Non, elle ne le peut pas. C'est aussi ce que je me disais.

Vane s'arrêta à côté du lit.

— Même après que les comportements de la famille ont été paradés devant elle, elle n'a *toujours* pas voulu changer d'avis. Ce qui signifie qu'il y a quelque chose d'autre, quelque chose de plus profond. J'ai senti que c'était présent dès le début. Une raison fondamentale inconnue qui l'a décidée contre le mariage.

Ses yeux rencontrèrent ceux de Minnie.

— Et je pense que cela découle du mariage de ses parents, ce qui explique pourquoi je suis ici à vous interroger.

Minnie soutint son regard, puis son expression se fit lointaine. Lentement, elle hocha la tête.

— Tu pourrais avoir raison.

Elle concentra de nouveau son attention sur Vane.

— Tu veux connaître l'histoire de Constance et Reggie ?

Vane hocha la tête. Minnie soupira.

— Elle n'a pas été heureuse.

— C'est-à-dire ?

— Constance aimait Reggie. Par cela, je ne veux pas parler de l'affection habituelle présente dans de si nombreuses unions, ni d'un niveau d'affection un peu plus chaleureux. Je parle d'amour — altruiste, total et indéfectible. Pour Constance, le monde tournait autour de Reggie. Oh, elle aimait ses enfants, mais ils étaient de Reggie et donc dans son entourage. Pour reconnaître à Reggie son dû, il a essayé de faire face, mais, bien sûr, de son point de vue, la découverte que sa femme l'aimait à la folie était davantage un embarras qu'une joie. Minnie grogna. C'était un véritable gentleman de son temps. Il ne s'était pas marié avec une idée aussi scandaleuse que l'amour en tête. C'était considéré comme une bonne union par tous — ce n'était pas sa faute, en réalité, si les choses ont évolué dans une direction non désirée.

Minnie secoua la tête.

— Il a essayé de noyer l'amour de Constance avec délicatesse, mais ses sentiments étaient immuables. En fin de compte, Reggie a fait ce qu'un gentleman doit faire et il est resté éloigné. Il a perdu tout contact avec ses enfants. Il ne pouvait pas venir leur rendre visite sans voir Constance, ce qui menait à des situations qu'il ne pouvait pas favoriser.

Le pli sur le front de Vane devenant plus marqué, il recommença à marcher de long en large.

— Quelle *leçon,* faute d'un meilleur mot, Patience tirerait-elle de cela ?

Minnie le regarda arpenter la pièce, puis son regard devint plus perçant.

— Tu dis que c'est cela qui l'empêche d'accepter ton offre ; je présume que tu es autrement *convaincu* qu'elle t'accepterait ?

Vane lui lança un regard.

— *Parfaitement* convaincu.

— Hum !

Minnie plissa les yeux dans le dos de Vane.

— Si c'est le cas, déclara-t-elle, son ton ayant tendance à devenir sévère, alors en ce qui me concerne, l'affaire est parfaitement évidente.

— *Évidente* ?

Vane cracha le mot en contournant le lit.

— Auriez-vous l'amabilité de partager votre perspicacité avec moi ?

— Eh bien — Minnie gesticula —, c'est logique. Si Patience est prête à t'accepter dans *ce* domaine, alors les chances sont qu'elle est amoureuse de toi.

Vane ne cilla pas.

— Alors ?

— Alors, elle a vu sa mère endurer une vie de misère pour avoir épousé un homme qu'elle aimait, mais qui ne la payait pas de retour, un homme qui ne se souciait pas du tout de son amour.

Vane fronça les sourcils et baissa les yeux. Il continua à faire les cent pas.

Ses yeux s'arrondissant, Minnie haussa les sourcils.

— Si tu veux que Patience change d'avis, tu devras la convaincre que son amour est en sûreté avec toi — que tu le chéris et non que tu le vois comme un boulet que tu traînes.

Elle attira le regard de Vane.

— Tu devras la convaincre qu'elle peut te confier son amour.

Vane se renfrogna.

— Il n'y a pas de raison qu'elle ne puisse pas me confier son amour. Je ne me comporterais pas comme son père.

— Je sais cela et tu le sais. Mais comment Patience le sait-elle ?

La mine renfrognée de Vane se transforma en colère noire. Il marcha avec plus d'agressivité.

Après un moment, Minnie haussa les épaules et croisa les mains.

— Drôle de chose, la confiance. Des gens qui ont des raisons de ne pas faire confiance peuvent être énormément sur la défensive. La meilleure façon de les encourager à accorder leur confiance est que la même confiance — la confiance *complémentaire* — leur soit librement accordée.

Vane lui décocha un regard loin d'être flatteur ; Minnie haussa ses sourcils en réaction.

— Si tu lui fais confiance, elle te fera confiance. C'est à cela que se réduit le problème.

Vane lui jeta un regard mauvais — révolté.

Minnie hocha la tête. Catégoriquement. Elle lui lança un regard évaluateur.

— Tu penses en être capable ?

Franchement, il l'ignorait.

Pendant qu'il se débattait avec la réponse à la question de Minnie, Vane n'avait pas oublié ses autres obligations. Une demi-heure après avoir quitté Minnie, il fut introduit dans le boudoir douillet de la maison sur Ryder Street partagée par les fils de son oncle Martin. Gabriel, ainsi en avait été informé Vane, était encore au lit. Lucifer, assis à table, occupé à dévorer une assiette de bœuf rôti, leva la tête lorsqu'il entra.

— Ça alors !

Lucifer semblait impressionné. Il jeta un coup d'œil à l'horloge sur la cheminée.

— À quoi devons-nous cette visite inattendue et rien de moins qu'étonnante ?

Il remua les sourcils.

— La nouvelle d'une installation domestique imminente ?

— Modère ton enthousiasme.

Avec un regard acide, Vane s'affala sur une chaise et tendit la main vers le pot de café.

— La réponse à ta question est : les perles de Minnie.

Comme s'il faisait peau neuve, Lucifer laissa tomber ses inepties.

— Les perles de Minnie ?

Son regard se fit lointain.

— Un rang double, quinze centimètres de longueur sinon plus, exceptionnellement bien assorties.

Il fronça davantage les sourcils.

— Des boucles d'oreilles aussi, non ?

— Il y en avait.

Vane rencontra son regard ahuri.

— Tout a disparu.

Lucifer cilla.

— Disparu, comme dans volé ?

— C'est ce que nous croyons.

— Quand ? Et comment ?

Vane le lui expliqua brièvement. Lucifer écouta attentivement. Chaque membre de la barre Cynster avait un domaine particulier d'intérêt ; la spécialité de Lucifer était les pierres précieuses et les bijoux.

— Je suis venu te demander, conclut Vane, si tu pouvais sonder les spécialistes. Si les perles ont glissé à travers les mailles de notre filet et ont été passées, je suppose qu'elles transiteront par Londres ?

Lucifer hocha la tête.

— C'est ce que je dirais. Tout receleur qui connaît son métier tenterait d'intéresser les étrangers ayant droit de cité de Hatton Garden.

— Que tu connais tous.

Lucifer sourit ; le geste ne contenait aucun humour.

— Comme tu dis. Laisse-moi cela entre les mains. Je vais te faire mon rapport dès que j'entends quelque chose sur cette affaire.

Vane vida sa tasse de café, puis repoussa sa chaise.

— Informe-moi dès que tu as quelque chose.

Une heure plus tard, Vane était de retour à Aldford Street. Passant prendre une Patience qui avait encore sommeil, il l'installa dans son cabriolet et mit le cap droit sur le parc.

— Des nouvelles ? demanda-t-il alors qu'il dirigeait ses chevaux gris dans une des avenues plus calmes.

Patience secoua la tête en bâillant

— Le seul changement, si changement il y a, est qu'Alice est devenue encore plus étrangement pudibonde.

Elle jeta un coup d'œil à Vane.

— Alice a décliné l'invitation d'Honoria. Quand Minnie lui en a demandé la raison, Alice lui a jeté un regard mauvais et elle a déclaré que vous étiez tous des démons.

Les lèvres de Vane tressautèrent.

— Étrange à dire, elle n'est pas la première à nous qualifier ainsi.

Patience sourit.

— Mais pour répondre à votre *prochaine* question, j'ai parlé à Sligo — malgré le fait d'avoir été laissée seule, Alice n'a rien fait de plus excitant que se retirer tôt dans sa chambre, où elle est restée toute la soirée.

— À prier pour le salut des démons, sans doute. Whitticombe a-t-il assisté au bal ?

— En effet, oui. Whitticombe n'est touché par aucune veine puritaine. Bien que peu jovial, il acceptait au moins volontiers d'être diverti. Selon Gerrard, Whitticombe a passé la majeure partie de son temps à bavarder avec les différents Cynster plus âgés. Gerrard a pensé qu'il sondait les mécènes potentiels, quoique pour quel projet, cela est resté obscur. Évidemment, Gerrard n'est pas le plus impartial des observateurs, pas lorsqu'il s'agit de Whitticombe.

— Je ne sous-estimerais pas Gerrard. Son œil d'artiste est remarquablement attentif aux détails.

Vane jeta un regard en biais à Patience.

— Et il a encore les oreilles d'un enfant.

Patience afficha un large sourire.

— C'est vrai qu'il adore écouter.

Puis, elle reprit son sérieux.

— Malheureusement, il n'a rien entendu sur le sujet.

Elle attira le regard de Vane.

— Minnie recommence à se tracasser.

— J'ai mis Lucifer sur la piste des perles. Si elles se sont rendues jusqu'aux bijoutiers de Londres, il en entendra parler.

— Vraiment ?

Vane expliqua. Patience fronça les sourcils.

— Je ne comprends vraiment pas comment elles ont pu disparaître ainsi sans laisser aucune trace.

— Comme tout le reste. Considérez ceci…

Vane s'arrêta brusquement, puis fit virer son équipage.

— S'il n'y a qu'un voleur et étant donné qu'aucun des autres objets volés n'a été retrouvé non plus, cela semble un pari raisonnable, alors tous les articles sont probablement cachés à un endroit. Mais où ?

— Où, en effet ? Nous avons cherché partout ; néanmoins, ils doivent se trouver quelque part.

Patience regarda Vane.

— Y a-t-il autre chose que je puisse faire ?

La question demeura en suspens entre eux ; Vane garda les yeux sur ses chevaux jusqu'à ce qu'il soit capable d'empêcher les mots « acceptez de m'épouser » de franchir ses lèvres. Le moment n'était pas bien choisi — exercer une pression sur elle était la mauvaise tactique à adopter. Il le savait, mais ravaler les mots exigea de lui un véritable effort.

— Vérifiez encore une fois les pensionnaires de Minnie.

À bonne allure, il dirigea son cabriolet vers les portails du parc.

— Ne cherchez rien de précis, mais tout ce qui pourrait être suspect. Ne jugez pas à l'avance ce que vous voyez — contentez-vous d'examiner chaque événement.

Il respira profondément et jeta à Patience un regard dur.

— Vous êtes celle qui est le plus près et néanmoins la plus détachée — regardez encore et dites-moi ce que vous voyez. Je vais venir vous chercher demain.

Patience hocha la tête.

— Même heure ?

Avec brusquerie, Vane acquiesça. Et se demanda combien de temps encore il pourrait se retenir de faire quelque chose — de dire quelque chose — d'imprudent.

— Mademoiselle Patience !

Se hâtant sur la galerie en route pour rejoindre Vane, attendant impatiemment au rez-de-chaussée, Patience s'arrêta et attendit madame Henderson, désertant son poste de surveillance des servantes dans un couloir pour la rattraper.

Avec un regard de conspiratrice, madame Henderson s'approcha et baissa la voix.

— Si vous pouviez être assez aimable, mademoiselle, pour dire à monsieur Cynster que le sable est de retour.

— Le sable ?

Une main sur son ample derrière, madame Henderson hocha la tête.

— Il saura. Comme avant, juste un filet ici et là autour de cet éléphant païen. Je peux le voir briller entre les lattes du plancher. Non qu'il vienne de la bête criarde : j'ai moi-même passé un chiffon dessus, mais il était parfaitement propre. À part cela, même avec ces servantes de Londres — et Sligo a embauché celles qui avaient les yeux les plus perçants dans tout le royaume chrétien — nous n'avons rien repéré qui soit de travers.

Patience aurait exigé davantage d'explication si l'expression sur le visage de Vane lorsqu'il s'était présenté et l'avait découverte dans le salon au lieu de l'attendre prête pour qu'il l'amène en voiture n'avait pas été imprimée d'une manière indélébile dans son esprit.

Il était impatience, rongeant son frein.

Elle sourit à madame Henderson.

— Je vais le lui dire.

Sur ce, elle pivota, serra son manchon et descendit en hâte.

— Du sable ?

Le regard fixé sur le visage de Vane, Patience attendit des clarifications. Ils étaient dans le parc, empruntant leur route habituelle loin de la foule à la mode.

Elle avait transmis le message de madame Henderson ; il avait été reçu avec un froncement de sourcils.

— D'où diable le tient-elle ?

— Qui ?

— Alice Colby.

Le visage sombre, Vane lui raconta le premier rapport de sable dans la chambre à coucher d'Alice. Il secoua la tête.

— Dieu seul sait ce que cela signifie.

Il jeta un coup d'œil à Patience.

— Avez-vous surveillé les autres ?

Patience hocha la tête.

— Il n'y avait rien un tant soit peu étrange à leur sujet ou à propos de leurs activités. La seule chose que j'ai appris que j'ignorais avant est que Whitticombe a emporté des livres du manoir. J'avais imaginé lorsqu'il a immédiatement pris possession de la bibliothèque qu'il avait trouvé quelques volumes sur place et s'était pris d'intérêt pour quelque chose de nouveau.

— Et ce n'est pas le cas ?

— Loin de là. Il a transporté au moins six énormes livres avec ses bagages ; pas étonnant que leur carrosse traînait en arrière.

Vane fronça les sourcils.

— Qu'étudie-t-il en ce moment — encore l'abbaye Coldchurch ?

— Oui. Il va faire une marche de santé tous les après-midi ; je me suis faufilée dans la bibliothèque et j'ai vérifié. L'ensemble des six volumes traitait de la dissolution des églises, soit la période juste avant, soit juste après. La seule exception était un registre daté de presque un siècle auparavant.

— Hum.

Devant le silence prolongé de Vane, Patience donna une petite poussée sur son coude.

— Hum, quoi ?

Il lui jeta un bref regard, puis le reporta sur son cheval de tête.

— Simplement que Whitticombe semble obsédé par l'abbaye. On aurait pu croire qu'il aurait appris tout ce qu'il y a à savoir à présent, du moins assez pour rédiger sa thèse.

Après un moment, il demanda :

— Rien de suspect à rapporter sur aucun des autres ?

Patience secoua la tête.

— Lucifer a-t-il appris quelque chose ?

— En un sens, oui. Vane lui lança un regard frustré. Les perles n'ont *pas* transité par Londres. En fait, les sources de

Lucifer, qui n'ont rien à envier aux autres, sont très certaines que les perles ne sont pas, dans leur langage, « devenues disponibles ».

— Disponibles ?

— Signifiant que la personne qui les a dérobées les a toujours. Personne n'a tenté de les vendre.

Patience grimaça.

— Nous semblons nous heurter à un mur à chaque tour.

Après un moment, elle ajouta :

— J'ai calculé la grandeur de l'espace qui serait nécessaire pour ranger tout ce qui a été volé.

Elle attira le regard de Vane.

— Le sac à ouvrage d'Edith Swithins, vidé de tout le reste, serait à peine capable de les contenir.

Le front plissé de Vane s'assombrit.

— Tout cela *doit* être quelque part. J'ai demandé à Sligo de fouiller de nouveau la chambre de tout le monde, mais il est revenu les mains vides.

— Mais ils *sont* quelque part.

— En effet. Mais où ?

Vane revint dans Aldford Street à une heure dans la nuit, aidant un Edmond aux genoux faibles à monter les marches d'entrée. Gerrard guidait Henry, riant de sa propre volubilité. Edgar fermait la marche, un grand sourire distinctement idiot sur le visage.

Le général, Dieu merci, était resté à la maison.

Sligo leur ouvrit la porte et prit immédiatement les choses en main. Néanmoins, il fallut une demi-heure et les efforts concertés des membres sobres du groupe pour installer Edmond, Henry et Edgar dans leur lit respectif.

Poussant un soupir de soulagement, Gerrard s'affaissa contre le mur du couloir.

— Si nous ne trouvons pas les perles bientôt et ne ramenons pas ce groupe au manoir, ils vont perdre le contrôle d'eux-mêmes — et nous ferons mourir.

Le commentaire reflétait avec précision les pensées de Vane. Il grogna et redressa son manteau. Gerrard bâilla et hocha la tête d'un air endormi.

— Je vais au lit. Je vous verrai demain.

Vane hocha la tête.

— Bonne nuit.

Gerrard se dirigea au fond du couloir. L'expression grave, Vane traversa la galerie par l'escalier. Il s'arrêta à la tête des marches, baissant les yeux sur le vestibule plongé dans le noir. La maison était endormie tout autour de lui, le voile de la nuit temporairement dérangé se réinstallant, emmitouflant.

Vane sentit la nuit l'entraîner, le vider de son énergie. Il était fatigué.

Fatigué de ne pas progresser. Frustré à tous les coups.

Fatigué de ne pas gagner, de ne pas réussir.

Trop fatigué pour lutter contre l'envie compulsive qui le poussait. L'envie de chercher de l'aide, du soutien, un répit de ses entreprises dans les bras de son amour.

Il respira profondément et sentit son torse gonfler. Il garda le regard fixé sur les marches, rejetant l'impulsion de regarder à droite au fond du couloir qui menait à la chambre de Patience.

Il était temps de rentrer à la maison, temps de descendre l'escalier, de sortir par la porte d'entrée, de marcher les quelques pâtés de maisons jusqu'à sa propre résidence sur Curzon Street, d'entrer dans le silence de son foyer vide, de grimper l'élégant escalier et d'entrer dans la chambre principale. Pour dormir seul dans son lit entre des draps soyeux froids, non réchauffés, inhospitaliers.

Un son étouffé et Sligo se matérialisa à côté de lui. Vane lui jeta un regard en biais.

— Je vais sortir par moi-même.

Si Sligo en fut étonné, il ne le montra pas. Sur un hochement de tête, il descendit les marches. Vane patienta, regarda pendant que Sligo se déplaçait dans le vestibule, vérifiant la porte d'entrée. Il entendit le verrou s'enclencher, puis vit la bougie qui oscillait traverser le vestibule et disparaître à travers la porte des domestiques.

Le laissant dans l'obscurité silencieuse.

Immobile comme une statue, Vane se tenait en haut de l'escalier. Dans les circonstances actuelles, s'inviter dans le lit de Patience était inacceptable et même répréhensible.

C'était également inévitable.

Ses yeux complètement adaptés à la noirceur, il tourna à droite. Silencieusement, il longea le couloir jusqu'à la chambre au bout. Face à la porte, il leva la main — et hésita. Puis, les traits sur son visage bougèrent et prirent un air déterminé.

Il frappa. Doucement.

Une minute de silence s'écoula, puis il entendit doucement des pieds nus trottiner sur les lattes du plancher. Un battement de cœur plus tard, la porte s'ouvrit.

Rougie par le sommeil, ses cheveux comme une couronne ébouriffée, Patience le regarda en clignant des paupières. Sa longue chemise de nuit blanche collait à sa silhouette, dessinée par la lueur provenant de l'âtre. Lèvres écartées, les seins se soulevant et s'abaissant, elle dégageait chaleur et promesses de paradis.

Les yeux de Patience trouvèrent les siens ; pendant une longue minute, elle se contenta de le regarder, puis elle recula et lui fit signe d'entrer.

Vane passa le seuil et sut que ce serait son Rubicon. Patience referma la porte derrière lui, puis pivota – dans ses bras.

Il l'attira à lui et l'embrassa ; il n'avait pas besoin de mots pour ce qu'il voulait dire. Elle s'ouvrit instantanément à lui, toutes en courbes féminines le séduisant, l'encourageant.

Le souffle manqua à Vane et il saisit les rênes de ses démons et sut, cette fois, qu'il ne pourrait les retenir longtemps. Elle embrasait trop facilement son sang ; elle était l'essence même du besoin pour lui.

L'unique et prédominant objet de son désir.

Soulevant les paupières, il jeta un coup d'œil à son lit. D'une largeur rassurante, il était enveloppé dans l'ombre. La seule lumière dans la pièce provenait des braises luisant dans l'âtre.

Il la voulait dans son lit à lui, mais ce soir, il se contenterait du sien. Il voulait aussi la voir, laisser ses yeux, ses sens se repaître. Ses démons avaient besoin d'être nourris. Il devait également trouver une façon de lui dire la vérité, de lui dire ce qu'il y avait dans son cœur. De prononcer les mots qu'il savait devoir exprimer.

Minnie, maudite soit sa sage perspicacité, n'avait pas manqué de lui pointer la vérité. Et, autant une partie de lui le souhaitait, autant il était impuissant à l'éviter, impuissant à y échapper.

Il devait le faire.

Levant la tête, il prit une inspiration si énorme que son torse se tendit contre son manteau.

— Venez près du feu.

Glissant un bras autour d'elle, enregistrant le glissement du fin limon sur sa peau nue, il la guida vers l'âtre. Se pressant plus près, la tête dans le creux de son épaule, la hanche contre la sienne, elle acquiesça volontiers.

Simultanément, ils s'arrêtèrent devant le foyer. Avec un naturel qu'il trouva ensorcelant, elle tourna dans ses bras. Faisant glisser ses mains sur ses épaules, elle leva son visage, ses lèvres. Il l'embrassait avant même avoir songé à le faire.

Avec un soupir intérieur, Vane prit le contrôle de ses envies, referma un poing mental sur elles, puis retirant délicatement ses bras autour d'elle, il referma ses mains sur sa taille. Et essaya de ne pas remarquer la chaleur sous ses paumes, la douceur sous ses doigts.

Il leva la tête, interrompant leur baiser.

— Patience…

— Chut.

Elle s'étira sur ses orteils et déposa ses lèvres sur les siennes. Ses lèvres s'accrochaient, le taquinant doucement ; celles de Vane se raffermirent. Instinctivement, il reprit le contrôle, plongeant sans effort dans leur prochain baiser.

Vane jura dans sa tête. Ses rênes s'effilochaient régulièrement. Ses démons souriaient en grand. D'anticipation malicieuse. Il fit une nouvelle tentative, cette fois murmurant les mots sur les lèvres de Patience.

— Je dois vous di…

Elle le fit taire de nouveau, avec autant d'efficacité.

Avec encore plus d'efficacité, elle tendit les mains vers lui, ses doigts minces se refermant avec possessivité sur sa longueur déjà rigide.

Vane perdit le souffle — et abandonna. Il était inutile de continuer à lutter — il avait oublié ce qu'il devait dire. Il fit glisser ses mains en bas et autour d'elle ; prenant son derrière en coupe, il poussa ses hanches avec force contre ses propres cuisses. Les lèvres de Patience s'entrouvrirent, sa langue donna de petits coups tentants ; il accepta son invitation et plongea.

Voracement.

Patience soupira de satisfaction et se laissa aller dans son étreinte dure. Les mots ne l'intéressaient pas. Elle était prête à écouter des halètements, des gémissements, même des grognements — pas des mots.

Elle n'avait pas besoin de l'entendre lui expliquer pourquoi il était ici ; elle n'avait pas besoin d'entendre des excuses expliquant pourquoi il avait besoin d'elle — ses raisons avaient été là, brillant d'une lueur argentée dans ses yeux quand il s'était tenu dans le noir sur le seuil de sa porte, son regard fixé si goulûment sur elle. La puissance de cette force argentée était gravée dans les traits déterminés de son visage, à sa vue. Elle ne voulait pas entendre ses explications — et risquer de ternir l'argent avec de simples mots. Les mots ne pourraient jamais lui rendre justice : ils ne feraient que détourner l'attention du bonheur glorieux.

Le bonheur glorieux d'être nécessaire à quelqu'un. Nécessaire de cette façon. Cela ne lui été jamais arrivé auparavant; cela ne se reproduirait probablement plus.

Seulement avec lui. Le sien était un besoin qu'elle pouvait combler; elle savait au fond d'elle qu'elle était faite pour cette tâche. Le plaisir sans mélange qu'elle recevait à lui donner — à se donner à lui et à assouvir son besoin — était au-delà des mots, au-delà de toute mesure terrestre.

C'était cela que signifiait être une femme. Une épouse. Une amante. Cela, entre toutes choses, était ce que son âme désirait ardemment.

Elle ne voulait pas que des mots se mettent en travers de son chemin.

Patience ouvrit son cœur chantant et l'accueillit. Elle l'embrassa aussi voracement qu'il l'embrassa, ses mains cherchant goulûment à travers ses vêtements.

Sur un juron sifflé entre ses dents, il recula.

— Attendez.

Tirant sur la longue épingle de sa cravate, il la déposa sur le manteau de la cheminée; adroitement, il dénoua et déroula les longs plis. Patience sourit et tendit les bras vers lui; le visage dur comme la pierre, il s'écarta et pivota — des plis de lin bloquèrent la vue de Patience.

— Que…

Patience leva les mains à son propre visage.

— Faites-moi confiance.

À présent derrière elle, Vane repoussa délicatement les mains de Patience et enroula adroitement le lin deux fois autour de la tête de Patience, puis fit un nœud serré à l'arrière. Puis, fermant les mains sur ses épaules, il pencha la tête et fit courir ses lèvres, légères comme une plume, sur la courbe de sa gorge.

— Ce sera meilleur de cette façon.

Meilleur pour lui — il pourrait garder un certain degré de maîtrise de lui-même. Il sentait profondément la responsabilité d'être son amour ; prendre sans donner n'était pas dans sa nature. Il avait besoin de lui dire ce qu'il y avait dans son cœur. S'il ne pouvait pas réussir à prononcer les mots, au moins il pouvait faire la preuve de ses sentiments. Pour l'instant, avec le désir qui sévissait, battait dans ses veines, c'était le mieux qu'il puisse faire.

Il savait très bien ce que le fait d'être « aveugle » ferait à Patience. Sans vision, ses autres sens s'accentueraient — sa sensibilité sexuelle, physique et émotionnelle atteindrait de nouveaux sommets.

Lentement, il la tourna face à lui et retira ses mains de sur elle.

Ses sens hennissant violemment, elle attendit. Sa respiration était superficielle, tendue par l'anticipation ; sa peau picotait. Les mains lâches sur ses flancs, elle écoutait les battements de son cœur, le désir battre dans ses veines.

Le premier tiraillement fut si léger qu'elle ne fut pas sûre qu'il soit réel, puis un autre bouton de sa chemise de nuit sauta. Ses sens lui dirent que Vane était près, proche, mais elle ignorait où précisément. Avec hésitation, elle tendit les bras…

— Non. Restez immobile.

Obéissant à sa voix grave, à son ton impérieux, elle laissa ses bras retomber.

Sa chemise de nuit était boutonnée en avant jusqu'au sol. Seuls la légère brise sur sa peau et les plus légers tiraillements lui indiquèrent le moment où le dernier bouton sauta. Avant qu'elle puisse imaginer ce qui viendrait ensuite, de rapides petits coups sur ses poignets dénouèrent les lacets de dentelle.

Aveugle, sans défense, elle frissonna.

Et sentit sa chemise de nuit s'écarter et se soulever, puis elle glissa le long de ses bras, dans son dos, ondulant en se libérant de ses mains pour tomber au sol derrière elle.

Sa respiration devint tendue — et elle sentit le regard de Vane sur elle. Il se tenait devant elle ; son regard vagabonda — ses mamelons se froncèrent ; la chaleur se répandit sous sa peau. Une bouffée de chaleur suivit son regard, sur ses seins, son ventre, ses cuisses. Elle se sentit mollir, sentit l'anticipation montée.

Il se déplaça — sur le côté. Inclinant légèrement la tête, elle s'efforça de suivre ses mouvements. Puis, il s'avança plus près. Il se tenait sur sa gauche, à quelques centimètres à peine ; elle pouvait le sentir dans chaque pore de sa peau.

Un bout de doigt dur glissa sous son menton et releva sa tête vers le haut. Les lèvres de Patience palpitaient ; il les couvrit des siennes.

Le baiser fut long et profond, passionné, d'une franchise brutale. Il poussa plus profondément et réclama sa douceur, puis la goûta, avec une lenteur paresseuse, mais appliquée, une démonstration de ce qui était à venir. Puis, il recula — et le bout du doigt glissa.

Nue, incapable de voir, sans rien d'autre que la douce lueur du feu et la chaleur de son désir pour la réchauffer, Patience bouillait. Et attendait.

Un doigt toucha son épaule droite, puis s'aventura paresseusement plus bas, sur le renflement de son sein pour encercler son mamelon. Au dernier moment, il donna une chiquenaude sur le bouton douloureusement serré, puis disparut.

Sa deuxième caresse imita la première, excitant son mamelon gauche, provoquant un long frisson tremblant dans tout son corps. Elle inspira une bouffée d'air fragmentaire.

Il se pencha plus près, tendant les bras derrière elle pour dessiner les longs muscles encadrant son épine dorsale, d'abord un, puis l'autre, s'arrêtant là où ils dessinaient un creux sous sa taille.

Encore une fois, son contact fut interrompu ; encore une fois, Patience attendit. Puis, sa paume dure, chaude, légèrement rude sur sa peau douce se déposa en bas de son dos, dans la courbe sous sa taille, puis traça audacieusement son chemin plus bas. Et autour. Réclamant en propriétaire les courbes pleines avec expertise, évaluant avec plaisir. Patience sentit le désir l'enflammer, chaud et urgent en elle, sentit la sueur mouiller sa peau.

Elle haleta doucement ; le son résonna dans le silence. Vane pencha la tête ; elle le sentit et leva les lèvres. Elles rencontrèrent les siennes dans un baiser si plein de désir douloureux qu'elle vacilla. Elle leva la main pour agripper son épaule…

— Non. Restez immobile.

Il prononça les mots dans un souffle contre ses lèvres, puis l'embrassa encore. Ensuite, ses lèvres remontèrent jusqu'à sa tempe.

— Ne bougez pas. Ressentez, tout simplement. Ne faites rien. Laissez-moi seulement vous aimer.

Patience frissonna — et acquiesça en silence.

La main pelotant son derrière demeura, intimement troublante. Elle tomba pour tracer brièvement l'arrière de ses cuisses, puis de longs doigts reprenant le chemin de la ligne entre les deux revinrent pour caresser ses courbes tendues.

Ensuite, le bout d'un doigt coquin trouva le creux à la base de sa gorge. Involontairement, Patience se redressa. Le doigt descendit lentement, glissant doucement sur sa peau. Il passa entre ses seins gonflés, continua sur son ventre sensible, sur la ligne de sa taille jusqu'à son nombril. Là, il en fit le tour lentement, puis partit en diagonale jusqu'à une hanche et redescendit au milieu de sa cuisse, s'arrêtant et disparaissant juste au-dessus du genou.

Le doigt revint à sa gorge. Le long voyage fut repris de nouveau, cette fois se tournant vers son autre hanche et terminant au-dessus de l'autre genou.

Patience ne fut pas dupe. Quand le doigt revint encore se poser sous sa gorge, elle prit une inspiration désespérée. Et la retint.

Le doigt glissa en bas avec la même caresse langoureuse et paresseuse. Encore, il fit le tour de son nombril, puis délibérément il glissa dans le petit trou. Et il donna de petits coups.

Délicatement. De manière évocatrice. À répétition.

Le souffle de Patience lui échappa brusquement. Le frisson qui la secoua ressembla davantage à un tremblement ; sa respiration devint plus difficile. Elle lécha ses lèvres desséchées et le doigt s'en alla doucement.

Et s'aventura plus bas.

Elle se raidit.

Le doigt poursuivit sa descente tranquille sur le doux renflement de son ventre, sur les boucles soyeuses à sa base.

Elle aurait bougé, mais la main derrière elle l'agrippa et la tint immobile. Posément et sans hâte, le doigt écarta les poils bouclés, puis l'écarta elle et se glissa plus avant.

Dans la moiteur chaude entre ses cuisses.

Chaque nerf de son corps se raidit au maximum ; chaque centimètre carré de sa peau était embrasé. Les derniers fragments de sa raison étaient centrés sur le contact de ce doigt explorant paresseusement.

Il tournoya et elle haleta ; elle crut que ses jambes allaient céder sous elle. Pour ce qu'elle en savait, ce fut le cas, mais la main sur ses fesses la soutenait. La tenait là afin qu'elle puisse sentir chaque mouvement de ce doigt audacieux. Il tournoya encore et encore jusqu'à ce que ses os se fondent.

Le feu faisait rage en elle ; Vane le savait certainement. Mais, il n'était pas pressé : son doigt poussa plus profondément et décrivit un cercle, assez semblable au cercle qu'il avait tracé sur elle.

Retenant son souffle, Patience attendit. Attendit. Sachant que le moment viendrait où il explorerait, quand son doigt se glisserait au fond de sa chaleur vide. Sa respiration était tellement superficielle qu'elle pouvait entendre son sifflement léger ; ses lèvres étaient sèches, desséchées, néanmoins palpitantes. Encore et encore, il hésita à sa porte seulement pour s'éloigner dans un glissement, pour caresser sa chair gonflée moite et palpitante sous les battements de son cœur.

Enfin, le moment arriva. Il dessina un dernier cercle en elle, puis s'arrêta, le doigt centré à sa porte. Patience frissonna et laissa sa tête tomber en arrière.

Et il la transperça, si lentement qu'elle crut perdre la tête. Elle haleta, puis cria alors qu'il s'enfonçait plus loin.

Sa réaction fut de fermer les lèvres sur un mamelon douloureux.

Patience entendit son propre cri en guise de réponse comme s'il venait de loin. Levant les mains, elle serra — et trouva les épaules de Vane.

Vane se déplaça afin qu'elle soit carrément devant lui, afin qu'il puisse lécher d'abord un sein, puis l'autre, pendant qu'il enfonçait un, puis deux longs doigts dans sa chaleur brûlante. De son autre main, il saisit les rondeurs fermes de son derrière, sachant qu'il y laisserait des ecchymoses. S'il ne le faisait pas, elle tomberait au sol — et lui avec. Ce qui entraînerait encore plus d'ecchymoses.

Il avait déjà épuisé son stock de maîtrise de soi ; il en avait vu la fin quand il avait touché la chaleur mouillée entre ses cuisses. Il avait bien estimé que la nudité aveugle allait profondément l'exciter — il n'avait pas prévu que sa nudité aveugle l'exciterait autant lui aussi. Cependant, il était décidé à lui prodiguer toute son attention — chaque parcelle qu'il était capable de donner.

Grinçant des dents, se préparant mentalement au combat — ceint d'un bouclier de fer — il s'accrocha. Et il lui prodigua encore plus d'amour. Tout ce qu'il avait à donner, offert comme lui seul le pouvait.

Patience ne savait pas que son corps pouvait ressentir tant de sensations, si intensément. Le feu brûlait dans ses veines ; la sensibilité avait investi sa peau. Elle était sensible à chaque courant d'air changeant, à chacune des caresses audacieuses, à toutes les nuances dans chaque caresse.

Chaque coup expert des doigts durs de Vane provoquait le plaisir en elle et à travers son corps ; chaque tiraillement de ses lèvres, chaque coup de langue mouillée attiraient le plaisir et le poussaient vers des hauteurs explosives.

Le plaisir monta, enfla, la balaya et battit en elle, puis s'embrasa et s'unit dans un soleil intérieur familier. Yeux fermés sous son bandeau, elle haleta et attendit que l'explosion s'écrase sur elle, puis disparaisse. Au lieu de cela, elle augmenta, plus vive, plus grande et l'engouffra.

Et elle fit partie du soleil, partie du plaisir, le sentit la submerger et l'envelopper, la raviver et la soulever. Elle plana, voguant sur la mer de l'extase sensuelle, satisfaite jusqu'au bout des orteils.

La mer gagna du terrain encore et encore ; les vagues léchaient ses sens, les nourrissaient, les rassasiaient. Elle les laissait toutefois encore affamés.

Vaguement, elle fut consciente des mains de Vane se déplaçant, consciente de perdre sa caresse intime. Puis, il la souleva en la pelotonnant contre son torse et il la porta dans ses bras. Jusqu'à son lit. Délicatement, avec des baisers apaisants qui soulagèrent ses lèvres desséchées, il l'allongea sur les draps. Patience attendit que le bandeau soit retiré de ses yeux. Il ne le fut pas. Au lieu de cela, elle sentit la caresse fraîche du satin de son couvre-lit sur sa peau sensible.

Elle écouta ; oreilles tendues, elle entendit un bruit sourd : une botte frappa le sol. Dans l'obscurité, elle sourit.

S'enfonçant dans le duvet sous elle, elle se détendit. Et attendit.

Elle s'attendait à ce qu'il la rejoigne sous le couvre-lit ; au lieu, quelques minutes plus tard, le couvre-lit fut arraché d'un mouvement vif. Il monta sur le lit et s'arrêta. Il fallut un moment à Patience pour comprendre où il était.

À genoux, lui chevauchant les cuisses.

L'anticipation la frappa comme un éclair ; en un instant, son corps fut de nouveau enflammé. Tendu, raidi — tremblant dans l'attente.

Au-dessus d'elle, elle entendit un rire rauque. Les mains de Vane se serrèrent sur ses hanches. L'instant d'après, elle sentit ses lèvres.

Sur son nombril.

De là, les choses n'en devinrent que plus passionnées.

Quand il s'unit enfin à elle après des minutes éclatantes et sans fin de halètements et de souffles coupés intimes, elle aussi était enrouée. Enrouée d'avoir étouffé ses cris, d'avoir fait des tentatives désespérées pour respirer. Il l'avait plongée dans un état de plaisir infini, son corps submergé de sensations exquises, sensible à chaque contact, chaque caresse infailliblement intime.

À présent, il plongeait en elle et il la poussa encore plus loin, au cœur du soleil, dans le royaume du bonheur glorieux. Patience l'incita aveuglément à continuer, laissa son corps parler pour elle, le caresser et le retenir et l'aimer comme il l'aimait.

De tout son cœur. Sans réserve. Sans limites.

La vérité la frappa à l'instant où leur soleil implosa et éclata en un million d'aiguilles. Le bonheur glorieux plut sur elle – autour d'eux. Collée sur lui, elle sentit son extase aussi profondément qu'elle sentit le sien.

Ensemble, ils s'élevèrent, ravivés par la dernière vague de ravissement ; ensemble, ils retombèrent dans un soulagement intensément repu. Enveloppés dans les bras l'un de l'autre, ils flottèrent dans le royaume réservé aux amants, là où l'esprit n'avait pas le droit d'aller.

– Hum.

Patience s'enfouit plus profondément dans son lit chaud et ignora la main lui secouant l'épaule. Elle était au paradis, un paradis qu'elle ne se souvenait pas d'avoir visité auparavant, et elle ne voulait pas écourter son séjour. Même pour lui – lui qui l'y avait amenée. Il y avait un temps pour tout, particulièrement pour parler, et ce n'était absolument pas le moment pour cela. Une douce lueur ondulait autour d'elle. Reconnaissante, elle plongea dedans.

Vane essaya encore. Entièrement habillé, il se pencha sur elle et secoua Patience aussi fort qu'il l'osait.

– Patience.

Un bruit de mécontentement qui ressemblait à un « glhum » fut tout ce qu'il tira d'elle. Exaspéré, Vane se remit sur son séant et fixa les boucles brun doré pointant au-dessus du couvre-lit, tout ce qu'il pouvait voir de sa future épouse.

Dès qu'il s'était réveillé et avait vu qu'il devait partir, il avait tenté de la réveiller – pour lui dire, simplement et clairement, ce qu'il avait échoué à lui apprendre plus tôt. Avant que les passions de Patience s'enfuient avec eux.

Malheureusement, il était venu la retrouver tard et il avait étiré le temps autant qu'il en était capable. Le résultat était que, seulement deux heures plus tard, elle était encore profondément plongée dans le bonheur extatique et hautement rébarbative à se voir réveiller.

Vane soupira. Il savait d'expérience qu'insister pour la réveiller résulterait en une atmosphère totalement hostile à la déclaration qu'il voulait faire. Ce qui signifiait que la réveiller était inutile — pire qu'inutile.

Il devrait attendre. Jusqu'à ce que…

Marmonnant un juron, il se leva et se dirigea vers la porte. Il devait partir maintenant, sinon il tomberait sur des domestiques. Il reviendrait plus tard voir Patience — il allait devoir faire ce qu'il s'était juré de ne jamais faire. Ne s'était jamais attendu à devoir faire.

Offrir son cœur sur un plateau — et le remettre calmement à une femme.

Qu'il en ait la force ou non n'importait plus. S'assurer que Patience devienne sa femme était la seule chose qui avait de l'importance.

Chapitre 20

Était-ce son imagination ?

Assise à la table du petit déjeuner le lendemain matin, Patience beurra attentivement une tranche de pain rôti. Autour d'elle, la maison résonnait de bavardages et de bruits. Comme le petit déjeuner était servi plus tard pour respecter l'horaire de la ville, toute la maisonnée y assistait, même Minnie et Timms. Même Edith. Même Alice.

Patience jeta un regard autour d'elle — et ignora les conversations flottant dans l'air autour du buffet. Elle était trop distraite par ses réflexions intérieures pour perdre son temps en affaires moins urgentes.

Elle prit son couteau et tendit la main vers le beurre.

Et commença à étaler du beurre. Sur du beurre. Elle se concentra sur sa rôtie — puis avec beaucoup de précision, elle mit le couteau de côté et prit sa tasse de thé. Et but.

Une langoureuse lassitude pesait sur ses membres. Des pensées délicieusement lubriques alourdissaient son esprit. Un épuisement venant du plaisir satisfait la tenait sous son emprise ; il était difficile de se concentrer, mais encore et encore, elle ramena son esprit sur la révélation inattendue de la nuit précédente. Il lui fallait un effort extrême pour centrer son attention sur les courants sous-jacents qui avaient été présents pendant qu'ils faisaient l'amour, plutôt que sur l'acte lui-même, mais elle était certaine de ne rien inventer, que l'intensité sous-jacente qu'elle avait ressentie était réelle. L'intensité du besoin de Vane, l'intensité qu'il avait mise dans l'acte de l'aimer.

L'aimer.

Il avait utilisé les mots au sens physique. Pour sa part, elle pensait d'abord en termes d'émotion, avec l'acte représentant l'expression physique. Jusqu'à hier soir, elle avait supposé que sa signification pour Vane avait été strictement physique — après hier soir, elle n'était plus si sûre.

La nuit dernière, la relation physique avait atteint de nouveaux sommets, intensifiée par une force trop puissante pour être confinée aux membres et à la chair. Elle l'avait senti, l'avait goûté, s'en était glorifiée — elle avait fini par le savoir dans son âme. La nuit dernière, elle avait reconnu cela en lui.

Tout en respirant lentement, elle fixa le service à condiments.

Elle était convaincue de ce qu'elle avait ressenti, mais — et là était le hic — il était un amant tellement accompli, pouvait-il faire surgir cela aussi sans que ce soit réel ? Ce qu'elle avait senti était-il une simple façade créée par son expertise indéniable ?

Elle se redressa en reposant sa tasse de thé. C'était tentant d'imaginer qu'elle avait peut-être fabulé, même mal interprété et que l'« amour » de Vane était plus profond qu'elle ne l'avait supposé. Elle se méfiait de cette conclusion. Elle était trop agréable — elle servait trop ses propres intérêts. Une partie de son esprit essayait de convaincre l'autre. Cherchait à entretenir l'idée qu'il pouvait l'aimer de la même manière qu'elle l'aimait.

En matière de folie, celle-ci remportait la palme.

Serrant les lèvres, elle prit sa rôtie bien beurrée et croqua. Après s'être présenté sur le seuil de sa porte sans être annoncé, il était parti de la même manière — avant qu'elle ait eu le temps de se réveiller, encore moins de réfléchir. Cependant, si ce qu'elle pensait n'était même qu'à moitié vrai, elle voulait le savoir. Tout de suite.

Elle jeta un coup d'œil à l'horloge; il s'écoulerait des heures avant qu'il arrive.

— Dites donc, pouvez-vous me passer le beurre?

Chassant son impatience, Patience tendit le beurrier à Edmond. À côté de lui, Angela souriait jovialement. Scrutant sans but les visages en face d'elle, Patience rencontra le regard fixe aux yeux noirs d'Alice Colby. Un regard intensément froid et noir fixé sur elle. Alice continua de la dévisager. Patience se demanda si son toupet était de travers. Elle était sur le point de se tourner vers Gerrard et de lui demander…

Les traits d'Alice se contorsionnèrent.

— *Scandaleux*!

Prononcée d'une voix rauque avec une fureur moralisatrice, l'exclamation interrompit toutes les conversations. Toutes les têtes se tournèrent; tous les yeux ébahis se fixèrent sur Alice. Qui fit claquer son couteau sur la table.

— Je ne sais pas *comment* vous pouvez, mademoiselle! Vous asseoir ici comme une dame à prendre le petit déjeuner avec des gens bien.

Son visage se marbrant, Alice repoussa sa chaise.

— Moi, pour commencer, je n'ai pas l'intention d'accepter cela un instant de plus.

— Alice?

Au bout de la table, Minnie la dévisageait.

— Que signifient ces bêtises ?

— Ces bêtises ? *Ha* !

Alice désigna Patience d'un signe de tête.

— Votre nièce est une femme perdue — qualifiez-vous cela de bêtise ?

Un silence stupéfait tomba sur la table.

— Femme perdue ?

Whitticombe se pencha en avant pour suivre le regard d'Alice.

Les autres aussi regardèrent. Patience garda son regard calmement posé sur celui d'Alice ; son visage s'était figé, heureusement dans une expression détendue. Elle était appuyée sur ses coudes, ses mains calmes entourant sa tasse de thé. En apparence, elle exsudait consciencieusement la sérénité ; en son for intérieur, sa tête tournait. Comment réagir ? Froidement, elle haussa un sourcil, légèrement incrédule.

— *Vraiment*, Alice !

Minnie fronça des sourcils désapprobateurs.

— Les choses que vous imaginez !

— Que j'*imagine* ?

Alice se redressa sur son séant.

— Je n'imagine pas un grand homme dans le couloir au milieu de la nuit !

Gerrard remua.

— C'était Vane.

Il jeta un coup d'œil à Henry et Edmond, puis regarda Minnie.

— Il est monté avec nous lorsque nous sommes rentrés.

— Oui. En effet.

Distinctement pâle, Edmond s'éclaircit la gorge.

— Il… heu…

Il regarda Minnie.

Qui hocha la tête et regarda Alice.

— Vous voyez, il y a une explication parfaitement logique.

Alice leur jeta un regard mauvais.

— Cela n'explique pas pourquoi il marchait dans le couloir vers la chambre de votre nièce.

Timms soupira. D'une manière théâtrale.

— Alice, Minnie n'a pas à expliquer tout ce qu'elle fait à tout le monde. Après la disparition de ses perles, naturellement Vane surveille la maison. Quand il est revenu ici tard, il a simplement effectué sa dernière ronde de gardien.

— Naturellement.

Minnie hocha la tête, ses mentons suivant en rythme.

— Exactement le genre de chose qu'il ferait.

Elle décocha un regard de défi à Alice.

— Il est très prévenant, ah oui. En ce qui concerne ces calomnies que vous proférez contre Patience et Vane, vous devriez être prudente lorsque vous lancez des accusations scandaleuses sans fondement.

Des langues de rougeur apparurent sur les joues d'Alice.

— Je *sais* ce que j'ai vu…

— Alice ! Ça suffit.

Whitticombe se leva ; son regard retint celui de sa sœur.

— Tu ne dois pas affliger les gens avec tes lubies.

Il y avait une intensité dans ses mots que Patience ne comprit pas. Alice resta bouche bée. Puis, son teint vira au rouge brique. Les mains serrées, elle lança un regard furieux à son frère.

— Je ne suis *pas*…

— C'est assez !

Quittant sa place, Whitticombe contourna rapidement la table.

— Je suis certain que tout le monde nous excusera. Tu es clairement à bout.

Il bouscula Alice, rendue incohérente par la rage, pour lui faire abandonner sa chaise et referma un bras solide autour de ses maigres épaules. Avec un sourire tendu pour le reste de la compagnie, il lui fit faire demi-tour et sortir de la pièce d'un pas raide.

Légèrement étourdie, Patience les regarda partir. Et se demanda comment elle avait réussi à réchapper à une calamité potentielle sans prononcer un seul mot.

La réponse était évidente, mais elle ne la comprenait pas.

Quelque peu subjugué, le reste de la maisonnée se dispersa. Tous se firent un point d'honneur de sourire à Patience pour montrer qu'ils n'avaient pas cru aux calomnies d'Alice.

Se retirant dans sa chambre, Patience fit les cent pas. Puis, elle entendit le bruit de la canne de Minnie dans le couloir. Un instant plus tard, la porte de Minnie s'ouvrit et se referma.

Un moment après cela, Patience frappa sur les panneaux et entra. Minnie s'installait tranquillement dans un fauteuil à oreilles près des fenêtres. Elle tourna un visage rayonnant vers Patience.

— Eh bien ! C'était un peu d'action excitante imprévue.

Patience lutta pour ne pas plisser les yeux. En effet, elle lutta pour conserver un certain degré de calme face aux yeux pétillants de Minnie. Et du petit sourire satisfait de Timms.

Elles savaient. Et *cela* était à son avis encore plus scandaleux que le fait que Vane ait passé la nuit — un certain nombre de nuits — dans son lit.

Ses lèvres formant une ligne mince, Patience alla jusqu'aux fenêtres et commença à faire les cent pas à côté de Minnie.

— Je dois expliquer…

— Non.

Minnie leva une main autoritaire.

— En fait, tu dois te taire et te concentrer à ne pas dire ce que je n'ai pas envie d'entendre.

Patience la dévisagea ; Minnie sourit.

— Vous ne comprenez pas…

— Au contraire, je comprends très bien.

Le sourire espiègle de Minnie fit surface.

— Mieux que toi, je le garantis.

— C'est évident, intervint Timms. Mais ces choses-là prennent du temps à se débrouiller.

Elles pensaient qu'elle et Vane allaient se marier. Patience ouvrit la bouche pour les détromper. Minnie attira son regard. Lisant l'entêtement au fond du regard bleu fané de Minnie, Patience ferma sèchement les lèvres. Et marmonna entre ses dents.

— Ce n'est pas si simple.

— Simple ? Bah !

Minnie fit bouffer ses châles.

— Tu devrais être soulagée. La simplicité et la facilité n'en valent jamais la peine.

Recommençant à arpenter, Patience se souvint de mots similaires — après un moment, elle les replaça comme venant de Lucifer — à l'intention de Vane. Bras croisés en marchant lentement, elle lutta avec ses pensées, ses sentiments. Elle devait, supposait-elle, ressentir une certaine mesure de culpabilité, de honte. Elle ne ressentait ni l'un ni l'autre. Elle avait vingt-six ans ; elle avait fait le choix rationnel de prendre ce que la vie lui offrait — elle s'était embarquée dans une aventure amoureuse avec un élégant, les yeux grands ouverts. Et elle avait trouvé le bonheur — peut-être pas pour toujours, mais le bonheur tout de même. De vifs moments de gloire infusés de joie enivrante.

Elle ne ressentait aucune culpabilité et n'avait pas le moindre regret. Pas même pour Minnie renoncerait-elle à l'épanouissement qu'elle avait trouvé dans les bras de Vane.

Mais l'honnêteté insistait sur le fait qu'elle devait mettre les choses au clair : elle ne pouvait pas laisser Minnie imaginer des cloches de mariage sonnant au vent. Prenant une profonde inspiration, elle s'arrêta à côté du fauteuil de Minnie.

— Je n'ai pas accepté la demande de Vane.

— Très sage.

Timms se pencha sur son ouvrage.

— La dernière chose que vous voulez, c'est qu'un Cynster vous tienne pour acquise.

— Ce que *j'essaie* de dire…

– C'est que tu es beaucoup trop intelligente pour accepter sans être convaincue. Sans obtenir quelques assurances significatives.

Minnie leva la tête vers elle.

– Ma chère, tu t'y prends exactement de la bonne façon. Les Cynster ne cèdent jamais facilement du terrain – selon eux, une fois qu'ils s'emparent de biens, ce qui inclut les épouses, cela devient leurs propriétés. Quand il s'agit d'une femme, le fait de devoir négocier un tantinet ne leur entre pas dans la tête au début. Et même quand cela se produit, ils essaient d'ignorer la question tant qu'on le leur permettra. Je suis vraiment très fière de toi de voir que tu tiens ta position avec autant de fermeté. Jusqu'à ce que tu obtiennes les promesses suffisantes, les compromis satisfaisants, tu ne devrais certainement pas accepter.

Patience resta figée comme une statue pendant une minute entière, regardant fixement le visage de Minnie. Puis, elle cilla.

– Vous comprenez *vraiment*.

Minnie haussa les sourcils.

– Bien sûr.

Timms s'étrangla de rire.

– Assurez-vous simplement qu'il le comprend bien.

Minnie sourit en grand. Tendant la main, elle pressa celle de Patience.

– C'est à toi de juger ce qui fera pencher la balance. Cependant, j'ai quelques conseils sages, si tu veux bien les accepter d'une vieille femme qui vous connaît tous les deux, toi et Vane, mieux que vous ne le réalisez tous les deux.

Patience rougit. Elle attendit, convenablement repentante.

Le sourire de Minnie devint ironique.

— Il y a trois choses que tu devrais te rappeler. Un, Vane n'est pas ton père. Deux, tu n'es pas ta mère. Et, trois : n'imagine pas — pas même un instant — que tu n'épouseras pas Vane Cynster.

Patience regarda longtemps dans les yeux sages de Minnie, puis se détourna et s'affaissa sur la banquette sous la fenêtre.

Minnie avait évidemment raison. Elle avait fermement enfoncé les trois bons clous.

Elle avait depuis le début imposé le caractère de son père sur Vane. Aujourd'hui, en comparant l'un avec l'autre, elle voyait que c'était manifestement une fausse vision, un reflet superficiel. Vane n'était un élégant qu'en apparence et non en caractère. D'aucune des façons qui avaient de l'importance pour elle.

Pour ce qui était du fait de ne pas être comme sa mère, Patience savait que c'était indéniablement vrai. Sa mère avait un tempérament très différent — si sa mère avait aperçu son père entrer dans un jardin d'hiver avec une jeune beauté, elle aurait affiché son sourire le plus crispé et se serait accrochée à la prétention de ne pas savoir. Ce type d'humilité n'était pas pour elle.

Elle savait ce qui aurait transpiré si la beauté avec laquelle Vane s'était retiré n'avait pas été si innocente — si parente avec lui. Cela n'aurait pas été une scène agréable. Alors que sa mère avait accepté l'infidélité comme son lot, elle-même n'accepterait jamais une telle chose.

Si elle épousait Vane… La pensée l'entraîna dans un rêve éveillé — rempli de « si », de « mais » et de « possibilités ». Sur la façon dont ils interagiraient, qu'ils s'ajusteraient l'un à l'autre, si elle courait le risque, prenait le destin à bras-le-corps et acceptait Vane. Cinq bonnes minutes s'écoulèrent avant que son esprit passe à autre chose et que ce que Minnie laissait entendre dans sa troisième déclaration se fit jour en elle.

Minnie connaissait Vane depuis l'enfance. Elle comprenait également son propre dilemme, à savoir qu'elle insisterait sur l'amour comme talisman pour son avenir. Qu'elle n'accepterait pas Vane sans qu'il lui déclare son amour ! Et Minnie était certaine, convaincue au-delà de tout doute qu'elle et Vane se marieraient.

Patience cilla. Brusquement, elle regarda Minnie et découvrit que sa tante attendait, l'observait avec un intense sourire au fond de ses vieux yeux.

— Oh.

Ses lèvres se soulevant, le cœur bondissant, Patience ne trouva rien d'autre à dire. Minnie hocha la tête.

— Exactement.

L'incident du petit déjeuner avait jeté une grande ombre. Quand la maisonnée s'installa pour le déjeuner, la conversation resta en sourdine. Patience le remarqua, mais, le cœur léger, elle n'en tint pas grand compte. Elle attendait de voir Vane aussi patiemment qu'elle le pouvait. De regarder au fond de ses yeux, d'y chercher ce que Minnie était si convaincue qu'il devait y avoir, dissimulé derrière son masque de gentleman élégant.

Il ne s'était pas présenté pour leur habituelle promenade en milieu de matinée. Alors qu'elle disposait ses jupes autour d'elle, Patience se fit la remarque que seulement quelques jours auparavant, elle aurait interprété son absence comme une preuve de son désir qui déclinait. Aujourd'hui, regonflée par une confiance intérieure, elle était certaine que seule une affaire importante ayant à voir avec les perles de Minnie aurait pu l'empêcher d'être à ses côtés. La chaleur intérieure qui accompagnait cette confiance était vraiment très agréable.

Alice ne se joignit pas à la tablée. Comme pour s'excuser de sa crise du matin, Whitticombe s'appliqua à être plus agréable que d'habitude. Edith Swithins, à côté de lui, fut la principale bénéficiaire de sa minutieuse érudition. À la fin d'une explication particulièrement ennuyeuse, elle lui offrit un visage rayonnant.

— Comme c'est fascinant.

Son regard se posa sur Edgar, assis en face d'elle.

— Mais ce cher Edgar a étudié cette période lui aussi. Comme je m'en souviens, ses conclusions étaient différentes.

Son ton transformait cette déclaration en question. Tout le monde à table retint sou souffle.

Sauf Edgar, qui se lança dans sa propre vision de la chose.

À l'étonnement de tous et même, soupçonna Patience, de celui d'Edith et d'Edgar, Whitticombe écouta. Son attitude avait des airs de dents serrées, mais il écouta Edgar jusqu'au bout, puis hocha sèchement la tête.

— Très possible.

Patience attira le regard de Gerrard et réprima un gloussement.

Edmond, encore pâle et légèrement échevelé, chassait un pois dans son assiette.

— En fait, je me demandais quand nous pourrions rentrer au manoir.

Patience se raidit. À côté d'elle, Gerrard se redressa. Ils regardèrent tous les deux Minnie. Tout comme Edmond.

— Je devrais vraiment continuer à travailler sur ma pièce de théâtre, et il y a peu d'inspiration et beaucoup de distractions ici en ville.

Minnie sourit.

— Endurez les petites manies d'une vieille dame, mon cher. Je n'ai pas de plans immédiats pour rentrer au manoir. D'ailleurs, le personnel a été réduit au strict minimum : nous avons donné congé aux domestiques et Cook est partie rendre visite à sa mère.

— Oh.

Edmond cligna des paupières.

— Pas de cuisinière. Ah.

Il replongea dans le silence.

Subrepticement, Patience adressa une grimace à Gerrard. Il secoua la tête, puis se tourna pour parler à Henry.

Patience jeta un coup d'œil — pour la cinquantième fois — à l'horloge.

La porte s'ouvrit ; Masters entra, l'air raide. S'approchant de la chaise de Minnie, il se pencha sur elle et parla à voix basse. Minnie blêmit. Son visage vieillit instantanément.

Au bout de la table, Patience exprima son inquiétude et sa question avec ses yeux. Minnie le remarqua ; s'enfonçant dans sa chaise, elle fit signe à Masters de parler.

Il s'éclaircit la gorge, attirant l'attention de tous.

— Quelques… gentlemen de Bow Street sont arrivés. Il semble qu'on ait déposé un rapport. Ils sont venus avec un mandat pour fouiller la maison.

Un instant de silence stupéfait suivit, puis il explosa sous la cacophonie. Des exclamations de stupeur et de surprise fusèrent de toutes parts. Henry et Edmond se disputaient la proéminence.

Patience fixa avec impuissance Minnie au bout de la table. Timms tapotait la main de Minnie. La cacophonie continua sans relâche. Pinçant les lèvres avec détermination, Patience attrapa une louche à soupe et la fit retentir contre le couvercle d'un plateau.

Les coups transpercèrent le vacarme — et firent taire les chahuteurs. Patience parcourut les coupables d'un regard furieux.

— Qui ? Qui a prévenu Bow Street ?

— C'est moi.

Repoussant sa chaise, le général se leva.

— Cela devait être fait, vous savez.

— Pourquoi ? demanda Timms. Si Minnie voulait ces affreux Runners* de Bow Street dans sa maison, elle l'aurait demandé.

Le visage du général rougit de colère.

— Il semble que c'était cela le problème. Les femmes — les dames. Le cœur trop tendre pour leur propre bien.

Il coula un regard vers Gerrard.

— Cela devait être fait ; cela ne rime à rien de l'éviter davantage. Pas quand les perles manquent aussi.

---

* N.d.T. Les Runners de Bow Street relevaient du bureau du juge et ils étaient chargés d'appréhender des criminels en les pourchassant partout dans le pays, un peu comme les chasseurs de prime.

D'une raideur toute militaire, le général se redressa de toute sa hauteur.

— J'ai pris la liberté d'avertir moi-même les autorités. Selon des renseignements reçus, vous savez. C'est clair comme de l'eau de roche que c'est la faute au jeune Debbington. Fouillez sa chambre, et tout cela deviendra clair.

Patience fut saisie d'un pressentiment; elle le chassa comme étant illogique. Elle ouvrit la bouche pour défendre Gerrard — il lui donna un coup de pied sur la cheville. Avec force. En inspirant, elle se retourna — et rencontra un regard très direct.

— Laisse faire, murmura Gerrard. Il n'y a rien dans ma chambre — laisse-les dévoiler leur jeu. Vane m'a prévenu qu'il pouvait se passer quelque chose de semblable. Il a dit qu'il valait mieux hausser les épaules et sourire avec cynisme et voir ce qui en sortira.

À la surprise totale de Patience, il fit exactement cela, réussissant à transmettre une impression d'ennui mortel.

— Je vous en prie : fouillez tout votre soûl.

Il sourit cyniquement encore une fois.

Se poussant loin de la table, Patience se hâta de rejoindre Minnie. Minnie lui serra fortement la main, puis fit un signe de tête à Masters.

— Faites entrer les gentlemen.

Ils étaient trois, des hommes subtilement louches. Debout à côté de l'épaule de Minnie, serrant fermement sa main, Patience observa alors que leurs yeux perçants jetaient des regards furtifs dans la pièce, les Runners se glissèrent à l'intérieur et formèrent une ligne. Sligo passa la porte après eux.

Le plus grand Runner, au centre, offrit une petite révérence à Minnie.

— M'dame. Comme j'espère que vot'homme vous l'a dit, nous sommes venus fouiller les lieux. Il semble que des perles précieuses ont disparu et qu'un bandit rôde ici.

— En effet.

Minnie les étudia, puis elle hocha la tête.

— Très bien. Vous avez ma permission de fouiller la maison.

— Nous allons commencer par les chambres à coucher, si cela ne vous dérange pas, m'dame.

— S'il le faut. Masters va vous accompagner.

Minnie les congédia d'un signe de tête. Sligo tint la porte ouverte, et Masters fit sortir les hommes.

— Je pense, dit Minnie, que nous devrions tous rester ici jusqu'à ce que la fouille soit terminée.

Gerrard s'affala sur sa chaise, l'air détendu. Les autres remuèrent et parurent mal à l'aise. Patience se tourna vers Sligo.

— Je sais, je sais.

Il leva une main apaisante et il se dirigea vers la porte.

— Je vais le trouver et le ramener.

Il se glissa dehors. La porte se referma doucement dans son dos.

Patience soupira et se tourna de nouveau vers Minnie.

Une demi-heure s'était écoulée, et Patience était certaine que la face de l'horloge en chrysocale sur le manteau de la cheminée s'était imprimée d'une manière indélébile dans son cerveau avant que la porte s'ouvre une nouvelle fois.

Tout le monde se redressa. On retint son souffle.

Vane entra à grands pas.

Patience connut à l'instant un soulagement vertigineux. Son regard croisa le sien, puis continua vers Minnie. Il se dirigea droit vers elle, tirant la chaise inoccupée à côté d'elle.

– Racontez-moi.

Minnie obéit, d'une voix basse afin que les autres, à présent rassemblés en groupe autour de la pièce ne puisse pas l'entendre. À part Minnie et Timms à côté d'elle, et Patience qui rôdait, seul Gerrard resta à table, isolé à l'autre bout. Pendant que Minnie chuchotait ses nouvelles, le visage de Vane se durcit. Il échangea un regard lourd avec Gerrard.

Levant la tête, Vane rencontra le regard de Patience, puis il revint à Minnie.

– Tout va bien; c'est un bon signe, en fait.

Lui aussi parlait à voix basse; ses mots n'allèrent pas plus loin que Patience.

– Nous savons qu'il n'y a rien dans la chambre de Gerrard. Sligo l'a fouillé hier seulement. Et Sligo est très minutieux. Mais cela veut dire qu'il se passe enfin quelque chose.

Le regard de Minnie était incertain.

Quelque peu sombrement, Vane sourit.

– Faites-moi confiance.

Minnie inspira, puis sourit faiblement. Il lui serra les mains, puis se leva.

Il se tourna vers Patience. Quelque chose changea dans son visage, dans ses yeux.

Patience en perdit le souffle.

— Je m'excuse de ne pas être venu ce matin, mais j'ai eu un empêchement.

Il lui prit la main, la leva à ses lèvres, puis modifia sa prise et la tint plus fermement ; Patience sentit une force chaude couler en elle, autour d'elle.

— Quelque chose d'utile ? demanda-t-elle.

Vane grimaça.

— Un autre mur. Gabriel a été mis au courant de notre problème : il a des contacts étonnants. Bien que nous n'ayons rien appris de l'endroit où se trouvent les perles, nous savons maintenant où elles ne se sont pas retrouvées. À savoir, mises en gage.

Patience ouvrit de grands yeux. Vane hocha la tête.

— C'était une autre possibilité, mais nous avons également épuisé cette avenue. Je parierais ma fortune que les perles n'ont pas quitté la maison de Minnie.

Patience acquiesça d'un signe de tête. Elle ouvrit la bouche…

La porte s'ouvrit et les Runners revinrent.

Un coup d'œil à leur air triomphant, et le pressentiment de Patience revint en force. Son cœur glacé s'arrêta, puis se serra. La poigne de Vane sur ses doigts se resserra ; elle courba les doigts dessus et s'y accrocha.

Portant un petit sac, le Runner le plus haut gradé s'avança pompeusement jusqu'à Minnie — puis éparpilla le contenu du sac sur la table devant elle.

— Pouvez-vous identifier ces colifichets, m'dame ?

Les colifichets incluaient les perles de Minnie. Elles comprenaient aussi tous les autres objets manquants.

— Mon peigne !

En jubilant, Angela plongea et cueillit la babiole de mauvais goût.

— Doux Jésus, il y a ma pelote à épingles.

Edith Swithins l'écarta d'un doigt.

Les articles furent éparpillés pour les séparer : le bracelet de Timms, les perles et leurs boucles d'oreille assorties, le vase-bouteille de Patience. Tout était là — à l'exception...

— Seulement une.

Agatha Chadwick baissa les yeux sur la boucle d'oreille de grenat qu'elle avait éloignée du tas.

Tout le monde regarda encore. Le Runner tourna le sac à l'envers, puis regarda dedans. Il secoua la tête.

— Rien ici. Et il n'y avait pas d'autres objets dans le tiroir.

— Quel tiroir ? demanda Patience.

Le Runner jeta un coup d'œil par-dessus son épaule — là où ses camarades avaient pris position, de chaque côté de la chaise de Gerrard.

— Le tiroir de la table de travail dans ce que l'on m'a dit être la chambre à coucher de monsieur Gerrard Debbington. Ladite chambre qu'il occupe seul, sans la partager avec qui que ce soit.

Le Runner donna l'impression que cela en soi était un crime. Le cœur serré tombé jusque dans ses pantoufles, Patience regarda Gerrard. Et elle constata qu'il s'efforçait de ne pas rire.

Patience se raidit ; Vane lui pinça les doigts.

— Vous allez devoir venir avec nous, jeune homme.

Le Runner s'avança vers Gerrard.

— Le juge voudra vous poser de sérieuses questions. Accompagnez-nous bien gentiment, et il n'y aura pas d'histoire.

— Oh, en effet. Pas d'histoire.

Patience perçut le rire étouffé dans la voix de Gerrard alors qu'il se levait obligeamment — comment *pouvait*-il être si désinvolte ? Elle voulait le secouer.

Ce fut elle qui fut secouée par Vane — sa main, en tout cas. Elle lui jeta un coup d'œil ; il la regarda en fronçant les sourcils et secoua très légèrement la tête.

— Faites-moi confiance.

Les mots l'atteignirent dans un murmure, un filet de voix.

Patience regarda dans ses yeux, calmement gris — puis elle observa Gerrard, son frère cadet, la lumière de sa vie. Prenant une inspiration calmante, elle revint à Vane et lui fit un signe de tête presque imperceptible. Si Gerrard pouvait faire confiance à Vane et jouer son rôle attribué, quel motif supplémentaire pouvait-elle demander pour lui accorder aussi sa confiance ?

— Quel est le chef d'accusation ? demanda Vane alors que les Runners formaient un cercle autour de Gerrard.

— Aucun, pour le moment, répondit le Runner en chef. Cela dépend du juge, en fait. Nous ne faisons que lui présenter la preuve et attendons de voir ce qu'il en pense.

Vane hocha la tête. Patience surprit le regard qu'il échangea avec Gerrard.

— Très bien, dit Gerrard en souriant. Dans quel commissariat irons-nous ? Ou bien, allons-nous directement dans Bow Street ?

C'était Bow Street. Patience dut se mordre la lèvre pour se retenir d'intervenir ou supplier pour y aller aussi. Sligo, remarqua-t-elle, se glissa dehors dans le sillage des Runners sur un signe de tête de Vane. Tout le reste de la maisonnée demeura dans la salle à manger jusqu'à ce que la porte d'entrée se referme bruyamment derrière les Runners et leur prisonnier.

Pendant un instant, la tension plana encore, puis la pièce fut parcourue d'un soupir.

Patience se raidit. Vane se tourna vers elle.

— Je l'ai dit encore et encore, mais vous ne vouliez pas en tenir compte, mademoiselle Debbington.

Vertueusement condescendant, Whitticombe secouait la tête.

— Et à présent, nous en sommes là. Peut-être, à l'avenir, accorderez-vous davantage d'attention à ceux qui ont plus d'années à leur crédit que vous.

— Bravo ! lança le général. Je le dis depuis le début. Des mauvais tours de garçon.

Il fronça les sourcils en regardant Patience.

Enhardi, Whitticombe gesticula en direction de Minnie.

— Et pensez seulement à la peine douloureuse que vous et votre frère avez causée à notre chère hôtesse sans faire attention.

Le teint coloré, Minnie frappa le sol avec sa canne.

— Je vous serais reconnaissante de ne pas embrouiller vos causes. J'ai certainement beaucoup de peine, mais cette peine en ce qui me concerne a été causée par la personne qui a mêlé les sergents à nos affaires.

Elle lança un regard furieux à Whitticombe, puis au général.

Whitticombe soupira.

— Ma chère cousine, vous devez comprendre.

— En fait.

La voix traînante de Vane, teintée d'un courant de dureté sous-jacente, trancha avec les tons mielleux de Whitticombe.

— Minnie ne *doit* rien faire. Un chef d'accusation n'est pas une condamnation — en fait, le chef d'accusation reste encore à être émis.

Vane soutint le regard de Whitticombe.

— Je pense plutôt que dans ce cas, le temps révélera qui est coupable et qui a besoin de modifier sa façon de penser. Il semble quelque peu prématuré de faire des conclusions rapides, en ce moment.

Whitticombe tenta de lever le nez avec mépris ; comme Vane avait une demi-tête de plus que lui, il ne réussit pas. Ce qui l'irrita encore plus. Son visage prenant un air sévère, il regarda Vane, puis laissa délibérément son regard glisser jusqu'à Patience.

— Je pense que vous n'êtes vraiment pas en position d'agir à titre de défenseur de la morale, Cynster.

Vane se raidit ; Patience referma sa main sur la sienne.

— Oh ?

Devant l'incitation calme de Vane à le voir poursuivre, les lèvres de Whitticombe se courbèrent. Patience gémit intérieurement et déplaça sa main sur le bras de Vane. Tous les autres dans la pièce s'immobilisèrent, retenant collectivement leurs souffles.

— En effet, sourit méchamment Whitticombe. Ma sœur avait quelques vues privilégiées très intéressantes — plutôt captivantes – à partager avec nous ce matin. Sur vous et mademoiselle Debbington.

– Vraiment ?

Sourd à tout sauf à sa propre voix, Whitticombe n'entendit pas l'avertissement dans le ton mortellement neutre de Vane.

– De la mauvaise graine, déclara-t-il. Cela doit être de famille. L'un est un voleur éhonté et l'autre…

Trop tard, Whitticombe se concentra sur le visage de Vane – et se figea.

Patience sentit l'agressivité transpercer Vane ; sous ses mains, les muscles de son bras se contractèrent, durs comme le roc. Elle s'accrocha littéralement et siffla un « non ! » furieux entre ses dents.

Pendant un instant, elle crut qu'il allait se libérer d'une secousse et qu'ensuite Whitticombe allait peut-être mourir. Cependant, elle s'était mise en tête de vivre dans le Kent et non en exil sur le continent.

– Colby, je suggère que vous vous retiriez : maintenant.

Le ton de Vane promettait un châtiment immédiat s'il refusait.

Avec raideur, n'osant pas détourner les yeux du visage de Vane, Whitticombe fit un signe de tête à Minnie.

– Je serai dans la bibliothèque.

Il recula jusqu'à la porte, puis marqua une pause.

– La vertu sera récompensée.

– En effet, répondit Vane. Je compte là-dessus.

Avec un regard méprisant, Whitticombe sortit. La tension tenant la pièce s'évanouit. Edmond s'affala dans sa chaise.

— Bon Dieu, si je pouvais seulement reproduire cela sur scène.

Le commentaire provoqua une vague de rire mal à l'aise chez les autres. Timms fit un signe de la main à Patience.

— Après cette agitation, Minnie devrait se reposer.

— En effet.

Patience aida Timms à rassembler la myriade de châles de Minnie.

— Dois-je vous porter ? demanda Vane.

— Non ! fit-elle en le chassant de la main. Tu dois t'occuper d'autres choses en ce moment, des choses plus urgentes. Pourquoi es-tu encore ici ?

— On a le temps.

Malgré le congé que tentait de lui donner Minnie, Vane insista pour l'aider à monter et la voir installer dans sa chambre. Ce ne fut qu'après qu'il consentit à partir. Patience le suivit dans le couloir, refermant la porte derrière elle.

Vane l'attira à lui et l'embrassa — avec force et rapidité.

— Ne t'inquiète pas, dit-il à l'instant où il leva la tête. Nous avions un plan au cas où quelque chose de semblable se produirait. Je vais partir et m'assurer que tout s'est mis en place.

— Va.

Patience rencontra ses yeux, fouilla brièvement son regard, puis hocha la tête et recula.

— Nous allons tenir le fort ici.

Rapidement, Vane leva les mains de Patience et les embrassa, puis recula d'un pas.

— Je vais m'assurer que Gerrard reste en sécurité.

— Je sais.

Patience lui serra la main.

– Revenez-moi, plus tard.

L'invitation était délibérée ; elle l'avoua avec ses yeux.

Le torse de Vane se gonfla ; son visage affichait le masque du conquérant, dur et sans pitié. Ses yeux retinrent les siens, puis il hocha la tête.

– Plus tard.

Sur ce, il la quitta.

Chapitre 21

Revenez-moi plus tard, avait-elle dit.

Vane revint à Aldford Street juste après vingt-deux heures.

La maison était silencieuse lorsque Masters le fit entrer. L'expression implacable, Vane tendit sa canne, son chapeau et ses gants à Masters.

— Je vais monter voir madame la comtesse et mademoiselle Debbington. Vous n'avez pas besoin d'attendre mon départ avant d'aller vous coucher ; je refermerai moi-même en partant.

— Comme vous voulez, monsieur.

En grimpant l'escalier, Vane se rappela les paroles de Chillingworth : « Comme le puissant est tombé. » La détermination inflexible qui s'était emparée de lui s'éleva encore d'un cran. Il ne savait pas exactement à quel point les changements en lui étaient profonds, mais depuis cet après-midi il avait juré de renoncer à toute tentative de dissimuler son lien avec Patience Debbington. La dame deviendrait sa femme.

Il n'y avait aucun doute sur ce fait, aucune possibilité d'erreur, aucune place pour manœuvrer — et absolument aucune pour négocier. Il en avait fini avec les excuses, fini de jouer le jeu selon les règles de la société. Les conquérants écrivaient leurs propres règles. C'était quelque chose que

Patience devait accepter – il avait l'intention de l'informer de ce fait sous peu.

Mais d'abord, il devait tranquilliser le cœur de Minnie.

Il la trouva appuyée sur ses oreillers, les yeux arrondis par l'attente. Timms était présente ; Patience ne l'était pas. Rapidement, avec concision, il expliqua et rassura. Puis, il laissa Timms border pour la nuit une Minnie apaisée.

Il savait qu'elles souriaient dans son dos, mais il n'avait aucune intention de le laisser paraître.

Refermant la porte de Minnie avec un bruit net, il tourna et marcha à grands pas vers le fond du couloir.

Avec un coup péremptoire frappé pour la forme, il ouvrit la porte de Patience et entra, puis la ferma derrière lui. Se levant du fauteuil près de l'âtre, elle cligna des paupières, puis replaça le châle qu'elle avait drapé sur ses épaules et attendit calmement.

Sous son châle doux, elle portait une chemise de nuit en fine soie attachée par une cordelette sous ses seins. Et rien d'autre.

Le feu dans l'âtre rugissait.

Une main sur la poignée de porte, Vane se délecta du spectacle, des courbes pulpeuses et des membres sveltes dessinés par les flammes. La braise présente en lui se ralluma ; une flambée de désir passionné brûla dans ses veines. Il se redressa et marcha lentement vers elle.

– Gerrard est avec Devil et Honoria à la Résidence St-Ives.

Les mots tombèrent de ses lèvres lentement alors que, fixant la lisière de la chemise de nuit de Patience, il laissait son regard monter, remarquant la manière fascinante avec laquelle la soie collait sur chaque courbe, à ses longues cuisses minces, ses hanches arrondies, le doux renflement de son ventre, la façon dont il tenait délicatement les globes chauds de ses seins. Ses mamelons pointèrent pendant que le regard de Vane se délectait.

Elle resserra sa main sur son châle.

— Est-ce que cela faisait partie de votre plan ?

S'arrêtant devant elle, Vane leva le regard sur son visage.

— Oui. Je n'avais pas imaginé Bow Street, mais il y avait de grandes chances que quelque chose de semblable se produise. Quelqu'un avait, dès le début, tenté de faire jouer le rôle du voleur à Gerrard.

— Que s'est-il passé ?

Les mots de Patience étaient essoufflés ; ses poumons avaient cessé de fonctionner. Elle soutenait le regard de Vane et essayait de ne pas frissonner. Pas de peur, mais d'anticipation. Les traits sévères de son visage, les flammes argentées dans ses yeux, tout cela hurlaient la passion retenue.

Il étudia ses yeux, puis arqua un sourcil.

— Quand je suis arrivé à Bow Street, Devil était déjà venu et avait amené Gerrard. Je les ai suivis jusqu'à la Résidence St-Ives. Selon Gerrard, il n'a même pas eu le temps d'examiner les alentours de Bow Street avant l'arrivée de Devil, grâce à Sligo. Il a dû courir tout le long du chemin jusqu'à Grosvenor Square.

Les yeux fixés sur les siens, Patience se lécha les lèvres.

— Il a vraiment été d'un grand secours dans cette affaire.

— En effet. Comme il pouvait jurer que les biens volés n'étaient pas dans la chambre à coucher de Gerrard hier, ni le sac dans lequel ils ont été trouvés, le juge a naturellement été hésitant à prononcer des accusations.

Les lèvres de Vane s'entrouvrirent.

— Particulièrement avec Devil se penchant sur le bureau du juge.

Appuyant une main sur le manteau de la cheminée, il se pencha plus près. Franchement étourdie, Patience releva légèrement le menton.

— Je me doute que votre cousin prend plaisir à intimider les gens.

Les lèvres de Vane tressaillirent d'amusement. Son regard s'abaissa sur les lèvres de Patience.

— Disons seulement que Devil hésite rarement à exercer son autorité, particulièrement pour soutenir un membre de la famille.

— Je… vois.

Le regard fixé sur ses longues lèvres, Patience décida de laisser passer sa description de Gerrard comme « membre de la famille » sans la relever. La tension imprégnant son grand corps, si près à côté d'elle, était fascinante — et délicieusement troublante.

— Le juge a décidé qu'il se passait des choses étranges. Le rapport n'était pas venu de Minnie et, bien sûr, il y avait la question de Sligo. Le serviteur de Devil se faisant passer pour un employé de Minnie. Il ne le comprenait pas, alors il a choisi de ne pas émettre de conclusions pour le moment. Il a confié Gerrard aux soins de Devil en attendant des faits nouveaux.

— Et Gerrard ?

— Je l'ai laissé bien installé avec bonheur auprès de Devil et Honoria. Honoria m'a dit de vous dire qu'ils étaient heureux d'avoir un prétexte pour rester à la maison. Bien qu'ils maintiennent les apparences, ils sont venus en ville uniquement pour passer du temps avec la famille. Ils retourneront à Somersham d'un jour à l'autre.

Patience se lécha de nouveau les lèvres; sous le regard de Vane, elles avaient commencé à palpiter.

— Le fait qu'ils quitteront la ville créera-t-il des problèmes si Gerrard est encore sous la responsabilité de Devil?

— Non.

Vane leva le regard dans ses yeux.

— Je vais prendre la responsabilité!

La bouche de Patience articula un « oh » en silence.

— Mais dites-moi.

Vane s'écarta du manteau de la cheminée d'une poussée et se redressa.

— S'est-il passé quelque chose ici?

Il commença à déboutonner son manteau.

— Non.

Patience réussit à trouver suffisamment de souffle pour soupirer.

— Alice n'a pas été revue depuis ce matin.

Elle jeta un coup d'œil à Vane.

— Elle vous a vu dans le couloir hier soir.

Vane fronça les sourcils et retira son manteau d'un coup d'épaule.

— Que diable faisait-elle debout à cette heure?

Patience haussa les épaules et le regarda lancer son manteau sur le fauteuil.

— Peu importe, elle n'est pas descendue pour dîner. Tous les autres si, mais tout le monde était bien calme, on le comprend.

— Même Henry?

– Même Henry. Whitticombe a conservé un silence sévère. Le général a passé tout son temps à grommeler et à apostropher quiconque traînait sur son chemin. Edgar et Edith ont gardé la tête baissée, l'un vers l'autre surtout, à murmurer. À propos de quoi, je l'ignore.

Les doigts de Vane se refermèrent sur les boutons de son gilet. La respiration de Patience était tendue.

– Edmond a de nouveau succombé à sa muse. Angela est silencieusement heureuse, car elle a retrouvé son peigne. Henry, cependant, est resté sans rien faire parce qu'il n'a pas pu trouver quelqu'un avec qui jouer au billard.

Patience changea de position, donnant à Vane l'espace pour retirer son gilet.

– Oh – il s'est produit un truc intéressant : madame Chadwick nous a doucement demandé, à Minnie et à moi, si elle pouvait fouiller la table de travail de Gerrard pour chercher sa boucle d'oreille manquante. Pauvre elle, cela nous semblait la moindre des choses. Je l'ai accompagnée ; nous avons cherché partout et dans tous les autres tiroirs aussi. Il n'y avait de trace du bijou nulle part.

Elle se tourna vers Vane – juste au moment où il libérait sa cravate et tirait sur la longue bande autour de son cou. Le regard sur elle, il la tint entre ses mains.

– Donc, murmura-t-il d'une voix grave, rien d'important ne s'est produit.

Le regard figé par la longue bande de lin, Patience essaya en vain de parler ; elle secoua la tête.

– Bien.

Le mot était comme un ronronnement sauvage. Avec une chiquenaude nonchalante, Vane envoya la cravate rejoindre son manteau.

– Il n'y a donc rien pour détourner votre attention.

Patience releva avec difficulté son regard jusqu'à son visage.

– Détourner mon attention ?

– Du sujet que nous devons discuter.

– Vous voulez discuter de quelque chose ?

Elle respira et essaya de calmer sa tête étourdie.

Vane emprisonna son regard.

– De vous. De moi.

Son visage se durcit.

– De nous.

Avec un effort suprême, Patience haussa les sourcils.

– Qu'y a-t-il à propos de « nous » ?

Un muscle tressaillit sans la mâchoire de Vane. Du coin de l'œil, elle le vit serrer le poing.

– J'ai atteint ma limite, déclara-t-il.

Il s'avança vers elle ; elle recula dans un glissement.

– Je n'approuve pas les situations qui vous amènent à devenir une cible pour les gens du genre des Colby, peu importe que cette situation découle de mes actions ou d'autres choses.

Ses lèvres formant une ligne mince, il s'avança d'un pas ; Patience recula instinctivement un peu.

– Je ne peux pas et je n'admettrai pas de scénarios où votre réputation est souillée d'une manière ou d'une autre, même à cause de moi et de mes meilleures intentions.

Il continua à l'approcher comme un prédateur ; elle continua à battre en retraite. Patience mourrait d'envie de pivoter brusquement et de se mettre vite hors de sa portée, mais elle n'osait pas le quitter des yeux.

— Que faites-vous ici, alors ?

Elle était piégée, hypnotisée — elle savait qu'il attaquerait bientôt. Comme pour le confirmer, ses yeux se plissèrent et il retira sa chemise de son pantalon.

Sans la quitter des yeux, il commença à la déboutonner en avançant toujours, l'obligeant encore à battre en retraite. Vers le lit.

— Je suis ici — il cracha les mots — parce que je ne vois aucune raison d'être ailleurs. Vous êtes à *moi* — par conséquent, vous dormez avec moi. Comme vous dormez ici pour le moment, *ergo*, moi aussi. Si mon lit n'est pas encore le vôtre, alors le vôtre devra être le mien.

— Vous venez de dire que vous ne souhaitez pas voir ma réputation souillée.

Sa chemise s'ouvrit complètement. Il continua sa progression. Patience ne savait pas où regarder. Où elle avait le plus envie de regarder.

— Précisément. Donc, vous devrez m'épouser. Bientôt. Voilà de quoi nous devons discuter.

Sur ce, il baissa les yeux et dénoua ses manchettes.

Attendant de saisir le moment de se précipiter en sûreté, Patience se figea.

— Je ne *dois* pas vous épouser.

Il leva la tête et retira sa chemise.

— Pas dans ce sens, non. Mais, pour vous, le mariage est inévitable. Tout ce que nous devons déterminer — ce que nous *allons* déterminer — ce soir — est ce qu'il faut pour que vous acceptiez.

Sa chemise toucha le sol — il s'avança.

Trop tard, Patience recula vite de trois pas — et se retrouva contre la colonne du lit. Avant qu'elle puisse s'en éloigner en pivotant, Vane arriva, tendant les bras autour d'elle, ses mains se refermant autour de la colonne. L'emprisonnant dans le cercle de ses bras, face à lui et à son torse nu.

Prenant une inspiration désespérée, Patience fixa les yeux sur les siens.

— Je vous l'ai dit : je ne vais *pas* simplement vous épouser.

— Je pense que je peux garantir qu'il n'y aura rien de simple à propos de notre mariage.

Patience ouvrit les lèvres sur une réplique acide — il les scella avec un baiser si puissant que lorsqu'il leva enfin la tête, elle s'accrochait à la colonne du lit comme si sa vie en dépendait.

— Écoutez, c'est tout.

Il prononça les mots contre ses lèvres, comme s'ils étaient arrachés à lui.

Patience s'immobilisa. Son cœur battant violemment, elle attendit. Il ne se redressa pas et ne s'écarta pas. Les paupières baissées, le regard fixé sur ses lèvres, elle regarda les mots se former à mesure qu'il parlait.

— Je suis reconnu dans la haute société comme ayant la tête froide en toutes circonstances — avec vous, je n'ai jamais la tête froide. Je suis enflammé — bouillant — je brûle de désir. Si je suis dans la même pièce que vous, je ne pense qu'à la chaleur — à votre chaleur — et à la sensation de vous autour de moi.

Patience sentit la chaleur monter, une véritable force entre eux.

— J'ai gagné la réputation d'être l'âme même de la discrétion : à présent, regardez-moi. J'ai séduit la nièce de ma marraine — et j'ai été séduit par elle. Je partage ouvertement son lit, même sous le toit de ma marraine.

Ses lèvres se tordirent sous cette ironie.

— Toute une discrétion.

Il respira profondément; son torse frôla les seins de Patience.

— Et en ce qui concerne ma maîtrise *légendaire* et élogieuse jusqu'à présent, dès l'instant où je suis en vous, elle s'évapore comme l'eau sur l'acier chaud.

Ce qui poussa Patience, elle ne le sut jamais. Les lèvres de Vane étaient si proches — avec les dents, elle mordilla la lèvre inférieure.

— Je vous ai dit de vous abandonner : je ne vais pas me briser.

La tension partant par vagues du corps de Vane s'apaisa juste un peu. Il soupira et posa le front contre le sien.

— Ce n'est pas cela.

Après un moment, il poursuivit.

— Je n'aime pas perdre la maîtrise de moi-même, c'est comme me perdre : en vous.

Elle sentit qu'il se reprenait, sentit la tension monter et s'unir autour d'eux.

— C'est me donner à vous, de sorte que je suis sous votre garde.

Les mots, bas et rocailleux, roulèrent à travers Patience; fermant les yeux, elle prit une inspiration superficielle.

— Et je n'aime pas faire cela. Je n'aime pas cela, mais j'en meurs d'envie. Je n'approuve pas cela, néanmoins je le désire.

Ses mots frôlèrent la joue de Patience, puis ses lèvres touchèrent les siennes.

— Comprenez vous ? Je n'ai pas le choix.

Patience sentit son torse se gonfler alors qu'il inspirait profondément.

— Je vous aime.

Les yeux fermés avec force, elle frissonna et sentit son univers se modifier autour d'elle.

— Me perdre en vous — mettre mon cœur et mon âme sous votre garde, fait partie de cela.

Ses lèvres effleurèrent les siennes dans une caresse indiciblement tendre.

— Vous faire confiance fait partie de cela. Vous dire que je vous aime fait partie de cela.

Ses lèvres revinrent sur les siennes ; Patience n'attendit plus. Elle l'embrassa. Lâchant la colonne, elle fit glisser ses mains en haut, encadrant son visage afin qu'elle puisse lui révéler — lui faire sentir — sa réponse à tous ses propos.

Il le sentit, d'instinct — et il réagit ; ses bras se refermèrent fermement autour d'elle. Elle ne pouvait plus respirer, mais elle ne s'en souciait pas. Tout ce qui lui importait était l'émotion qui les tenait, qui coulait entre eux si aisément.

Argent et or, elle s'enroulait autour d'eux, imprégnant chaque contact de sa magie. Argent et or, elle scintillait autour d'eux et tremblait dans leurs respirations irrégulières. Ce fut un désir compulsif immédiat et la promesse d'un avenir, de délices paradisiaques et de plaisir terrestre. C'était ici et maintenant — et pour toujours.

En jurant à voix basse, Vane recula et retira son pantalon. Libérée, Patience baissa les bras et laissa tomber son châle, puis tira sur l'attache de sa chemise de nuit. Un mouvement rapide et un coup d'épaule elle envoya la soie glisser au sol.

Vane se redressa – elle s'avança dans ses bras, posant ses membres nus sur les siens. Il inspira brusquement, puis il poussa un gémissement alors qu'elle s'étirait en ondulant contre lui. Il l'enveloppa dans ses bras et pencha la tête vers elles ; leurs lèvres s'unirent et le désir coula librement.

Il la souleva et l'allongea sur les draps et la suivit. Elle l'accueillit, le prit dans son corps avec un joyeux abandon.

Et cette fois, il n'y eut pas de retenue, pas de réticence, pas de maîtrise de soi, aucun vestige de pensée rationnelle. La passion et le désir s'épanouirent, puis partirent dans tous les sens. Ils ne formaient qu'un – en esprit, en pensée, en acte. Le plaisir de l'un faisait le délice de l'autre. Ils se donnèrent, encore et encore, et trouvèrent encore plus à offrir.

Après et entre ces offrandes courait une gloire scintillante, plus solide que l'acier et plus précieuse que les perles.

Quand ils atteignirent le sommet de la vague finale et s'accrochèrent l'un à l'autre pendant que le maelstrom les emportait, elle s'intensifia et les remplit. Jusqu'à ce que toute existence devienne ce merveilleux rayonnement ; pendant qu'ils glissaient lentement, profondément rassasiés dans un sommeil sans rêves, elle tomba sur eux.

Une bénédiction – la plus désirée des bénédictions.

Ce qui suivit fut entièrement la faute de Myst.

Vane se réveilla pour découvrir comme une fois auparavant la petite chatte recroquevillée sur son torse, ronronnant furieusement. Repu et encore endormi, il gratta une oreille grise pendant qu'il attendait que ses sens lui reviennent. Ses membres étaient lourds de profonde satisfaction – un rayonnement abrutissant le remplissait encore. Il jeta un coup d'œil à la fenêtre. Le ciel avait commencé à s'éclaircir.

Lui et Patience devaient discuter.

Vane leva la main de l'oreille de Myst.

La chatte joua promptement de ses griffes.

Vane siffla – et lui lança un regard furieux.

– Tes griffes sont plus dangereuses que celles de ta maîtresse.

– Hum?

Les paupières lourdes, Patience émergea de sous les draps.

Vane agita la main en direction de Myst.

– J'étais sur le point de vous demander si vous pouviez songer à retirer votre prédateur en résidence.

Patience le fixa, puis cilla et baissa les yeux.

– Oh. Myst.

Luttant pour se libérer des draps emmêlés, elle se pencha et prit Myst dans ses mains.

– En bas, Myst. Allez.

Se tortillant, Patience se glissa complètement par-dessus Vane – ses hanches glissèrent sur les siennes – pendant que Vane inspirait une bouffée d'air agonisante.

Patience sourit et lâcha Myst de l'autre côté du lit.

– Allez, va-t'en.

Elle regarda la chatte s'en aller, offensée, puis avec une complète délibération elle se tortilla de nouveau par-dessus Vane.

Et s'arrêta à mi-chemin.

— Hum.

Découvrant ses lèvres au niveau d'un mamelon plat, elle sortit la langue et la passa dessus. La secousse qui le fit frissonner la fit sourire.

— Intéressant.

Elle prononça le mot alors qu'elle recommençait à se tortiller un peu, afin que sa poitrine fût plus ou moins pardessus lui, ses jambes glissant sur les siennes.

Vane fronça les sourcils.

— Patience…

La chair chaude enveloppée dans le satin lisse glissa sur ses hanches, sur la longueur rigide de son érection. Vane cligna des paupières plusieurs fois et essaya de se rappeler ce qu'il avait voulu dire.

— Hum ?

Le ton de Patience suggérait qu'elle avait autre chose en tête ; elle faisait activement courir des baisers chauds, bouche ouverte, le long de son torse de plus en plus tendu.

Serrant la mâchoire, Vane retrouva sa détermination — et tendit les bras vers elle.

— Patience, nous devons…

Un gémissement lui coupa la parole — il fut presque étonné de reconnaître qu'il lui appartenait. Un muscle après l'autre se tendit et se raidit. Le désir rugit en lui — en réponse à sa caresse inexpérimentée et curieuse, au gloussement rauque qu'elle émit. Des doigts doux remontèrent sur sa longueur rigide, puis glissèrent autour de lui et se refermèrent avec hésitation. Elle dessina et caressa, puis explora plus loin, remuant vers le bas pour ce faire — à l'évidence ravie de sa réaction impuissante.

Raide jusqu'aux orteils, Vane sursauta violemment quand elle encercla sa tête sensible, gonflée.

— *Doux Jésus, femme* ! Que…

Sa voix resta en suspens alors qu'elle tendait la main encore plus loin et la refermait. Vane gémit et ferma les yeux. L'intérieur de ses paupières brûlait de désir violent.

Il prit difficilement une bouffée d'air désespérée et tendit la main en bas, luttant à travers les draps enchevêtrés pour essayer de capturer la main de Patience. Elle rigola encore et l'évita facilement ; il s'affaissa sur le dos, respirant trop rapidement. Ses membres étaient devenus lourds, appesantis par la convoitise, brûlants de désir.

— N'aimez-vous pas cela ?

La question taquine, clairement rhétorique, remonta de sous les draps. Puis, elle se tortilla encore.

— Peut-être aimerez-vous mieux ceci.

Vane aima mieux, en effet, mais il n'allait certainement pas le dire. Serrant les dents, il supporta le grand coup de langue chaude et mouillée, la délicate caresse de ses lèvres. Elle n'avait pas la moindre idée de ce qu'elle faisait — Dieu merci. Ce qu'elle faisait était déjà bien suffisant. Si on ajoutait l'expertise dans cette équation, il serait mort.

Il tenta de se rappeler à lui-même que l'expérience était loin d'être nouvelle pour lui — la rationalisation ne fonctionna pas. Il ne pouvait pas se distancer du contact de Patience, ne pouvait pas imaginer qu'elle était une femme sans visage avec qui il partageait un lit. Aucune logique ne semblait assez forte pour apaiser ou maîtriser le feu qu'elle allumait.

Il s'entendit haleter. Il lécha ses lèvres soudainement sèches.

– Où diable avez-vous pris cette idée ?

– J'ai entendu parler quelques servantes.

Maudissant en son for intérieur toutes les servantes frivoles, il rassembla ses dernières forces. Elle avait été assez loin. La mâchoire si fortement serrée que ses dents lui faisaient mal, il tendit les bras vers elle. Sous les draps doux, il trouva la tête de Patience ; il emmêla ses doigts dans ses cheveux, cherchant ses épaules plus bas.

Elle bougea sous ses mains.

Une moiteur chaude se referma sur lui.

Les doigts de Vane furent pris de spasmes et s'agrippèrent. Le reste de son corps réagit avec autant de prévisibilité. Pendant un instant, Vane crut mourir. D'une crise de cœur. Puis, elle le libéra. Il gémit – et elle le reprit dans sa bouche. Yeux fermés, il retomba sur les oreillers et s'abandonna.

Elle l'avait à sa merci.

Elle le savait – elle consacra son énergie à profiter de sa nouvelle expertise. Jusqu'au bout. Extrapolant d'une manière dévergondée. Inventant avec un abandon joyeux.

Jusqu'à ce que, sur un gémissement désespéré, il fut poussé à la limite de sa force et qu'il s'empare d'elle, se libère et trouve sa taille avant de la soulever. Sur lui. Il l'abaissa, donnant de petits coups experts dans la chair luisante entre ses cuisses. Puis, il la tira en bas, l'empalant sur le phallus brûlant d'urgence qu'elle avait passé dix minutes à exciter.

Elle haleta et s'enfonça davantage, ses mains se refermant très fort sur les avant-bras de Vane alors qu'elle le prenait délibérément entièrement en elle. Elle se leva immédiatement sur ses genoux, repoussant les mains de son amant sur elle, refusant de le laisser dicter le rythme.

Il acquiesça, remplissant plutôt ses mains avec ses seins, attirant les sommets serrés vers sa bouche. Elle le chevaucha avec un abandon insouciant ; il la remplit et se délecta jusqu'à ce que dans une merveilleuse poussée étourdissante, ils tombent à la renverse au bout du monde, soudés ensemble, plongés dans le vide altruiste.

Ils n'avaient pas le temps de parler, pas le temps de discuter de quoi que ce soit. Quand Vane la quitta légèrement agacé, la maison se réveillant autour d'eux, Patience ne réfléchissait plus avec cohérence.

Quelque quatre heures plus tard, Patience s'assit à la table du petit déjeuner. Souriante. Radieuse. Elle avait aperçu cette vision dans sa glace, mais elle avait été impuissante à trouver une expression capable de déguiser sa joie.

Elle s'était réveillée pour découvrir la bonne en train de nettoyer la grille de son foyer en silence, et Vane nulle part en vue. Ce qui était sans aucun doute tout aussi bien. La dernière vision qu'elle avait eue de lui aurait plongé la bonne dans une crise d'hystérie. Flânant dans le lit qui donnait l'impression d'avoir essuyé une violente bourrasque, elle avait songé à aller trouver Minnie et à lui annoncer sa nouvelle. Cependant, elle avait décidé de ne rien dire tant avant qu'elle et Vane aient discuté des détails.

D'après ce qu'elle avait vu des Cynster et ce qu'elle connaissait de Minnie, une fois qu'ils auraient fait leur annonce, les *choses* iraient de l'avant, tout simplement.

Donc, elle avait flâné encore un peu, rejouant la déclaration de Vane, emmagasinant chaque mot, chaque nuance dans sa mémoire. Aucun doute sur la véracité ni sur la force de ses sentiments ne pouvait assaillir Patience – pas avec des souvenirs semblables. En effet, elle avait commencé à se demander si son désir d'entendre cette assurance particulière exprimée en mots pouvait, au bout du compte, être trop demandé, une attente irréaliste venant d'un homme comme lui. Les hommes comme les Cynster ne laissaient pas ce mot de cinq lettres passer leur bouche à la légère. L'« amour » n'était pas une chose qu'ils donnaient volontiers et, comme Minnie l'avait prévenue, même une fois donnée, ils ne le reconnaissaient pas facilement.

Vane l'avait fait.

En des mots simples si chargés d'émotion qu'elle ne pouvait pas en douter, ne pouvait pas les remettre en question. Elle l'avait voulu, en avait eu besoin, alors il le lui avait donné. Peu importe le prix.

Était-ce étonnant qu'elle ait le cœur si léger, chantant aussi joyeusement ?

En opposition, le reste de la maisonnée restait morose ; la place vide de Gerrard jetait un voile sur la conversation. Seules Minnie et Timms à l'autre bout de la table n'étaient pas touchées ; Patience se retourna vers le buffet avec un sourire rayonnant de joie et sut dans son cœur que Minnie comprenait.

Cependant, Minnie remua la tête dans sa direction et fronça les sourcils. Se souvenant qu'elle était censée être la sœur angoissée d'un jeunot traîné dehors pour affronter la justice, Patience essaya consciencieusement de dissimuler son rayonnement.

— Avez-vous entendu parler de quelque chose ?

Le hochement de tête d'Henry vers la chaise inoccupée de Gerrard clarifia sa question. Patience dissimula son visage derrière sa tasse de thé.

— Je n'ai pas entendu parler d'accusations.

— J'ai dans l'idée que nous aurons des nouvelles cet après-midi.

Whitticombe, l'expression froidement sévère, tendit la main vers la cafetière. — J'imagine que le juge n'était pas disponible hier. Le vol est un crime assez commun, j'en ai bien peur.

Edgar changea de position, mal à l'aise. Agatha Chadwick sembla choquée. Cependant, personne ne dit rien. Henry s'éclaircit la gorge et regarda Edmond.

— Où devrions-nous aller aujourd'hui, pensez-vous ?

Edmond se renfrogna.

— Je ne suis pas vraiment d'humeur à voir d'autres attraits touristiques aujourd'hui. Je pense que je vais peaufiner mon scénario.

Henry hocha la tête d'un air abattu.

Le silence tomba, puis Whitticombe s'installa confortablement sur sa chaise. Il se tourna vers Minnie.

— Si vous le permettez, cousine, je crois qu'Alice et moi devrions retourner au manoir Bellamy.

Tapotant ses lèvres minces avec une serviette de table, il la mit ensuite de côté.

— Comme vous le savez, nous sommes plutôt rigides dans nos croyances. Démodés, pourraient dire certains.

Toutefois, ni ma chère sœur ni moi ne pouvons approuver d'être associé de près à ceux qui selon nous transgressent les règles morales acceptables.

Il marqua une pause assez longue pour que le sens de sa phrase les pénètre, puis il sourit à Minnie d'un air onctueusement condescendant.

— Évidemment, nous comprenons votre position, nous applaudissons même votre dévouement, aussi tristement fourvoyé soit-il. Cependant, Alice et moi demandons votre permission de retourner au manoir, pour y attendre là votre retour.

Il conclut sur un hochement de tête obséquieux.

Tout le monde regarda Minnie. Il n'y avait cependant rien à lire dans son expression inhabituellement fermée. Elle étudia Whitticombe pendant une bonne minute, puis hocha la tête solennellement.

— Si c'est ce que vous souhaitez, alors certainement, vous pouvez rentrer au manoir. Cependant, je vous préviens que je n'ai pas de plans immédiats pour y retourner moi-même.

Whitticombe leva la main dans un geste gracieux.

— Vous ne devez pas vous inquiéter pour nous, cousine. Alice et moi pouvons nous divertir assez bien nous-mêmes.

Il jeta un coup d'œil à Alice, toute de noir vêtue. À aucun moment depuis qu'elle était entrée dans la pièce n'avait-elle posé les yeux ailleurs que sur son assiette.

— Avec votre permission, poursuivit Whitticombe, nous allons partir immédiatement. Le temps semble vouloir se couvrir et nous n'avons aucune raison de nous attarder.

Il jeta un bref regard à Minnie, puis leva la tête vers Masters, debout derrière la chaise de son hôtesse.

— Nos malles pourraient être envoyées plus tard.

Minnie hocha la tête. Lèvres serrées, elle regarda Master, qui lui fit une révérence.

— Je vais arranger cela, m'dame.

Offrant un dernier sourire mielleux et doucereux à Minnie, Whitticombe se leva.

— Viens, Alice. Tu devras faire tes bagages.

Sans un mot, sans un regard, Alice se leva et précéda Whitticombe hors de la pièce.

À l'instant où la porte se referma derrière eux, Patience regarda Minnie. Qui lui intima de se taire d'un signe de la main. De faire preuve d'un semblant de discrétion.

Patience se mordit la lèvre et grignota sa rôtie et attendit.

Quelques minutes plus tard, Minnie poussa un soupir et repoussa sa chaise.

— Ah, mon doux. Je vais me reposer le reste de la matinée. Tous ces changements inattendus.

Secouant la tête, elle se leva et regarda au bout de la table.

— Patience ?

Elle n'eut pas besoin d'être appelée deux fois. Laissant tomber sa serviette dans son assiette, Patience se hâta d'assister Timms pour aider Minnie à quitter la pièce. Elles se rendirent directement dans la chambre à coucher de Minnie en convoquant Sligo en chemin.

Il arriva alors que Minnie se laissait tomber dans son fauteuil.

— Whitticombe se précipite vers le manoir.

Minnie pointa sa canne sur Sligo.

– Va chercher mon filleul, vite !

Elle décocha un regard à Patience.

– Je me fous de savoir si tu dois le traîner hors de son lit, dis-lui seulement que notre lapin a finalement bondi.

– En effet, m'dame. Tout de suite, m'dame.

Sligo se dirigea vers la porte.

– Même en pyjama.

Minnie sourit d'un air sombre.

– Bien !

Elle frappa le plancher avec sa canne.

– Et ce n'est pas trop tôt.

Elle leva les yeux sur Patience.

– S'il s'avère que c'est ce ver de Whitticombe qui est derrière tout cela, je vais complètement le déshériter.

Patience s'empara de la main que Minnie lui tendait.

– Attendons de voir ce qu'en pense Vane.

Il y avait un problème avec cela : on ne trouvait pas Vane.

Sligo revint à Aldford Street une heure plus tard, avec la nouvelle que Vane n'était dans aucun de ses repères habituels. Minnie envoya promener Sligo sur les roses et le prévint sévèrement de ne pas revenir sans Vane.

– Où pourrait-il être ?

Minnie regarda Patience.

Mystifiée, Patience secoua la tête.

– J'avais supposé qu'il était rentré à la maison, dans Curzon Street.

Elle fronça les sourcils. Il ne pouvait pas marcher dans les rues avec une cravate froissée et réutilisée. Pas Vane Cynster.

— Il ne vous a donné aucun indice sur une piste qu'il pouvait suivre ? demanda Timms.

Patience grimaça.

— J'avais l'impression qu'il était à court de possibilités.

Minnie se renfrogna.

— Moi aussi. Alors, *où* est-il ?

Personne ne répondit. Et Sligo ne revint pas.

Pas avant la fin de l'après-midi, moment où Minnie, Timms et Patience avaient toutes atteint leur limite. Whitticombe et Alice étaient partis à midi dans un carrosse de louage. Leurs malles étaient empilées dans le vestibule principal, attendant le charretier. Le déjeuner avait été servi et desservi, la maisonnée marginalement plus détendue. Edmond et Henry jouaient au billard. Le général et Edgar étaient sortis pour leur habituelle marche de santé jusqu'à Tattersalls. Edith faisait de la dentelle avec madame Chadwick et Angela pour lui tenir compagnie dans le salon.

Dans la chambre de Minnie, Patience et Timms faisaient le guet à tour de rôle près de la fenêtre ; ce fut Patience qui vit le cabriolet de Vane arriver à toute allure et s'arrêter devant la porte.

— Il est ici !

— Bien, tu ne peux pas courir en bas, la sermonna Minnie. Modère tes ardeurs jusqu'à ce qu'il entre ici. Je veux l'entendre nous dire où il *était*.

Quelques minutes plus tard, Vane entra d'un pas nonchalant, aussi suavement élégant que jamais.

Son regard alla directement vers Patience, puis il se pencha et embrassa la joue de Minnie.

— Par tous les dieux, où *étais*-tu ? demanda-t-elle.

Vane haussa les sourcils.

— Dehors. Sligo m'a dit que Whitticombe était parti. Pourquoi vouliez-vous me voir ?

Minnie le dévisagea, puis donna une tape sur sa jambe.

— Pour savoir ce qui arrive *ensuite*, évidemment !

Elle lui jeta un regard noir.

— N'essaie pas tes manières autoritaires de Cynster sur moi.

Les sourcils de Vane se haussèrent davantage.

— Je n'y songerais pas. Toutefois, il n'y a pas de raison de paniquer. Whitticombe et Alice sont partis ; je vais les suivre et voir ce qu'ils mijotent. C'est simple.

— Je viens aussi, déclara Minnie. Si le neveu d'Humphrey est un sale type, je dois bien à Humphrey d'en voir la preuve de mes propres yeux. Après tout, c'est moi qui devrai décider quoi faire.

— J'accompagne Minnie, évidemment, ajouta Timms.

Patience attira l'attention de Vane.

— Si vous pensez que je vais rester derrière, songez-y à deux fois. Gerrard est mon frère — si Whitticombe est celui qui l'a frappé sur la tête…

Elle ne termina pas sa phrase — son expression dit tout.

Vane soupira.

— Il n'y a vraiment aucune nécessité…

— Cynster ! Je dois vous montrer…

Dans un fracas de bottes, le général, suivi d'Edgar jaillit dans la pièce. Voyant Minnie, le général rougit et baissa la tête.

— Mes excuses, Minnie, et tout, mais j'ai pensé que cela vous intéresserait tous. Il vaut mieux voir ceci.

Traversant la pièce, il se pencha et fit maladroitement glisser un petit objet de sa paume sur la cuisse de Minnie.

— Juste ciel !

Minnie ramassa l'objet et le leva à la lumière.

— La boucle d'oreille d'Agatha. La seconde ? ajouta-t-elle à l'endroit du général.

— Probablement, intervint Edgar.

Il jeta un coup d'œil à Vane.

— Nous l'avons trouvée dans l'éléphant posé dans le vestibule.

— *L'éléphant* !

Vane promena son regard d'Edgar au général.

— Un bidule indien. Je l'ai immédiatement reconnu. J'en ai vu des pareils en Inde, vous savez.

Le général hocha la tête.

— Je n'ai pas pu m'empêcher de l'ouvrir ; je l'ai montré à Edgar ici. L'une des défenses sert de loquet. On la tourne et le dos de la bête s'ouvre. Les wallahs indiens s'en servaient pour ranger leurs trésors.

— Il est plein de sable, dit Edgar. Un beau truc fin.

— Il sert de poids, expliqua le général. Le sable stabilise la bête, puis le trésor est déposé dedans. J'en ai attrapé une poignée pour le montrer à Edgar — des yeux perçants, ça, on peut dire qu'il en a : il a remarqué le scintillement du colifichet dans le tas.

— J'ai bien peur que nous n'ayons fait un beau gâchis en le déterrant.

Edgar regarda la boucle d'oreille entre les doigts de Minnie.

— Mais c'est bien à Agatha, non ?

— Non, quoi ?

Ils levèrent tous la tête ; madame Chadwick entra, suivie d'Angela, avec Edith Swithins traînant vaguement derrière. Agatha Chadwick grimaça d'un air contrit vers Minnie.

— Nous avons entendu le tapage…

— Tout aussi bien.

Minnie leva la boucle d'oreille.

— Cela vous appartient, je crois.

Agatha la prit. Le sourire qui s'épanouit sur son visage fut la seule réponse nécessaire à tous.

— Où était-elle ?

Elle regarda Minnie — qui regarda Vane.

Qui secoua la tête d'émerveillement.

— Dans la chambre d'Alice Colby, dans l'éléphant qu'elle gardait près de son âtre.

Il jeta un coup d'œil à Patience.

— Il y a du sable partout dans le vestibule !

Madame Henderson entra toutes voiles dehors comme un galion ; Henry, soutenu par Edmond et Masters, boitillait dans son sillage.

Madame Henderson gesticula dans sa direction.

— Monsieur Chadwick a glissé et s'est presque cassé le cou.

Elle regarda Vane.

— Il vient de *l'intérieur* de cet éléphant de malheur !

— Dites donc.

Edmond avait centré son attention sur la boucle d'oreille dans la main d'Agatha Chadwick.

— Que se passe-t-il ?

La question déclencha une avalanche de réponses embrouillées. Reconnaissant une occasion, Vane se dirigea lentement vers la porte.

— Arrête-toi immédiatement !

L'ordre de Minnie mit abruptement fin à la cacophonie. Elle agita sa canne vers Vane.

— Ne t'avise pas de nous laisser en arrière.

Patience pivota vivement — et foudroya Vane du regard.

— Que se passe-t-il ? demanda Edmond.

Minnie croisa les bras et grogna avant de fixer un regard mauvais sur Vane. Tout le monde se tourna et le regarda.

Vane soupira.

— Voici.

Son explication — que la personne qui tenterait de rentrer au manoir sans le reste de la maisonnée avait des chances d'être le spectre et que ledit spectre était presque certainement le vilain qui avait assommé Gerrard dans les ruines — même gardée à son minimum, hérissa quand même tout le monde.

— Colby ! *Eh bien* !

Henry se redressa et mit délicatement tout son poids sur sa cheville tordue. — D'abord, il assomme le jeune Gerrard, puis il fait passer Gerrard pour le voleur et ensuite, il jubile avec tellement… tellement de *supériorité*.

Il tira pour redresser son manteau.

— Vous pouvez compter sur moi : je veux certainement voir Whitticombe obtenir ce qu'il mérite.

— Divine pensée ! s'exclama Edmond en souriant. Je viens aussi.

— Et moi.

Le général lança des regards noirs.

— Colby devait savoir que sa sœur était la voleuse — ou c'était peut-être lui et il s'est servi de la chambre de sa sœur comme entrepôt. Peu importe, le butor m'a convaincu d'envoyer chercher les sergents – cela ne m'aurait pas passé par la tête sans lui. Il devrait être pendu !

Vane respira profondément.

– Ce n'est vraiment pas nécessaire…

– Je viens aussi.

Agatha Chadwick leva la tête haute.

– Qui que soit le voleur, qui que soit celui qui a si gravement causé du tort à Gerrard, je veux que justice soit faite !

– En effet !

Edith Swithins hocha la tête avec détermination.

– On a même fouillé mon sac à ouvrage, tout cela à cause du voleur. Je vais certainement vouloir entendre son explication.

Ce fut à ce stade que Vane abandonna toute argumentation. Quand enfin il traversa la chambre pour se rendre à côté de Minnie, toute la maisonnée s'était décidée à suivre Whitticombe et Alice au manoir à l'exception de Masters et de madame Henderson.

Se penchant sur Minnie, Vane parla à travers des dents serrées.

– J'amène Patience ; je vais prendre Gerrard en route. En ce qui me concerne, le reste de votre groupe ferait mieux de rester à Londres. Si vous voulez vous précipiter à travers les comtés avec le temps qui se gâte rapidement, vous devrez vous organiser vous-même. *Cependant* ! – il laissa paraître son exaspération – peu importe ce que vous faites, pour *l'amour de Dieu souvenez-vous* d'arriver par la piste derrière et *non* par la route principale, et ne vous approchez pas plus près de la maison que la deuxième grange.

Il jeta un regard noir à Minnie, qui le lui rendit d'un air belliqueux. Puis, elle leva le nez en l'air.

— Nous t'attendrons là-bas.

Ravalant un juron, Vane attrapa la main de Patience et avança à grands pas vers la porte. Dans le couloir, il regarda brièvement la robe de Patience.

— Vous aurez besoin de votre pelisse. Il va neiger bientôt.

Patience hocha la tête.

— Je vous rejoins dehors.

Elle se hâta en bas des marches quelques minutes plus tard, couverte contre le froid qui grandissait. Vane l'aida d'une main à monter dans le cabriolet, puis grimpa à côté d'elle. Et il fit bondir ses chevaux en direction de Grosvenor Square.

— Eh bien, la misère est finie.

Levant la tête alors que Vane passait la porte de sa bibliothèque, Devil sourit.

— Qui est-ce ?

— Colby.

Vane salua de la tête Gerrard, perché sur le bras d'un fauteuil à côté de Devil affalé sur le tapis devant l'âtre.

Suivant Vane à l'intérieur, Patience remarqua ce dernier fait avec étonnement jusqu'à ce qu'en s'approchant elle voit le petit être roulant sur le tapis moelleux, les poings et les pieds s'agitant violemment, protéger de toute cendre qui pourrait voler par hasard sur lui par le corps massif de Devil.

Suivant la direction de son regard, Devil sourit.

— Permettez-moi de vous présenter Sebastian, marquis d'Earith.

Il baissa la tête.

— Mon héritier.

Les derniers mots étaient imprégnés d'un amour si profond et éternel que Patience se surprit à afficher un sourire larmoyant. Devil gratta le ventre du bébé ; Sebastian roucoula et gazouilla et donna maladroitement des tapes sur le doigt de son père. Clignant rapidement des paupières, Patience jeta un coup d'œil à Vane. Il souriait avec décontraction — et ne trouvait clairement rien d'étrange au spectacle de son puissant et dominateur cousin jouant les bonnes d'enfants.

Elle regarda Gerrard ; il rit quand Sebastian agrippa le doigt de Devil et se débattit avec.

— Vane ?

Tous se tournèrent alors qu'Honoria entrait avec grâce dans la pièce.

— Ah... Patience.

Comme si elles étaient déjà parentes, Honoria enveloppa Patience dans une étreinte parfumée et elles se baisèrent les joues.

— Que s'est-il passé ?

Vane leur raconta les dernières nouvelles. Honoria s'enfonça dans la méridienne à côté de Devil. Patience remarqua qu'après un rapide regard de vérification, Honoria laissa Sebastian aux soins de Devil. Jusqu'à ce que Sebastian, reconnaissant sa voix alors qu'elle interrogeait Vane, perde son intérêt pour le doigt de Devil et agite les bras vers sa mère en criant.

Devil lui tendit son héritier, puis regarda Vane.

— Colby a-t-il des chances de s'avérer dangereux ?

Vane secoua la tête.

— Pas selon nos termes.

Patience n'avait pas besoin de demander quels étaient leurs termes. Devil se leva et la pièce rétrécit. Il était clair que si Vane avait dit qu'il y avait du danger, Devil les aurait accompagnés. Au lieu, il sourit à Vane.

— Nous retournons à la Maison demain. Viens de notre côté une fois que tu auras remis de l'ordre pour Minnie.

— En effet.

Honoria seconda l'ordre de son mari.

— Nous allons devoir discuter des arrangements.

Patience la dévisagea. Honoria sourit, ouvertement affectueuse. Devil comme Vane lancèrent un regard identique, indéchiffrable, masculin à Honoria, puis à Patience, puis échangèrent un autre regard de martyr entre eux.

— Je vais te raccompagner.

Devil désigna le vestibule de la main.

Honoria vint également, Sebastian sur son épaule. Pendant qu'ils restaient debout à bavarder, attendant que Gerrard aille chercher son manteau, le bébé, qui s'ennuyait, commença à tirer sur la boucle d'oreille d'Honoria. Remarquant le problème de sa femme, sans faire une pause dans sa conversation avec Vane, Devil tendit les bras, récupéra son héritier des bras d'Honoria et installa Sebastian sur son torse, de sorte que l'épingle en diamant ancrant sa cravate soit au niveau des yeux du bébé.

Sebastian roucoula et agrippa gaiement l'épingle qui lui faisait de l'œil dans un poing dodu — et se mit à détruire ce qui avait été un trône d'amour* parfaitement noué. Patience cilla, mais ni Devil, Vane ou Honoria ne semblèrent trouver quelque chose de remarquable à ce spectacle.

---

* En français dans le texte original.

Une heure plus tard, alors que Londres s'évanouissait derrière et que Vane fouettait ses chevaux, Patience méditait encore sur Devil, sa femme et son fils. Et sur l'atmosphère qui planait dans l'élégante demeure, un rayonnement chaleureux, accueillant. La famille – l'émotion familiale, l'affection familiale – du genre que les Cynster tenaient pour acquis, était quelque chose qu'elle n'avait jamais connu.

Avoir une famille semblable était son rêve le plus cher, le plus profond, le plus fou.

Elle jeta un coup d'œil à Vane à côté d'elle, les yeux fixés sur la route, son visage un masque de concentration alors qu'il conduisait ses chevaux dans le soir qui tombait. Patience sourit doucement. Avec lui, son rêve deviendrait réalité ; elle avait pris sa décision – elle savait que c'était la bonne. Le voir avec leur fils, se prélassant près du feu comme Devil, aimant sans même s'arrêter pour y penser – était son nouveau but.

C'était aussi le but de Vane – elle le savait sans poser la question. Il était un Cynster – c'était leur code. La famille. La chose la plus importante dans leurs vies.

Vane baissa les yeux.

– Avez-vous assez chaud ?

Coincée entre lui et Gerrard et sur son insistance avec deux plaids la bordant fermement, elle ne courait aucun danger de prendre froid.

– Je suis bien.

Elle sourit et se pelotonna plus près.

– Contentez-vous de conduire.

Il grogna et s'exécuta.

Autour d'eux, un crépuscule sinistre tomba ; d'épais nuages gris pâle tourbillonnant flottaient bas dans le ciel. L'air était glacial, le vent bordé de glace.

Les puissants chevaux de Vane tiraient le cabriolet en avant, les roues avançant sans heurt sur le macadam. Ils filaient dans la nuit obscure.

Vers le manoir Bellamy, vers le dernier acte d'un long drame, vers le rideau tombant après le dernier rappel sur le spectre et leur mystérieux voleur. Afin de pouvoir abaisser le rideau, renvoyer les acteurs – et ensuite, poursuivre leurs vies.

Réaliser leur rêve.

Chapitre 22

Il faisait complètement nuit lorsque Vane fit doucement bifurquer ses chevaux de la route sur la piste derrière le manoir Bellamy menant à ses écuries. La nuit avait pris un tour sèchement glacial ; le souffle des chevaux fumait dans l'air immobile.

— Le brouillard sera épais ce soir, murmura Vane.

À côté de lui, pressée très près, Patience hocha la tête.

La grange arrière, la deuxième de deux, se dessinait devant ; Vane prononça une prière silencieuse. Elle ne fut pas exaucée. Alors qu'il faisait stopper le cabriolet juste à l'intérieur de la grange, il vit la ménagerie de Minnie grouillant à l'autre entrée, tournant des regards scrutateurs vers la grange principale, les écuries et la maison juste au-delà. Ils étaient tous là, remarqua-t-il en apercevant une ombre grise se précipitant ici et là : Myst. Il sauta au sol, puis souleva Patience pour la faire descendre. Les autres arrivèrent à la hâte, Myst en tête.

Laissant Patience s'occuper de Minnie et des autres, Vane aida Duggan et Gerrard à installer les chevaux dans des stalles. Puis, le visage sévère, il revint vers le groupe chuchotant se pressant au centre de la grange.

Minnie déclara immédiatement :

– Si tu songes à l'idée de nous ordonner d'attendre dans cette grange pleine de courants d'air, tu peux t'épargner tes arguments.

Sa belligérance se reflétait dans sa posture et elle fut imitée par Timms, habituellement l'esprit pratique, qui hocha la tête d'un air sinistre. Chaque membre du ménage mal assorti de Minnie était également imprégné d'une ferme détermination.

Le général résuma leur humeur.

– Le chameau a joué les rois avec nous ; il doit être démasqué, vous savez.

Vane scruta leurs visages, ses traits tendus.

– Très bien, répondit-il à travers des dents serrées. Cependant, si l'un de vous fait le moindre bruit ou est assez idiot pour éveiller Colby ou Alice à notre présence avant que nous ayons obtenu suffisamment de détails pour prouver au-delà de tous doutes qui est le spectre et le voleur – il laissa le moment s'étirer pendant qu'il examinait leurs visages – il devra en répondre devant moi. Est-ce bien compris ?

Une vague de hochements de tête lui répondit.

– Vous devrez faire exactement ce que je vous dis.

Il jeta un regard qui en disait long à Edmond et Henry.

– Pas d'idées brillantes, pas d'élaboration soudaine de plans.

Edmond acquiesça d'un signe de tête.

– D'accord.

– Indubitablement, jura Henry.

Vane regarda encore une fois à la ronde. Ils lui rendirent tous son regard avec docilité et enthousiasme. Il serra les dents et s'empara de la main de Patience.

— Venez, alors. Et *pas* de bavardage.

Il avança à grandes enjambées vers la grange principale. À mi-chemin, caché à la vue de la maison par le gros des écuries, il s'arrêta, et, raide d'impatience, attendit que les autres le rattrapent.

— Ne marchez pas sur le gravier ni dans les sentiers, ordonna-t-il. Restez sur la pelouse. C'est brumeux ; le son voyage bien dans le brouillard. Nous ne pouvons pas supposer qu'ils sont confortablement installés dans le salon — ils pourraient être dans la cuisine ou même dehors.

Il tourna et poursuivit son chemin, bloquant toute pensée sur la manière dont Minnie s'en sortait. Elle ne le remercierait pas et en ce moment, il avait besoin de se concentrer sur d'autres choses.

Comme où se trouvait Grisham.

Guidant Patience, avec Gerrard sur leurs talons, il atteignit les écuries. Les quartiers de Grisham donnaient sur elles.

— Attendez ici, murmura Vane, les lèvres près de l'oreille de Patience. Arrête les autres ici. Je reviens dans un moment.

Sur ce, il se glissa dans les ombres. La dernière chose qu'il souhaitait était que Grisham s'imagine qu'ils étaient des intrus et qu'il sonne l'alarme.

Toutefois, la chambre de Grisham était vide ; Vane rejoignit son groupe de chasse mal assorti à l'arrière des écuries obscures. Duggan avait vérifié les chambres des palefreniers.

Il secoua la tête et articula « il n'y a personne » en silence. Vane hocha la tête. Minnie avait mentionné avoir donné congé à la majorité du personnel.

— Nous allons essayer la porte latérale.

Ils pouvaient forcer une fenêtre du salon du fond — cette aile était la plus éloignée de la bibliothèque, le refuge préféré de Whitticombe.

— Suivez-moi, pas trop près les uns des autres. Et souvenez-vous : *pas de bruit*.

Ils hochèrent tous la tête en silence.

Ravalant un juron inutile, Vane partit vers les massifs d'arbustes. Les hautes haies et les sentiers herbeux apaisèrent une inquiétude dans son esprit, mais alors que lui-même et Patience, Duggan et Gerrard dans leurs dos approchaient de l'endroit où les haies cédaient la place à une pelouse à découvert, une lumière brilla sur leur route.

Ils se figèrent. La lumière disparut.

— Attendez ici.

Sur ce murmure, Vane s'avança avec précaution jusqu'à ce qu'il puisse regarder de l'autre côté de la pelouse. Au-delà s'élevait la maison, la porte latérale fermée. Toutefois, une lumière oscillait dans les ruines — le spectre se promenait ce soir.

La lumière s'éleva encore brièvement ; sous son rayon, Vane aperçut une grande silhouette sombre marchant pesamment sur le côté de la pelouse, se dirigeant vers eux.

— Reculez ! dit-il d'une voix sifflante en poussant Patience, qui s'était lentement avancée jusqu'à son épaule, dans la haie derrière lui.

Il attendit à l'abri de la haie en comptant les secondes, puis la silhouette avançant lourdement tourna dans le sentier — et arriva sur eux.

Vane la cravata ; Duggan s'accrocha à un bras musclé. La silhouette se raidit pour lutter.

— Cynster !

Vane siffla et la silhouette devint molle.

— Merci mon dieu !

Grisham les regarda en cillant. Vane le libéra. Regardant au bout du sentier, Vane fut apaisé de voir que le reste du groupe s'était figé, déployé dans les ombres. À présent, cependant, ils se regroupaient en s'approchant.

— Je ne savais pas quoi faire.

Grisham se frotta le cou.

Vane vérifia ; le porteur de la lumière oscillante était encore à quelque distance au loin, négociant les pierres écroulées. Il se retourna vers Grisham.

— Que s'est-il passé ?

— Les Colby sont arrivés en fin d'après-midi. Je me suis dit que c'était le signe que nous attendions. Je leur ai dit tout de suite qu'il n'y avait que moi et deux servantes dans la maison — si possible, Colby a semblé très content. Il m'a fait préparer un feu dans la bibliothèque, puis il a demandé leur dîner tôt. Après cela, il nous a dit que nous pouvions tous nous retirer, comme s'il nous accordait une faveur et tout. Grisham renifla doucement. Je les ai surveillés de près, bien sûr. Ils ont attendu un moment, puis ils ont pris des lampes dans la bibliothèque et se sont dirigés vers les ruines.

Grisham jeta un regard en arrière. Vane vérifia, puis lui fit un signe de tête de continuer. Ils avaient encore quelques minutes avant que les murmures ne deviennent trop dangereux.

— Ils ont traversé entièrement la maison de l'abbé. Grisham sourit. Je suis resté proche. Mademoiselle Colby a maugréé tout le long, mais je n'étais pas assez près pour distinguer ses paroles. Colby s'est rendu directement à cette pierre dont je vous ai parlé.

Grisham hocha la tête en direction de Vane.

— Il l'a vérifiée avec beaucoup d'attention, s'assurant que personne ne l'avait soulevée. Il était carrément content de lui-même après cela. Ils ont repris la route pour rentrer — je suis parti devant afin de pouvoir être ici pour voir ce qui se passerait ensuite.

Vane haussa les sourcils.

— Et alors ?

La lumière brilla de nouveau, beaucoup plus près à présent — tout le monde se figea. Vane resta au bord de la haie, conscient de Patience pressée contre lui. Les autres se rapprochèrent doucement, coincés ensemble afin que tous puissent voir la partie de la pelouse devant la porte latérale.

— Ce n'est pas *juste* ! Je ne vois pas *pourquoi* tu as dû rendre mon trésor.

Le gémissement mécontent d'Alice Colby flotta dans l'air glacé.

— Tu vas avoir *ton* trésor, mais *je* n'aurai rien !

— Je t'ai dit que ces objets ne t'appartenaient pas !

Le ton de Whitticombe passa d'agacé à cinglant.

— J'aurais pensé que tu aurais appris ta leçon après la dernière fois. Je n'accepterai pas que tu te fasses prendre avec des choses qui ne *sont pas à toi*. La simple pensée d'être catalogué comme le frère d'une voleuse !

— Ton trésor n'est pas à toi *non plus* !

— C'est différent.

Whitticombe apparut en avançant de son pas lourd devant la porte latérale ; il regarda Alice le suivant. Et il renifla avec mépris.

— Au moins, cette fois j'ai pu utiliser ta petite manie à bon escient. C'était juste ce dont j'avais besoin pour détourner l'attention de Cynster. Pendant qu'il fait innocenter le jeune Debbington, j'aurai le temps nécessaire pour effectuer mon travail.

— *Travail* ?

Le mépris d'Alice égalait celui de Whitticombe.

— Tu es obsédé avec cette stupide chasse au trésor. Est-il ici ou est-il là ? répéta-t-elle tel un perroquet d'une voix chantante.

Whitticombe ouvrit la porte à la volée.

— Entre.

Fredonnant toujours sa chansonnette, Alice entra.

Vane regarda Grisham.

— Cours comme si le diable était à tes trousses — à travers la cuisine, dans le vieux salon derrière la bibliothèque. Nous allons nous rendre aux fenêtres.

Grisham hocha la tête et partit en courant.

Vane se retourna vers les autres ; ils le regardèrent tous dans un silence rempli d'attente. Il serra les dents.

— Nous allons revenir sur nos pas, rapidement et silencieusement, en contournant la maison jusqu'à la terrasse. Sur la terrasse, nous allons devoir être particulièrement silencieux — Whitticombe ira probablement dans la bibliothèque. Nous devons en apprendre davantage sur ce trésor dont il parle et savoir si c'est vraiment lui qui a assommé Gerrard.

Dans un bel ensemble, ils acquiescèrent d'un signe de tête. Résistant à une forte envie de grogner, Vane, la main de Patience enfermée dans la sienne, prit la tête pour revenir dans les massifs d'arbustes.

Ils se frayèrent un chemin sur le bas-côté bordant l'allée des carrosses, puis grimpèrent avec précaution jusqu'aux drapeaux sur la terrasse. Myst, une ombre rapide, courait devant ; Vane jura en silence – et pria pour que l'animal diabolique se comporte bien.

Grisham attendait, une apparition devant les hautes fenêtres du salon. Il releva délicatement le loquet – Vane entra, puis il aida Patience à passer par-dessus le seuil surélevé.

– Ils se disputent dans le vestibule, chuchota Grisham, pour savoir à qui appartient un éléphant quelconque.

Vane hocha la tête. Il regarda derrière lui et vit Timms et Edmond aider Minnie à entrer. Se tournant, il marcha à grands pas vers le mur – et ouvrit une porte dissimulée dans le lambris – révélant l'arrière d'une autre porte, installée dans le lambris de la pièce adjacente, la bibliothèque. La main sur le loquet de la seconde porte, Vane jeta un coup d'œil derrière son épaule en fronçant les sourcils.

La compagnie rassemblée retint docilement son souffle.

Vane ouvrit la porte tout doucement.

La bibliothèque était vide, éclairée seulement par les flammes dansant dans l'âtre.

Survolant la pièce du regard, Vane vit deux grands paravents à quatre panneaux utilisés pendant l'été pour protéger les vieux volumes de la lumière du soleil. Les paravents n'avaient pas été pliés et rangés ; ils étaient ouverts, parallèles à la cheminée, cachant avec efficacité la partie devant l'âtre à la vue des fenêtres de la terrasse.

Reculant d'un pas, Vane attira Patience à lui. Désignant les paravents d'un signe de tête, il la poussa doucement à travers la porte. Rapidement, le regard sur la porte de la bibliothèque, elle fila sur le plancher, fort heureusement recouvert d'une longue carpette de Turquie et se réfugia derrière le paravent le plus éloigné.

Avant que Vane puisse ciller, Gerrard avait suivi sa sœur.

Vane jeta un coup d'œil dans son dos, fit signe aux autres de venir dans la pièce, puis il suivit son futur beau-frère.

Quand des bruits de pas résonnèrent à l'extérieur de la porte de la bibliothèque, toute la compagnie, à l'exception de Grisham qui avait choisi de rester dans le salon, était entassée derrière les deux paravents, les yeux fixés sur les petits interstices entre les panneaux.

Vane espéra que personne n'éternuerait.

La poignée de porte tourna ; Whitticombe menait la marche, l'expression méprisante.

— Il n'importe pas de savoir à qui *appartient* l'éléphant. Le fait est que les biens à *l'intérieur* n'étaient *pas à toi* !

— Mais *je* les voulais !

Le visage marbré, Alice serrait les poings.

— Les autres les ont perdus, et ils sont devenus ma propriété, mais tu me les as enlevés ! Tu m'enlèves toujours mes choses !

— C'est parce qu'elles ne sont pas à toi pour commencer !

Grinçant des dents, Whitticombe poussa Alice dans le fauteuil près du feu.

— Contente-toi de rester assise ici en silence !

— Je ne vais *pas* me taire !

Les yeux d'Alice flambaient de colère.

— Tu me dis sans cesse que je ne peux pas avoir les choses que je veux – que c'est mal de les prendre –, mais tu vas t'emparer du trésor de l'abbaye. Et *il* ne t'appartient *pas* !

— *Ce n'est pas pareil* ! tonna Whitticombe.

Il fixa un œil menaçant sur Alice.

— Je sais que la différence est difficile à saisir pour toi, mais récupérer – ressusciter – le plateau de quête perdu de l'église, restaurer l'abbaye Coldchurch à son ancienne magnificence, n'est pas la même chose que *voler* !

— Mais, tu veux tout cela pour *toi*.

— *Non* !

Whitticombe s'obligea à prendre une inspiration calmante et baissa la voix.

— Je veux être celui qui le trouvera. J'ai pleinement l'intention de le remettre aux autorités compétentes, *mais*…

Il leva la tête et se redressa.

— La *célébrité* découlant de la découverte, la gloire d'être celui qui grâce à son inlassable travail d'érudit a retrouvé et restauré le plateau de quête perdu de l'abbaye Coldchurch – *cela*, déclara-t-il, sera à *moi*.

Derrière le paravent, Patience attira le regard de Vane. Il sourit sombrement.

— Tout cela est très bien, maugréa Alice. Toutefois, il n'est pas nécessaire de te dépeindre comme un saint. Il n'y a rien d'angélique à frapper cet idiot de garçon avec une pierre.

Whitticombe s'immobilisa. Il dévisagea Alice.

Qui lui offrit un petit sourire narquois.

— Tu ne croyais pas que je le savais, n'est-ce pas ? Cependant, j'étais dans la chambre de cette chère Patience à ce moment-là et j'ai jeté par hasard un coup d'œil vers les ruines.

Elle sourit méchamment.

— Je t'ai vu faire, vu prendre la pierre, puis te faufiler en douce. Vu le frapper.

Elle se cala dans son fauteuil, le regard fixé sur le visage de Whitticombe.

— Oh non, cher frère, tu n'es *pas un saint*.

Whitticombe renifla et agita une main dédaigneuse.

— Une simple commotion cérébrale ; je ne l'ai pas frappé si fort. Juste assez pour m'assurer qu'il ne terminait pas ce dessin.

Il commença à marcher de long en large.

— Quand je pense au choc que j'ai reçu quand je l'ai vu fouiner autour de la porte de la cave de l'abbé ! C'est un miracle si je ne l'ai pas assommé avec plus de force. S'il avait été plus curieux et avait mentionné cela à l'un de ces imbéciles — Chadwick, Edmond ou Dieu nous en garde, Edgar — Dieu seul sait ce qui aurait pu se passer. Les idiots auraient pu me voler ma découverte !

— *Ta* découverte ?

— La *mienne* ! La gloire sera à *moi* !

Whitticombe continua à faire les cent pas.

— Dans l'état actuel des choses, tout a très bien fonctionné. Ce petit coup sur la tête a suffi à effrayer la vieille femme et à la pousser à amener son précieux neveu à Londres — miséricordieusement, elle a amené tous les autres aussi. Donc, maintenant — demain — je peux embaucher quelques itinérants pour m'aider à soulever cette pierre et ensuite !...

Triomphant, Whitticombe pivota – et se figea.

Tous ceux regardant à travers les paravents le virent, main levée comme pour exhorter à l'adulation, fixant les yeux exorbités les ombres sur le côté de la pièce. Tout le monde devint tendu. Personne ne pouvait voir ni imaginer ce qu'il fixait.

Sa bouche commença à remuer en premier, s'ouvrant et se refermant en vain. Puis :

– Aaarrrrrgh !!!!

Son visage affichant un masque de terreur abjecte, Whitticombe pointa.

– *Que fait cette chatte ici* ?

Alice tourna les yeux, puis le regarda en fronçant les sourcils.

– C'est Myst. La chatte de Patience.

– Je *sais.*

La voix de Whitticombe tremblait ; son regard ne bougea pas.

Risquant un coup d'œil autour du paravent, Vane aperçut Myst assise parfaitement droite, ses sages yeux bleus qui voyaient tout fixer sans bouger sur le visage de Whitticombe.

– Mais elle était à Londres ! haleta Whitticombe. Comment est-elle arrivée ici ?

Alice haussa les épaules.

– Elle n'est pas venue avec nous.

– *Je sais cela* !

Quelqu'un étouffa un rire ; le second paravent trembla, puis bascula. Une main apparut en haut et le redressa, puis disparut.

Vane soupira et sortit de l'arrière du paravent. Les yeux de Whitticombe qui, Vane aurait pu le jurer, n'auraient pas pu s'arrondir davantage le firent pourtant.

– Bonsoir, Colby.

Vane fit signe à Minnie de s'avancer ; les autres suivirent.

Pendant que le groupe se rassemblait à la vue de tous, Alice rigola.

– Autant pour tes secrets, cher frère.

Elle s'enfonça dans son fauteuil, souriant méchamment, clairement indifférente à ses propres méfaits.

Whitticombe lui jeta un regard rapide et se redressa.

– Je ne sais pas ce que vous avez entendu…

– Tout, répondit Vane.

Whitticombe blêmit – et regarda Minnie.

Qui le dévisagea, le dégoût et le mécontentement clairement visible sur son visage.

– Pourquoi ? demanda-t-elle. Vous aviez un toit sur la tête et une vie confortable. La célébrité était-elle si importante que vous deviez commettre des crimes – et pour quoi ? Un rêve idiot ?

Whitticombe se raidit.

– Ce n'est *pas* un rêve idiot. Le plateau de quête de l'église et le trésor de l'abbaye ont été enterrés avant la dissolution des églises. On y réfère clairement dans les registres de l'abbaye, mais après la période de la dissolution, on ne le mentionne plus du tout. Cela m'a pris une éternité à trouver où ils étaient cachés – la crypte était l'endroit évident, mais il n'y a que des gravats. Et les registres parlent clairement d'un cellier, mais les vieux celliers ont été excavés il y a longtemps – et on n'y a rien trouvé.

Il se redressa, gonflé de sa propre importance.

– *Moi* seul ai retrouvé le cellier de l'abbé. Il est là, j'ai découvert la trappe.

Il regarda Minnie, un espoir cupide illuminant ses yeux.

– Vous verrez, demain. Alors, vous comprendrez.

Sa confiance retrouvée, il hocha la tête.

D'un air désolé, Minnie secoua la tête.

– Je ne comprendrai jamais, Whitticombe.

Edgar s'éclaircit la gorge.

– Et j'ai bien peur que vous ne trouviez rien là, non plus. Il n'y a rien à trouver.

La lèvre de Whitticombe se retroussa.

– Dilettante, se moqua-t-il. Que connaissez-vous sur la recherche ?

Edgar haussa les épaules.

– Je ne connais pas la recherche, mais je connais bien les Bellamy. Le dernier abbé en était un ; pas de nom, mais il est devenu le grand-père de la génération suivante. Et il a parlé à ses petits-fils du trésor enfoui – l'histoire a été transmise jusqu'à ce que pendant la Restauration, un Bellamy demande à reprendre les terres de la vieille abbaye et qu'on les lui accorde.

Edgar sourit vaguement à Minnie.

– Le trésor est tout autour de nous.

Il désigna les murs, le plafond.

— Ce premier Bellamy du manoir Bellamy a déterré le plateau de quête et le trésor dès qu'il a mis le pied sur ses nouvelles terres — il les a vendus et s'est servi des profits pour construire le manoir et pour fournir la base de la future fortune de la famille.

Rencontrant le regard stupéfait de Whitticombe, Edgar sourit.

— Le trésor est ici, à la vue de tous, depuis tout ce temps.

— Non, dit Whitticombe, mais il n'y avait pas de force dans sa dénégation.

— Oh, oui, répliqua Vane, le regard dur. Si vous aviez posé la question, moi — ou Grisham — aurions pu vous dire que le cellier de l'abbé a été rempli il y a plus de cent ans. Tout ce que vous trouverez sous cette trappe est de la terre solide.

Whitticombe continua de les dévisager, puis son regard devint vitreux.

— Je me dis, Colby, qu'il est temps de présenter quelques excuses, non ?

Le général jeta un regard noir à Whitticombe.

Whitticombe cligna des paupières, puis se raidit et leva la tête avec arrogance.

— Je ne considère pas avoir fait quelque chose de particulièrement répréhensible — pas selon les normes de *ce* groupe-ci.

Les traits se déformant, il survola les autres du regard. Et gesticula avec mépris.

— Il y a madame Agatha Chadwick, s'efforçant d'oublier un cornichon de mari et d'installer une fille qui n'a pas un grain de bon sens et un fils qui n'est pas beaucoup mieux. Et Edmond Montrose — un poète et un dramaturge avec tellement de flair qu'il n'accomplit jamais rien. Et nous ne devons pas vous oublier, n'est-ce pas ?

Whitticombe jeta un regard injurieux au général.

— Un général sans troupes, qui n'était rien d'autre qu'un sergent-major dans des baraques poussiéreuses, si l'on doit dire la vérité. Et nous ne devons pas oublier mademoiselle Edith Swithins, si gentille, si douce — oh, non. Ne l'oubliez pas, ainsi que le fait qu'elle fréquente Edgar, l'historien qui divague, et pense que personne ne le sait. À son âge !

Whitticombe exprima son mépris.

— Et la dernière, mais non la moindre, déclara-t-il avec délectation, nous avons mademoiselle Patience Debbington, l'estimée nièce de notre hôtesse…

Paf !

Whitticombe vola en arrière et atterrit sur le plancher à quelques mètres plus loin.

Patience, qui était debout à côté de Vane, s'avança rapidement — pour se retrouver avec Vane, qui avait fait un pas en avant et assené un coup qui avait soulevé Whitticombe de terre.

Serrant le bras de Vane, Patience baissa les yeux — et pria pour que Whitticombe ait le bon sens de rester allongé. Elle pouvait sentir l'acier dans les muscles sous ses doigts. Si Whitticombe était assez stupide pour répondre à l'attaque, Vane allait le démolir.

Abasourdi, Whitticombe cilla jusqu'à reprendre pleinement ses sens. Pendant que les autres se rassemblaient autour, il leva une main sur sa mâchoire. Et grimaça.

– On m'a agressé ! croassa-t-il.

– La batterie pourrait encore suivre.

L'avertissement – totalement inutile selon le point de vue de Patience – venait de Vane. Un regard sur son visage, aussi dur et inflexible que le granite aurait informé n'importe quelle personne saine d'esprit de ce fait.

Whitticombe le dévisagea – puis il scruta le cercle autour de lui.

– Il m'a frappé !

– Ah oui ?

Edmond ouvrit de grands yeux.

– Pour ma part, je n'ai rien vu. Il regarda Vane. Pourriez-vous recommencer ?

– Non !

Whitticombe semblait choqué.

– Pourquoi pas ? s'enquit le général. Une bonne correction, ça vous ferait du bien. Pourrait même vous enfoncer un peu de bon sens dans le crâne. Allez, nous allons tous venir et regarder. Nous assurer que tout se passe dans les règles et tout. Pas de coups sous la ceinture, d'accord ?

L'air horrifié sur le visage de Whitticombe alors qu'il regardait le cercle des visages – et ne découvrait pas la moindre étincelle de sympathie – aurait été drôle si l'on avait été d'humeur à rire. Quand son regard revint sur Vane, il inspira et pleurnicha :

– Ne me frappez pas.

Les yeux plissés, Vane baissa la tête vers lui et secoua la tête. La tension qui l'avait tenu pour le préparer au combat s'était apaisée ; il recula.

– Un lâche, jusqu'à la moelle.

Le verdict fut accueilli par des hochements de tête et des bruits de bouche pour marquer l'approbation. Duggan se fraya un chemin en avant et agrippa Whitticombe par le col. Il tira sur le misérable corps pour le relever. Duggan regarda Vane.

— Je vais l'enfermer dans le cellier, d'accord ?

Vane regarda Minnie. Les lèvres serrées, elle acquiesça d'un signe de tête.

Alice, qui avait tout observé, le visage illuminé par une joie vindicative, rit et agita la main vers Whitticombe.

— À la prochaine, mon frère ! Tu voulais regarder un cellier depuis tous ces mois, profites-en pendant que tu le peux.

Gloussant, elle s'affala de nouveau dans son fauteuil.

Agatha Chadwick posa une main sur le bras de Minnie.

— Permettez-moi.

Avec une dignité considérable, elle fondit sur Alice.

— Angela.

Pour une fois, Angela ne se traîna pas les pieds. Rejoignant sa mère, le visage un masque de détermination, elle agrippa l'autre bras d'Alice ; ensemble, elles hissèrent Alice sur ses pieds.

— Venez, maintenant.

Madame Chadwick se tourna vers la porte.

Alice promena son regard de l'une à l'autre.

— Avez-vous apporté mon éléphant ? Il est à *moi*, vous savez.

— Il a quitté Londres pour venir ici.

Agatha Chadwick jeta un coup d'œil à Minnie.

— Nous allons l'enfermer dans sa chambre.

Minnie hocha la tête.

Tous regardèrent le trio passer la porte. Dès l'instant où elle se referma derrière elles, la détermination de fer qui avait gardé l'échine de Minnie droite au cours des dernières heures disparut. Elle s'affala contre Timms. Vane jura doucement — sans demander la permission, il prit Minnie dans ses bras et la déposa délicatement dans le fauteuil que venait d'évacuer Alice.

Minnie leva vers lui un sourire tremblant.

— Je vais bien, je suis juste un peu secouée, dit-elle en souriant. Mais j'ai eu du plaisir à voir Whitticombe voler dans les airs.

Soulagé de voir ce sourire, Vane recula, laissant Patience s'approcher. Edith Swithins, également au bout de ses forces, était aidée avec sollicitude par Edgar à s'installer dans le second fauteuil à oreilles.

Alors qu'elle s'enfonçait dedans, elle aussi sourit à Vane.

— Je n'ai jamais vu de coups de poing auparavant, c'était très excitant.

Fourrageant dans son sac, elle récupéra deux flacons de sels. Elle en tendit un à Minnie.

— Je pensais avoir perdu celui-ci il y a des années de cela, mais regardez : il s'est retrouvé en haut de mon sac la semaine dernière.

Edith renifla ses sels, les yeux pétillants fixés sur Vane.

Qui découvrit qu'il pouvait encore rougir. Il jeta un coup d'œil autour de lui ; le général et Gerrard étaient en train de discuter ensemble — le général leva la tête.

— Nous discutions simplement des arrangements, vous savez ? Pas de personnel sur place, et nous n'avons pas encore dîné.

L'observation les fit tous bouger, allumant des feux, faisant des lits et préparant et servant un dîner chaud et nourrissant. Grisham, Duggan et les deux servantes les assistèrent, mais tout le monde, à l'exception d'Alice et de Whitticombe, contribua volontiers.

Comme aucune flambée n'avait été allumée dans le salon, les dames restèrent à table pendant que le porto était passé autour. La chaleur découlant de l'expérience commune, la camaraderie, était évidente pendant qu'ils partageaient leurs pensées sur les dernières semaines.

À la fin, alors que les bâillements commençaient à interrompre les souvenirs, Timms se tourna vers Minnie.

— Que ferez-vous d'eux ?

Tout le monde se tut. Minnie grimaça.

— Ils sont vraiment pitoyables. Je vais leur parler demain, mais au nom de la charité chrétienne, je ne peux pas les jeter dehors. Du moins, pas pour le moment, pas dans la neige.

— La neige ?

Edmond leva la tête, puis se leva et tira les tentures en arrière. De fins flocons de neige tournoyaient dans le faisceau de lumière brillant dehors.

— Bien, voyez-vous ça.

Vane voyait ça, mais n'aimait pas. Il avait des plans — une grosse chute de neige n'en faisait pas partie. Il jeta un coup d'œil à Patience assise à côté de lui. Puis, il sourit et avala le reste de son porto.

Le destin ne pouvait pas être aussi cruel.

Il fut le dernier à monter l'escalier, après avoir effectué un dernier tour de garde dans l'immense maison. Tout était silencieux, calme. Il semblait que la seule autre forme de vie dans la vieille maison était Myst, se précipitant dans les marches devant lui. La petite chatte avait choisi de le suivre dans sa tournée, se faufilant entre ses bottes, puis filant dans les ombres. Il était sorti par la porte latérale pour observer le ciel. Myst avait disparu dans le noir, seulement pour revenir quelques minutes plus tard en éternuant pour chasser les flocons sur son nez rose, les secouant avec dédain de sa fourrure.

Ses pensées tournées vers l'avenir, Vane suivit Myst en haut de l'escalier, à travers la galerie, en bas d'une volée de marches et le long d'un couloir. Il atteignit sa chambre et ouvrit la porte ; Myst fila à l'intérieur.

Vane sourit et la suivit — puis se souvint qu'il avait voulu se rendre dans la chambre de Patience. Il regarda autour de lui, pour rappeler Myst — et vit Patience, sommeillant dans le fauteuil près du feu.

Ses lèvres se courbant, Vane traversa la pièce. Myst réveilla Patience avant qu'il la rejoigne — elle leva la tête, puis sourit — et marcha droit dans ses bras.

Il les referma sur elle.

Les yeux brillants, elle regarda dans les siens.

— Je vous aime.

Les lèvres de Vane se soulevèrent alors qu'il se penchait pour l'embrasser.

— Je sais.

Patience lui rendit sa délicate caresse.

— Étais-je si transparente ?

— Oui.

Vane l'embrassa encore.

— Cette partie de l'équation n'a jamais été mise en doute.

Brièvement, il frôla ses lèvres des siennes.

— Ni le reste. Pas depuis l'instant où je vous ai tenue entre mes bras pour la première fois.

Le reste — sa partie de l'équation — ses sentiments pour elle.

Patience recula afin de pouvoir étudier son visage. Elle leva une main sur sa joue.

— J'avais besoin de savoir.

Les traits du visage de Vane se modifièrent, le désir brilla dans ses yeux.

— À présent, vous le savez.

Il baissa la tête et l'embrassa encore.

— En passant, ne l'oubliez jamais.

Déjà essoufflée, Patience gloussa.

— Vous devrez vous assurer de me le rappeler.

— Oh, je le ferai. Chaque matin et chaque soir.

Les mots étaient un serment — une promesse. Patience trouva ses lèvres avec les siennes et l'embrassa jusqu'à en devenir stupide. Rigolant, Vane leva la tête. Enroulant un bras autour d'elle, il la tourna vers le lit.

— En théorie, vous ne devriez pas être ici.

— Pourquoi ? Quelle est la différence : votre lit ou le mien ?

— Énorme, selon les normes des serviteurs. Ils accepteront la vue d'un gentleman se promenant dans la maison très tôt le matin, mais pour une raison inconnue, le spectacle de dames se précipitant à l'aube dans leurs chemises de nuit provoque les hypothèses les plus débridées.

– Ah, dit Patience, alors qu'ils s'arrêtaient à côté du lit. Mais je serai complètement habillée.

Elle désigna sa robe de la main.

– Il n'y aura aucune raison d'élaborer des hypothèses.

Vane rencontra son regard.

– Et vos cheveux ?

– Mes cheveux ? Patience cilla. Vous devrez simplement m'aider à les relever. Je suppose qu'un élégant tel que vous apprend des techniques aussi utiles que celle-là très tôt dans la vie.

– En fait, non.

Le visage sérieux, Vane tendit la main vers ses épingles à cheveux.

– Nous autres, séducteurs de premier ordre…

Lâchant les épingles à droite et à gauche, il fit cascader les cheveux de Patience.

Avec un sourire satisfait, il l'attrapa par la taille et l'attira avec force contre lui.

– Nous, dit-il en la regardant dans les yeux, passons notre temps à nous concentrer sur des habiletés très différentes – comme faire cascader la chevelure des femmes. Et les déshabiller. Les mettre au lit. Et d'autres choses.

Il lui en fit la preuve – avec beaucoup d'efficacité.

Alors qu'il l'écartait et s'enfonçait profondément en elle, le souffle de Patience se brisa et devint un halètement.

Il bougea en elle, la faisant sienne, pressant plus avant, seulement pour se retirer et la remplir encore. Les bras arcboutés, il se cambra et l'aima ; sous lui, Patience se contorsionna. Quand il pencha la tête et trouva ses lèvres, elle s'accrocha à la caresse, à l'instant. Elle s'accrocha à lui.

Leurs lèvres s'écartèrent et elle soupira. Et sentit ses mots contre ses lèvres pendant qu'il bougeait plus profondément en elle.

— Avec mon corps, je vous vénère. Avec mon cœur, je vous adore. Je vous aime. Et si vous voulez que je vous le dise un millier de fois, je le ferai. Tant que vous accepterez d'être ma femme.

— J'accepte.

Patience entendit les mots dans sa tête, les goûta sur ses propres lèvres — elle les sentit résonner dans son cœur.

L'heure suivante s'écoula et pas une seule phrase cohérente ne franchit leurs lèvres. Le calme chaud dans la chambre fut rompu seulement par le bruissement des draps et les doux murmures urgents. Puis, le silence céda sa place aux douces plaintes, aux gémissements, aux halètements essoufflés, désespérés. Culminant en un cri suavement perçant, mourant, sanglotant, finissant en un profond grognement guttural.

Dehors, la lune se levait ; à l'intérieur, le feu mourrait.

Enveloppés dans les bras l'un de l'autre, les membres et les cœurs enchevêtrés, ils dormirent.

— Au revoir !

Gerrard se tenait sur les marches du porche et, avec un immense sourire, leur dit adieu d'un signe de la main.

Après un salut joyeux, Patience se tourna en avant, s'installant sous le plaid épais. Vane avait insisté sur le fait qu'elle en aurait besoin pour aller se promener avec lui.

Elle lui jeta un regard.

— Vous n'allez pas être aux petits soins pour moi, n'est-ce pas ?

— Qui ? Moi ?

Il lui lança un regard plein d'incompréhension.

— Tuez cette pensée.

— Bien.

Patience inclina légèrement la tête en arrière et regarda le ciel, encore lourd de neige.

— Ce n'est vraiment pas nécessaire, je suis parfaitement habituée à m'occuper de moi-même.

Vane garda les yeux sur les oreilles de ses chevaux.

Patience lui jeta un autre regard en biais.

— En passant, j'avais l'intention de mentionner…

Quand il se contenta de lever un sourcil interrogateur et garda les yeux en avant, elle leva le nez en l'air et déclara abruptement :

— Si vous osez, jamais, entrer dans un jardin d'hiver avec une belle femme, même si c'est une parente — même une cousine au premier degré — je ne serai pas tenue responsable des conséquences.

Cela lui gagna un regard légèrement curieux.

— Conséquences ?

— Le fracas qui en résultera inévitablement.

— Ah.

Vane reporta de nouveau son regard en avant, faisant doucement tourner ses chevaux sur l'avenue menant à la route principale.

— Et vous ? demanda-t-il enfin.

Humblement doux, il haussa les sourcils vers elle.

— N'aimez-vous pas les jardins d'hiver ?

— Vous pouvez m'amener voir autant de jardins d'hiver que vous le désirez, répondit sèchement Patience. Mon affection pour les plantes en pot n'étant pas le sujet de cette discussion, comme vous le savez très bien.

Les lèvres de Vane tressaillirent, puis se soulevèrent, légèrement.

— En effet. Cependant, tu peux chasser cette préoccupation particulière de ta tête.

Le regard dans ses yeux révéla à Patience qu'il était mortellement sérieux. Puis, il sourit, de son sourire vorace de Cynster.

— Que voudrais-je faire d'autres belles femmes si je peux plutôt vous faire visiter à vous les jardins d'hiver ?

Patience rougit et se racla la gorge avant de regarder devant elle.

Une fine poudre de neige couvrait le paysage et brillait sous le soleil timide. La brise était froide, les nuages lourds et gris, mais la journée restait belle — assez belle pour une promenade en voiture. Ils atteignirent la route principale et Vane tourna vers le nord. Il donna un coup de poignet sur ses rênes et ses chevaux accélérèrent. Levant le visage au vent, Patience frissonna de joie au rythme régulier des roues, devant la sensation de voyager si rapidement le long d'une nouvelle route. Dans une nouvelle direction.

Les toits de Kettering pointaient devant. Prenant une profonde inspiration, elle dit :

— Je suppose que nous devrions commencer à faire des plans.

— Probablement, concéda Vane.

Il ralentit ses bêtes grises alors qu'ils entraient dans la ville.

— J'avais imaginé que nous passerions la majorité de notre temps dans le Kent.

Il jeta un coup d'œil à Patience.

— La maison dans Curzon Street est assez grande pour une famille, mais à part des apparitions obligatoires au plus fort de la saison des mondanités, je n'imagine pas que nous y serons souvent. À moins que vous vous soyez découvert une passion pour la vie en ville ?

— Non, bien sûr que non.

Patience cligna des paupières.

— Le Kent me semble merveilleux.

— Bien ; ai-je mentionné qu'il y a beaucoup à faire pour refaire une beauté à l'endroit ?

Vane afficha un large sourire.

— Il vaut infiniment mieux que ce soit vous que moi. La majeure partie de la maison a besoin d'attention, particulièrement les chambres d'enfants.

Patience articula un « oh » en silence.

— Évidemment, poursuivit Vane, dirigeant adroitement ses bêtes dans la rue principale, *avant* que nous en arrivions aux chambres d'enfants, je suppose que nous devrions prendre la chambre principale en considération.

L'air incroyablement innocent, il attira le regard de Patience.

— J'imagine que vous aurez besoin de faire des changements là aussi.

Patience dirigea des yeux plissés sur lui.

— *Avant* que nous en arrivions à la chambre principale, ne pensez-vous pas que nous devrions nous rendre à l'église ?

Les lèvres de Vane tressaillirent ; il regarda devant lui.

— Ah, bien. Bon, cela pose quelques problèmes.

— Des problèmes ?

— Hum, par exemple, le choix de l'église.

Patience fronça les sourcils.

— Y a-t-il une tradition dans votre famille ?

— Pas vraiment. Rien dont nous devions nous soucier. Cela revient à la préférence personnelle.

Avec la ville derrière eux, Vane remit les chevaux au trot. Et reporta son attention sur Patience.

— Voulez-vous un grand mariage ?

Elle plissa le front.

— Je n'y ai pas beaucoup réfléchi.

— Eh bien, faites-le. Et vous aimeriez peut-être méditer sur le fait qu'il y a approximativement trois cents amis et connaissances qui devront être invités seulement du côté des Cynster, si vous choisissez d'aller par là.

— Trois *cents* !

— Ce ne sont que les plus intimes.

Il ne fallut pas longtemps à Patience pour secouer la tête.

— Je ne pense vraiment pas qu'un grand mariage soit nécessaire. On dirait qu'il faudra une éternité pour l'organiser.

— Très probablement.

— Donc : quels autres choix avons-nous ?

— Il y en a quelques-uns, admit Vane. Toutefois, la méthode la plus rapide serait de se marier par licence spéciale. Cela peut-être fait presque n'importe quand et ne prendrait presque pas de temps à organiser.

— À part l'obtention de la licence spéciale.

— Hum.

Vane regarda devant.

– Donc, la question est : quand aimeriez-vous vous marier ?

Patience réfléchit. Elle regarda Vane, son profil, intrigué de le voir garder les yeux en avant et refuser de croiser son regard.

– Je ne sais pas, dit-elle. Choisissez une date.

Il la regarda alors.

– Vous êtes certaine ? Ce que je déciderai ne vous dérangera pas ?

Patience haussa les épaules.

– Pourquoi cela le devrait-il ? Le plus vite sera le mieux, si nous devons continuer comme nous l'avons fait.

Vane lâcha son souffle et fouetta ses chevaux.

– Cet après-midi.

– Cet après

Patience pivota sur son siège et le dévisagea. Puis, elle ferma brusquement la bouche.

– Vous avez déjà la licence.

– Dans ma poche.

Vane sourit – voracement.

– C'est là que j'étais hier, pendant que Sligo me cherchait partout.

Patience s'affala contre son siège. Puis, leur rythme, le grand sourire de Gerrard et la distance qu'ils avaient déjà parcourue s'imprimèrent dans son esprit.

– Où allons-nous ?

– Nous marier. À Somersham. Vane sourit. Il y a une église dans le village près du domaine ducal avec laquelle on pourrait dire que j'ai un lien. De toutes les églises sur cette terre, j'aimerais me marier dans celle-là. Et le pasteur, monsieur Postlethwaite, se fendra en quatre pour avoir cet honneur.

Se sentant légèrement étourdie, Patience prit une profonde inspiration – puis la relâcha.

– Bien, alors, allons nous marier dans le village de Somersham.

Vane lui jeta un coup d'œil.

– Vous êtes certaine ?

Rencontrant ses yeux, lisant l'incertitude, la question dans le gris, Patience sourit et se glissa plus près.

– Je suis submergée par l'émotion.

Elle laissa son sourire s'agrandir, laissa paraître sa joie.

– Mais je suis certaine.

Passant une main sous le bras de Vane, elle fit un geste majestueux.

– En avant !

Vane sourit et obéit. Patience s'accrocha tout près et écouta le bruit régulier des roues. Leur voyage ensemble avait déjà commencé. Leur rêve attendait – juste au-delà du prochain virage.

Épilogue

Leur mariage fut petit, intime et intensément personnel ; leur petit déjeuner de noces tenu un mois après l'événement initial fut énorme.

Honoria et les autres dames Cynster l'organisèrent. Il eut lieu à la Maison Somersham.

— Vous en avez mis du temps !

Lady Osbaldestone donna un petit coup à Vane de son doigt squelettique, puis agita le même devant Patience.

— Assurez-vous de le garder dans le droit chemin ; il y a eu beaucoup trop de Cynster en liberté pendant trop longtemps.

Elle partit à grand bruit pour parler à Minnie. Vane respira de nouveau — Patience attira son regard.

— C'est une terreur, dit-il sur la défensive. Demandez à qui vous voulez.

Patience rit. Vêtue de soie couleur vieil or, elle resserra sa prise sur le bras de Vane.

— Venez faire le beau.

Vane sourit et la laissa le guider dans la foule, pour bavarder avec les invités rassemblés pour leur souhaiter du bonheur. Elle était tout ce qu'il pouvait demander, tout ce dont il avait besoin. Et elle était à lui.

Il était tout à fait prêt à écouter les félicitations sur ce fait jusqu'à ce que le ciel tombe.

Circulant parmi les invités, ils arrivèrent enfin à la hauteur d'Honoria et Devil, faisant la même chose.

Patience étreignit Honoria.

— Vous nous avez reçus comme des rois.

Une chef de famille satisfaite et fière, Honoria rayonnait.

— Je pense que le gâteau a été le clou de la réception ; madame Hull s'est surpassée.

Le gâteau aux fruits de plusieurs étages recouvert de pâte d'amandes avait été couronné par une girouette, délicatement exécuté en sucre filé.

— Très créatif, commenta sèchement Vane.

— Hum, fit Honoria. Vous autres les hommes n'appréciez jamais les choses comme il se doit.

Elle jeta un coup d'œil à Patience.

— Au moins, vous n'aurez pas à lutter contre des paris.

— Des paris ?

Beaucoup d'applaudissements ainsi que des suggestions grivoises et bruyantes avaient volé lorsqu'ils avaient coupé le gâteau. Mais, des paris ? Puis, elle se souvint. Oh.

Honoria afficha un sourire tendu et jeta à Vane un regard sinistre.

— Pas étonnant que votre mari est une affection particulière pour l'église de Somersham. Il a, après tout, aidé à payer son toit.

Patience regarda brièvement Vane — l'expression de l'innocence même, il regardait Devil.

— Où est Richard ?

— Parti au nord.

Retenant adroitement d'Honoria avec un bras, Devil l'ancra à son flanc, l'empêchant de les entraîner dans d'autres conversations mondaines.

— Il a reçu une lettre d'un clerc écossais à propos d'un héritage de sa mère. Pour une raison inconnue, il devait être présent en chair et en os pour le recevoir.

Vane fronça les sourcils.

— Mais elle est décédée depuis… combien de temps ? Presque trente ans ?

— Presque.

Devil baissa la tête quand Honoria le tira.

— C'était comme un murmure fantomatique du passé, un passé qu'il avait cru depuis longtemps enterré. Il y est allé, bien sûr, davantage par curiosité qu'autre chose.

Levant la tête, Devil lança à Vane un regard lourd de sous-entendus.

— La vie citadine, j'en ai bien peur, a commencé à perdre son charme pour notre Scandal.

Vane rencontra le regard de Devil.

— L'as-tu prévenu ?

Le sourire de Devil s'agrandit.

— De quoi ? De se méfier des tempêtes et des dames sans attache ?

Vane sourit en grand.

— Dit comme ça, cela semble un peu tiré par les cheveux.

— Pas de doute que Scandal va revenir, vigoureux et en bonne santé, sain et sauf, avec rien de plus que quelques cicatrices de combat et plusieurs nouvelles entailles à son…

— Voilà la duchesse de Leicester à ta droite ! siffla Honoria.

Elle jeta un regard noir à Devil.

— Comporte-toi bien !

L'image même de l'innocence blessée, il mit une main sur son cœur.

— Je pensais que c'était le cas.

Honoria émit un son distinctement impoli. Se libérant de son étreinte, elle pivota et le poussa vers la duchesse. Elle hocha la tête par-dessus son épaule vers Patience.

— Amenez-le — son signe de tête désignait Vane — de l'autre côté, sinon vous ne rencontrerez jamais personne.

Patience sourit et obéit. Vane l'accompagna sans bruit. Son regard s'attardant sur le visage de Patience, sur sa silhouette, il découvrit que ce n'était pas une corvée de jouer les jeunes mariés fiers et épris.

De l'autre côté de la salle de bal, la mère de Vane, lady Horatia Cynster, l'observait ainsi que Patience et soupira.

— Si seulement ils ne s'étaient pas mariés si vite. Il n'y avait à l'évidence aucun besoin de le faire.

Son deuxième fils, Harry, mieux connu sous le surnom de Demon, à qui cette remarque était adressée, lui lança un regard.

— Je soupçonne que votre idée de « besoin » et celle de Vane diffèrent sur certains aspects pertinents.

Horatia s'indigna.

— Peu importe.

Abandonnant la vision de son premier-né, si bien et correctement marié, elle tourna ses vues sur Harry.

— Tant que tu n'essaies jamais de faire la même chose.

— Qui ? Moi ?

Harry était franchement sous le choc.

— Oui, *toi*.

Horatia lui donna un petit coup de doigt sur le torse.

— Je te donne par la présente un juste avertissement, Harry Cynster, que si tu oses te marier par licence spéciale je ne vais jamais, *jamais*, te le pardonner.

Harry leva promptement la main.

— Je jure par tous les saints que je ne marierai jamais par licence spéciale.

— Hum ! fit Horatia en hochant la tête. Bien.

Harry sourit — et termina son serment en silence.

« Ni de quelconque autre façon. »

Il était déterminé à être le premier Cynster dans l'histoire à échapper au décret du destin. L'idée de se lier à une gamine — de se restreindre à une femme — était ridicule. Il n'allait pas se marier — jamais.

— Je pense que je vais aller voir ce que fait Gabriel.

Sur une grande et ineffablement élégante révérence, il échappa à l'orbite de sa mère et partit à la recherche d'une compagnie moins éreintante. Des gens qui n'avaient pas de fixation sur le mariage.

L'après-midi passa ; les ombres s'allongèrent lentement. Les invités commencèrent à prendre congé, puis la majorité partit d'un coup. La longue journée tirait à sa fin avec Vane et Patience sur le porche avant de la Maison, saluant de la main les derniers invités qui partaient.

Même la famille était partie. Seuls Devil et Honoria restaient à la Maison — et ils s'étaient retirés dans leurs appartements pour jouer avec Sebastian, qui avait passé presque tout l'après-midi avec sa nounou.

Alors que le dernier carrosse grondait en s'éloignant dans l'avenue, Vane jeta un coup d'œil à Patience près de lui.

Sa femme.

Le mot de cinq lettres ne le faisait plus trembler, du moins pas de la même manière. À présent, dans sa tête il résonnait de possessivité, une possessivité qui satisfaisait, qui allait bien dans son âme de conquérant. Il l'avait trouvé, s'était emparé d'elle – maintenant, il pouvait l'aimer.

Il examina son visage, puis haussa un sourcil. Et la ramena dans la maison.

– Vous ai-je dit que cette demeure possède un jardin d'hiver extrêmement intéressant ?

Ne manquez pas
le tome 3

La fiancée de Scandal

Aussi disponible

Tome 1

www.ada-inc.com
info@ada-inc.com